徐復觀著

新版

學術與政治之間

臺灣學生書局印行

新版自序

經過二十多年，這部雜文，又由學生書局在臺灣重新排版印行，主要是來自馮愛羣先生和我三十五六年的深厚友誼。假定其中稍有可取之處，只在一個土生土長的茅屋書生，面對國家興亡，世局變幻，所流露出的帶有濃厚呆氣戇氣的誠懇待望；待望著我們的國家，能從兩千多年的專制中擺脫出來，走上民主法治的大道。待望著我們的文化，能不再受國人自暴自棄的糟蹋，刮垢磨光，以其眞精神幫助世人渡過目前所遭遇的空前危機。我所能做的實在太渺小了，渺小得毫不足道。但精衞決無塡海之力，却不妨他抱有塡海之心。讀者若能於文字的呆氣戇氣中有以諒其區區塡海之心，便是我的大幸。

裡面的文章，都是住在臺中時寫的，也是由臺中的朋友彙印成書的。在我流浪的一生中，住臺中的時間，比住生我的故鄉還要久。臺中的人物風土，都給了我深厚的感情，自然也縈廻著我永遠的懷念。假使九原可作，則爲我題封面的莊垂勝先生，看到由他所發心的這部書，能以面目一新的姿態，重新回到臺灣，他該是多麼高興。念及此，不覺爲之泫然。

一九八〇年四月十四日浠水徐復觀序於九龍寓所。

港版

學術與政治之間自序

我由一九四九年開始正式執筆寫文章。承亡友莊垂勝（遂性）先生的厚意，一九五六年，在與他有關係的中央書局，爲我彙印成「學術與政治之間」甲集，一九五七年，又彙印成乙集。「學術與政治之間」的標題，也是他爲我寫的。甲乙集印行後，因我發表過「從文學史觀點及學詩方法試釋杜甫戲爲六絕句」一文，不知怎的，轉一個彎，引起某一地域裏的「名士」們的不滿，竟把禍嫁到甲乙集上。有一次我到臺北，當時某機關的政治部主任王超凡先生請我吃飯，還約了我兩位好朋友作陪。吃飯中，王先生再三要我把甲乙集自動收回，被我拒絕，弄得彼此間很不愉快。幸虧美而且賢的王夫人當場責備了王先生幾句，大家借此收場。後來知道，王先生之所以出此，是由他機關裏的一位「詩人」促使的。另有某位先生，以斷章取義的方法，報告給故總統蔣公，使我離開了國民黨的組織。但蔣公並沒有因此對甲乙集作過任何禁止發行的指示。只是在此種情形下，聽任它自行絕版。現在想來，這裏面的文章，假定是現在執筆，應當減少當時由熱心太過及不算刺激的刺激而來的許多尖銳詞句，以致形成「心善面惡」的情形，引起不必要的誤會。而甲乙集畢竟能賣完爲止，王超凡先生也只是「先禮」卻並沒有「後兵」，這不能不感謝自由中國的政制，及許多老朋友的愛護。某位先生雖在政治一路上飛黃騰達，而王先生則早已離開人世。偶然回想及此，徒增加生活史中的一點慨嘆。

我的個性，在自己某部書印出後，認爲此方面的工作已告一段落，卽不願再看第二次。對有點不祥之感的甲乙集，更是如此。去歲馮君耀明，卻花費寶貴時間，把它重新校閱一過，並提出若干寶貴意見。現時他又約同友人，要把甲乙集合併爲一集，發行香港版，我沒有反對的理由。其中只去掉四篇文章，增加一篇文章；不妥的字句，則一仍其舊，以保持原來面目。這裏面的文章，就我個人來說，只能算是對國家問題，對學術問題，摸索、思考的一個歷程。十年以來，我還是繼續摸索、思考，希望能向前走一步兩步。對讀者來說，若能從這些文章中，接觸到大時代所浮出的若干片斷面影，及聽到身心都充滿了鄉土氣的一個中國人在憂患中所發出的沉重地呼聲，我便感到滿足了。

一九七六年一月徐復觀誌於九龍寓廬

自序

繼「學術與政治之間」的甲集後，又選印出這部乙集，完全是由於中央書局的朋友們的好意。在乙集裏，學術性的討論，超過了政治性的討論，這只說明我個人生活的環境與心情，正在天天的演變。倘由此而能演變到將我的餘年完全埋葬在書房裏面，那將是人類對我所作的最大恩賜。我希望能得到這種恩賜。

在乙集裏面，也收有若干在情調上與全書並不十分諧和的文章；這純是留作個人生命歷程中的紀念，希望讀者與以原諒。

對於無涯的知識，每個人都是偃鼠飲河，不過滿腹；對於無窮的人生境界，每個人都可以當下自足，但同時也會感到仰之彌高。自己所沒有研究到的知識，應謙虛地與以保留；自己所沒有達到的人生境界，應虔誠地加以尊敬；我覺得這是作爲一個學人所必須具備的良心，也是「道並行而不相悖」的思想自由的基礎。自己所不知道的知識，便要獨斷地加以打倒；自己所未達到的人生境界，便要武斷地加以踏平；每個人覺得自己就是知識世界的全體，自己就是人格世界的全體；像這種精神中的各個極權王國，若不設法把她敞開，則人類的文化，個人的生命，都將感受到窒息，而失掉談文化，講思想的眞正意義。

許多精神地極權王國之所以形成，我懷疑它和今日的政治問題，有種共同的心理因素，卽是作爲一個中國人的過分地自卑感。在現實政治中本找不出聖賢，便不能希望搞現實政治的人能放棄個人的權力欲望。但有的人，在民主政治體制之下，一樣可以得到光榮地權力；可是他們寧願面對社會，面對世界，說出許多自損尊嚴的虛辭誑語，以求達到欲蓋彌彰的反民主自由的目的。在他們的各種說法中，決找不出可以作爲反民主自由的任何根據；然則原因到底何在？恐怕只是由於在各個人念慮的幾微之際，有一種「滿身汚穢」的自卑感覺，因而只想躲在薄暗地殿堂裏面，不願照見民主自由的太陽。此種自卑心理的未能解除，結果造成了國家和政治中各個人自身的不幸，是非常顯而易見的。

在今日，旣有人以滿身汚穢的自卑心理來面對政治問題，也有人以「滿面羞慚」的自卑心理來面對文化問題。在此種人的心目中，覺得只有咒駡誣辱自己的歷史文化，才能減輕作爲一個中國人的罪孽感；這恰和共產黨裏面許多人爲了「丟掉歷史包袱」所作的坦白心情，一般無二。政治上反自由民主者口頭上的理由，是說中國不合於自由民主，亦卽是承當不起自由民主；把個人承當不起的自卑心理，投射在整個的國家身上。文化上反歷史文化者的口頭理由，是說不打倒自己的歷史文化，西方的文化便走不進來；把這一代人的陰鄙墮退，一筆寫在自己的歷史文化身上。其實，人類文化，都是由堂堂正正的人所創造出來，都要由堂堂正正的人所傳承下去。只有由平實正常的心理所形成的堂堂正正地態度，才能把古今中外的文化，平舖在自己面前，一任自己理性良心的評判，選擇，吸收，消化。滿面羞慚的自卑心理，使一個人在精神上抬不起頭來；這固然不能正視自己的歷史文化，同樣也不能正視西方的歷史文化。在此種情形下，縱然有少數人能認眞做一部分西方文化的硏究工作，但其內心深處，好像舊社會裏不敢抬頭的男女戀愛，很不易爲國家得到結婚生子的結果。何況抱著此種心理的人，多半是東張西望地混過一生，最後還是對文化交白卷。

因此，人格尊嚴的自覺，是解決中國政治問題的起點，也是解決中國文化問題的起點。一個人，一旦能自覺到其本身所固有的尊嚴，則對於其同胞，對於其先民，對於由其先民所積累下來的文化，當然也會感到同是一種尊嚴的存在。站在人類共有的人格尊嚴的地平線上，中西文化才可以彼此互相正視，互相了解。在互相正視，互相了解中吸收西方文化，這有如一個像樣地民族資本家和外國工商業者作經濟來往一般，到眞能做點有規模有計劃地以有易無的兩利生意。我不認爲在買辦式地精神狀態下，甚至是在乞丐式地精神狀態下，能有效地吸收世界文化以發展自己的文化。同時，西方人要靠這種買辦式地東方人來了解東方文化，也同樣是非常可悲的事。

年來在學術上我和時賢所發生的爭論，決非出於個人僭妄之心，想用我的學問去壓倒時賢的學問；我很坦白地承認自己並沒有學問。只是從時賢談學問的態度中，引發我上述的感觸；因而不能抑制自己，寫出了這種感觸。把政治上的感觸寫出來容易，但把文化上的感觸寫出來卻相當地困難，因爲這要冒著社會風氣的大不韙。現實政治上的壓力，在形式上很重，而在精神上卻很輕。社會風氣的壓力，在形式上似乎很輕，而在精神上卻很重。一個人的生命，若非不幸而完全沉浸在這種時代感觸之中，無法自拔，誰又肯冒雙重的壓力，以自甘孤立於寂天寞地之中，而可不懼，不悔，不悶？假定我所感觸的畢竟無法與此一時代的心靈相感相通，則我懇切地希望我的感觸只不過是個人無病呻吟的謬見，以讓我們的時代，能背棄我的感觸而向前邁進。至於我在討論中，常常不免對人用上過當的辭氣，這完全暴露我作人的修養，還無法克制在執筆時的心情。我把這種辭氣照原地保留下來，藉此表示我內心愧疚。

當我忙於授課的時候，省立農學院的高希均同學，肯自動爲我細心校正印稿，因此使我得節省不少的時間精力，這和中央書局願出力印行此集的朋友，是同樣值得感念的。

四十六年雙十節徐復觀誌於東海大學宿舍

再版序

茲當甲集再版之際，僅述兩事以資感念。第一是在周棄子先生閱過的一册文錄上，注出的錯字有五十七個之多，我便借回來一一改正，得以偷懶省去自己的再校工作。此外，我還發現他在八個地方記下了？號；對於這些？號，雖然除了二十一頁第十行提到五四運動的幾句話，實在近於粗率，深感不安外，其餘的我不願另外表示意見，但周先生肯這樣認眞地細閱這本文錄，實使我感到榮幸。其次，文錄出刋後，程滄波先生曾寫了一篇介紹文章，稱譽過當，某機關報的星期專論，曾指射這是文人的互相標榜。但我知道滄波平生是不輕作諛詞的人。他之所以稱譽過當，恐怕完全是出自他對時代的感覺。讀者若從滄波文章的正面來衡量我個人，我便會覺得非常惶恐。但若從他文章的反面去正視此一時代，了解此一時代，則將立刻發現由他那一副蒼涼感情所浮出的文字，也實有其客觀的意義。他在文章收尾處更補上顧亭林初看見明夷待訪錄的一段故實，他說他自己不敢自擬於亭林，而以黃梨洲期待我；這或許更增加標榜之嫌；但我覺得，顧亭林黃梨洲這兩個姓名，現在的人看起來很以爲光榮，但在當時一般人看來恐怕是不祥之物。我國歷史中，政治勢力，才是最動人的東西；擔當一個與現實政治勢力經常處於危疑狀態的人類責任，獨往獨來，這並不是討便宜的勾當。因此，時代假定依然需要顧亭林黃梨洲，這將是與人無競，與世無爭的一條人生道路，而滄波正不必以此謙讓未遑的。所以我依然把滄波的那篇介紹文章附錄在文錄的後面。

中華民國四十六年七月徐復觀於私立東海大學

自序

三年以來，中央書局的朋友，常要把我已經發表過的零篇文字，彙印一部分，最近我始以感激的心情加以接受。此一規模並不鴻鉅的書局，過去在日人統治之下，曾經從文化方面，表示了人類的尊嚴，祖國的尊嚴。我的文字，只有有這種歷史的書局，才願自動伸出手來，才使我感到有彙印的意義。

我既不是學者，也不是作家。並且我從來也不曾覺得在這樣逼窄的空間，專靠賣文便可以維持生活。我之所以拿起筆來寫文章，只因身經鉅變，不僅親眼看到許多自以爲是尊榮，偉大，驕傲，光輝的東西，一轉眼間便都跌得雲散烟銷，有同鼠肝蟲臂。並且還親眼看到無數的純樸無知的鄉農村嫗，無數的天眞無邪的少女青年，有的根本不知今是何世，有的還未向這世界睜開眼睛；也都在一夜之間，變成待罪的羔羊，被交付末日的審判。在這審判中，作爲人類最低本能的哭泣，呼號，作爲人類最大尊嚴的良心，理性，都成爲罪惡與羞辱，不值分文。而我的親友，家園，山河，大地，也都在一夜之間，永成隔世。凡這種種，並非歷史中的神話，而是一個人親身的經歷；則作爲「蓋人心之靈，莫不有知」的我，對此一鉅變的前因後果，及此一鉅變之前途歸結，如何能不認眞的去想，如何能不認眞的去看，想了看了以後，在感嘆激蕩的情懷中，如何能不把想到看到的千百分之一，傾訴於在同一遭際下的人們之前。所以我正式拿起筆來寫文章，是從民國卅八年開始。因此，不僅我的學力限制了我寫純學術性的文章；而我的心境也不容許我孤踪獨往，寫那種不食人間煙火的文章。我之所以用一篇「學術與政治之間」的文字來作這一文錄的名稱，正是如實的說明我沒有能力和方法去追求與此一時代不相關涉的高文典册。這是人生最大的不幸。至於我在這泛濫著百千萬人的血河淚海中，大之不能逞呼風喚雨之靈。小之不能陳鷄鳴狗盜之力。幾希之明，只能傾吐出這些微末不足道的慨嘆，以偃蹇於荒天漠地之中，內心的惶愧，當然是不言可喻的。

在這裏，除了已經印成單行本的，不再收錄外，有關純時事性的文字，也幾乎不曾收錄；此會使許多讀者失望。但這決非因此類文字，已境過情遷，一無價值。相反的，此次重清舊稿，發現我過去寫這類的文字時，常是傾注自己的心血，以直接承擔着時代中的某一問題；我從未覺得我是與惡魔決鬪的勇士，而只是在我的前後左右，沒有安放惡魔的位置。所以每篇文字中，儘管夾雜有許多的委曲，但總流露有幾句眞切的話，以與時代的呼吸相通。我之所以不收錄這類文字，第一，是因爲這個時代對於我們特別艱難，不容多一次浪費紙墨。第二，是因爲這類文字，雖不是什麼肘後之方，但總希望對時代的智慧能稍有所補益。此而不能，則惟有留待將來的歷史家，當他們開闢榛蕪時作一點索引之用；所以現在寧可束之高閣。同時，我也常常想到，一個病人正當生死存亡待決的關頭，也正是醫生們的診斷工作最爲緊張忙碌的時候。等到病人的前途，只靠自己的生理作用而不是靠藥物刀圭，則醫生們自然可以攸閒下來，把注意力轉向另外的事物。因此，我不僅近三年來極少寫這類的文章，恐怕今後對此會完全擱筆不寫了。但我得再鄭重申述一句，中國古聖先賢，有如孔子孟子，他們對當時君臣們的諄諄告誡，實際就是他們的時論文章。所以我認爲凡是以自己的良心，理性，通過時代的具體問題，以呼喚時代的良心理性的時論文章，這都是聖賢志業之所存，亦即國家命運之所繫。人類數千年的歷史文化，證明要政治清明，國家強盛，則政治指導之權，必操於社會。社會指導政治的具體途徑，一爲輿論，一爲選舉。有眞正的輿論，乃有眞正的選舉，故輿論又爲選舉的先決條件。而所謂輿論，乃係對政治的批評，不是對政治的歌頌，此乃無間於古今中外之常理。假定一個時代，到了由釘死自己的良心理性，進而想去釘死社會的良心理性的阿諛家們，起來取眞正的時論者而代之的時候，這正說明此一時代的終結。因此，我堅信希特勒、史達林們，必永遠受到人類的唾罵。這是他得到的阿諛所必須付出的代價。

收在這裏的二十篇文章，其次序是按照發表時間的先後。在內容上，有的地方感到重複，因爲這本不是一部組織完整的書。有的地方又感到互有出入，因爲這是個人在不斷的思索過程中自然發生的演變。本來是極尋常的道理，但要眞能心領神會，直接加以承當，卻須幾經曲折，幾經甘苦，得來卻並不容易。我對中國的政治問題，一直到寫「中國政治問題的兩個層次」一文時，才算擺脫了數十年來許多似是而非的糾纏，看出一條明確簡捷的道路。我對於中國文化在解決中國今後問題中所佔的地位的問題，一直到最近三年，才能從歷史和時代的泥淖中拔了出來，得出一個確然不可移易的分際和信心。我的觀點並沒有完全包括在這本文錄裏面，甚至有許多還沒有寫出來。但這本文錄，也多少可以表示我在思考途程中的標誌。

我深深的體驗到，在這樣的時代，要保持一個乾淨的心靈，不僅須靠個人不斷的反省，懺悔，並且也還需要外緣的幫助扶持。所以我對於年來在精神上，生活上給我以許多鼓勵和關注的朋友，願藉此機會，表示衷心的感謝。

中華民國四十五年八月十二日徐復觀誌於臺北旅次

學術與政治之間 目錄

論政治的主流

——從「中」的政治路線看歷史的發展——

一

在人類政治生活歷史中，本有一條時隱時現而決不會斷滅的主流，我勉強稱之爲「中」的政治路線。

自從鬭爭的唯物史觀，發展爲現實的極權政治以後，人與人間，只有隔絕、打倒，沒有溝通、和諧。坐在克林姆宮的人們，認爲只有把世界變成一個單純的鬭牛場，才可以滿足其政治上的願望。在此種大的逆流之下，個人失去了常性，社會失去了常軌。所以我特地把這一主流提出來，應該有相同的意義。

「中」的政治路線，是一個假定的名詞，第一、「中」的政治路線，是人類和平進步時期所自然形成的坦途。此時旣無所謂左右，自然也不需要「中」的概念。不過爲便於明瞭起見，乃截取歷史上大變動的階段，對待左右兩極端，而稱之爲中。但這裏並沒有絲毫妥協的意義。第二、此一路線，在每一歷史階段中，固然有他固定的內容，但通過全面的歷史去看，則只有一個共同的傾向和態度。至其內容，則隨社會的進步而進步。更正確的說，中是在社會的常軌上，推動社會前進。因社會前進，而所表現的形式，各階段並不相同。所以中的本身，決不含有停滯凝固的意義。

二

中的政治路線，是隨政治思想的產生而產生的。

歷史家認爲歐洲的政治思想，係開始於紀元前五世紀的希臘雅典。因爲當時雅典，正由貴族政治轉變爲民主政治。而商人階級的興起，與自由民的沒落，使社會階級的對立特別顯明。由此所反映出來的政治意識，其對立亦非常尖銳。原有的特權階級，要繼續使政治成爲維護特權的工具。商人則主張以財富爲支配政治的中心。而在另一面，則不僅要打倒特權，並且要均分財富。此可以柏拉圖著作中的所謂煽動政治家作代表。據柏氏描寫：「煽動政治家主張沒收財富，分配於民衆之間。他們知道沒有現實利益，便不能結合民衆。於是沒收富者之富給之於民衆，以收攬人心，將民衆掌握於自己的手上。他以鼓勵對富者的鬬爭，及對外作戰的方法，來收集民望。使民衆誤認他們爲不可或缺的人物。及這種人望達到沸點時，煽動政治家便一變民衆阿諛者的面目，而成爲統治的暴君，等到民衆知道受了欺騙，而欲加以責問，則暴君統治之網，已張遍全國，民衆早陷入於奴隸的狀態，而無可如何」。這可以說是今日極權政治的雛形和縮影。

在上述政治意識尖銳對立的情勢之下，雅典的民主政治，非常的混亂。雅典的社會，是極度的不安。於是以「政治的正義」爲主題，想求得一個滿意的答復，以安定當時的社會，便成爲當時思想家的重大任務。在百家爭鳴，異說蜂起的「自命智者」（Sophist）的一團中，格拉孔便提出「正義卽法律，法律卽中道」的觀念。接着詩人氣質很重的柏拉圖氏，早年寫出了「第一善理想國」，主張徹底共產，使人的現實世界符合於理想世界的理念。但晚年的柏氏，終從天上落在人間，從第一善的理想國，降而爲「第二善的法治國」。法治國的目的，在「保持社會的和平」。法律的內容，爲「理性的結晶」。但這種結晶，據他說，決不是極端的，而係「中庸」的。他認爲國家的罪惡，是從極端的富與極端的貧產生的。他否定一切極端的事物。因爲這不是「和合統一」。不是和合統一的，不能希望和平。所以在現實世界的和合統一，僅有「在中庸的狀態才可以求得。人類只有在中庸狀態之下，才能服從理性」。於是就物質生活說，他提出了「中庸之富」。就政治組織說，他提出了一個「中間的制度」。可以說他是從理想的絕對主義，回到理想與現實之間的相對主義。也就是中的政治路線了。

被稱爲政治科學之祖的亞里士多德，據說他曾經研究過一百五十多種憲法，以追求普遍的政治法則，而這種法則，在亞氏的「政治論」中，卻是「諸要素的調節」「諸利益的調節」，以「永久的調節」爲政治的中心。他看到雅典內部貧富兩階級間的激烈鬪爭，可以導雅典於毀滅，於是他認爲「政治技術，是社會和平的技術」，是「社會調節的技術」。他在政治學裏說，「我在倫理篇曾經定義過：『幸福的生活，乃係不被阻遏的德性的生活。而所謂德性，卽是中庸』。上面的定義假使不錯，則不能不說中庸的生活——任何人都可以達到的中庸狀態的生活——乃多數人最良而且最幸福的生活。不僅人的生活係如此，更可適用於國家及政治組織。因爲政治組織不外於大家在國家內共營生活的一種配合」。所以亞氏主張現實可能的政治組織，是「中庸主義的」。其社會基礎是「平等的中產階級」。其理想是，「全部均衡富者的所有，使每人都能得到平均的財產」。亞氏認爲這種中庸主義，可以實現「置基礎於平等的自由」。而置基礎於平等的自由，乃是民主政治的骨幹。

綜上所述，而見中的政治路線，是歐洲正統的政治路線。實際上正是全人類正統的政治路線。

三

中的政治路線，是人類生活要求均衡統一所產生的路線。牠的內容，也是均衡統一的。中外正統的哲學家、宗教家、藝術家們，有一個共同追求的目標，便是心與物，人與自然，感情與理智等的均衡統一。均衡統一，在個人是一個生活圓滿的境界。在社會更是一個生活圓滿的境界。但因人智之不齊，再加上人類的自私，逐漸形成了少數人壓迫多數人的現象，而破壞了社會的均衡統一。社會革命的來源和目的，就是在打破壓迫的極端，以求恢復新的均衡統一。最理想的辦法，便是逕直以均衡統一，來代替已經形成的極端。但歷史上，這種例子卻很少，而一般的例子，卻是先由右的極端激起左的極端，繼之則是左的極端打倒右的極端，然後再轉而走上中庸的狀態。追索其原因，大約有下述幾種：第一，對右的極端的否定，總是先從認識上開始的。認識順着思辯的通路發展下去，很容易形成概念上的理想世界。但行動開始了，概念裏面的東西，和現實的東西，發生了距離，於是理想與現實，自然要求均衡統一。第二，認定要革命的是理智，而使革命發生力量的則是感情。在行動的時候，常常是理智隱藏在後面，而讓感情爲主。因此，理智控制不了感情，常易流於衝動。在感情衝動之下，多半是由報復心理所形成的階級觀念發生作用，而不是人性發生作用。所謂階級觀念的眞正意義，是把不知我站在一起的人，看做不是人，因而一定會採取極端殘暴的手段。但人類感情的衝動，是不會長久的。或因挫折而停止，或因反省而停止，或因動極思靜的自然律而停止。停止以後，理智與感情恢復了均衡，人性與階級性也自然會歸於統一。第三，革命總是由不平所激起。所以革命常開始於對不平的報復。在報復中，總是以自由作犧牲的。但沒有平等的自由，使人不感覺得是自由。而沒有自由的平等，也一樣的使人不感覺得是平等。因而滿足了平等的慾望以後，一定要滿足自由的要求，於是平等與自由，也恢復了均衡統一。第四，大衆的革命情緒，常係由經濟問題所引起。於是經濟的要求，常被認爲唯一的要求。經濟的生活，常被認爲唯一的生活。這時的人類動機，幾乎與一般動物沒有大的分別。及至發現僅從經濟上着眼，並不能解決經濟問題，乃至卽使解決了經濟問題，而仍不能解決人生問題的時候，於是經濟生活，與文化生活，也要恢復均衡統一。第五，革命的性格，和倡導人的性格，及民族的性格，也有多少關連影響。例如馬克斯是一個心胸偏狹，而富於仇恨性的人物。他拉着朋友下棋，棋下輸了，總是非常的生氣，弄得他的太太只好勸朋友們：「你不要再和我的大孩子下棋了」。所以社會主義在他手裏，便把其中人道主義的成份完全抽掉了。再合上俄國冷酷而極端的民族性，便塑造出蘇聯革命的典型。最後又經過史太林們把此一典型凝固起來，作世界革命的資本。但每一革命領導者的性格，和民族的性格，不可能都是馬克斯加帝俄型的。除非蘇聯的特務能永遠看守住每一個人，每一國家，像今日在東歐之所爲一樣。否則他總會要向均衡統一發展。

人類均衡統一的要求是必然的要求。由均衡統一的要求而產生的中的政治路線，是人類政治生活發展中必然的路線。縱然有時被阻遏、被掩蔽，而終久必湧現出來，成爲人類進步的指針和基石。

四

歐洲文藝復興與商業革命，許多歷史家認爲這是中產階級在政治上的抬頭。換言之，也是中的政治路線的潛流在人類政治實踐中，發生更大的作用。其總的成就，便是近代的民主政治。對近代政治影響最大的是洛克的思想；他的特色便是更多的強調了中庸主義。而近代民主政治開端最早的英國，可以說是中的政治的典型。所以她能得到長久時期的國內和平團結。一六二八年及一六八九年的兩次宣言，象徵着英國的社會政治，都是在「光榮的和平」中，慢慢的轉變，堅實的進步。他的議會制度，眞能做到少數服從多數，多數保障少數的原則，很少引起紛亂。她有右翼的政黨，也有左翼的政黨。但右也右不到完全不顧大多數人民的生活；左也左不到流血鬪爭。因歷史的進展，自由黨不足以代表左了，於是工黨起而代之。而工黨現在所執行的社會政策，卻是保守黨領袖邱吉爾在戰爭中所奠下的基礎。按照馬克斯的預言，英國是應首先赤化的，但共黨在英國的勢力，微小得可憐。自十六世紀以來，英國很少受到大的挫折，英國渡過了多少次的難關，這決不是偶然的事。英國人的經驗主義和清教徒的精神，不斷的使理想與現實，個人與社會，保持着均調。所以她的左與右，都是意識的或不意識的向「中」靠攏。

但是一個社會達到非變革不可，而因爲舊勢力的頑固愚昧，不能接受任何變革的時候，則常須要經過一個左的極端，然後才能回復到中的政治路線。法國大革命，本來可以不要那樣大的犧牲。但當時的貴族和僧侶等特權階級，挾制孱弱無能的路易十六，守住特權，絲毫不放；於是相激相盪，使革命一步一步的走上了極端，佔少數的山嶽黨，壓倒了佔多數的中央黨，與巴黎公社聯合，開始了殘酷的屠殺，和恐怖的統治。不過取得統治權的羅伯斯庇爾，他的手段是極端的，而他的政治路線，在山嶽黨的分裂中，卻仍是站在中的路線。並且羅氏的極端手段，終於在一七九五年七月廿九日，自食其果，由溫和派的炎月黨，取得了政權。一直到拿破崙在十月五日大敗王黨，新議會成立，法國革命隨恐怖時代之終結才告一段落。後來共產黨人痛惜巴黎公社之失敗，痛恨法國革命的果實主要的落在中產階級手上。其實，客觀的歷史家不能不承認，法國當時農民和初興市民階級的要求，正是當時的中的政治路線的要求。在那一段歷史上，不可能超過這一路線，也不能不回歸到這一路線。所以法國大革命的發展，從大體上說，是歷史變動期的另一形態的正常發展。

俄國因沙皇專制的殘酷，和民族的富於殘暴性，所以一九一七年從二月革命，演變到十月革命的形式，也可以說是歷史發展上的一條必然路徑。可是共產黨徒，從馬克斯起，一面提出唯物史觀，一面卻否定巴黎公社所以失敗之唯物的根據；於是馬克斯已經開始尋求可以阻止革命不至從極端走向中和的辦法。列寧便提出無產階級專政爲革命的唯一路線。即是說，擴大並深化羅伯斯庇爾的恐怖手段，以維持極端的政治路線。並且他有鑒於羅伯斯庇爾既以血腥對付敵人，結果自己也得到血腥的報復；可見血腥的手段一經採用，便不易輕輕放得來的；於是只有以繼續不斷的血腥手段，來維繫由血腥手段所建築的統治權。愈轉愈尖，愈轉愈緊。近代的極權主義的政治，便是這樣形成的。在蘇聯紅極一時的日丹諾夫，儘管受國葬的殊榮，但仍須要醫生解釋他何以「驟死」。既須要給他以驟死，史太林卻還要親自執拂，老淚縱橫。這一個插曲中，亦不難窺見極權主義者爲統治而統治的悲哀。這是違反歷史發展的法則，是無法走得通的道路。又如布哈林寫了那末一大本鬪爭的唯物史觀以後，畢竟還不能不承認有一個「均衡」的法則。既有均衡，則社會的和平自然會代替了鬪爭；中的政治路線，自然會代替了極權的政治路線。如此，則蘇聯的極權主義，便要倒了下來。極權主義不肯倒下來，布哈林只好作牠的血祭。可是布哈林雖然被殺了，但殺不掉蘇聯社會走向均衡的要求。蘇聯這多年的思想危機和社會危機，我們剝開那些左傾機會主義，右傾機會主義的名詞，去看他的本質，無非只是要求均衡，與防止均衡的反映而已。蘇聯的極權主義，爲防止均衡的自然發展，一面是用血腥的手段去肅清，一面在危機嚴重，非僅靠肅清可以鎮壓時，便採取一部分中的政治路線的策略，作緩兵之計。最顯明的例子，如列寧的新經濟政策，及希特勒上臺以後，第三國際所採的「人民陣線」。但極權主義者的本質是極權的，所以危機一見緩和，立刻便收拾起中的政治路線之烟幕，而露出其本來的面目。世界的共產黨可以推翻一個政權，推翻一個社會；但決不能安定一個政權，安定一個社會，中的路線，不轉化爲外力去代替牠，便須轉化爲內力去蛻變牠，狄托的手段還是極權的，而他的路線，卻是向「中」靠攏。只要路線是中的，則一旦極權的敵人退了陣，他的手段也不能不中和下來，這是極權主義不能不轉向中的路線之最明顯的一例，狄托主義之必然性與普遍性在此。狄托主義對於共產黨的嚴重性也在此。

五

中國農業取得經濟支配的地位，其歷史最早也最長。中國自有明確的歷史以來，恐怕只有畜牧時代，而沒有遊牧時代。所以中國的文化是一個典型的平原闊野的農業文化。其特點便是博大和平，反映在政治思想上，便是比西方更爲確定深入的中的精神。大概拿一個「中」字來衡量中國幾千年來的政治思想，便可以左右逢源，找出一個一貫之道。並且中國的思想家，對中的了解，是「徹內徹外」的，是把握住中在社會進化中的本質，而不拘限於某一固定階段的形式的。此卽所謂「君子而時中」，「執中無權猶執一也」。中的政治路線，在中國文獻中的實例舉不勝舉，最顯明的是中庸上說：「執其兩端，用其中於民，其斯所以爲舜也歟」。這分明是說社會本有兩端，不必自己欺騙自己，說中國社會沒有階級。但政治家的任務，是在兩端的調節均衡，而不在於以一端去完全消滅另一端。因爲人與人間的差別，是到現在還無法解決的問題。此一問題不能解決，則社會上一部分人居於優勢，一部分人居於劣勢的現象，不僅不能取消，也不應取消。凡是含有可動性能的東西，只有相對的平等，沒有絕對的平等。在柏拉圖的理想國中，對於金，銀，銅鐵三種不同性質的人，也沒有方法安排品第相同的職業。而蘇聯的無產階級，至今還保持着差別的待遇。不過超出自然的優勝，而發展到剝削的程度，以致抑壓住另一部分人的正常發展，這就是一端的統治，不是執兩用中了。所以中國正統的政治思想，總不外於一個「平」字，「均」字。平與均都是從中字來的。不過此種思想，只有有反省能力的少數知識分子、在封建社會之中，而又超出於封建社會之外的，才能把握得住。但他沒有和某一時代的民衆要求合流起來，形成一個意識的社會運動；所以他在歷史上只發生了減輕毒素的作用，而沒有發生大的改變歷史的作用。

中山先生的三民主義，是近代中的政治路線之最具體的典型。以民族民權民生爲一整體，而互爲內容，互相融和制約的主義，自然會是「中」的主義。以民權民生爲內容的民族主義。自然不會走上軍國主義，人種優越的征服主義上去。以民族民生爲內容的民權主義，和以民族民權爲內容的民生主義，自然不會走上國際主義和無產階級專政的路上去。中山先生說「馬克斯是病理學家」，他是「生理學家」。所謂生理學家，卽是正常的中的政治路線的領導者。

但中山先生所建立的黨，是士大夫階層的集團。他們只直覺的接受了一部分的民族主義，而並未眞正了解民權民生主義。再加上中國二千多年專制之毒旣深，農業社會的散漫性，頑固性，都使中的政治路線，不易發揮強大的力量，以應付中國當前內外嚴重的局勢。中山先生爲想要在中的政治路線裏，加入一種推動力起見，所以便規定在建國程序裏的軍政時期；並用聯俄容共政策，在士大夫集團中，打上一針強心劑。這對於此後三民主義，很快的深入全國，與民國十五年北伐之很快的完成，都有極重大的作用。

不幸的是中國的共產黨人只在策略上接受了三民主義，而在本質上則始終不變的拒絕三民主義，於是一步一步的拿出抄自蘇聯的那一套公式。更不幸的是國民黨也守不住中山先生的這一條路線，卻一步一步的走上與中共相反的另一個極端。於是中山先生生理學家的革命路線，一變而爲兩個極端的鬬爭。在歷史上看，右的極端，常常激起左的極端，培養左的極端，而終必被左的極端打倒，所以國民黨今日的失敗，是命運注定的了。我曾問過一個很有地位的共產黨員說：「假使國民黨眞正名符其實的實行三民主義，那你們便怎樣？」他遲回了半天才答覆說：「那我們毫無辦法。」或許他答的話是假的，但在事實上卻不能不是眞的。

縱令是如此，但中共從劣勢轉爲優勢，是由再度宣言實行三民主義開始的。他對於三民主義，只有設法加以曲解，而自一九三六年以來，便從未作正面的攻擊。他在農村的軍事動員方面，還是用的從蘇聯學來的那一套，而在他的城市政策方面，尤其是在他對外宣傳上面，卻是儘量的表現向中靠攏。中共自從統一戰線以後，從來沒有把階級鬪爭這一套拿來向外面作理論的說明和宣傳的工具。一九四七年雙十節土地法大綱公布後所展開的農村鬪爭工作，到一九四八年的春天，便又不得不緩和下來。而向外宣傳，他要「保護中農」了。他的同路人、他的代言人，總只能從他近於中和的地方去爲他辯護；卻沒有從他本質的極端的地方去爲他辯護。所以中共和俄共，有一個不同之點：帝俄有眞正的工農兵羣衆性的暴動，而中國到現在爲止，並無眞正工農兵羣衆性的暴動。所以俄共是以徹底的階級鬪爭來奪取了政權。一九三六年以後的中共，卻是以階級鬪爭爲骨幹，而以緩和階級鬪爭爲策略，來奪取了政權。中共現在所提出的許多口號，都是在火花時代、十月革命時代所絕對沒有的。我們可以說，俄共是以實行共產主義而起家，中共則以宣稱「並不實行共產主義」而起家。

由上所說，可見中國的歷史文化，更只能接受一個中的政治路線的革命，而不可能接受一個極權的蘇聯式的革命。現階段中的政治路線的具體內容，應該是容許有自由的社會主義，也就是三民主義；而決不是共產主義。執行中的政治路線的具體任務，是反侵略，反極權，反封建的三位一體的口號，而不可能單是反封建，或單是反侵略反極權的口號；當中共客觀的硏究問題時，不是不知道這一點；但他在可以封鎖得住的地方便實行鬪爭，在不能封鎖住的地方便告告寬大，於是寬大只變爲封鎖的前奏。所以毛澤東的新民主主義，他不說是從人類整個歷史文化發展而來的，只說是從蘇聯十月革命而來的。中共的根本矛盾在此，中共畢竟要走上山嶽黨同樣的命運也在此。

人類歷史，正在急遽的轉變；中國的歷史，也正在急遽的轉變。這一轉變的頂點，就是第三次世界大戰的正式爆發。大戰的結果，不論誰勝誰負，恐怕蘇聯也不是今日的蘇聯，美國也不是今日的美國。至於中國的命運，恐怕那時既不會寄託於今日的國民黨，更不會寄托於今日的共產黨，乃是寄托於變了質的國民黨或變了質的共產黨。以至完全不是所謂國民黨和共產黨。那時將讓人民把聽了使人並不很愉快的政治名詞，一齊送進博物館裏去吧。

三八、七、一、民主評論一卷二期

按民主政治，自然是中的政治路線。所以對中國而言，只談民主政治為已足，且亦少流弊。但這篇文章，是我長期思索的結果，且得到不少朋友的同情，所以留作紀念。

四五、七、廿八、誌

文化精神與軍事精神——湘軍新論

我在民國三十二年冬路過西安，聞某將軍能治兵。但又聞彼常精選一隊，專供參觀表演之用。當時覺得此種作法，其動機蓋出於好勝之心太過。然恐因此而養成軍中虛浮不實之弊，不堪作戰。故與其晤談時，舉王闓運在湘軍志中稱「曾文正以戒懼治軍」之語相告。並說戒懼兩字，可謂得湘軍精神的神髓。某將軍當時聽了我的話，爲之憮然。可是在諱疾忌醫的風氣下，我沒有進一步的說什麼。

勝利復員後，一般將領談到對共軍事問題，簡直認爲不堪一擊。各種大言壯語，隨處可聞。某君曾向我說：「對付共產黨的游擊戰爭，好像用掃帚掃螞蟻。決不會和你看得那樣嚴重。」我每聽到這種論調，內心萬分難受。因爲這不僅是不了解敵人，同時更不了解自己。及到三十六年秋季，則漸變爲由驕而餒，由輕而怕。這都是必然的演變。所以我有一次得便向蔣先生說：「江西剿匪時代，大家喜歡談曾胡治兵語錄，雖未必眞了解曾胡治兵語錄，但究有點內求諸己，自奮自強的意義，含在裏面。這次則大家不談曾胡治兵語錄，而只談美械裝備。彷彿有了美械裝備，便一切可以解決。但我認爲只有以曾胡治兵語錄的精神，才能發揮美械裝備的效用。」蔣先生當時聽了，也很以爲然。但曾胡治兵語錄到底是一種什麼精神，我也沒有談下去。及到了三十七年初春，我看到某要人請某軍事學權威主稿寫了一本對共作戰的戰略戰術的意見，主要內容，是離開了近代以力學的原則去了解戰爭的觀點，而還原到中世紀以幾何學的原則去了解戰爭的觀點。想以幾何學的圖案，去和中共鬪巧。而不知共軍行動的後面，還有些什麼？我們爲實行圖案，還缺乏些什麼？我當時感到這不僅是軍事學的落伍，而主要的是我國學軍事學的人，沒有軍事學後面所需要的靈魂。於是總以爲在紅藍鉛筆上面，便可以解決問題。某一負作戰計劃的將軍，常向人發牢騷，認爲他的紅藍鉛筆畫得並不錯。而不了解紅藍鉛筆所畫的，並不是符咒。縱然是符咒，也要能切合被符咒者的對象。因此，我幾次想把湘軍精神，重行提出；但覺得提出也是白費，便一直不曾着手。

現在一切都感覺得太晚了。可是我們既認定中共不可能解決國家的問題，則國家的問題，總得重新收拾。難道說因爲沒有靈魂而丟掉了國家的一羣，照原樣子混下去，將來會再發生什麼奇跡嗎？這裏是需要大家有一個精神的轉向，以恢復自己的靈魂。當拿破崙的法軍佔領柏林以後，德國的哲學家費希德，認爲德國人既因利己心的伸張而失掉了現實的世界，則只好從頭開闢一個精神的世界。他的這種呼籲，打動了德國人民的心，引發了德國人民精神的轉向；德國人民終能由他們所建立的精神世界，以重新掌握自己現實的世界。同時，這種精神的轉向，頂好能從軍人方面開始。因爲在大變革期間的軍事，是各種力量的綜合與集中的表現。當法國大革命陷入混亂恐怖狀態中的時候，羅諾發出「先恢復軍人的秩序。以軍人的秩序穩定社會的秩序」的呼聲，法國遂因此得救。再從另一方面說，當前軍事的改進，不可能僅以英美的軍事眼光來完成。因爲在大崩壞之餘，既成的法制人事等等，都失掉了作用。尤其是沒有英美軍事後面所憑藉的社會背景。今後軍事，又進入到一個重新創造的時代。重新創造，所憑藉的是人的精神。有精神的流注，才能使死的制度技術有生命，有效力。從湘軍的制度看，技術看，在現在並無任何價值。但他們開創時候的一段精神，卻可誘發現在軍人精神的轉向，以凝集並煥發現在軍人的人格，雖站在極黑暗的環境中，也有以自立自守，而無所畏怖。至於因爲手頭材料的缺乏，不能很完整的把這一段精神表達出來，這是無可如何之事。（手頭除了一部曾文正公文集外一無所有）。

二

洪楊起兵金田，是以民族大義相號召。這在歷史上當然有他重大的意義。但民族有其軀殼，也有其靈魂。軀殼是血統，服朔。靈魂是歷史文化。孔子作春秋，嚴華夷之辨。但孔子所謂華夷，不僅是種族問題，主要的還是文化問題。所以諸夏在文化上（禮）而自退於夷狄者，則夷狄之。夷狄在文化上而進於中國者，則中國之。中華民族之所以能發展爲這樣大的一個集團，並不單純是種族的蕃衍：而主要的是文化的凝鑄。洪楊的「忍令上國衣冠，淪於夷狄。相率中原豪傑，還我河山」的號召，是正確而動人的。但他的文化背景，則是半生不熟的天主敎。而這種半生不熟的天主敎，是和他的武力政權結合在一起。這便是肯定了民族的軀殼，而否定了民族的靈魂。既否定了民族的靈魂，便也掩沒了民族的軀殼。於是對中國歷史文化，有眞正責任感的人，遂起而作「衞道」之戰，也就是爲歷史文化而戰。所以洪楊與湘軍。都是拿着了民族的一面來作武器。從這一點說，洪楊既不是「髮匪」。而曾國藩也不是什麼「民族罪人」。曾國藩在他的討賊檄文中說：「舉中國數千年禮義人倫，詩書典則，一旦掃地蕩盡。此豈獨我大清之變，乃開闢以來，名教之奇變。我孔子孟子之所痛哭於九原。凡讀書識字者，又烏可袖手安坐，不思一爲之所也？」這是他起兵動機。檄文中又說：「不僅紓君父宵旰之勤勞，而且慰孔孟人倫之隱痛。」這是說他作戰的目的。又接着說：「倘有抱道君子，痛天主敎之橫行中原，赫然奮怒，以衞吾道者，本部堂禮之幕府，待以賓師。」這是說他氣類結合的標準。通過曾氏一生的立身行己來看。不能說他在檄文上所說的話，不是出自他的眞心。假定洪楊們不弄「天父天兄」的那一套；而軍紀能稍稍好一點，則曾國藩們，恐怕要重新考慮其態度。所以湘軍對洪楊之戰，是文化之戰。湘軍的主要人物，係先對文化有眞切之感，然後才能發動此一戰爭。此一戰爭的性質，旣係對文化負責，則文化的精神，自然會流注爲軍事的精神。而中國文化，亦在此一方面，得到一個測驗。克勞塞維茲在他的名著戰爭論中，提出了軍事與政治的關連，爲軍事學上的一大貢獻。湘軍則直接證明了戰爭與文化的關連，證明了軍事精神與文化精神之可以合體。這一點在軍事史上，應該佔有不朽的地位，也值得我們特別提出的。至於湘軍後半段的將領，以及受湘軍影響的其他部隊的將領，（廣義的湘軍與淮軍等）則漸漸蛻變而結爲「功名之士」。這固然較之童嬉頑鄙者，高出多多；但那已不是湘軍建立的原意。曾國藩不能不用這種人，但並不重視這種人。他的日記中有一段說：「天下之人，稍有才智者，必思有所表現，以自旌異於人。好勝者此也，好名者亦此也。……雖才智有大小深淺之不同，其不知足，不安分則一也。能打破此一副庸俗之見，而後可與言道。」拿這個尺度看，則自曾國荃以下，皆不足以代表湘軍原始的眞正精神。我們一定要把他區別來看。不過這種功名之士，在湘軍那種原始精神提挈之下，自然比一般的功名之士，要來得深厚。

二

湘軍精神，既然是中國文化精神所流注。則要了解湘軍精神，首先須要了解中國的文化精神。我的學力，不够闡發這樣一個大題目。只能把初步的了解，簡單說出來，孔子說：「作易者其有憂患乎。」這是說中國的文化，是對人的憂患負責而形成發展的。所以是人本主義的文化。這可以從兩點來說明。第一點、是對自己人格的負責。「人心惟危，道心惟微」，因而要尅去人心（一般生理之心，動物之心）。發揚道心，（即是所謂「克己復禮」）以完成人格的尊嚴，使個人的起心動念，都從人心的小我中淨化出來，以「上不愧於屋漏」，於是戒懼敬畏之念，自然隨對自己人格責任之感以俱來。所謂「戒愼乎其所不覩，恐懼乎其所不聞。」「出門如見大賓，使民如承大祭。」「居處恭，執事敬。」都是文化精神在這一方面的表現。第二點、是對人類負責。所謂「道心」，是從「惻隱之心」去把握，在「仁」上面去完成的。推惻隱之心，便可知「大人者，連天地萬物爲一體」。因而個人人格的完成，不僅是對個人負責，同時卽須對人類負責。所以「己欲立而立人。己欲達而達人。」「克己復禮」，必歸於「天下歸仁」。「匹夫匹婦，有不得其所，若撻諸市朝」等觀念，因以成立。於是戒懼敬畏之念，也自然隨對人類責任之感以俱來。所謂「悲天命而憫人窮」。「大畏民志」。以及「戰戰慄慄，日愼一日」等，都是文化精神在另一面的表現。並且戒懼敬畏，不僅是基於上述責任感之流露；而且爲盡責任的一種方法，一種歷程。因爲戒懼敬畏，才能眞實無妄（誠），才能「盡性」，以完成此一責任。同時中國文化精神的戒懼，和其他民族的「虔敬」，相似而實殊。其他民族虔敬的觀念，是對上帝，對神而發。通過此一觀念，而將人的責任交給神，交給上帝。而中國文化中的戒懼觀念，是對自己而發。通過此一觀念而把人的責任，自己擔當起來。王闓運所說的「曾文正以戒懼治軍」，應該從這種根源地方去把握，去了解。

三

湘軍，是湘鄉一縣之軍。此即曾氏所謂「一縣之人，征伐遍於十八行省」。湘軍的成立，是在當時正規的軍制以外，由土生土長的幾個書生，直接號召土生土長的農民而來的。也可以說是中國文化中「耕讀傳家」的轉形與擴大。湘軍的領導人是曾國藩。而骨幹則爲羅澤南與李續賓兄弟。所謂「創之者羅忠節公澤南，大之者公也」。（曾文正文集李忠武公神道碑銘）李氏兄弟，旣係羅氏弟子。其他幹部，也多出於羅氏之門。所以羅忠節公神道碑銘上說：「湘中書生多拯大難，立勳名，大率公弟子也。」由此可知羅澤南最是關鍵人物。對於湘軍精神之建立，與曾文正有同等的重要。曾氏所作的羅忠節公神道碑銘上說：「朝野嘆仰，以爲名將。而不知平生志事，裕於學者久矣。公之學，其大者以爲天地萬物，本吾一體。量不遇於六合，澤不被於匹夫。虧辱莫大焉。……其爲說雖多，而其本躬修以保四海，未嘗不同歸也。」在敍述羅氏未起兵以前，生計艱難，死喪迭見以後，接著說：「公益自刻勵，不憂門庭多故，而憂所學不能拔俗而入聖。不恥生事之艱，而恥無術以濟天下……窮年汲汲，與其徒講論濂洛關閩之緒，瘏口焦思，大暢厥旨。」以上皆是說明羅氏是以一己而體現了中國文化的精神。神道碑銘中又說：「公在軍四載，論數省安危，皆視爲一家骨肉之事，與其所注西銘之指相符。其臨陣審固乃發；亦本主靜察幾之說。」這是擧羅氏以文化精神化爲軍事精神的實例。在同一碑銘中又說：「嬌嬌學徒，相從征討。朝出鏖兵，暮歸講道。」這是說明羅氏卽在軍中，亦常是使文化與軍事，交流互注。這裏的所謂講道，並非如現在的軍人，偶因好名之念，附庸風雅。而是不斷的從文化中吸取人生生命之源，吸取軍隊生命之源。使中國的文化精神，通過軍事活動而徹底實現。因爲他的一切，都是出於中國文化精神的眞實責任之感，所以不斷的感到憂危。由憂危而戒懼。由戒懼而奮發。神道碑銘中說：「公太息深憂，嘆世變之未已也，益討部衆而申儆之。」羅氏的學生李續賓，據曾氏的論述是：「羅公講學，遠紹洛閩。公分其細，摳衣恂恂，出而禦寇，戎馬艱辛。入而問道，克己求仁。」其另一弟子李續宜，據曾氏的論述是：「師事羅公澤南，常以躬行不逮爲恥。」又說：「匪直戰事，學道亦然。精思力踐，誠可達天。」這都是證明羅李三氏，在文化上是一脈相傳。在軍事上是互相輝映。沒有羅李三人，便沒有湘軍。所以我說湘軍的原始精神，卽是中國的文化精神。就羅李三個人看，豈不是一個具體的典型，而爲古今中外任何名將，所不曾到達的一面嗎？

四

曾文正本人是湘軍的領袖。他治學的規模，比羅澤南大。而治學的歷程，不及羅氏的堅苦。但他的一生，是守住中國文化的基本精神，躬行實踐，終始不踰。其在軍中，比在北京當翰林，當禮部侍郎的時候，更爲迫進淬勵。可以說曾氏的人格，曾氏的精神生活，因治軍而深刻化，堅定化。這在他一生的文章事業中，隨處可以得到證明。無暇詳論。現僅就「以戒懼治軍」的這一點，略加論述。

第一、戒懼旣係由對自己，對人類的眞實責任感而來，所以戒懼同時卽係「反求諸己」，不斷省察自己對此責任之實踐，策勵對此責任之實踐。「反求諸己」之謂誠。不偸惰取巧之謂拙。誠拙是由戒懼所轉出的工夫，於是誠拙二字，遂爲湘軍的基本信條。曾氏在湘鄉昭忠祠記中說：「君子之道，莫大乎以忠誠爲天下倡。世之亂也，上下縱於無等之欲。奸僞相呑，變詐相角。自圖其安，而予人以至危。畏難避害，曾不肯捐絲粟之力，以拯天下。得忠誠者起而矯之，克己而愛人。去僞而崇拙。躬履諸艱，而不責人以同患。浩然捐生，如遠遊之還鄉，而無所顧悸。由是衆人效其所爲，亦皆以苟活爲羞，以避事爲恥。嗚呼，吾鄉數君子，所以鼓舞羣倫，歷九州而戡大亂，非拙且誠者之效歟。」又說：「能常葆此拙且誠者，出而濟世，入而表里，羣材之興也不可量矣。」所以「良心」「血性」「樸拙」「眞心實腸」等等，都是當時衡量人物的標準，而成爲一代的風氣。湘軍創始人物中如羅澤南之臨難敢死，爲天下先者固不待論。而曾氏所敍述的李續賓，也是拙且誠的典型。李忠武公神道碑銘中說：「公含宏淵默，大讓無形，稠人廣坐，終日不發一言。遇賊，則以人當其脆，而己當其艱。糧仗，則與人以善者，而己取其窳者。士卒歸心，遠兵慕悅。」又說：「險趨人先，利居衆後。……不忍己飽，而人獨飢。……損己濟物，近古無倫。……行類大愚（拙之至故類大愚），乃動鬼神。」而李氏的慷慨成仁，也是此拙與誠的自然歸結。湘軍以及湘軍並肩作戰的諸軍，大多數是以個人爲單位，各自幕集而來。這其間並沒有統一的人事制度，乃至一切統一的近代軍政設施。但在艱危之中，大家總能休戚相關，協調配合，以達到他們的目的，我們不應該僅從命令系統的淺薄觀念上去了解此一事實。而應該從「誠且拙」上去了解他。

第二、戒懼，從軍隊的本身說，是發於憂危之念，與不忍之心。曾氏引莊子說：「兩軍相對，哀者勝矣。」曾氏自己又說，「憂危以感士卒之情」。因爲憂危是出於對自己的責任抓得緊，握得牢的感覺。因此可以把自己的責任，貫注於三軍，使三軍爲此共同責任而貢獻其生命。而不忍之心，則所以把三軍視爲一體。於是軍隊才能團結鞏固，以「紮硬寨打死仗」者尅敵人剽悍之氣。曾氏在他的日記中說：「兵者陰事也。哀戚之意，如臨親喪。肅敬之心，如承大祭。庶爲近之。今以牛羊犬豕而就屠烹，見其悲啼於割剝之頃，宛轉於刀俎之間，仁者將有所不忍，況以人命爲浪博輕擲之物？無論其敗喪也，即使倖勝，而死傷相望，斷頭洞胸，日陳吾前，哀矜之不遑，喜於何有。故軍中不宜有歡欣之象。……田單之在卽墨，將軍有死之心，士卒無生之氣，此所以破燕也。及其攻狄也，黃金橫帶，而騁乎淄澠之間，有生之樂，無死之心，（魯仲連）策其必不勝。」通過此不忍之心，平日休戚相關，戰時自能生死與共。湘軍常能以少擊衆，（敵有多至數十倍者）屢仆屢起，歷艱辛危險而不稍動搖。主要係由堅強團結而來。李續賓在安徽受數十倍的敵人包圍，糧盡援絕，赴敵陣而死。其部下仍舊戰鬬三天，全部殉難，卽在金陵克復之後，曾國荃尚「面顏焦悴。諸將枯瘠，神色非人。」（金陵湘軍陸師昭忠祠記）可見湘軍的成功，並不是靠營官的「新銀二百兩，長伕一百八十名」的待遇來的。（這是蔣百里先生研究湘軍所得的結論。合理的待遇，及合理的編制，自屬必要，但湘軍並未能經常保持此一待遇，更不是靠待遇而打仗。）

第三、戒懼則氣內斂，神內藏。無浮誕叫囂之氣，可以蓄精養勢，主宰戰機，以發揮最大威力於決定勝負的俄頃。湘軍常能在艱危的環境中，打猛烈的仗，其原因卽在於此。所謂「先求穩妥，次求變化」，並不是先規避於萬全之地，乃是不爲敵所動，不爲敵所乘，神完氣聚，以保持決戰的主動。曾氏說：「推之以敬，臨之以莊，無聲無形之際，常有懍然難犯之象，則人知威矣。」敬與莊是戒懼的另一面。由莊敬所涵的無形之威，便是扎硬寨的「硬」，打死仗的「死」的根源。羅澤南的「審固乃發」的「固」，以及曾氏敍述李續賓的一段話，尤能道出此中消息。「公則規劃大計，而不甚較一戰之利。其臨陣，百審一發，發無不捷。」又引李續賓的話：「凡戰有機，鬼神翕闢。靜如山塞，終日闃寂。動若電飛，百霆齊擊。蓄勢宜久。氣囂宜停。此公之言，吾耳所聆。」這種由堅實而猛烈的戰法，乃尅制剽悍流動之敵所必具的條件，決非虛浮躁妄之徒所能作到。

第四、戒懼則常覺本身歉然有所不足。因歉然不足之念，而必不斷檢討，不斷努力。能「臨事而懼」，乃知「好謀而成」。所以曾氏常將「憂」「勤」並舉。惟其憂，所以不能不勤。惟其懼，所以不能不謀。戒懼的反面是驕。驕者必惰。曾氏說：「治軍之道，以勤字爲先。軍勤則勝，惰則敗。惰者暮氣也。」又說：「軍中有驕氣惰氣，皆敗氣也。」又說：「凡軍驕氣則有浮淫之色。惰氣則有腌滯之色。須時時察看而補救之。」（所謂「察看」，用現時的話說，卽是「檢討」。）所以曾氏自述其練兵之道是：「練勇之道，必須營官晝夜從事。……如鷄伏卵。如鑪鍊丹。」而曾氏在金陵克復之後，覺得「湘軍將士，驕盈娛樂，慮其不可復用，」便「全行遣散歸農」。雖然我們嘆息湘軍的文化精神，沒有擴大爲政治設施；從政治設施中，得到可大可久之效。但湘軍的遺散，可以說明曾氏爲了貫徹他在軍事中的文化精神，而不讓其成爲無靈魂的死物，或變爲相反的毒素的決心。這是曾氏個人人格完整的表現。是湘軍精神全始全終的結局。湘軍精神的現露，賦與了中國文化以光輝，啓示了學軍事者以一個更高的境界。

五

用客觀的態度說，中共的軍事精神，也是根源於他所代表的文化精神。通過他所代表的文化精神，才可以了解他的軍事行動。因爲他所代表的文化，是否定傳統文化的文化，所以我們要反對他。但就他軍事後面，確實有一種文化精神的存在的這一點而論，則他比軍事職業家的境地還是高得多。因此，我們必須以更高的文化精神，擊潰他軍事暴力後面的憑藉，然後才可以尅服他的軍事暴力。

說到我們反共的軍事將領，我不忍下筆去具體批評。只希望有心自拔的人，把自己的存心動念，以及實際的所作所爲，花上半天時間作一番眞切的對照。如由此對照而發現有愧恥之心，慚汗之色，因之一路向上，則每一個軍官及每一個士兵，都是涵有生機的復興種子，只要是種子，便一定會發芽生根，開花結果的。自滿清以來，智識分子，一直走着反中國文化精神的道路。歐洲文藝復興，是通過古典以發現希臘精神，以希臘精神作修養之用。而滿清以來的考據（梁任公說這也是中國的文藝復興）是通過古典以抹煞，甚至否定中國的精神。而中國的智識分子，並不感到精神上需要文化的潤澤。五四運動之基調，還是承考據之餘波，再附上科學民主的幌子。在精神上，下焉者爲一無所有的遊魂。上焉者爲一點一滴的學匠。沒有眞正的學人，沒有眞正的思想家。在生活上，下焉者依草附木。上焉者爲學閥學霸。沒有眞正人格的建立，更沒有眞正思想的領導。他們不僅不承認中國文化，把人從一般動物中區別出來的努力價值，他們甚而不承認任何思想理想，對於人生的價值。他們在把人還原到一般動物的這一點上，與共黨並無不同。但共黨承認動物的羣性。（所謂階級）而一般智識分子，則只有動物的個體。個體敵不過羣性，於是中共的羣性的動物衝動，便占滿了社會。一般軍人本來根基不厚。在此一風氣之下，再加上政治不良，生活墮落，於是軍隊的一切現象，除極少數的砥柱中流者外，只有從無靈魂，無思想上，才可以得出根本的解答。無靈魂，無思想的第一表現，是自己本身不知有所用心，不知有所用力。兩隻眼睛，總是看着旁人，去和人爭長較短。無靈魂無思想的第二表現，是對於自己的責任，對於時代的艱難，無眞切的感覺。失敗了，總是對旁人身上推。逃難中只要腰纏多金，一樣是嬉頑懦劣。最近某君在他一篇大作的開端，引了晉室南渡，周顗王導等集於新亭的一段故事。言下覺得諸人相向流涕，是沒有出息。賴王導幾句大言壯語，振奮起來，遂打開了江東的局面。殊不知諸人相向流涕，這是說明諸人的心沒有死，所以對於當時的局勢，能有痛切之感。基於內發的痛切之感，再得王導一句話的啓發，才能轉變爲眞實的努力。假定沒有內發的痛切之感做基底，則大言壯語，以及漂亮話頭，蓋亦多矣。今日的問題，是在於大家沒有心，沒有眞切之感，因而根本流不出涕來。所以任何語言，大家只當作是一句話去看。說得深一點他覺得費解，說得遠一點，他覺得太迂。說得切近一點，他覺得太淺。於是只有說言不由衷的門面話，或談些黃色新聞，以增加其痲木。在南京的時候，我聽到許多高級軍人，乃至政工人員，常常高談闊論的說：「我們爲何而戰？」一方面當了軍官，當了政工人員，旣不是共產黨，則共產黨來了，對國家的關係如何？對歷史文化的關係如何？對現實的人民生活如何？對自己的身家性命如何？都不能弄淸楚。反藉口說政治經濟的如何如何，所以不知爲何而戰，所以也就不能戰。但他自己的軍隊如何？自己的生活如何？自己的職守如何？反覺得都無所謂。大凡自己與士兵同甘苦而爭合理待遇的，這是眞情。自己的軍隊練得很好而要求政治配合的，這是實意。這都是需要的！都是好的。否則儘管要求合理，亦無意義，無效果。湘軍並不是把滿淸政府改造以後才站起來的。站在軍人代表國家的立場上，我提出湘軍這一段眞精神，以供大家啓發的資具。假使能有現代的裝備與技術，固然可以賦與裝備技術以靈魂。卽使缺乏現代的裝備與技術，大家的前途，也並不因爲外援的缺乏而絕望。在中下級軍官中有良心，有理性的人，比其他階層的多得多；卽在高級軍官中，也不乏念亂憂時之士，則湘軍精神的再度湧現，我想並不是難事。

三九、一、一、民主評論一卷十四期

我們信賴民主主義

當我們討論文化問題的時候，常是採取從上頭向底下去看的態度，以期能窮竟本根，盡其至善。於是對於民主主義，有時也不免認爲有所不足。但落到現實問題上，則基於以下的粗淺理由，我們願重申對於民主主義的信賴。

第一、民主主義中的民主政治，誠然是少數服從多數，決定於量，而不決定於質的凡庸政治。尼采懷疑這會淪爲賤民政治，並不是完全沒有理由。可是少數服從多數，只是民主政治的一面。民主政治的另一面，是多數保障少數。有了這一面，則問題的解決，雖說是決定於量，而同時量也無形的保障了質。即以尼采而論，他晚年雖孤獨的進入瘋人院而死；但畢竟不至被抓入集中營而死。他的著作，一面雖引起若干人的厭惡，但一面仍是懸之天壤，接受許多人的欣賞讚嘆。這就是民主政治的量可以保證質的實例。所以民主政治決不會影響到人類之質的向上。

第二、只要量能保證質，則政治問題，與其決定於質，倒不如決定於量。因爲談到質的問題，則各人理性思辨的發展，常會把自己專注的一點，推到至高無上，剖析毫釐，其中不容許有絲毫的伸縮。若要以此來決定政治問題，則既不易樹立質的標準，而由至高無上的心理，常會視異己者爲罪惡，於是劍與可蘭經，都是眞理的一面。歷史上眞理殺人的事實，多半是由此而來。形成近代獨裁政治骨幹的，正是獨裁者所自信的質，而不是眞正憑藉在社會上所得的量。希特勒史太林之徒，所以悍然芻狗萬物而不悔，都是認定他們所信的是代表了人類最高的質的緣故。

第三、西方人常說民主主義，是一種生活的方式。我們認爲這是一種親切而確定的解釋。超出了此一解釋之上的，便不是民主主義。方式，或者稱爲形式（Form）是與內容相對稱的。方式不對某一特定內容負責，所以牠可以裝入許多內容。等於紅的白的底形式，牠不是僅對某一紅的或白的物件而負責，而是所有紅的白的底物件都可以納入於此一紅的或白底形式之中。民主主義的可貴，正在於此。假定民主主義，固定爲某一種內容，則此一內容與其他的內容，勢必各佔住一個範疇，徹底互相排斥，而失去互相寬容調劑的作用。政治上，固然是由各種內容（即是主張）去解決實際的問題；並且常常是某一內容起着主導的作用。但任何發生主導作用的內容，他們都要受民主這一方式的限定，即是說，他的內容，要通過民主的方式去實行；他的內容的實行，不能否定此一方式的正常存在。譬如英國的保守黨和工黨，各有極不相同的政治內容。但這種極不相同的內容，都是屬於民主方式之內，都是受着民主方式的限定，所以儘管互爭互罵，但畢竟能和平相處，以待人民的自由選擇。假定反過來，不是以形式來限定內容，而是以內容來限定形式，於是保守黨有保守黨的民主政治，工黨有工黨的民主政治，這便破壞了政治最後的統一，失掉了共存並進的基礎，英國不是獨裁，便要內戰了。現在世界的分裂，並不是因爲某些地方在公開的反對民主，而是有些地方，把政治的內容，不受民主方式的限定，反而要以其內容去限定民主主義的方式。例如「新民主主義」，「無產階級的民主」等，以其所謂「新」與「無產階級」等的特定內容加在民主的上面，以限定民主的形式，於是民主變成了只能容許一個內容。這樣一來，凡是不同的內容，便不能擺在一個範疇之內，去和平解決，而非靠血的鬪爭不可。我們今日之反對共產黨，並不是籠統的要消滅共產主義，而是要消滅共產主義中突出於民主方式以上的極權理論，和極權的暴力統治形式。假定共產主義者也能接受此一形式的限定，則我們又何樂而不與他們從容辯論，作和平的競賽呢？由此我也不難了解在民主方式限定以內的社會主義，和在民主方式限定以外的社會主義，何以會有本質上的不同。所以凡是談政治的人，首先應該把政治的內容，和政治的形式，劃出一個清楚的分際。如以中國而論，三民主義是中國政治的主流。但三民主義和民主可以分開來，而不一定要拉在一起。因爲一是內容，一是形式，可以不必拉在一起。等如美國談新政，英國談社會保安制度一樣，這些既是在民主形式的限定之內，所以只談內容，而不把民主拉在一起，也沒有關係。若是因爲中國在實際上對於民主政治的形式，還未建立起來，所以要加強的提出，而且是由信仰三民主義的人把他和三民主義連在一起來提出，這當然也很有道理，很有必要，不過提出的方式，與其說「三民主義的民主政治」，不如說爲「民主的三民主義」，更合邏輯。因爲在後一提出的方式之下，是說明以民主的方式去實行三民主義，在民主方式的限定之內來發展三民主義，無形的也承認了三民主義以外的主張，一樣可平等的列入於此一政治形式之內，一樣的在中國可作和平的競爭。若採取前一提出的方式，則在三民主義以外的，是否也可以納入於民主政治之內呢？這些地方，都是要負責的國民黨人，徹底一想的地方。「反共」是因爲在最根本的上面與共產黨相反。現在有一種目標與共產黨相同的反共理論家，我們始終抽繹不出什麼道理。

人類因爲發現了民主主義的生活方式，於是個性與羣性得以融和，肯定與否定得以統一，能擧「萬物並育而不相害」之實。此種生活方式的內在精神，卽是所謂「忠恕」之道。中國文化，充滿了忠恕精神，卻不曾發現實現此一精神的生活方式，所以此一精神始終只停留在道德上面，而不能在政治社會上發生大的效用。西方文化的基礎，並不根發於忠恕精神；但他在歷史的政治對立鬪爭中，迫出了這一方式，便也可稱爲「強恕而行，爲仁莫近」了。面對今日混亂的局勢，我們必須珍重此一生活方式，在此一生活方式之下，來各自努力的創造內容豐富，而調和統一的人類世界。

三九、九、十五、民主評論二卷六期社論

中國政治問題的兩個層次

一

對於國家各種政治問題所作的主張，我稱之爲政治的內容。對於實行政治主張所採取的方法，我稱之爲政治的形式。獨裁國家，只准許有一個政治內容，所以他的政治內容與形式不分。民主國家，則政治的形式早已建立起來了。所以現在只談政治的主張，而不必談實行主張的方法。自由中國，正在過渡時期，就整個的政府說，主觀上旣未公開說要獨裁，而客觀上亦未認眞走向民主，於是我國的政治問題，便須多一個層次的努力：首先是要努力建立民主主義的政治形式（也只有民主主義的政治，才可構成政治形式，理由見後），其次卽是在此一政治形式之下，來發揮各人的政治主張。前一層次是政治的「體」，後一層次是政治的「用」。在前一層次上，必求其同；而在後一層次中，則不妨其異。贊成某一政治主張的人，其贊成的程度，不可突破此一形式以達到其贊成的目的；反對某一政治主張的人，其反對的程度，也不可突破此一形式以達到其反對的目的；然後能把各種不同的政治內容，涵蓋於一個共同政治形式之內。政治的內容是變數，也必然是變數。而政治的形式是常數，也可稱之爲常道。變數運用於常數之內，以常御變，以變適常，使政治的運行，如晝夜之迭行，如日月之代明，而始終不失其序，這才可稱爲樹立了建國的規模。現在可以團結一切反共的力量，將來可以保持國家的統一，措國家於長治久安，打破歷史上一治一亂的循環悲劇。我年來爲國家政治找前途，曾寫過一篇「中的政治」（本刊第一卷第二期「論政治的主流——從「中」的政治路線看歷史的發展」），以期畫出一個概略的方向。現在對中的政治觀念雖未嘗改變，但我覺悟到這只是政治的內容，只是主觀的一種說法，依然不足以明大統，定大分。只要在嚴格的民主政治形式之內的政治內容，其結果大概是中的政治。所以我特地把政治的兩個層次指明出來，使談政治的人，更容易有一個大的分際，大的歸趨。當此危難之際，有的人只空談民主，而沒有意識到民主只是政治的形式，形式底下還要有具體的政治內容，否則不能解決當前的實際問題。而另外一部分人，則只沾沾自喜於自己的主張，只作第二層次的努力——政治內容上的努力，而抹煞第一層次的努力，即建立政治形式上的努力，甚至不承認政治應該有這兩個層次；以至政治的體用常變不分，因之執着非變不可的東西以爲常數常道，使眞正的政治常數常道建立不起來。這兩種人，都是各有所偏，各有所蔽。此種偏蔽之所以不能解救，不是受了大創痛而尙未能引發其悲心，即是遇了大困難而尙未激發其慧業。

我上面講的這一段話，乃係政治的常識。不僅不致引起爭辯，而且根本連這一段話也可以不說。但因爲中國歷史上和現實上糾結着許多問題，致使常識性的東西，也變爲非常識性的東西，甚至大家不願，或者不敢正面提出來討論。我們今日在創鉅深痛之後，感到只有先建立政治的常數常道，然後才能够杜塞亂源，爲國家開萬世太平之局；因此，便不能不把許多糾結解開，供有心人士的參考。

二

第一個糾結是無形中受了共產黨的影響，根據「沒有無內容的形式，也沒有無形式的內容」的簡單命題，斷定政治的形式與內容是不可分。民主評論第二卷第六期「我們信賴民主主義」的社論發表後，即有若干青年，對這一點提出疑問。我在這裏，只好先作一常識性的解釋。單就某一事物的本身來說，則內容即是構成形式的條件，此時的內容與形式誠然是不可分的。但若就若干事物的互相關連的關係來說，則可以將其特殊的部分加以抽象，而將共同的部分抽象出來，以建立一個共同的形式。並且就具體的東西來說，則某一事物，可以說爲另一事物的形式；而另一事物，則又是某一事物的內容。內容的意義是較爲特殊，而形式的意義則較爲普遍；一個形式可以涵攝幾個內容；而一個內容，不能同時攝入幾個形式；此時的內容與形式，都是相對而爲言，所以其含義也是相對性的。譬如以一隻碗爲例子。做成碗的條件，即是構成碗的形式與內容。此時碗的形式與內容是不可分的。但若就碗和他所裝的東西的關連而論，則碗可以裝許多不同的東西。於是碗對這些被裝的東西而言，即成爲他們的形式；被裝的東西，即成爲碗的內容。尅就民主政治的本身而論，則思想、言論、出版、結社、選舉的自由，及少數服從多數，多數尊重少數等原則的運用，這都是構成民主政治的內容，除開這些內容，即無所謂民主政治。此時的內容與形式，也必須是一致的。但應用到政治的具體問題上去，則各種的思想言論，都可涵攝於思想言論自由的原則之下；各種的多數與少數，都可涵攝於少數服從多數，多數尊重少數的原則之下。於是被含攝的東西，即係政治的內容；而可以涵攝的東西，即係政治的形式。只有民主主義的政治，即所謂民主政治，是以涵攝衆異爲其自身的內容的，所以只有民主政治，才具備了政治的普遍性，才可以構成政治的形式。共產黨之所以不承認這種形式與內容的分離，是因爲他不承認在一個政治形式之下，可以存在一個以上的政治內容，此其所以爲極權政治，吾人豈可在觀念上落入他的圈套？

可是民主政治之成爲政治的形式，也是經過了人類政治自覺的一段演進歷程。在十九世紀，一般是稱他爲民主政治的鼎盛時期；但當時因爲資本主義乃政治的主要內容，於是人們無形中將民主政治和資本主義混淆在一起，因之，政治上的內容與形式的區分，也尚未能完全意識到。五十年代前後的穆勒（J. S. Mill），在他的大著 Principles of Political Economy 及 Autobiography 中，常將民主主義與社會主義對稱，認爲政治有由民主主義進到社會主義之可能，此即視民主主義爲政治具體內容的明證。及十九世紀末期，「社會民主主義」之名詞產生，隨後並結成第二國際，遂將穆勒心目中兩個對立的名詞合在一起，認爲民主主義與社會主義，可以在某種情形之下，將其統一起來；但此乃政治內容之混合，並非意識到民主主義之可以抽象而爲政治的形式。不過因此一混合而可漸使人了解既有資本主義的民主主義於先，復又有社會主義的民主主義於後，則可見民主主義並非一定須粘着於某一定的政治內容之上。吾人可視此爲民主主義實現其「形式」意義的過渡形態。到了二十世紀，英國的自由黨、保守黨及工黨，在同一政治制度之下，各以其資本主義社會主義不同的政治內容，更迭執政，並未發生杆格，更未經過流血革命，於是民主主義的民主政治，其可抽象爲政治的形式，以其一般性普遍性涵攝各種不同的政治內容，以成爲人類政治中的常數常道的意義與效用，乃大爲顯著。英國工黨在去年年會中便明白宣稱「在民主主義之下，實行社會主義」，而自稱爲民主的社會主義，正式以政治的形式，涵蓋政治的內容，使政治的普遍性與特殊性各居於正常的地位，此與前期之「社會民主主義」，採取與內容混合之觀念者，實有本末輕重之殊，而形成人類政治生活中的一大進步。政治是一種權力的運用，凡是得到政治權力的個人或團體，總常希望他的政治主張，他的政治勢力，成爲國家的常數常道，由一世傳至萬萬世。但是，不論任何好的政治主張，任何好的政治團體，不僅是相對性的存在，而且也是主觀性的存在。既是相對性的存在，便不能排斥其他的政治主張。既是主觀性的存在，則其本身即缺乏普遍性，即沒有可能成爲不變的常數與常道。民主政治之所以能抽象爲政治形式而發揮其普遍性，正因其可以不粘着於某一主張，某一集團，而成爲一客觀的存在。並且各主觀性的政治主張，政治集團，通過此一政治形式的選擇而亦得到客觀的價值。被選擇而居於主導地位的政治主張和政治集團，此時可以說是由主觀性的私，變而爲客觀性的公。於是因選擇而失敗的，除了再向選民努力，以期獲得更大的客觀的承認外，不能對勝利者採取其他報復行動。所以在此一形式下的各政治內容，有競爭而無仇怨。因爲政治主張的決定力量，不是政治主張者的本身，而係主張者以外的客觀勢力，即係選民的勢力。任何好的政治主張，不經過此一政治形式的客觀承認，而以其他陰謀暴力取得支配的地位，則此主張縱然是好，也只能算是主張者主觀上的好，沒有權利要求其他政治集團乃至人民的擁護，因而必形成互相剋制，互相打倒之局。所以有了民主，便不必言革命，革命與民主，常是兩個對蹠的名詞，其原因卽在於此；而獨裁政治，極權政治的本身，亦必是悲劇的結束，其原因亦在於此。

三

第二個糾結是，當前抗俄反共，首須集中力量。若過份強調民主，則民主與自由不可分，是否會因此而更事雜言龐，權分力弱？關於這一點，在世界的範疇內，決不會成爲問題。世界強調爲民主自由而戰，爲保存民主自由的生活方式而戰，難說這都是敷衍門面的假話？而民主自由的國家如英美等，在動員準備中，並也看不出力量不能集中的現象。可是這在自由中國的範疇內，則確是早應該澄淸而至今尙不敢澄淸，尙不願澄淸的問題。對於在大陸上失敗的原因，有人說是因爲民主得不够，有人則以爲大家爭壞了自由民主。其實，此一問題，歷史會作淸楚的解答，不是當事者口說筆書的宣傳所能爭辯。現在的問題，不應當是對民主的重新估價，而應當是各人對民主的認識及過去對民主的眞實態度作重新的估價。民主與極權，是今日政治上的兩條大路。沒有人願公開的說要極權，也沒有人願公開的說不要民主，則在極權與民主之外，在旣不極權，又不民主之間，能走得出另一條道路嗎？客觀的要求，是要我們老老實實的走上一條大路，這是政治大關節之所在。若對於大關節徬徨不定，則政治力量的源泉，便有枯竭之虞。我於此，願簡陳下列數義：

首先應該指出的，民主主義的發生成立，是基於人類理性的覺醒。民主主義的保障，是建立在人類有共同的理性，因而有平等的人格之上。信賴理性，尊重人格，便不能不信賴自由，尊重自由。自由是發展理性，培養人格的必須條件。因爲理性爲人人所固有，其自由發展的結果，在某一時間空間內，總會形成一個相對性的主流；所以民主可以信賴多數，取決於多數。因爲理性是在多方面顯示其內容，是在揚棄中完成其發展，既不能定於一型，更不可憑藉暴力；所以民主要保障少數，不壓迫少數。同時，個人人格的形成，乃基於通過自由而對理性的自覺。個人對理性有了自覺，卽係對理性負了責任；所以民主主義下的自由，必然會產生法治觀念，責任觀念。並且有了理性自覺的個體，在理性要求之下，自然會團結起來，完成其時代的使命。一如現在不願當奴隸的人們，自然會團結起來抗俄反共。所以自由與組織，似相反而實相成。未通過自由而自覺的個體，只能像瓦礫一樣的堆積在一起，其中無眞正生命力的貫注，這種組織，說不上力量，更不能持久。現時談自由主義的，尙多停滯於現實的個人主義的階段。現實的個人主義，是消極的，功利性的自由；這誠不足以負擔當前時代的使命。但我們要了解，假定政治上沒有自由，則社會上一面對政治不能有責任感，一面對自己有保衞的本能，其自由必趨向於消極的，功利的，現實的個人主義的方向。此種形態的自由，自社會觀點而論，必達到拆散現實而與以重建後，才能向理想主義的自由，向人格主義的自由前進。這是負政治責任的人所應引爲警惕的。共產黨因爲不相信人類有共同的理性，不相信人類有平等的人格，因而不相信憑藉共同的理性可以解決共同的問題，由平等的人格可以負擔共同的任務，於是只有獨裁，只有殘暴，只有以獨裁殘暴來維繫他固定不移的政治內容，政治形態；我們亦由此而相信其必趨於滅亡，針對共產黨的情形，我們便須建立一個億兆人可以自由講理的政治環境，以鼓勵億兆人的熱情，發揮億兆人的力量。只有少數人可以講理，多數人不准講理；只有統治者可以講理，被治者不能講理，則所講的根本不是理，最低限度，也不是多數人所願負責的理。統治者所講的理，是見於政策。被治者所講的理，則見於批評。所以民主國家只聽得到批評，而獨裁國家則只聽得到歌頌；不獨裁亦不民主的國家，則只是得到沉默。其實，人類的理性無法泯滅，所以專制時代也有「直言極諫」，獨裁國家的統治集團內也有「自我批評」，以作爲滅沒理性後某一限度的調劑，並以安慰他自己也同樣具備的理性的潛伏要求。批評是民主的起碼尺度。今日尙有少數人，自己旣居於「管理衆人之事」的地位，而復以衆人的批評爲大諱，認爲批評卽是叛逆，這眞令人萬思不得其解。

其次，共黨陰謀詭計，無孔不入，在民主自由的方式下，防奸保密，是否會發生困難？當然，幼稚的防奸保密技術，會因此而發生困難的。此一事實，只能證明並未眞正建立起情報工作的基礎；而在民主空氣之下，要求這類工作，在品格、知識、和技術方面，必須作更高度的發展。負這種責任的人，應以其努力去適應政治大方向、大原則的要求；而不能歪曲政治的大方向、大原則，以適應這一部分的要求。政治是很現實的問題，我不願和許多人一樣，一概抹煞此種工作。而且站在此種工作崗位中，也確有許多犧牲奮鬪，貞幹賢良之士。但任何事情，都有其適當的分際。超越了他的分際，便會由正號變爲負號。何況在民主自由的大的自覺之下，由社會積極情緒所發生的力量，將遠超過於僅靠消極防制所發生的力量。英美的治安工作部門，何嘗感到民主自由的累贅？

還有，對於爲共黨張目的人，是否也要與以民主自由的保障？這應該是不成問題的。共黨是今日民主自由的最大敵人，眞正愛好民主自由的，便一定須表現爲絕對的反共，此其中絕無可以回旋的餘地。而處在今日赤燄滔天，生死存亡，繫於傾刻之際，卽其本身不是共黨，但甘爲共黨張目的投機分子，一樣的不應與以假借。但「爲匪張目」的名詞，並不好隨意濫用。爲了使反共更爲有效，則對於負責的人與事，加以批評，加以鞭策，這是每一反共人士應有的責任和權利，而不能隨便羅織爲「爲匪張目」。簡言之，在自由中國的範圍內，是應該沒有共黨及其同路人的自由，而應該有反共的自由。否則，則誰又能單獨背負這種反共的大責呢？

四

第三種糾結，是三民主義乃當前建國的原理。今把建立民主主義的政治形式，視爲政治的常數常道，列爲第一個層次的努力目標，則是否把實行三民主義，放在第二個層次，而視爲可變的政治內容呢？我的想法確是這樣的。但這並沒有減輕三民主義的份量，而只是想把他安放在一個適當的位置。並且這和中山先生的原意是完全相合的。中山先生手創民國，實行共和，由此可知他是要在民主共和的政體中去實行他的三民主義，而沒有想到在民主以外，有三民主義的獨立政體。中山先生不斷以實行三民主義勗勵自己的同志；而兩次護法，都是以維護民主共和來勗勵國人；其政治的內外層次，井然可見。三民主義中的民權主義，分明就是民主主義，不過在實行上規定了若干具體步驟與方法，雖然其中滲有若干不純的因素在裏面。民元南北和議成立，孫先生毅然讓出總統大位，功成不居，此其心事，實可與華盛頓之不三任總統媲美。及民主政制，一壞於袁世凱之盜竊稱帝，再壞於軍閥之割據攘奪，三壞於當時政客之分贓無恥，孫先生乃定下從頭做起之決心，將革命進行，分爲軍政訓政憲政三個時期，這似與民元的心情有所出入。但軍政時期，不以全面之軍事行動爲準，而以一省之軍事行動爲準，則其時期實際甚短。而訓政則以實行地方自治爲其內容，此與後來之保甲，官治，實大異其趣。其歸趣則仍是憲政，是世界性的民主政治。則不難想見三民主義，自始至終，皆包含於民主政治形式之內。此種政治大方向之開始模糊，乃是受了共產黨及德意法西斯的影響以後之事。今日政府早已標明爲民主政治，則民主是政治的形式，而三民主義乃政治的內容，形式可以概括內容，內容不能概括形式，此乃天經地義之事。也只有如此，才符合三民主義的本質。所以我雖然是中山先生的信徒，但總覺得不應該有什麼首出庶物的權利，以致使三民主義翹出於民主政治形式之上。

還有，任何學說，任何主義，都有其基本精神。此種基本精神，可以突破時空的限制，成爲人類不朽的財寶。同時，基本精神，又必須落在現實的問題上面產生具體的結論，此具體的結論，係爲了解決某一時空內的問題，因而也必受時空的限制，隨着時空的變遷，便漸漸與其基本精神相違背。歷史文化的擔承者，須透過其業經殭死的過時的結論，而提撕其原有的基本精神，以再爲人類創造出新的結論。孔孟由仁性所建立的文化精神，可永垂不朽，但孔孟所實踐的人倫節目，則必隨時代而有變更。希臘的自然學者們向自然的求知精神，下開今日歐洲的科學，而其當時所得的具體結論，則早成芻狗。於此而我們可以在歷史文化中得其常，亦可於歷史文化中觀其變。知變知常，創新不已，這是人類進化的大軌。中山先生的三民主義，把人類歷史中先後分別出現的政治上的三大問題，作爲一個統一體而一次提出，且使其互相規定，互相補充，以端正人類政治的大方向，其偉大的地方在此。所以三民主義的基本精神，我們也可以說是人類政治生活的常道，懸諸天壤以不朽。但三民主義中之落在政策上的部分，當然要受時空的限制，而是可變的，也是應該變的。近年來許多人不深探三民主義的基本精神，而僅抓住其一枝一節，以作為政治上的盾牌，致使政治之生命乾枯，三民主義的精神亦隨之殭化，這非中山先生的智慮有所不及，而實為大家自己的不求進步。

五

第四個糾結，是認為中國有中國傳統式的民主，不必仿效西方。勉強仿效，徒增紛擾。例如選舉與政黨，皆為西方民主中的骨幹，而在中國皆弄得不成樣子，即其明證。

關於中國傳統式的民主問題，我的朋友牟宗三先生在其「國史精神發展的解析」的大著中，指出中國歷史上有「治權的民主，但沒有政權的民主。」其原因為黑格爾所說的中國有合理的自由，而無主體的自由（個人自覺自由）。並且指出因沒有政權的民主，所以治權的民主，也得不到保障，沒有主體的自由，所以合理的自由，也常為之破壞。因而認定中國須向主體的自由，政權的民主轉進。牟先生的論斷，實可成為此一問題的定論，解決關於此一問題的許多糾葛。我們於此，可以說中國儒家的傳統文化，早為中國政治的民主化建立了基礎；而中國的傳統政治，也早為中國政治的民主化做了許多準備工作。其所以未能提前踏上今日民主之路，據牟先生的意見，是因為中國文化，缺少「分解的盡理的精神」：即是中國有了仁性的發展，而缺乏智性的發展。但一經反省到此，便非逼出分解的智性，以成就科學與民主不可。牟先生陳義甚詳，論證精確。故吾人只須自覺的大踏步向人類共同的方向走去，以完成中國歷史文化所未完成的歷程。由特殊而趨向普遍，乃人類理性發展的必然。故歷史必須是個性與世界性的統一。因此，我不相信中國有什麼特殊的民主。

至於說年來的選舉和政黨都不像樣子，這確是事實。有一位臺灣朋友慨嘆的說：「選一個縣市參議員，要花兩三萬；選一個縣市長，要花掉二三十萬。這些人平時爲公益事，請他出一百元兩百元都不幹，今花這麼多的錢來得一個參議員或縣市長，其用心眞難令人了解。」在臺灣的選舉，已比大陸進步，因爲究竟投了票；大陸上便多數把投票的這一段都略去了。固然這位臺灣朋友所說的話，實值得人深深的反省。不過若稍稍追求其原因，則因中國的智識分子，至今仍爲傳統的秀才鑽門路的精神所束縛，其搞選舉，搞政黨，並不是基於主體自由的自覺，以爭取民主精神，民主制度的實現；而只是考秀才鑽門路的精神之擴大和變相。再加以在大陸時候，一般搞黨派的人，因政協時代托共產黨的牙齒餘惠，沾得若干便宜，便得意忘形，至今尙以爲一談民主，便是搞黨，搞到了黨，便可坐地分肥，不斷的發表黨派代天行道的怪論，而毫不知愧恥。殊不知民主下面的黨派，其政治上的地位，並非決於黨派本身，而係決於選民的抉擇。未經過選民的抉擇所取得的政治權利，從民主的觀點說，都是一種盜竊。民主須要黨派，是爲了便於選民的抉擇；並非是以黨派代替選民的抉擇。今後的民主黨派，是要求造成自由選舉的條件，要求實行自由選舉，守住民主的原則，枉尺直尋，都不妥協的黨派。這裏所謂造成自由選舉的條件，更非常重要。有的人誤會以爲只要有選舉即是行民主。殊不知共產黨一樣的有選舉，過去德意的法西斯，也一樣的有選舉。選舉一定要經過思想言論出版結社自由的濾過，一定要在思想言論出版結社自由的空氣之中，才算是民主的選舉。選舉也才能走上軌道。歸結一句，過去的選舉和政黨，從好的一方面說，是歷史轉變時期的過渡現象；從壞的方面說，只是玩的假把戲。過渡現象，一定要過渡到一個終點：假把戲所丢的醜，不能要眞的來代負責任。中國能像現在這樣的停止下來嗎？能再回頭轉去走治權民主而政權不民主的老路嗎？所以我說大家只有老老實實的走民主之路，才能立國家之大本，才能開太平統一之基。其關鍵只在「老老實實」四個字。此中佔不得便宜，出不得新花樣。

六

近來，許多人說因爲我們沒有實行民生主義，所以失敗在共產黨手裏。這針對年來豪閥貪劣，摧剝民命的實際情形而說，及面向着政治的主要內容而說，自係千眞萬確的事實：但若從如何來解開政治的癥結，使豪閥貪劣，不爲政治所容；使社會活動，政治活動，皆能納入正軌，因而得到和平安定，人民能自己遂生養性，以走上民生主義的大道，則確立民主的政治形式，奠定立國的規模，實更急於民生主義。約翰福音第十章說：「我實實在在的告訴你們，人進羊圈，不從門進去，倒從別處爬進去，那人就是賊，就是強盜；從門進去的，纔是羊的牧人。」民主主義的政治形式，是走入民生主義的門；眞正有志民生主義的人，必須從此門走進去，以避免盜賊之嫌，遺國家永遠無窮之禍。共產黨主要是標榜「人民麵包」的口號，因爲牠不從民主主義的門進去，所以今日確實成爲天字第一號的強盜。吾人正可引此爲殷鑒。

在抗俄反共的緊要關頭，我提出這一番話說，也或許有人發生誤解。但只要我們能平心靜氣的想想過去和現在的災難，更平心靜氣的想想將來的困難，即使能迅速反攻，即使能反攻順利，像現在的政治情勢，如何能團結全國力量，保障政治統一，以迅速收拾殘局，減少混亂？反攻以後，不可能只有一個政治勢力。假定用打天下的方法，以某一政治勢力去打平其他的政治勢力，試問誰人有此把握？即有此把握，國家又如何消受？在這裏，必須建立一個客觀的標準，使各勢力受客觀標準的制約，以期能競而復能安，爭而不至於亂。這即是民主政治形式的有力運用。一切主觀的東西，不論係個人或團體，若非通過政治形式的客觀化；即不能毫無間言的取得客觀的承認，更不能構成國家政治的常數與常道，因而也不能作爲保障國家政治統一的標準。這不僅理是如此，而且勢也是如此。於此而不能大徹大悟，則一切努力，將皆成白費，對個人、團體、國家，都是莫大的損失。歷史上有兩個例子，一個是華盛頓，一個是英國的王室，都值得我們欽佩。華盛頓拒絕連任總統，當時美國未嘗不眞正需要他；但因華盛頓所看到的不是一時的利害，更不是個人的利害，而是要以身作則，奠定美國民主政治之基，美國果因此而享無窮之福。英國王室鑒於大勢所趨，遂把自己超越於政治是非得失之上，而成爲聯合王國團結的象徵，以與民主政治形式相適應，因而共成爲英國政治的不動的常數。英國的政黨選舉，得失互見，皆與王室無與。王室中，豈沒有出一個才智超羣的人物？但他始終保持以無用爲用的態度，遂得以成其國家的大用。這眞是人類歷史上化腐朽爲神奇的偉蹟。日本的天皇，因幃幄上奏的關係，便只學得一半，所以還是在是非圈中，這次幾被打倒。今後他只有向英國王室進一步的看齊，才能繼續保持其萬世一系於不墜。至於負實際政治責任的人，則英國的邱吉爾，也算得一個好榜樣。他挽救英國於存亡絕續之交：既不憑藉戰時權力，抑壓輿論；一旦選舉失敗，則參加的國際會議未終，而國內的煊赫政權已易，並不以英國選民忘記其豐功偉蹟而稍有尤怨，這眞是民主的平庸中所顯露出的偉大場面，假使沒有民主政治形式的制約，僅就邱吉爾個人的性格而論，他能否成爲這樣的偉大，恐怕還有問題。所以民主對個人對團體的限制，也實是對個人對團體的成就。

我們的悲劇是，直到現在，揭開各形各色的政治人物的內幕一看，原來都是些邁古超今的大英雄大人物，每個人都自成一套，自樹一格，於是客觀的，普遍的政治常數，便無從建立起來。天佑中國，能把這些精神突出的英雄，轉變爲資質樸厚，常識豐富的政治家，則國家算眞有了轉機，我們的苦難也不算白受了。

四〇、三、十六、民主評論二卷十八期

儒家政治思想的構造及其轉進

一、我們對中國歷史文化的態度

任何思想的形成，總要受某一思想形成時所憑藉的歷史條件之影響。歷史的特殊性，卽成爲某一思想的特殊性。沒有這種特殊性，也或許便沒有誘發某一思想的動因；而某一思想也將失掉其擔當某一時代任務的意義。歷史上所形成的思想，到現在還有沒有生命，全看某一思想通過其特殊性所顯現的普遍性之程度如何以爲斷。換言之，卽是看其背後所倚靠以成其爲特殊性的普遍性的眞理，使後世的人能感受到怎樣的程度。特殊性是變的，特殊性後面所倚靠的普遍性的眞理，則是常而不變。歷史學之所以能成立，以及歷史之所以可貴，正因他是顯現變與常的不二關係。變以體常，常以御變，使人類能各在其歷史之具體的特殊條件下，不斷的向人類之所以成其爲人類的常道實踐前進。有的人不承認在歷史轉變之流的後面有不變的常道，便蔑視歷史，厭惡傳統，覺得他自己是完全站在歷史範疇之外，純靠自力以創造其人生；而不知這種橫斷面的想法，正自儕於無歷史意識的一般動物，以爲今日唯物的共產黨開路。在另外一方面，則有的人死守時過境遷的歷史陳迹，死守着非變不可的具體的特殊的東西，而想強納於新的具體的特殊條件之下，這是把歷史現象混同爲自然現象，不僅泥古不可以通今，而且因其常被歷史某一特殊現象所拘囚，反把構成特殊現象後面的普遍性的常道也抹煞了。這名爲尊重歷史，結果還是糟塌歷史。最壞的是這種錯誤的努力，很易被野心家所利用。有的野心家喜歡利用革命的名詞，也有的野心家喜歡利用復古守舊的心理。有的野心家更喜歡把兩者結合起來，作左右逢源的利用。所以我們對中國文化的態度，不應該再是五四時代的武斷的打倒，或是顢頇的擁護。而是要從具體的歷史條件後面，以發現貫穿於歷史之流的普遍而永恒的常道：並看出這種常道在過去歷史的具體條件中所受到的限制。因其受有限制，於是或者顯現的程度不够，或者顯現的形式有偏差。今後在新的具體的條件之下，應該作何種新的實踐，使其能有更完全更正確的顯現，以滙合於人類文化之大流，且使野心家，不能假借中國文化以濟其大惡，這才是我們當前的任務。

儒家思想，是凝成中國民族精神的主流。儒家思想，是以人類自身之力來解決人類自身問題爲其起點的。所以儒家所提出的問題，總是「修己」「治人」的問題。而修己治人，在儒家是看作一件事情的兩面，即是所謂一件事情的「終始」「本末」。因之儒家治人必本之修己，而修己亦必歸結於治人。內聖與外王，是一事的表裏。所以儒家思想，從某一角度看，主要的是倫理思想：而從另一角度看，則亦是政治思想。倫理與政治不分，正是儒家思想的特色。當然，在這一點上，也表現出這是一種思想在草創時的規模，在以後沒有得到充分的分科發展。現在僅從政治思想這一面來看儒家思想到底有些什麼成就，有些什麼限制，須要作如何的轉進，而後始能把他所體現的常道，重新由我們的實踐顯現出來，以繼續造福於人類。

二、儒家政治思想的構造

儒家的政治思想，從其最高原則來說，我們不妨方便稱之爲德治主義。從其基本努力的對象來說，我們不妨方便稱之爲民本主義。把原則落到對象上面，則以「禮」經緯於其間。

德治的出發點是對人的尊重，是對人性的信賴。首先認定「民之秉彝，好是懿德」；所以治者必先盡其在己之德，因而使人人各盡其秉彝之德。治者與被治者間，乃是以德相與的關係，而非以權力相加相迫的關係。德乃人之所以爲人的共同根據。人人能各盡其德，即係人人相與相忘於人類的共同根據之中，以各養生而遂性，這正是政治的目的，亦正是政治的極致。而其關鍵端在於治者的能先盡其德。論語所謂「政者正也，子率以正，孰敢不正」，及「爲政以德，譬如北辰，居其所，而衆星拱之」，「君子篤恭而天下平」，皆係此意。大學上所謂三綱領，八條目，尤其是這種德治主義有系統的說明。其實，此種思想導源甚早。尙書堯典上說，「克明俊德，以親九族。九族旣睦，平章百姓。百姓昭明，協和萬邦。黎民於變時雍。」此與大學之修齊治平，僅有立說上的疏密之殊，在基本概念上，並無二致。中國最早而可信的有關政治思想的書，當首推尙書。其第一篇的德治主張，已如上述。第二篇之皐陶謨，首先說，「愼厥身，修思永」。又曰「亦行有九德」。又曰「日宣三德」。「日嚴祗敬六德」。這是所謂二帝三王的一貫思想，而集其大成於洪範。洪範的主眼，在於「彝倫攸敍」。彝倫攸敍，卽是大家率性以成治的德治。此種政治思想，爲內發的政治思想，治者內發的工夫，常重於外在的限制與建立。治者不是站在權力的上面，運用權力去限制些什麼；而主要的是站在自己的性分上作內聖的工夫。由內聖以至外王，只是一種「推己及人」的「推」的作用，亦卽是擴而充之的作用，其所以能推，能擴充，是信任「人皆可以爲堯舜」的性善。只要治者能自己盡性以建中立極，則風行草偃，大家都會在自己的性分上營合理的生活。政治主要是解決人與人之關係的一種最集中的形式。德治的基本用心，是要從每一人的內在之德去融合彼此間之關係，而不要用權力，甚至不要用人爲的法規把人壓縛在一起。或者是維繫在一起。權力的壓縛固然要不得，卽法律的維繫，縱然維繫得好，也只是一種外在的關係。外在的關係，要以內在的關係爲根據，否則終究維繫不牢，而且人性終不能得到自由的發展。德治是通過各人固有之德，來建立人與人之內在的關係。在儒家看來，內在的關係，才是自然而合理的關係。中國一談到「治術」，便要談到「正人心」，人心亂，卽是無德，卽是內在的合理的關係之失墜。人心本來是正的，其所以不正，多半是由於有權有勢的人玩弄其權勢，以喪其德喪其心。於是不僅社會沒有一個建中立極的標準，而且他一定亂用其權勢，舉措乖方，賞罰顚倒，以破壞人的正常合理的生活。而社會之奸狡者，也便隨波逐流，以作惡來保障其生存，這還不天下大亂嗎？自由中國大陸失墜的前夜，凡是正當的工商業者，奉公守法的軍公人員，立志自勵的智識分子，都不能生活。換言之，社會要以不德相競，而後始能生活。結果，這種亘古的不德，便演成亘古未有的淪胥之痛。這樣看來，中國儒家之主張德治，是對政治上的一種窮源竟委的最落實的主張。並不玄虛，並不迂闊。

也或許有人問，爲甚麼古今許多人儘管口頭上仁義道德，但結果，常恰與其所說者相反呢？

這道理很簡單，德不德，是實行的問題，而不是說不說的問題。站在統治者的地位以言德，首先是看其公不公，首先看其對於權力所抱的基本態度。固然不公的也常常要裝做公，但這其間便要弄詐術，行詭道，越走越不能上正路。所謂「生於其心，害於其政」，畢竟是隱瞞不住的。所以古今遇着這種僞德的統治者的時候，首先以不德暴露於天下，甚至以不德來拆他自己的臺的人，都是他所親信之左右。這種不德與不德之間的感應，及由此種感應所招致的禍亂，也是德治可以成其爲治的一種反證明。以道德爲玩弄權力的一種工具者，乃實所以彰其最大的不德。假定我們便因此而不主張德，不主張以德去燭照一切，則只有增加社會的混亂，而深中這種人的詭計。於是人與人的正常關係恢復不起來，失掉了撥亂反正的憑藉。

尙書「民爲邦本」的觀念，正與德治的觀念互相表裏。中國政治思想，很少着重於國家觀念的建立，而特着重於確定以民爲政治的惟一對象。不僅認爲「天生民而立之君，以爲民也」。並且把原始宗教的天的觀念，具體落實於民的身上，因而把民昇到神的地位。尙書皐陶謨上面說：「天聰明，自我民聰明。天明畏，自我民明畏」。泰誓說：「天視自我民視。天聽自我民聽」。左傳宋司馬子魚和隨季梁二人皆說：「民，神之主也」。國語周語說：「民和，而後神降之福」。又謂「民之所欲，天必從之」所以民不僅是以「治於人」的資格，站在統治者之下；而且是以天與神之代表者的資格，站在統治者之上。由此可知孟子「民爲貴」的說法，只是中國政治思想之一貫的觀點。在人君上面的神，人君所憑藉的國，以及人君的本身，在中國思想正統的儒家看來，都是爲民而存在，都是以對於民的價值的表現，爲各自價值的表現。可以說神、國、君、都是政治中的虛位，而民才是實體。所以不僅殘民以逞的暴君汚吏，在儒家思想中不承認其政治上的地位；卽不能「以一人養天下」，而要「以天下養一人」的爲統治而統治的統治者，中國正統的思想亦皆不承認其政治上的地位。此一民本思想之澈上澈下，形成儒家思想上的一大特色。

由德治思想，而否定了政治是一種權力的觀點，更否定了國家純是壓迫工具的讕言。由民本思想，而否定了統治者自身有何特殊權益的觀點，更否定了統治與被統治乃嚴格的階級對立的讕言。因爲德治是一種內發的政治，於是人與人之間，不重在從外面的相互關係上去加以制限，而重在因人自性之所固有而加以誘導薰陶，使其能自反自覺，以盡人的義務。法重在外制，而體則來自內發；因此德治所憑藉以爲治的工具，當然重禮而不重法。朱子謂：「禮者天理之節文，人事之儀則」。黃岡熊先生讀經示要釋之曰：「然此儀則，卻非純依外面建立，乃吾心之天理，於其所交涉處，自然泛應曲當。曲當者，猶云凡事各因其相關之分際，而賦予一個當然之序也。卽此曲當，在心名天理節文。而發於外，名人事儀則。」簡言之，天理流行而具體化於外者卽爲禮。禮之所從出者爲天理，亦卽所謂德；而德之彰著於外者卽係禮。德與禮，本係一而非二。所以論語說：「道之以政，齊之以刑，民免而無恥。道之以德，齊之以禮，有恥且格」。政係由外所安排，刑係由外所強制。德係人性所固有，禮係德之所流行。故政與刑，係在一起。而德與禮，係在一起。因政治的發動處係基於人性之德，而德爲人所共有，則凡「人跡所至，舟車所通」，卽爲治者德量之所至所通，於是不僅無治者與被治者的對立，亦且無人我的對立。所以「天下有溺者，如己溺之。天下有饑者，如己饑之」。「文王視民如傷」，「如保赤子」。德治的統治者，是把自己融解於被治者之中，渾爲一體，此其間並無做作。而其所藉以融貫內外，表達上下的，自然以禮爲主。禮的基本精神，對己而言則主敬。敬是剋制小我。故典禮曰「勿不敬」。對人而言，則主讓。讓是伸張大我。故論語曰；「能以禮讓爲國乎何有。不以禮讓爲國，如禮何？」德治思想，民本思想，禮治思想，在儒家完全是一貫的。儒家的政治境界，即是人生的最高境界。所以大學上一開頭便說：「大學之道，在明明德，在新民，在止於至善。」至善正是儒家人生的歸結，也是儒家政治的歸結。

三、儒家政治思想與民主政治

西方近代的民主政治，是以「我的自覺」爲其開端。我的自覺，剋就政治上面來說，即是每一個人對他人而言，尤其是對統治者而言，主張自己獨立自主的生存權利，爭取自己獨立自主的生存權利。民主政治第一個階段的根據，是「人生而自由平等」的自然法。第二個階段的根據，是互相同意的契約論。自然法與契約論，都是爭取個人權利的一種前提，一種手段。所以爭取個人權利，劃定個人權利，限制統治者權力的行使，是近代民主政治的第一義。在劃定的權利之後，對個人以外者盡相對的義務，是近代民主政治的第二義。因爲民主政治的根源是爭個人權利，而權利與權利的相互之間，必須有明確的界限，有一定的範圍，乃能維持生存的秩序，於是法治便成爲與民主政治不可分的東西。把民主政治思想背景，來和中國儒家的政治思想作一對比，即不難發現其精粗純駁之別。所以我認爲民主政治，今後只有進一步接受儒家的思想，民主政治才能生穩根，才能發揮其最高的價值。因爲民主之可貴，在於以爭而成其不爭；以個體之私而成其共體的公，但這裏所成就的不爭，所成就的公，以現實情形而論，是由互相限制之勢所逼成的，並非來自道德的自覺，所以時時感到安放不牢。儒家德與禮的思想，正可把由勢逼成的公與不爭，推上到道德的自覺。民主主義至此才眞正有其根基。此點另待專文研究。這裏不多所申論。惟我們於此有不能不特須注意者，卽是儒家儘管有這樣精純的政治思想，儘管其可以爲眞正的民主主義奠定思想的根基；然中國的本身，畢竟不會出現民主政治。而民主政治，卻才是人類政治發展的正軌和坦途。因此，儒家的政治思想，在歷史上只有減輕暴君汚吏的毒素的作用，只能爲人類的和平幸福描畫出一個眞切的遠景；但並不曾眞正解決暴君汚吏的問題，更不能逃出一治一亂的歷史上的循環悲劇。並且德治係基於人性與尊重，民本與民主，相去只隔一間，而禮治的禮，乃「制定法」的根據，制定法的規範。此三者皆已深入到民主主義的堂奧。且德治禮治中的均衡與中庸的觀念，亦爲民主主義的重大精神因素；而中國本身卻終不曾轉出民主政治來，民國以來的大小野心家，且常背着中國文化的招牌，走向反民主的方向。此其原因何在？這是我們目前所不能不加以急切解答的問題。

儒家集大成的孔子，自稱「述而不作」。而孟子稱之爲「祖述堯舜，憲章文武」，此確係一歷史的事實。孔子祖述之大源，當不外於六經。儒家的政治思想，亦皆滙集於六經。六經者，多古帝王立身垂敎的經驗敎訓。其可寶貴處，乃在居於統治者之地位，而能突破統治者本身權力之利害範圍，以服從人類最高之理性，對被統治者眞實負責。此求之於西方，實所罕見。梁漱溟先生說中國文化爲理性的早熟，從這種地方，也可以看得出來。儒家總結中國古代的傳統思想，加以發揚光大，以陶鑄我民族的精神，其貢獻昭如日星，不待贅述。但儒家所祖述的思想，站在政治這一方面來看，總於居於統治者的地位來爲被統治者想辦法，總是居於統治者的地位以求解決政治問題，而很少以被統治者的地位，去規定統治者的政治行動，很少站在被統治者的地位來謀解決政治問題。這便與近代民主政治由下向上去爭的發生發展的情形，成一極顯明的對照。正因爲這樣，所以雖然是尊重人性，以民爲本，以民爲貴的政治思想：並且由仁心而仁政，也曾不斷考慮到若干法良意美的措施：以及含有若干民主性的政治制度：但這一切，都是一種「發」與「施」的性質（文王發政施仁），是「施」與「濟」的性質（博施濟衆），其德是一種被覆之德，是一種風行草上之德。而人民始終處於一種消極被動的地位：儘管以民爲本，而終不能跳出一步，達到以民爲主。於是政治問題，總是在君相手中打轉，以致眞正政治的主體，沒有建立起來，一直到明末，黃黎洲氏，已指明君主是客，天下是主，但跳出君主圈子之外，在人民身上來想政治的辦法，這只隔住薄薄的一層紙，而這層薄紙終不曾被中國文化的負擔者所折穿；則當思想結集之初，所受的歷史條件的限制，即是只站在統治者的立場來考慮政治問題的特殊條件的限制，是值得我們深思長嘆的。所以在我們的傳統政治思想中，不能不發生下面幾個問題：

第一，因爲總是站在統治者的立場來考慮政治問題，所以千言萬語，總不出於君道，臣道，士大夫出處之道。雖有精純的政治思想，而拘束在這種狹窄的主題上，不曾將其客觀化出來，以成就眞正的政治學，因之，此種思想的本身，只算是發芽抽枝而尚未開花結果。（此係親聞之於黃岡熊先生者）。

第二，德治的由修身以至治國平天下，由盡己之性以至盡人之性，都是一身德量之推，因之，「君子篤恭而天下平」，「恭己正南面而已」的想法，在理論上固爲可通，但在事勢上容有未許。將一人之道德，客觀化於社會，使其成爲政治設施，其間尚有一大的曲折。而中國的德治思想，卻把這不可少的曲折略去。其實，假使政治的主體眞正建立起來了，政治的內容，主要爲各種自治團體的綜合，則政治領導人物亦未始不可做到「篤恭而天下平」的境地。政治的主體不立，卽生民的人性不顯，於是德治的推擴感應，便不能不有一定的限度。

第三，因政治上的主體未立，於是一方面僅靠統治者道德的自覺，反感到天道的難知，而對歷史上的暴君汚吏，多束手無策。在另一方面，則縱有道德自覺的聖君賢相，而社會上缺乏迎接呼應承當的力量，聖君賢相也會感到孤單懸隔，負擔太重，因之常常是力不從心。由此可以了解歷史上的朝廷，何以君子之道易消，而小人之道易長！

第四，因政治的主體未立，於是政治的發動力，完全在朝廷而不在社會。智識分子欲學以致用，除進到朝廷外別無致力之方。若對現實政治有所不滿，亦只有當隱士之一法。在這種情勢之下，智識分子除少數隱士外，惟有一生奔競於仕宦之途。其有奔競未得者，則自以爲「不遇」，社會亦以不遇目之。不遇的智識分子，除了發發牢騷以外，簡直失掉其積極生存的意義。這樣一來，智識分子的精力，都拘限於向朝廷求官做的一條單線上，而放棄了對社會各方面應有的責任與努力。於是社會既失掉了智識分子的推動力，而智識分子本身，因活動的範圍狹隘，亦日趨於孤陋。此到科舉八股而結成了活動的定型，也達到了孤陋的極點。同時，智識分子取捨之權，操於上而不操於下；而在上者之喜怒好惡，重於士人的學術道德；士人與其守住自己的學術道德，不如首先窺伺上面的喜怒好惡，於是奔競之風成，廉恥之道喪；結果，擔負道統以立人極的儒家的子孫，多成爲世界智識分子中最寡廉鮮恥的一部分。此種現象，自古已然，於今尤烈。而智識分子反變成爲歷史的一大負擔。所以袁子才有「士少則天下治」的說法。

四、儒家政治思想的當前問題及其轉進

以上四種弊端，多半係屬於歷史性的。站在現在來說，其害或者尚小。今日最阻碍政治前進的，則爲德治另一方面的影響。即是統治意識的無限擴大，常常突破一切應有的限制，以致民主政治的基礎永遠建立不起來的影響。德治本身固不任其咎，而事實上則成爲我國今日政治上的一大糾結。

站在德治觀點。天下事皆性分內事，所以聖君賢相對於天下事，皆有無限的責任感。湯誥上說，「萬方有罪，罪在朕躬。」泰誓上說，「百姓有過，在予一人。」即係此意。「伊尹聖之任者也。」其實，「任」是中國聖賢一片不得已的共同精神，並不止於伊尹。因此，儒家的倫理思想，政治思想，是從規定自己對於對方所應盡的義務着眼，而非如西方是從規定自己所應得的權利着眼；這自然比西方的文化精神要高出一等。例如「父慈」，是規定父對子的義務。「子孝」，是規定子對父的義務。「兄友」，是規定兄對弟的義務。「弟恭」是規定弟對兄的義務。「君義」，是規定君對臣的義務。「臣忠」，是規定臣對君的義務。其餘皆可例推。所以中國是超出自己個體之上，超出個體權利觀念之上，將個體沒入於對方之中，爲其對方盡義務的人生與政治。中國文化之所以能濟西方文化之窮，爲人類開闢文化之新生命者，其原因正在於此。但就文化全體而論，究竟缺少了個體自覺的一階段。而就政治思想而論，則缺少了治於人者的自覺的一階段。理論上缺少此一階段，應無大問題。然現實上則人有其理性的自覺自制的一面，也有其動物性的「慾動」的一面。尤其是政治的本身

離不了權力。一個人，基於道德的自覺以否定其個體，這是把個體融入於羣體之中。若非基於道德的自覺而未意識其個體，則其個體全爲一被動的消極的存在，失掉了人性主動自由發展的作用。社會上有道德自覺者究係少數。若大多數人缺乏個體權利的政治自覺，以形成政治的主體性，則統治者因不感到客觀上有政治主體的存在與限制，將於不識不知之中，幻想自己卽是政治的主體，（如「朕卽國家」之類）於是由道德上的無限的責任之感，很容易一變而引起權力上的無限的支配的要求，而不接受民主政治上所應有的限定。一個政府知道自己權力的限定，這是民主政治起碼的要求。近代西方民主的統治意識，好像是有限公司的性質；而中國的到像是無限公司。所以民國以來之出現袁世凱，與今日之成就毛澤東，我想，我們文化歷史上缺少個體自覺的這一階段，缺少客觀的限定的力量，應負其咎。但這並不能說是德治本身的流毒。因爲凡是基於道德自覺的政治，其內心必有不容自己的歉然不足之情。「萬方有罪，罪在朕躬，」這並不是謙辭，飾辭，而係與基督代人類負十字架，同爲由最高道德自覺而來的罪惡感。正因爲如此，卽決不會以政治領袖自居，更決不會玩弄手段去爭取政治領袖；而對於人民自然有一番敬畏之心，卽所謂「大畏民志」，以貫徹民本的觀念。這是以道德的責任感來消融政治的權力，而不是以政治的權力來代替道德的責任感。於是對於政治的權力的限制上，也會發生與民主政治相同的結果，民主政治，是從限制政府的干涉開始。德治因其尊重人性，而亦重「簡」，重「無爲」。民主政治沒有固定的極權的領袖觀念。德治則「舜禹之有天下也，而不與焉」。「天下爲公」的說法，流傳於二千年專制政治之中，無人敢加以否定。因之，「禪讓」一詞，成爲中國政治上最大的美談，連奸雄篡位，都要來一套南向而揖讓者三的假把戲，堆其所由來，和華盛頓之不肯接受終身總統，以樹立美國的民主風範者，無大差異。又如民主國家的言論自由，是來自基本人權的觀念，卽係認定人民有此基本權利，政治乃以保障這些基本權利爲職志，當然不會有問題。而儒家的政治思想，亦無不以箝制輿論爲大戒，這是出於統治者道德的自制，出於道德對人性的尊重。此固與西方言論自由的來路不同，而結果亦無二致。

只有採用中國傳統的無限責任的政治觀點，而後面缺乏道德的自覺；採用西方近代權力競爭的政治觀點，而前面不承認各個體的基本權利的限制，這種把中西壞的方面，揉合在一起的政治，有如中國現代的政治，才是世界上最不可救藥的政治。譬如近代法的基本觀念，本是規定相互關係，以限制統治，保障人民的。而在這種政治下，則變爲抑壓人民，放肆統治的工具。所以結果等於無法，更何有於禮讓。今日我們如何會遭遇這樣空前的大劫？這樣的大劫，在政治上以何方法得以挽回？眞正有心世道的人，要在這些地方用心的想一想。

由以上簡單的論述，我們可以將事實作一對照，可知民國以來的政治，旣不是西方的民主政治在替我們負責，也不是儒家的政治思想在替我們負責，而是亦中亦西，不中不西的政治路線在作祟。我們今日只有放膽的走上民主政治的坦途；而把儒家的政治思想，重新倒轉過來，站在被治者的立場來再作一番體認。首先把政治的主體，從統治者的錯覺中移歸人民，人民能有力量防止統治者的不德，人民由統治者口中的「民本」一轉而爲自己站起來的民主。知識分子，一變向朝廷鑽出路，向君王上奏疏的可憐心理，轉而向社會大衆找出路，向社會大衆明是非的氣概。對於現實政治人物的衡斷，再不應當着眼於個人的才能，而應首先着眼於他對建立眞正的政治主體，卽對民主所發生的作用。所以今後的政治，先要有合理的爭，才歸於合理的不爭。先要有個體的獨立，再歸於超個體的共立。先要有基於權利觀念的限定，再歸於超權利的禮的陶冶。總之，要將儒家的政治思想，由以統治者爲起點的迎接到下面來，變爲以被治者爲起點，並補進我國歷史中所略去的個體之自覺的階段：則民主政治，可因儒家精神的復活而得其更高的依據；而儒家思想，亦可因民主政治的建立而得完成其眞正客觀的構造。這不僅可以斬斷現實政治上許多不必要的葛藤，且可在反極權主義的鬪爭上，爲中國爲人類的政治前途，開一新的運會。

四〇、十二、十六、民主評論三卷一期

與程天放先生談道德教育

一

中央日報六月二十九和三十兩天，連載有教育部長程天放先生「我們今日所需要的教育」的大文，其中「談到道德教育」有「附帶聲明兩點」，我覺得應提出來商討一下；雖然並未牽涉到道德教育的根本問題。

程先生附帶聲明的第一點是「我們所提倡的道德，是合乎時代要求的道德，而不是復古的道德，道德的本體可以萬世不易，道德的條件卻是隨時而轉移的。」程先生所說的「道德的本體」，大概指的是目的或動機；所說的道德的條件，大概是指的達到目的，完成動機的手段。一般衡斷道德的標準，總是從目的或動機上講。而不從手段上講。因爲只要是眞正的道德目的或動機，斷無不選擇最有效的手段之理。若目的、動機無問題，而使用的手段有缺憾，這或係限於個人或時代的知識，或係限於個人或時代的環境，他不關涉到道德的本身，而係另有來源，須拿另一尺度，從另一個方面去衡量，去補救。譬如說。窮人對父母的菽水承歡，就手段講，當然不及富人對父母的山珍海味；但不能因此而斷定窮人在孝上的道德價值低於富人。片地使用手搖紡紗機，其手段當然不及紡織機器。朱子立社倉，其規模條理當然不及過去農民銀行的農業貸款。但能因此說甘地和朱子通過這些事情所表現的道德價值，低於紗廠及農民銀行的經理嗎？同時，我們在這種事情上肯定朱子和甘地的價值，也決非主張嚴守朱子社倉的成規，或覺得手搖紡紗機比紡織機器更好，因爲這完全是要從兩個角度來論定的事情。

程先生既承認「道德的本體是萬世而不易」卽係承認道德本身的超時間性，卽不能不承認道德的本身，不發生「趨時」或「復古」等問題，若從達到道德的手段上去討論「趨時」或「復古」等問題，這將是另一問題，將係屬於教育的另一部門，與道德的本身無涉。好像一個有孝心的人，他若知道誰是好醫生，那是特效藥，而其財力又能請能買，則當他父母害病時，自然會請會買。他孝的道德動機驅使他不能不如此。否則是他的孝的道德有問題。但若他根本不知道誰是好醫生，哪是特效藥；或卽使他知道，而他請不起，買不起，這誠係一大缺憾。但這時所牽涉的是他的知識問題，環境問題，而不是他的道德問題。所以眞正了解道德的人，不從時間性上去立論，並不是不承認時間性的重要，而是從另一觀點另一方面去承認。相反的，不論中外，一談到道德，也和談到宗敎一樣，總會尊重傳統；並不是講道德宗敎的都是老腐敗，而是根於道德宗敎的本性。關於這些根本問題，我僅略略一提；因爲我想和程先生商討的主要是他「附帶的第二點。」

二

程先生「附帶的第二點」，指出「中國兩千年來對於道德有兩種錯誤的傳統觀念」。「一種是由黃老之學演變出來的『好人』思想」；這是「自己不做壞事」，而「一味的同流合汚」，對做壞事的旁人，不敢「批評」和「制裁」，正是「孔子所攻擊的鄉愿，是道德之賊」。「另一種是宋儒的理學，講心性，講靜坐，而不研究實際的學問，不做實際的工作，這般人自命爲道學家，而實際上變成了迂儒，不能練兵，不能理財，不能開發國家富源，更不能抵抗外來侵略，結果宋朝終亡於異族之手。所以這兩種似是而非的道德，都不是我們今天所要的」。我在這裏先總提醒程先生一句，若以程先生的道德標準而論，則世界上除了穆罕默德以外，蘇格拉底、耶穌、釋迦牟尼，都是似是而非的道德，因爲他們都不會，或不曾練兵理財，豈特宋儒？以此來論德道，未免太超常識了。

程先生所說的「由黃老之學演變……」的這一段話，幾乎令人無從索解。「自己不做壞事」的「好人」，應該是道德的起點。文官不要錢，武官不怕死，都是自己不做壞事。自己不做壞事而不敢批評制裁旁人做壞事，這只是不能塞流去汚，如何可以說是「一味的同流合汚」呢？既「同」了「合」了，便是已隨着他人做了壞事，如何又是「好人」呢？孔子罵鄉愿，是因爲他「居之似忠信，行之似廉潔」，毛病全在兩個「似」字上，是假不做壞事，是假好人，這與程先生所說的不做壞事的好人，全係兩事，如何可扯在一起？對旁人做壞事不批評不制裁，一方面是與所做的壞事的程度性質有關，一方面尤其是與政治社會的情勢，及個人的環境地位有關，豈可一概而論。若不分皂白，卽斷之爲鄉愿，爲道德之賊，則孔子所說的「窮則獨善其身」，是不是鄉愿？是不是道德之賊呢？中國文化，一向不非薄由黃老所轉出的隱士，因爲隱士是代表着不說話的自由，是代表着沉默的自由；在這種消極的自由中，還可保持一點人類的尊嚴，使政治的惡毒，尚有泛濫不到之處。只有共產黨，才不准許有這種消極的自由，才不准好人活命，此正說明極權主義之所以爲「極」。我希望程先生在這種地方有所別擇。

三

程先生責備宋儒的一段話，我不想站在道德的本質上來與程先生商討宋儒在道德上的地位；因爲關涉到根本問題，既非三言兩語可完，也無法立時能使程先生相喻。我現在只站在程先生的觀點（或許可說是政治的觀點）來證明程先生指責宋儒「不做實際學問，不做實際工作」，是完全不合事實。

宋儒講心講性，總要落實到人倫日用上面，這是宋儒與佛家的大分水嶺，無煩多所舉例，即就政治的觀點而論，胡周程張朱五大儒，都是主張由性理以通經世，主張明體而又達用的。胡安定分「經義」「治事」二齋教學，推爲宋學的開山，決非無故。周茂叔爲分寧縣主簿，「縣有獄久不決，先生至，一訊立辨。」在合州，「事不經先生手，吏不敢決」。（行狀）他的官小得可憐，但並看不出他不做實際工作。程明道曾論十事，即是政治的十大主張。「一曰師傅，二曰六官，三曰經界，四曰鄉黨，五曰貢士，六曰兵役，七曰民食，八曰四民，九曰山澤，十曰分數」。其言曰，「無古今，無治亂，如生民之理有窮，則聖王之法可改。……苟或徒知泥古而不能施之於今，姑欲徇名而遂廢其實，此則陋儒之見，何足以論治道哉。」所以他爲晉城令，「民以事至邑者，必告之以孝弟忠信。……度鄉村遠近爲伍保，使之力役相助，患難相恤，而奸僞無所容。凡孤煢殘廢者，責之親戚鄉黨，使無失所。行旅出於其途者，疾病皆有所養。諸鄉皆有校。……鄉民爲社會，爲立科條」。（行狀）邢和叔說他讀書的情形是：「堯舜三代帝王之治，所以博大悠遠，上下與天地同流者，先生固已默而識之。至於興造禮樂，制度文爲，下至行師用兵之法，無所不講，皆造乎其極。外之夷狄情狀，山川道路之險易，邊鄙防戍，城寨斥候控帶之要，靡不究知。其吏事操決，文法簿書，又皆精密詳練」。這是不做實際學問，不做實際工作的情形嗎？程伊川嘗「說書」，在皇帝面前立師道的尊嚴，絲毫無所假借。應算盡了教書的責任。他鼓勵人留心經世之務，嘗說，「學者不可不通世務。天下事譬如一家，非我爲，則彼爲；非甲爲，則乙爲」。又謂「世事雖多，盡是人事；人事不叫人做，更責誰做」？他於兵事，也似乎很留意。嘗說「韓信多多益辦，只是分數明」。又說「管轄人亦須有法，徒嚴不濟事。今帥千人，能使千人依時及節得飯吃，只如此者亦有幾人？嘗謂軍中夜驚，亞夫堅臥不起，不起善矣，然猶夜驚何也。亦是未盡善也。」（以上皆見語錄）可見伊川也不是空談心性。張橫渠少喜言兵，以後轉而致力於性命之學，但對武事亦「素求預備，而不敢忘忽。」他嘗當雲岩令，敦本善俗，治績大著。「居恆以天下爲念。道見餓殍，輒咨嗟對案，不食者終日。雖貧不能自給，而門人無資者，輒粗糲與共。慨然有志於三代之法，以爲仁政必自經界始，經界不正，貧富不均，敎養無法，雖欲言治，牽架而已。與學者將買田一方，劃爲數井，上不失公家之賦役，退以其私正經界，……此皆有志未就。」（參呂與升所作行狀）我對於這種人，不忍說他不肯研究實際學問，更不忍說他是似是而非的道德。朱晦庵爲同安主簿，「涖職勤敏，纖悉必親」。縣有盜警，他防守城西北，「吏士皆感奮爲用」。並「相城之隅得隙地，以爲射圃，屬其徒日射其間」。（文集）他曾奉府檄視察水災，在答林擇之書上敍述此事說：「熹以崇安水災，被諸司檄來，與縣官議賑恤事。因爲之遍走山谷間，十日而後返。大率今時食肉者，漠然無意於民，直是難與圖事。不知此個端緒，何故汨沒得如此。因知若此學不明，天下事決無可爲之理」。（文集）他在政治上的大主張是「制治之原、莫大於講學。經世之務，莫大於復仇」。（文集）。他歷次不肯應召，第一是反對和議；第二是魏掞之因事被逐，覺得「朝有闕政，宰執侍從臺諫，熟視卻立，不能一言，使小臣出位犯分，顚沛至此，已非聖朝之盛事。又不能優容獎勵，顧使之逡巡而去，以重失士心。……則熹亦何恃而敢來哉。」（文集）最後是反對韓侂胄，扼於韓侂胄。他未曾正式練兵理財，但也很留心這些問題。他上孝宗封事中曾說：「自虞允文之爲相也，盡取版曹歲入羨餘之數，而輸之內帑，以備他日用兵進取不時之需。二十餘年，內帑歲入，不知幾何，而認爲私貯，典以私人，日銷月耗，以奉燕私之費。曷嘗聞其能易敵人之首，如太祖之言哉。……諸將之求進也，必先掊尅士卒，以殖私財；然後以此自結於陛下之私人，而祈以姓名達於陛下之貴將。貴將以傳軍中，使自什伍以上，保稱材武。陛下以爲公薦可以得人，而豈知其論價輸錢，已若晚唐之債帥哉。彼智勇材略之人，孰肯抑心下首於宦官宮妾之門，而陛下所得者皆庸夫走卒，而猶望其修明軍政，激勵士卒，以強國勢，豈不誤哉。」（文集）程先生對於這些議論，不知有否覺得係發於「似是而非的道德」。

陸象山弟兄，比程朱這一路來得更簡易。但他們都富有民治思想，留心地方自治。象山知荊門軍，不擺官僚架子，「賓至卽見。持牒卽入，無早暮」治績很好。「荊門素無城壁，先生以爲四戰之地，遂議築之，二旬而畢。」（象山學案）承象山這一脈下去的王陽明，其平宸藩，定猺亂，彰彰在人耳目。清代曾國藩率領一批講宋學的朋友，如羅羅山輩，平定大亂，這都不消要我詞費的。

四

我上面所說，只在證明程先生對宋儒的評斷，全是捕風捉影之談，連這些擺在面前的事實都不會留心過。我並不是以這些材料來爭宋儒在道德上的地位。因爲程先生所提出的不是衡斷道德問題的標準。通觀程先生這一段文章，充滿矛盾與混亂。其原因是，既不好從正面勾銷中國文化；也不甘心承認中國文化的價值。這正反映中國文化界今日的混亂狀態。今日對文化問題，數典忘祖，信口開河的，指不勝屈，不必置辯。但以教育部長的地位講話，我覺得應稍稍愼重一點。我不想爲死人打官司。道理在天壤間。悟者自悟，迷者自迷。宋學在宋朝已一遭黨禁之禍，再遭僞學之誣。但又何傷於日月呢？

我也可略迹原心，認爲程先生說的話，只是要加強烘托出「教育兒童青年以『天下爲公』，和『人生以服務爲目的』的道德」，則程先生的動機並不壞。假定是如此，則我將補充指出宋儒之『民胞物與』的德量，也將和程先生所說的不致妨碍現代化。不過宋儒所要追問的是，爲什麼許多人好話說盡，壞事做盡呢？據宋儒一般的看法，只因爲人失掉了所以爲人的本心，僅剩下與一般動物相同的本能衝動，以致無人禽之辨，無義利之辨，大家變成了衣冠禽獸。所以不得不言心言性，重踐履，重工夫，先使人成爲一個人，然後一切作爲，才有安放處。朱子去見孝宗，有人攔在路上勸他這一次不要談正心誠意了，免得皇帝討厭。朱子說我一生學的是這四個字，如何可以不提。試想，一個國家的政治中心點，假定是邪心假意的人，則一切從何談起。就是要學生的功課好，也會要求學生專心致志。這與國父「心理建設」的主張，並沒兩樣。他們的官和程先生比起來，儘管小得可憐；而他們講學著書，赤手空拳，發動一種社會文化運動，思想運動，影響數百年之久。這一段眞精神，豈可責之爲似是而非的道德，便何忍把亡國的責任輕輕推在他們身上。若程先生責備他們爲什麼不搞革命，這好像責戚繼光練兵，爲什麼不用美械裝備？又如中共在其歷史簡篇中，責秦漢之際，沒有共產黨出來領導農民革命，以致未走上共產主義之一樣可笑。至於今日所謂革命的實際內容，大概彼此是可相視而笑的。本來，我曾經說過，純以道德爲基底的文化，有其不可避免的拘限性，所以有待於知性的發展，以收相輔相維之效。我們可以從這種地方說宋儒乃至整個中國文化之有所不足，有急待塡補的缺憾。但這種不足和缺憾，決不是韓侂胄之流所說的僞學，或程先生所說的似是而非的道德。

從十九世紀末以來，唯物主義與社會關係說，盛極一時，人們總是在物的上面，在社會的環境中，去求問題的解決。所以倫理學道德學，在二十世紀是一個冷門，是一個不景氣的學問。薛維徹（Schweitzer）在其大著「文化之沒落與再建」中，認爲文化的本質，是倫理的道德的東西。認爲文化的興衰，存於各個人各國民的心的狀態。他自己知道這種看法，是冒着使他陷於孤立的危險。這正說明現代的風氣。而在中國，近三百年來，先以考據而打宋學，後因反道德，反禮教而打宋學。而宋學的本身，正和其他的偉大宗教，偉大道德學派一樣，是要通過人的實踐才能理解接近的。中國人現在沒有這種實踐精神，並且也沒有這種氣氛，所以更厭惡宋學，更不能接近宋學，然就程先生肯提出「道德教育」四個字來說，也許可以看出世運的一轉機了。

最後，我引當代的大科學家，而又是民主的熱烈擁護者愛因斯坦的兩段話來作此一商討的結束。

「因爲宗敎和道德，與傳統有密切的關係。而過去百年之間，其思維的樣式，顯然把道德的思想與感情弱化了。我的看法，這是現代政治方法野蠻化的主要原因」。（一九三八年在 Sworthmore College 畢業典禮的講辭）

「我們的抱負與判斷的最高原理，是從猶太敎——基督敎的傳統之中所給與的。因爲這是極高度的目標，所以我們微弱的力，只能到達其微小的一部分。然而，他對於我們的抱負或價值判斷，是與以確實的基礎。」（一九三九年五月十九日對美國神學聯合會東北部分會的講辭。）

七月二日於臺中

四一、七、十六、民主評論三卷十五期

誰賦豳風七月篇

——農村的記憶

一

我平生好讀陸放翁「今皇神武是周宣，誰賦南征北伐篇」的這首詩，覺得他有燕趙慷慨悲歌之氣。但現在的心情，慢慢的轉變了。對於流亡的人來說，則豳風「七月」的詩，較之歌頌宣王南征北伐的詩，更有親切之情，更增加對鄉土的慕戀。

豳風，據說是周公自作，或與周公有關的詩。詩經把他列在十五國國風的「變風」之末，有人說這是孔子刪詩所定的次序。大儒王通推原孔子定這種次序的用意說：「言變之可以正也」。好像易經上的剝極必復，否去泰來一樣，以見人道之不可終窮，我想，中國聖人的用心大概會如此。聖人之所以爲聖人，正在他的悲懷宏願，不肯使人類走上了盡頭路。

豳風主要的詩是「七月」。詩序說，「七月，陳王業也。周公遭變，故陳后稷先公風化之所由，致王業之艱難也。」「七月」這首詩，一面是歌詠農民的辛勤，同時也是歌詠農民的德性。農民的辛勤和德性，在周公，至少是在作詩序的人看來，就是周朝王業和風化的根本。周公作這首詩叫瞎子唱給成王聽，用共產黨的術語說，是要成王向農民學習。做皇帝的人，不可忘記農民。要向農民學習，要算是中國政治思想的主要內容之一。所以國家迎寒迎暑祈年等大典，都要歌「七月」。鄭康成根據周官，以爲「七月」兼風雅頌三義，則其應用的範圍更廣。自此以後，豳風七月成爲政治的教材，成爲藝林的佳話，下開田園詩人，田園畫家的廣大分野。錢賓四先生在「中國文化史導論」中，把農業文化的靜穆敦厚之美，描寫得有聲有色；而我的朋友程兆熊先生，是學農而由藝以進乎道的；在他的許多文章中，常以幽峭空靈之筆，寫綿綿不盡之心，總是把人類的前途，歸到土的上面，歸到農的上面。依我看，兩位先生對農業的厚意深情，都可說是七月篇的流風餘韻。

　　農村，是中國人土生土長的地方。一個人，一個集團，一個民族，到了忘記他的土生土長，到了不能對他土生土長之地分給一滴感情，到了不能從他的土生土長中吸取一滴生命的泉水，則他將忘記一切，將是對一切無情，將從任何地方都得不到眞正的生命。這種個人，集團，民族的運命，大概也會所餘無幾了。劉裕把他未做皇帝時的耕具，陳設在廟裏，想藉以使他的子孫，能睹物興懷，知創業之所自。可是他的兒子（或者是孫子）走進去看到這些東西，簡直覺得原來出身微賤，慚愧萬分，趕快叫人搬走。這恰符合了我們這一代的智識分子的心情；而劉裕的子或孫，也符合了我們這一代的智識分子的命運。

　　幾千年的農業社會，假定其中沒有蘊蓄着一點可寶貴的生命，則中國歷史的存在，全是偶然；而管理衆人之事的政治家們，假定對他所管理最大多數的農民，缺少最低的同情與了解，則他的管理方針，自然會牛頭不對馬嘴。中國過去做官的人，多半是從農村中來；官告一段落了，也多半依然回到農村去；他們的身上多少總有點土氣，他們的腦子裏多少總還沾點民情；所以壞也有個限度。清末以來，智識分子雖然多數是從農村中來的；但一離開農村，便永遠不想農村，永遠不回農村。即使官沒有了，也把農村括來的錢，多的滙到外國，到外國去參加人家的現代化。比較少一點的，也竭盡一切的方法，住在都市上，過各種層次的現代化生活。這些人的心中，根本沒有自己的錢從何處來？自己的祖宗從何處來？鄉下人何以要拿錢來供給自己的現代化生活？等問題的存在。所以大家可以心安理得的騎在農民的頭上，無窮盡的油滑，浮誇，詐騙，流蕩下去。油滑、浮誇、詐騙、流蕩，這正是我們都市的「市氣」。而「市氣」就是這些人的現代化。臺灣層出不窮的學生流氓組織，據保安司令部負責指導的人分析其原因說：「父兄位居顯要。」「受都市不良生活之感染，不諳物力艱難及農村之疾苦，養成其趨腐逐臭之習慣。」（見六月廿五日軍聞社訊）這是當然的。正因爲這批孩子的顯要父兄，忘記農村疾苦，不諳物力艱難，整天沈浸於腐臭市氣之中，所以他們的孩子才家學淵源，箕裘不墜。中國過去是以市井之徒爲可鄙，以市井之氣爲可羞。而這卻正是現代智識分子的生命，一直到海外逃亡而不自覺。當着這些市氣冲天的現代人，假定也有人出來再賦豳風七月之篇，使這些忘本的現代人，也親一點土氣，也想一想他的父親、祖父、曾祖父，一代一代的來源，或許可以使他們稍歛一點虛僞浮誇之習，稍存一點樸厚凝重之心，到未嘗不是促使大家在流亡中重新想問題的起點。更不說甚麼戚繼光練兵，要「再換清水」（農民），曾國藩用人，特注重「鄉氣」了。

中國共產黨，眞是亘古未有的大騙子。他的第一騙，是騙中國的農民。毛澤東以農運起家，他知道農村的矛盾，也知道農民的美德。所以他便在瞞天過海的大騙術之下，以農村的矛盾，引發農民的美德；再將農民的美德，一步一步的轉成他的工具，以奪取天下。共產黨的質樸、堅苦、犧牲，都是從那裏得來的；而鬪爭、清算、殘暴、詐騙，這是共產黨所施給農民的符咒。共產黨在打天下的過程中，曾居然以農民的代表者自命。及憑農民的淚海血河，打下了天下以後，農村卻被視爲半封建的，落後的，革命的對象。雖然沒有把他幹部的缺點，罪惡，一筆寫在農民身上去，這只是毛澤東的不太愚蠢；實際，他是把農村當作罪惡的淵藪，所以一再的土改，挖農村的根，剝農村的皮，翻農村的面；幾千年農村在精神上物力上的蓄積；大概這一次給共產黨搞完了。將來縱使能回到大陸，恐怕所看見的已經不是我們所自出的農村。那時的寂寞，我現在已經預感到了。

所以我縱使也是一個偉大的詩人，也能像周公一樣，重寫一篇豳風七月的詩，以詠嘆農民的辛勤，歌頌農民的德性，則共產黨將視我爲反動；而自由中國的大人先生們，也會視我爲落伍，妨礙了他們的現代化；我將更陷於進退維谷的境地。幸而我不是詩人，更不能做像「七月」那樣偉大的詩篇。但農民這一代所受的欺凌誣衊，好像一個天眞無邪的處女，被人加以強姦後，不說強姦者是強盜，反罵被姦者是娼婦，我實在因此而心酸。只要是一個中國人，不管他現在是如何的現代化，但試就他本身推上去，他的若祖若宗，若父若兄，若親若戚，若鄉黨中，總可以記憶出若干農村的生活史；在這些生活史中，有的是可敬，有的是可憐。如何能在記憶中，一二三四的數出那樣多的罪惡。農村中含有可惡的因素，那一定是由商業資本及貪官汚吏所直接間接帶進去的罪惡。這是稍有良心，稍有常識的人，所不能不承認的結論。因此，我痛恨我自己不是詩人，坐視這一代忘本的人們，隨意將農民加以欺凌侮衊，除了心酸以外，再無其他方法表達這一代農民所受的積苦煩寃；因此，我更希望中國還會有偉大的詩人，作出新的七月篇來，喚起現在人的記憶，在記憶中抓住一點自己生命的根子，重新在歷史的車輪中站起。

二

眞正說起來，我就是這羣忘本的人們中的一個。我的家庭，我的村莊，我的親戚，都是道地的農民，所以也都是道地的窮苦。砍柴，放牛，檢棉花，摘豆角，這都是我二十歲以前，寒暑假中必做的功課。我父兄的艱辛，一閉目都到我眼前來了；所以我眞正是大地的兒子，眞正是從農村地平線下面長出來的。但我每一想到我在外面的生活情形，雖然比貪官汚吏，濶少洋奴，要整飭微薄得多，但一和我鄉下的生活對比，便不覺滿身汗下；我眞的忘本了，我的生活，和我的父兄親戚，依然有這樣大的距離。我的妻，初結婚時，人情世故，一竅不通，簡直把她無辦法。抗戰發生，到鄉下去住了兩年，居然前後兩人。美德呈顯，嬌習盡除，大家都說她賢德。我常想，農村環境的教育力量眞算大。假定現在做官的人，也有機會在農村中住一兩年再出來，一定會和我的妻一樣，在做人做事上大有進步。可是我現在常拿以前的農村生活故事，來教導我的孩子，他們卻只當笑話聽。可知人是最容易忘本的動物。二十年前，我有一次坐長江的江船去上海。江船的客廳裏，坐着許多客人聊天，有母女兩人，也坐在客廳的角落上。母親大約五十多歲，衣着是鄉下小康之家的樣子，整潔質樸；女孩十八九歲，藍褂黑裙的學生裝。母親拿一塊在船過蕪湖時所買的醬豆腐乾，自己吃一點，分一半給她的女兒，臉上是表現着無限的慈愛，無限的安靜自然；可是她的女兒把眼睛向四週一望，滿臉通紅，以很生氣的神情推回母親的手：於是慈愛的母親當時也覺得非常惘然了。她不知道她的女兒已經現代化，船上坐的都是現代化的人，在官艙客廳裏分蕪湖醬乾吃，有失她現代化的女兒的面子。這一小場面，給了我這樣深的印象，到現在還不能忘卻。那不僅說明了市井與鄉下人之不相喩，也說明了今日談中西文化者之不相喩。像那位女孩程度的西化論者，對她慈愛的母親都要翻她一白眼，則對其他的人當然更要目爲國粹派，多烘先生，而値得拿去槍斃了。則今日中共之把農村整得死去而活不轉來，一般反共而又學共的人們又何嘗不暗裏從旁叫好？——只要不整到他自己頭上的話。因爲他們也是明目張膽的說農村是罪惡的淵藪。

說農村是落後，那是當然的。生產技術的不進步，基層政治的腐化貪汚，教育的不發達乃至不適合，都是落後的主要原因。假定能改進技術，澄淸政治，普及教育，農民豈有不歡欣鼓舞之理；更有什麼喪心病狂的人來反對呢？但我們說農村是落後，這是拿外在的東西作尺度去說的。若就一般農民作人作事的基本精神而論，則我覺得不僅不是落後，而且是中國能支持幾千年的一種證明；也是中國尙有偉大的潛力，尙有偉大的前途的一種證明。「市氣」人物之不了解這種精神，脫離了這種精神，甚至誣衊這種精神，正是現代悲劇之所在。

上面所說的不是理論，而是一個社會性的事實。農業生產，是人力直接用向自然，是人力直接爲了自己，這其中，能缺少人類的一段眞精神嗎？而人類的眞精神，是蘊蓄有無限的可能性和發展性。

有人駡農民是賦性游惰。但我們試想一想，農村最閒散的時期，是稻已收場，麥剛播種，一直到第二年菜花結果的前後。這種閒散，是來自農業本身的季節性，如何能說是農民的游惰？卽在這種閒散時期，農民一面忙着淸理本年的生計，一面趕着計劃來年的生計。同時，農桑收場，正是農村手工副業的開始。我家是在冬季做蠟燭，夜晚總是忙到三更才睡。沒有副業的人家，都羨慕能有一點副業。我們的手搖紡車還沒有淘汰，諸姑姊妹，更是起五更，睡半夜，趕着紡點棉線拿去賣，或以此彌補一年的虧空，或以此添置過年的新衣。最可愛的是小康之家，在除夕的前十多天，一家大小，都是緊張而愉快，忙個不休。一年勞動所得的一絲一粟，此時都蘊蓄着生命之花，與勞動者以安慰，鼓勵。新年到了，「敎化子也有三天年」（敎化子卽乞丐），討債的只能討到除夕爲止。這一不成文憲法，打斷了窮人生活上的糾纏，使他也能隨春到人間而鬆一口氣。除夕到了，全村大掃除，貼門神，春聯，放爆竹。自此之後，一直到燈節，各人堆上笑臉，滿口都說吉利話，一團喜悅，一片溫情。整年勞苦，親戚朋友都少往來。新年大家帶點禮物，彼此來往一番，聊通一年的款曲。農村的新年，才眞是人情味的世界，才眞可以看出是人的世界。「張而不弛，文武弗能」。在弛之中，更合上發乎人情自然的禮節，如臘祭，迎年，鄉飲酒之類；這種先王之敎，一直浸潤在農村，使中國的農村，不是由鞭子所造成的冷酷黑暗，而富有溫暖光輝，以積蓄發展民族的生命，這實在是支持中國歷史的主力。我已有二十多年沒有在鄉下的家過新年了。大概此生此世，是永遠不會的。都市的年，好像滲了水的白酒，沒有眞味，因爲都市的人情味早已滲假了。

有的大人先生們，或許因此大發議論，說上述情形正是表現農民的懶惰，無計劃，不緊張，攸攸忽忽。但是，這是完全失掉了記憶的人，或者是完全沒有良心的人的說法。新年一過，我父親便把一句成語告訴我們，「一年之計在於春，一日之計在於晨」，要我們各人早作各自的準備。這句成語，是家喻戶曉，引以互相警惕的。嚴氏詩緝說：「七月之詩，一言蔽之曰，豫而已。凡感節物之變，而脩人事之備，皆豫爲之謀也。」程子曰：「此詩（七月）多陳節物大要，言歲序之遷，人事當及時耳」；可見三千年前，中國農民，已經是有計劃的生產，難說到現在反退步得一蹋糊塗，硬要等今日共產黨來爲他們搞生產計劃嗎？農民自己的計劃，是自己生命的發舒；共產黨爲農民所立計劃，是對他們生命的剝削。現在的大人先生們，難說對這一點都分不清楚？農民第一計劃的是糧食如何能新陳相接；其次是肥料的積集分配；再其次是就去年的經驗，今年那一坵田應該種什麼；至於人力的計算，有餘如何利用，不足如何補充，更要費一番打算。一個忙季來了，譬如挿秧，割稻，種豆，耘田，農民都要抓住那幾天內做完才有利，過了那幾天卽不利，總是全家大小，不分晝夜的去爭取這種天時。稻子收早了「沒有煞漿」，（穀子尙未十分成熟之意），收遲了便會生芽。更要搶着天氣好。所以我村子的人，常常問「你是割了多少稻子才天亮的呀？」有一個年輕的小伙子嘆氣說：「我有很久是兩頭不見大二了」。近村傳爲笑談。我鄉裏稱母親爲「大二」。早出時，母親未起，夜歸時，母親已睡，所以說兩頭不見「大二」。都市的時間是以鐘表來計算；農村的時間，是以各個人的生命力來計算，這種以生命力來爭取時間，用摩登的話說，是「抓住重點，突破困難」。千家詩上載范成大的詩「晝出耘田夜績麻，村莊兒女各當家」。又「鄉村四月閒人少，纔了蠶桑又挿田」。五十歲以上的大人先生們，難道千家詩也不曾讀過？

朱柏廬的家訓，正是反映農村的生活秩序，所以也特爲農村所重，常常把他寫作「中堂」掛。開首就是「黎明卽起，洒掃庭除，要內外整潔。既昏便息，關鎖門戶，必親自檢點」。我父親在鄉下敎書，但在嚴冬時也是每天東方剛發白便起來檢豬糞牛糞，積蓄肥料；全村人都仿傚起來。夜間關門，總要招呼一聲門閂上沒有？鄉下人罵關門不關上的說「你怕關掉了尾巴嗎」？後來我見到許多都市稱暗娼爲「半開門」，我才明白鄉下人爲什麼罵半關門了。

三

勤儉兩個字，是農村經濟的骨幹。但在政治不安定的時候，與其用勤儉兩字去表徵農民的活動，無甯用勤苦兩字更爲恰當。我小的時候，常常晚上沒有飯吃，那還可以說是太窮。但我祖母的時候，聽說糧食是够吃的，因爲要存點糧食備糴，慢慢再添一點產業，便在農閒的日子，晚上只喝點米湯或吃點豆子當飯。我妻的前一代也是如此。問起來，鄉下人大半都是如此。眞西山說「數米而炊，併日而食者，乃其常也」這確是農村之常。家裏有老人，每月初一和十五的兩天，能買兩次肉給老人吃，那就算小康之家。此外，鄉下人吃肉，便要靠過節，祭祖，和過年了。自己死了人，要給弔喪者以大塊的肉吃；送葬時要請一對喇叭開路；尤其是老人的棺材和壽衣，幾年前就應準備好；這是鄉下人有一個孝的觀念，有一個禮的觀念在驅使他不得不如此。至於「大出喪」這一類的玩意兒，那只是極少的縉紳之家，尤其是上海人愛來這一套，農業社會是當不起的。誰能把這一套硬栽在農村裏去，以指實農村的罪惡？

因農民的普遍窮困，生存的要求太迫切，所以農民打算的範圍很窄，有時表現得很小氣。我村子裏常常用酒杯借油借鹽。假若一酒杯的油和鹽借後沒有還，那就很難再借第二次。但鄉下人並不是沒有大方的時候；割穀割麥收豆子的日子，可以讓女人小孩去檢，有時還要送他一把。過新年的頭三天，以及有婚喪慶弔，對於乞丐都特別大方。尤其是遇着揷秧割稻，彼此都是無條件的幫工。鄉下做屋，只有木匠泥水匠要工錢，小工都來自親戚鄉里，照例是不要工錢的。只要自治稍有軌道，農村的守望相助，最爲容易。農村的保甲，比市鎭容易編。徵兵徵工徵糧，完全是落在鄉下人身上，大人先生們對於都市是不敢輕易下手的。農民的自私，是迫於生活的煎迫，他有什麼資格和商人、和官商合一的大人先生們去爭一日之短長呢？並且安分守己的自私，豈不賢於朝市中的勒索詐騙嗎？

因農業本身的制約，不能鼓勵人的冒險，也不能有什麼飛躍性，這是眞的。但誰能因此而抹煞農民的奮勵上進的精神呢？撫孤守志，教子成名，農村這類的偉大母親，代不絕人，蔣母就是偉大的例證，這都是農民堅貞奮勵的標誌。中國歷史上的人物，多半出於鄉下貧困之家，所以有「茅屋出公卿」的成語。我和我同時住師範的幾個朋友，都是窮得沒有「年飯米」的人家，若非父兄咬緊牙關，忍飢挨餓，如何能有升學的資格？就是現在的顯要中，總還有不少是這樣出身的。在生死之際能堅持一種信念，立下自己的脚跟，如忠孝節烈，耕讀傳家之類，這是中國文化在農村中最深厚偉大的成就。吸收農村這些美德而伸長到政治上的，一定是賢良的士大夫，一定是政治清明的時代。抹煞農村這種美德，騎在農民頭上，吸農民的脂血而還罵農民沒出息的，一定是最無良心的智識分子，一定是最沒落的朝代。

自由中國的人們！多增加你對農村的記憶，對農民的記憶，對你自己在農村流過汗流過淚的父兄親戚的記憶吧！在這種記憶中會使你迷途知返，慢慢的摸出走回大陸的土生土長之路。流亡者的靈魂的安息地方，不是懸在天上，而是擺在你所流亡出來的故鄉故土。

六月廿日於臺中　四一、八、一、民主評論三卷十六期

懷古與開來

答友人書（一）

我蟄居臺中，常蒙親朋來信勗勉規勸。其中有的是反映社會上許多人的看法，而出之於愛我者之口，便特別使我感動而益覺其有加以商討的責任。這種與親朋的商討，親切自然，較之以論文來討論問題時或更爲貼切，所以我願把它公開出來，供社會有心人的參考，藉答親朋的厚意，來信者非一人，所談者非一事，其對我的關切，對文化的關切，則沒有兩樣，

友人來書：「前與××先生談，他說兄過分天眞，時勢日非，最好在學術方面多用工夫，弟亦同意此一看法。惟以爲研究範疇，不能離開現實。吾人應對下一代負責。「懷古」是詩人們的事，時不我與，與其替歷史開「追悼會」，不如爲未來的歷史舉行「奠基典禮」。兄以爲如何？

×兄：我感謝你和某先生的關切。對我個人來說，做事也是自盡其心，讀書也是自盡其心，很難以將來的效果來鼓勵當前的勇氣。但你所提出的「懷古」，與「替歷史開追悼會」等問題，大概是看到我最近有幾篇討論中國文化的文章，以爲我是在做抱殘守缺的復古運動。眞的，我每天只花十分之一二的時間看報看雜誌，其餘的都花在古典上面；雖然我目前主要是讀的西方的東西，但對現在而言，其爲古則一。你要了解我這種心情，我願先說一段自身經歷的小故事。

民國二十三年，新疆在盛（世才）馬（仲英）爭雄不決之下，還是一片混亂。中央準備派一支軍隊到新疆去平亂，我便從歸綏帶了四輛汽車縱貫內蒙古，以偵查到新疆的路線。「老朱」，是我們請的臨時嚮導。他在沙漠裏牽了三十幾年的駱駝，權把「駱駝道」當作汽車行走的大方向。有一天，剛繞過居延海的北邊，豫定要到「五個井子」。可是走到下午三時左右，一望都是浩無邊際的戈壁，根本不知五個井子在什麼地方；而車上携帶的水，因爲頭天晚上沒有添補得上，只剩下一小洋鐵桶；人也要水，車也要水，大家立刻感到會渴死在這塊地方了，於是不約而同的都指着老朱大駡。我說，「駡也無益，讓老朱喝口水靜下心來想想吧。」老朱不喝水，靜悄悄的走到稍爲高點的地方，回頭向我們走來的方向凝望，再轉向左右看看，然後以有希望的表情向大家說，「我記起來了。車子倒回頭一下，再轉向右前方走，大概就是五個井子。不太遠。」大家聽他的話，走了一個多鐘頭，眞的找到了五個井子。朋友，我現在的心情，正是老朱站在小高地上向來路凝望時的心情。老朱向來路凝望，不是想把車開回去，這是不可能的。而是想憑藉已走的路，來恢復他的記憶，發現車子到底是從什麼地點開始錯誤，發現如何才能達到我們所要到達的目標。人類的能力，只能順着已走的路去連結未來的路，等於數學是要靠着若干已知數去求未知數一樣。人類不會有窮途末路。但迷了路的人是會感着窮途末路的。這正是我們的現實。對正這現實的情形，我的血未涼，我的心未死，以我們的交誼，你以爲我住在家裏能以懷古之幽情，忘空前的刼運嗎？

你勸我不要懷古，而勉勵我開來，這完全是出於友誼的過望。你也和一般人一樣，把懷古與開來之間，劃一道不可踰越的鴻溝，其實，那是不必的。許多人認爲歐洲中世的人多看着過去，而文藝復興以後則多想着未來，以爲這是落後向前的大分水嶺。其實，中世紀所看的過去，還是他現世生活的反映；而文藝復興以後的追想未來，也並不是抹煞歷史的線索。意大利的現代哲學家克羅齊，認爲眞正的歷史，都是現代史。只有現在人的生活所需要的，才會復活於現代人的頭腦之中；此外的資料，則保持在睡眠狀態中，以待另些人生活需要上的發掘。並且也只有通過現代生活的實踐，才能眞正了解某一代的歷史，等於我們經常有來往的朋友，一定是在我們生活的某一點上有關連的朋友。生活上毫不相關的，自然會淡忘而疏闊了。同時，只有通過自己生活的實踐，才能了解別人。否則終於有室邇人遐之感。詩人的懷古，你以爲他眞正所懷的是古嗎？「山圍故國周遭在，潮打空城寂寞回；惟有東邊舊時月，夜深還過女牆來」。詩人此時眞正所懷的，只是自己一顆寂寞孤獨之心；金陵的往事，把他觸發了起來，於是這顆寂寞孤獨之心，直通千載的興亡哀樂，而將其顯發出來，與詩人此時精神生活上以滿足。假定你對於女人是毫無興趣的人，則過昭君的青塚，浴貴妃的華清，你也不會有幽情一往的。伸向自然，與伸向歷史，都是人類生活伸長的一種尺度。縱然是開追悼會，它追悼的總是現在而不是歷史。

親愛的朋友，過去，現在，將來，都是時間的觀念；但人類生活的時間，乃心理的時間，精神的時間，它與物理的時間並不一樣。物理的時間，是隨時鐘擺針的擺動，而消失到虛無裏面去了。但精神的時間，則憑我們特有的記憶作用，常將過去與現在連爲一個整體。我們當下的起心動念，實挾過去的某一部分以同時湧現。一個失掉了記憶力的人，他會變成白癡。失掉了記憶力的民族，一定墮退爲原始狀態而不能繼續生存下去的民族。歷史意識的強弱，正說明某一民族生命力的強弱。則今日中國由記憶力的減退而表現爲歷史意識的薄弱，決非偶然之事。

你說，要「爲未來的歷史舉行奠基典禮」，這是無可置議的。但任何的創造，都要扶着歷史的線索去走。歷史的線索是對的，便扶着向前發展。歷史的線索是錯的，錯的另一意義，是暗示我們要走另一條路。牛頓看見蘋果墮地而發現萬有引力，這是一大創造；但他能不憑藉人智積累下來的數字而加以推演嗎？自相對論量子論出世後，固然可以說牛頓所建立的物理世界，發生了動搖。但愛因斯坦論到這一點時，卻說：「若沒有牛頓明確的力學，則我們今日的成就，乃不可能之事。」面對自然的發明，尙且是如此，何況面對人類社會的創造。共產黨，它自以爲是與上帝同位的創造了人類的一切。但毛澤東是在學史達林。史達林則根源於馬列及俄羅斯的傳統（近來從共產黨出身的人，硬說蘇聯與馬克思主義無關，這完全是由「子爲父隱，父爲子隱」的心理所發出來的神話）。而馬克思的哲學係來自黑格爾，費爾巴哈；經濟學係啓示於李嘉圖及穆勒。現在自由中國的許多反共專家，則又多從毛澤東那裏學來一枝一節，美其名曰「向敵人學習」。人類知識的來源，總不外來自歷史，來自社會，來自自然。而社會現象的根源還是歷史；自然分解的工具還是由歷史所儲積，歷史是給我們走向未來的立脚石。現在香港有一批自命爲「第二代」的精銳之士，連當前的第一代也要一掃光，而要形成一個眞正的「未來派」，這種創造的勇氣，是非常的可佩。但是，從第一代完全斬斷的第二代的創造者，假定他們眞有能力這樣做的話，則他們祇是回到人猿時代。未必能創造得出新舊石器，更創造不出「第二代」三個字，歷史是人類理性共同活動，所逐漸蓄積的財產。我們能眞正繼承多少，也就暗示我們能眞正爲未來構想多少，創造多少。政治家，在歷史中的地位並不十分高貴。但卽使要做一個政治家，沒有一點眞正歷史的了解，僅東去檢一句口號，西去學一聯標語，來創造一番，而不知道口號標語後面，依然有其歷史的背景與規定，這完全是學人言語的鸚鵡，和權力慾衝動的一般動物的結合。我想，這種人在政治上頂多能像孫猴子在天宮裏多打幾個觔斗，多撒幾次猴尿而已。俾士麥，是一個流氓氣很重的人。他一生只認眞的讀過一兩本英國史。假定他連這一點也沒有，便連鐵血宰相也當不成了。

也許你和現在的許多人一樣，只反對中國的歷史，並不反對西方的歷史；正和只反對中國的孔子，並不反對西方的耶穌一樣，因之，怕我當了國粹派，當了多烘。這將牽涉到另一問題，須要另作商討。但我首先申明一句，請你放心我無意於當國粹派。卽使是如此，在我心目中，國粹派比文化上的西偲洋奴買辦總要好。你知道經濟上的西偲洋奴買辦之不會促進中國工業化，便也可以知道文化上西的偲洋奴買辦之不會促進中國現代化，這是完全一樣的。不要給這般人口裏念念有辭的名詞嚇唬住了吧。

八月十一日於臺中　四一、九、一、民主評論三卷十八期

文化的中與西

答友人書（二）

來書：「近來文化上的爭論，也牽涉到文化有無中西之別的問題上。吾兄好像是主張有的。但主張沒有的人並非沒有道理，兄不可固執成見，應該從長商討一下。……」

××先生：承你的指教，我非常感謝。中西文化異同之爭，大概將有百年的歷史。此一問題，在過去主要是爲了撐門面；而今日則注重在文化本身之是否有個性。撐門面，只是出於民族的感情，不能眞正解答問題。文化有無個性，則係當前擺在文化人面前的一重大課題，其討論的意義，已超出於民族感情之外。固然，民族感情，依然是此一問題中的要素之一。

作爲一個人，總有其共性。有了共性，然後天下的人，都可在某一基點之上（如人性），作互相關聯底考察，因而浮出世界史的觀念。但人的生活環境，既不能完全相同；而人的本身，更有其主動性和創發性。各個人的想法作法，並非完全由環境所塑造，在同一環境之下，也可以有不同的想法作法，這是人與其他動物之最大分別：也便是說明人除了其共性之外，還有其個性。並且愈是發育完成的人，其個性愈爲明顯。個性與個性之間，互相影響，影響的結果，一方面是共性的增大，同時也是個性的完成。一不礙多，多不礙一，一與多是互生互成的，這在人性的關聯上可以得到顯明的例證。純自然，不能產生文化：文化是由人所創造的。人的共性與個性，一與多，當然會反映在其所創造的文化上，而成爲文化底一與多，文化的共性與個性。在文化的共性上，我們應該承認有一個世界文化；在文化的個性上，我們應該承認各民族國家各有其民族國家的文化。並且各民族國家所反映出的文化底個性，是不斷地向世界文化底共性而上昇；而共性與個性之間，個性與個性之間，由不斷底接觸，吸收，將使某些個性的若干原有部分，發生一種解體現象，但這種解體，並非個性之消滅，而是個性新的凝集，個性之不斷上昇與凝集，正是人類創造文化的過程，這種過程，從觀照的態度說，是文化共性之不斷擴大；而從實踐的態度說，又是文化個性之不斷完成。無個性以外的共性，也無隔離孤獨的個性。個性中有共性，而仍不失其爲個性；共性中有個性，亦仍不失其爲共性。說某一文化無個性，這是等於說根本無此一文化，或者說此係一不具體底文化。好像說某人爲一不具體之人一樣。我們主張文化有中西之別，是肯定我們這一民族的長久存在，決非偶然，而係創造了自己所需要的文化；旣有文化，自然會有個性。從個性方面去看，自然主張有中西之別；這豈非是極容易懂的道理嗎？

朋友，你也或許覺得我的話說得太抽象了，使人不易把握理解；我們現在不妨舉若干譬喻或例證。

文化的個性，是文化創造的結果，也是文化創造的過程。在此創造過程中，它可以資藉許多既成的「文化財」，模仿許多既成的文化財。但只要創造成功，則他一定會表現個性。譬如人學文章，學字畫，儘管他讀了許多文章，臨摹許多字畫，假定他成了功，便不是他是學的那一派別，則派別對他而言，自有其共性；而在他對派別而言，則必有其個性。八大家的散文有其共性，但每個人，甚至連父子兄弟的三蘇，也各有其個性。中國的字畫，有其總底共性；但過去常有南北之不同；而不論在北碑南帖，北畫南畫中，每一個人都各有其個性。否則就是說此人的詩文字畫沒有成家（成家，即是表現個性）。沒有成家的東西，在文化上無大價值。若人家的詩文字畫成了家，已有了個性，但在外行人看來，則恰是「黑夜裏所看的牛總是黑的」一樣，以「將無同」的心情去漠然說其好或壞。其實，這種好壞之見，在行家看來，都是不相干的。一個民族的文化，對其內而言，則成爲此一民族文化的共性；對其他民族的文化而言，則成爲此一民族的個性；這和某派的作品，一方面是代表此派的共性，一方面是代表此派中某人的個性一樣。所以我們可以對西方文化而說中國的文化。

有人以爲一個民族會不斷吸收許多其他民族的文化，如中國之音樂、工藝品，有許多是受了中東諸「民族」的影響；尤其是思想上是受了印度佛教的影響。眞正是純中國土產的東西，早不存在，還談什麼中國文化的個性？這種說法，是把個性只看作一種自然底死物，而不是看作一個創造的核心。由我上面所說，應知此種看法完全是錯誤的。即以現在的國樂而論，我們儘管有的來自波斯，有的來自印度；但到了我們手上以後，便決非波斯的音樂，決非印度的音樂，而依然是我們自己的音樂，所以依然不妨說是「國樂」。除非我們的音樂，還完全是在模仿底階段。佛教自東漢末入中國，開始依附道家，晉魏乃能自立，隋唐始臻圓熟。但圓熟底佛教，便是天臺、華嚴、禪宗等，富有中國個性底佛教，我們不妨稱之爲中國底佛教。日本的佛教傳自中國，但是日本佛教的性格，便與日本民族性格融合在一起而成爲日本的佛教。中國當然要努力吸受西方文化；但假使中國民族的生命力未竭，這種吸收能够成功，則將也如過去吸收佛教一樣，中國文化會以更高底個性出現，我們依然要對其他民族的文化而提出我們中國的文化。決不能說德國、英國、美國那一國的文化，即等於中國文化。西方同是一個文化根源，但海洋大陸，旣風會各殊，德法僅一萊因河之隔，在文化的氣質上，仍各有其特性，中國文化之有個性，中國吸收西方文化後依然還有個性，這是由文化的本質所決定的。

由中西文化之分推進一步，即是東西文化之別。這種分別，西方人在以前是不承認的。其原因；第一，隨近代西方文化的覺醒，便開始了大規模底世界征服運動；販賣奴隸正是其中節目之一。他們對於被征服要征服的對象，都認爲是野蠻人，只好做他們的奴隸，那裏會承認有文化呢？所以他們的文化，便是世界上唯一底文化。等於我們以天下之中（中國）的華夏自居的時候，四圍都是夷狄，我們的文化，自然也是世界唯一底文化，還有什麼中外東西之可言？第二，由西方哲學的一元論而形成一元底歷史觀，拿一個東西作歷史文化唯一的測量尺度；在其唯一底尺度下，世界的文化，都是同質的；只有時間上的前進或落後，而無異質底個性文化之並存。如基督敎以信神不信神爲尺度；黑格爾以絕對精神之辯證法底自我實現爲尺度；馬克思之徒以生產力發展階段爲尺度；另外則有更多的人以自然科學爲尺度。採取這種尺度的人，不承認有在他的尺度以外之文化；縱然有，也是處於一種奴僕的地位。尺度只有一個，自可不辨東西。第三，由於空間底認識不够。西方人最初所指的東方不過是近東、中東，其次則有印度；及發現了中國，只好稱之爲「極東」或「遠東」。由地理上之生疏，當然影響到對文化上的了解；東方文化之在他們多數人心目中，好像只是天方夜譚的故事。聰明的馬克思，用「亞細亞底生產方法」來打混，害得他的徒子徒孫們亂猜，則西方人之不承認東方文化，無怪其然。第四，由於其對文化本身的認識不够。歐洲十七、八世紀，多半是以自然觀點看問題。在自然底觀點中，只能看到文化共性的一面，不易看到個性的一面。一直到十九世紀六十年代以後，眞正底歷史學才建立起來，於是文化的個性，乃隨歷史學之進展而漸爲人所注意。現在，不僅歐洲的大史學家，大思想家，不能不承認東方文化的體系；乃至許多思想家，憧憬於東方文化，想以東方文化來濟西方文化之窮。不過，他們對中國的注意遠趕不上對印度、對日本的注意，原因很簡單，我們的洋博士們，以數十年之力，都盡量宣傳自己底祖國沒有文化，或者只有一錢不值的落後文化。

至於許多中國的文人學士，主張文化無中西之分，這原因，要追溯到鴉片戰爭以來，我們在事實與心理上，都長期處於半殖民地的地位。由半殖民地之自卑感，站在西方人面前，自慚形穢，怎麼敢自承有中國文化呢？而「向高帽子作揖」，尤其是聰明人的處世哲學。主張中國文化一錢不值的人，快會主張歐洲文化也一錢不值，而世界上只有美國文化了。至於有的朋友說，主張中國文化有個性的人，所舉的論證不够，這到是對的；但這只能鞭策我們作更深的文化反省，並不能因此而取消中國文化有個性的前提。

朋友！也或許你以爲主張中國文化的個性，便妨碍了西化；而你是主張西化的。但你也知道，我除了對「西化」一詞有點懷疑以外，也一向是主張應吸收西方文化的。但問題的本質是這樣：假定我們完全沒有文化，則我們是未開化的人；未開化的人很難一步登天的吸收西方文化。假定我們有文化而這文化對於我們的前進只發生反作用，則是說我們連未開化的人都不如，當然更無資格吸收人家的文化。假定我們漠然說我們是有文化，而對我們文化底特性，即是對於那是有的，那是無的，那是好的，那是壞的，茫然無知，則我們等於對家內的柴米油鹽醬醋茶，一概不知，而跑到街上去買東西的闊姨太太，這樣買來的東西，也只够闊姨太太撒嬌之用，與家計並無關涉。

只有知道家庭甘苦的人，才能絲絲入扣底爲家庭添置東西；只有知道自己國家的甘苦，知道自己文化的甘苦的人，才能絲絲入扣底彌補國家的需要，文化的需要。我們談中西文化，一方面是認定我們有文化；同時也是反省我們文化的甘苦；使我們有資格，有能力，在世界文化的共性中，在世界文化的其他個性中，挺身站起來，作正常底接觸，作正常底吸收。你爲什麼以爲一談中西文化便是老頑固呢？

四一、九、十六、民主評論三卷十九期

政治與人生

人一生下來，就糊裡糊塗的被投入在政治關係之中。寫魯濱孫飄流記的人，其動機或者原在想逃出政治，然而他爲了說明孤島上的生存，便不能不假設一位「禮拜五」的伙伴。他和「禮拜五」的關係，依然可稱之爲政治關係。因此，「人是社會動物」，便也不能不是「政治動物」。

不過上面所說的，是極廣義的政治。極廣義的政治，對於人生的影響，多半是間接的，因而人們也常常不自覺其爲政治。個人對政治所引起的自覺，以及由自覺所發生的觀點，並不相同；而政治對個人所發生的作用和結果，也常是千差萬別。於是政治在人生中的位置，人生在政治中的位置，到底要怎樣才算適合，倒有提出來一談的價值。一般的說，若某個時代，許多人都意識的想離開政治，這必定是一個不幸的時代。若某一個人是意識的想離開政治，這必定是一個不幸的人生。「時日曷喪，余及汝偕亡」，簡直要把自己的生命和政治拼掉，這固然表示一個政治時代的悲劇；而「尋得桃源好避秦」的心情，也正反映着秦之不可不避，又終於無從避起的心情。至就個人而論，從傳說中的巢父許由，到長沮，桀溺，於陵仲子，卽所謂高人逸士的這一流，好像抗志烟霞，棲神泉石，很能優游自得。但其中眞正爲了追求政治以外的人生價值而願自外於政治，如偉大的宗敎家、藝術家之所爲，其精神固然另有寄托，可以獨往獨來。可是，這種人不僅是佔極少數，並且這種人，也並不十分矜心著意於政治之應否須要逃避。而一般的所謂高人逸士，多半是出於對政治的一種厭惡避忌之心；在厭惡避忌之心的後面，總藏著有一副蒼涼悲愴的情緒。莊子，要算是最曠達的人了，但他說「逃空虛者，聞人足音，跫然而喜」。這裏的喜，無疑是由逃空虛者的一片悲懷所烘托出來的。

相反的，若是大多數人都直接捲入於政治之中，這也多半是一種不幸的時代；若是一個人，把他的全生命都投入於政治之中，也是一種不幸的人生。

歷史上，當戰爭和所謂革命的時代，一定會驅遣多數人去直接參加政治；不論戰爭與革命的性質如何，身當其衝的總是犧牲第一。犧牲，有時固可代表人生偉大的價值，但很難說它可以代表人生最大的幸福。何況歷史上的戰爭與革命，寃枉流血的佔絕對多數。至於把全生命都投入於政治之中的，我們首先想到的是皇帝。「垂衣裳而天下治」，這是最幸福的皇帝。但在現實上恐怕就是今天英國和日本的皇室。我幸而不是這種皇室中人，所以我可以更多表達自己的意志。說到秦皇漢武這一類型的，他們成就了若干事業，但很難說他們成就了人生，享受了人生。意識的要爭取點人生享受的，或許要算隋煬帝，陳後主，但風流可以潤澤平民，而畢竟不能不遺禍於天下。其他蠢如鹿豕之晉惠，暴如豺狼的石虎，這一類型的人，你還能說他有人生的意義乃至幸福嗎？何況「汝何不幸生於帝王家」，總是皇室共同的結局。皇帝而外，我們便可想到歷史上的宦豎、權奸，以及今日的政客，軍閥，和以官爲生活之資的窮公務員。這其中，有各種的成色，有各種的心情，很難一概而論。但粗略的說，大抵爲了其他的人生目的而政治的，其毒素較輕；完全爲政治而政治的毒素必重。其層次最高的，要算諸葛的「鞠躬盡瘁，死而後已」。但這決比不上「發憤忘食，樂以忘憂，不知老之將至」的心情，所以也決非諸葛的素志，尤其不是他的人生幸福。再下一個層次的，則名公鉅卿，他們眞正對人生的領略，多半要靠晚年告老還鄉，優游林下的時候；這時才是他們從政治中的一種解脫，他們將從政治之外去重新發現人生。他們能這樣做的，也是由於自己在政治之外，還另有其人生的存在。華盛頓愛好故里的田園，不願長住在政治中心的首都裏面；可見中外對人生稍有點境界的人，心情毫無二致。至於因「大丈夫不可一日無權」而終生玩弄政治，甚至要把一套私之子孫的人，不論他以何藉口，只要我們肯留心觀察，這種人的本質，都是十足的惡棍歹徒；他的生命最乾枯，心情最空虛寂寞；這一點，當局者自己有時也會自己感覺到。何待於李斯黃犬東門之嘆，陸機華亭鶴唳之悲，而始可看出呢？政治圈中佔最多數的是公務員。黃山谷有句云：「食貧自以官爲業」，這是揭穿了公務員的底子來說的話。以官爲業，以宦爲家，在人生中都是最無根底的行業。萬一不幸，他所「等因奉此」的頭兒，完全是一些貪權竊勢之徒，而自己爲了要吃飯，不能不當這些貪權竊勢者之工具，這和以夜度資來維持生活的，實質上，並無上下床之別。人在這種生活中假定稍有自覺，其羞愧與悲哀，是不難想像的。下流到今日史大林毛澤東之流，他們和他們的徒子徒孫，渾身都是政治，更以陰謀詐騙，特務刑戮，驅迫最反對它們政治的人民來不得不直接參加它們的政治，剝奪每個人的全部人生以迎合它們的政治，並且剝削到兒童的天眞，剝奪到青年讀書的權利，以作爲它們的政治工具，這簡直和遊記上要以蒸吃唐僧求長生的魔王一模一樣；政治到了這種程度，才眞成爲人生之死敵，人類之死敵。然探源究始，都是從爲政治而政治演變出來的。

人之所以不能離開政治，是因爲人的生活，在物質與精神兩方面，皆不能離開社會，不能離開人與人的關係。「吾非斯人之徒與而誰與」；這句話，一面是出自聖人的悲懷，同時也係出自任何人所同有的人情的深處。意識的逃避政治，也等於意識的逃避人間。人間是無法逃避的，着意的去逃避，結果只是在一種畸形的人間中來安頓自己的人生，人生總會受到貶損。但更重要的是，政治只是人生的一部分，不應以一部分而掩蓋了整個人生；並且政治在人生中，是緊連着權力慾支配慾的；這是人生中最壞的一部分，是與禽獸一鼻孔出氣的一部分。我們之不能不要這一部分，可以說是出於人生之不得已。我們要使人生的這一部分，作人生其他部分的工具，爲人生其他的部分開路，因而也就把這一部分轉化爲其他的部分。萬不可把人生其他的部分作爲這一部分的工具，爲了這一部分而堵塞整個的人生，把人生其他的部分都轉化爲這一部分；這樣，人便完全獸化了。所以我們可以爲藝術而藝術，爲哲學而哲學，爲宗敎而宗敎，爲科學而科學，甚至可以爲財富而財富；但千萬不可爲政治而政治，不可使政治在人生中僭居於主要的地位，以至淹沒了整個人生。

不過，上面是理論上的說法。在現實上，要把人生不可少的這一部分，安放於一個工具性的位置，卻是一件非常困難的事。「日出而作，日入而息，帝力何有於我哉」，這是在政治之中而忘其在政治之中的一種境界，這確是人生最理想的政治境界。可是，這種境界，在歷史上恐怕還不會眞正出現過。退而求其次，則最好是，每個人都可以過問政治，也可以不過問政治。要過問政治時，沒有人來說不准你過問。想不過問政治時，也沒有人來說你非過問不可。要過問政治，則從心到口，直道而行，沒有人來監視你的言論或投票。不要過問政治，則從工廠到教堂，自由選擇，沒有人來加以干涉統制。於是政治在人生之中，可以提起，可以放下。而所以提起或放下者，則係根據我們整個人生的需要。這樣的政治，才是作爲人生工具的政治；人在這種政治中，才可以發展整個的人生，建立眞正的人文世界。我從此一角度，便特別欣賞近代委托性的民主政治，追求近代委托性的民主政治。沒有這種民主政治的空間，人生一定受到抑壓，人文一定受到阻滯。民主政治的本質，是在敞開人生的大門，舖平人生的道路。在已經得到民主政治的地方，我們可以任意的不談政治而去追求各種各樣的人生。在未得到民主政治的地方，我們爲了要使每人都能去追求各種各樣的人生，便必須首先共同爭取這種敞開人生之門的政治。在英國光榮革命的前夕，在大陸啓蒙運動的過程，有那一個有成就的智識分子，不參加到這一政治形式之建立的活動呢？它不僅是爲人生開路，同時，一個人之所以能成一個眞正的民主主義者，正表現出他是在政治以外，還有其他偉大的人生部分在發生主導的作用。投一生的精力於民主主義運動的人，並不是我前面所說的爲政治而政治的人。因爲民主政治的本身，即含有政治的自我否定，權力的自我否定的高貴品質。世界偉大的民主主義者，一定含有這種高貴的品質。中國一直到現在，還沒有接上民主政治的頭，這固然是由於反民主勢力的阻得；但在主張民主者的中間，多缺乏這種高貴的品質，也是一個重大原因。缺乏這種高貴的品質，則搞民主政治的人，只能看到民主政治主張權力的一面，而不能看到民主政治否定權力的一面。這便依然成了爲政治而政治的活動，成了淹沒整個人生的政治活動。也便不算是民主政治的活動。

中國文化，本是人文主義的文化，本是顯發人生的文化。但中國的智識分子，主要精力，下焉者科舉八行，上焉者聖君賢相，把整個人生都束縛于政治的一條窄路之中；而政治的努力，又僅在緩和專制之毒，未能發現近代的民主政治，以致人生不能從政治中解放出來，以從事於多方面的發展；這是中國文化的一大漏洞，也是中國文化的一大悲哀。我們在這種地方，應有痛切的反省。我們要發展完整的人生，便要可以安頓完整人生的政治形態。爲了爭取此一政治形態所作的眞實努力，既不高於其他人生的活動，其他人文的活動；也不會低於其他人生的活動，其他人文的活動。賢首大師在其華嚴經探玄記中說了「十地滿後，方至佛地。從微至著，階位漸次」之後，接着便說「一位中卽攝一切前後諸位。是故一一位滿，皆至佛地」。只要對問題把握得眞切，則人生的任何一部門，皆具大乘勝義；所以人生也並不因不談政治而會高出一層的。只是爲了建立民主政治而花費一生氣力的，在人生的價值上固無所虧損，而在個人人生的幸福上總是犧牲的。因而這種人之於政治，多是出於不容己之心。亦惟有此不容己之心，乃可站在整個的人生來談政治。乃能眞正了解民主政治。

四二、元、二日于臺中

人生　卷　期

中國的治道

——讀陸宣公傳集書後——

我初認識王嵐僧先生的時候，他把張閔生先生寫給他的一封信轉給我看，信中說我是當今的陸敬輿朱元晦。彼時愧汗之情，非言可喻；故寫此文獻給閔生先生，以表示我的惶悚感激。過了不久，我也認識了閔生先生。年來使此位懇篤樂易的朋友失望的情形，當不難想見。

四五・六・二十日補誌

一

陸贄，字敬輿，卒後謚曰宣。蘇州嘉興人。生於天寶十三年，即西曆七五四年。卒於永貞廿一年，即西歷八〇五年。舊唐書的陸贄傳，是以權德輿的陸宣公翰苑集敍爲藍本，而挿入一些言論奏議的。新唐書的傳，則又係將舊傳略加損益。「文損於前，事增於舊」，新唐書的這種自負，在此一傳中，亦可概見。但我並不以爲新傳勝於舊傳。舊傳稱陸「頗勤儒學」，這只有讀完其翰苑集後，才知此四字之眞正着落，爲了解陸氏思想之一大關鍵，決非閒筆墨可比；而新傳竟將其刪去。又新傳引用陸氏文章，字句間頗有改易。其「贄勸帝羣臣參日，使極言得失。若以軍務對者，見不以時云云」，此蓋節錄「奉天論奏當今所切務狀」中「各使極言得失，仍令一一面陳。軍務之餘，到卽引對」一段；而將「軍務之餘」，誤爲「若以軍務對者」。此雖細節，究嫌疏略。又新舊傳皆本權敍言陸在忠州「爲今古集驗方五十篇」；然權敍中又明言除陸有別集十五卷外，有制誥集十卷，奏草七卷，奏議七卷，合之卽爲「翰苑集」，而新舊傳皆不及，可謂錄小而遺大（新唐書各列傳中，多將舊唐書各列傳中所記錄之詩文集等略去，實一憾事）。總之，欲眞正了解陸氏，固不能僅靠新舊唐書之陸贄傳；卽欲眞正了解德宗一代的朝政，尤其是關於收京後的許多措施，與夫有唐一代許多經制之眼目，亦非讀翰苑集不可。讀廿四史已屬不易，能讀廿四史而不輔之以各代的私人重要文集，恐亦不易打開歷史階段的關鍵，此讀書之所以不可苟簡欲速。

對於陸氏的評價，當無過於蘇軾呂希哲等七人所上的「進讀奏議劄子」。蘇氏的這篇文章，也是模仿陸文的體裁來做的，他說「智如子房而文則過，辯如賈誼而術不疏。上以格君心之非，下以通天下之志」。又說「六經三史，諸子百家，非無可觀，皆足爲治。但聖言幽遠，末學支離；譬如山海之崇深，難以一二而推擇。如贄之論，開卷了然。聚古今之精英，實治亂之龜鑑」。讀了翰苑集以後的人，再讀蘇軾這篇文章，眞覺得字字恰當。

專制時代的「權原」在皇帝，政治意見，應該向皇帝開陳。民主時代的「權原」在人民，政治意見則應該向社會申訴。所以專制時代的諍臣，卽民主時代的政論家。但我們遭遇到偉大的時代，卻未嘗出一個眞正的政論家。而陸氏面對一個聰明強幹的皇帝，卻能深入到皇帝的內心，將其內心的渣滓，一一加以清洗。道理說得這樣的深切，文章表達得這樣的著明。使千多年後的我們讀了，會感到陸氏的脈搏，依然在向我們作有力的跳動，這眞是歷史中的一大奇蹟。固然後人遭遇的客觀條件，趕不上陸氏初年；但後人在政治的主觀覺悟中，更無法依稀陸氏於萬一。當時陸氏的親友，爲怕陸氏闖禍，也勸他不要把話說得太直。他的答復是「吾上不負天子，下不負吾所學，不恤其他」。「不恤其他」，乃是一種殉道精神。殉道精神，乃陸氏所以能寫文章的眞正根底。他在奏議中說：「感激所至，亦能忘身」。「誠有所切，辭不覺煩」。又說「儻又上探微旨。慮匪悅聞；傍懼貴臣，將爲沮議；首尾憂畏，前後顧瞻。是乃偸合苟容之徒，非有扶危救難之意。心蘊忠憤，固願披誠」（論兩河及淮西利害疏）。更謂「畏覆車而駭懼，慮毀室而悲鳴。蓋情激於衷，雖欲罷而不能自默也。……憂深故語煩，懇迫故詞切」（論裴延齡姦蠹書一首）。這都是「不恤其他」的註脚。後人以苟容自喜，無所謂憂深。以偸合爲能，無所謂懇迫，更無所謂忠憤。憂不深，自己早已痲木，便不知世間更有痛癢的語言。情不迫，自己安於伶俐便巧，更何能感觸到何者値得悲鳴駭懼。在特殊情勢之下的眞正政論家，他的文章都是自其「上下與天地同流」的殉道精神中流出來的。此種精神顯現不出來，則只有讓陸氏獨步千古。

但我寫此文的動機，是感到中國的治道，即是政治思想，一直是在矛盾曲折中表現，使人不易作切當明白的把握。讀完了翰苑集，意外的發現陸氏對於此點，比許多古人發掘得深，也比許多古人表達得淸楚。此乃了解中國政治思想中核的一大關鍵，這是我在重讀翰苑之前所沒有預計到的收獲。

二

中國的政治思想，除法家外，都可說是民本主義；卽認定民是政治的主體。但中國幾千年的實際政治，卻是專制政治。政治權力的根源，係來自君而非來自人民；於是在事實上，君才是眞正的政治主體。因此，中國聖賢，一追溯到政治的根本問題，便首先不能不把作爲「權原」的人君加以合理的安頓；而中國過去所談的治道，歸根到底便是君道。這等於今日的民主政治，「權原」在民，所以今日一談到治道，歸根到底，卽是民意。可是，在中國過去，政治中存有一個基本的矛盾問題。政治的理念，民才是主體；而政治的現實，則君又是主體。這種二重的主體性，便是無可調和對立。對立程度表現的大小，卽形成歷史上的治亂興衰。於是中國的政治思想，總是想解消人君在政治中的主體性，以凸顯出天下的主體性，因而解消上述的對立。人君顯示其主體性的工具是其個人的好惡與才智。好惡乃人所同有，才智也是人生中可寶貴的東西。但因爲人君是政治最高權力之所在，於是它的好惡與才智，常挾其政治的最高權力表達出來，以構成其政治的主體性，這便會抑壓了天下的好惡與才智，卽抑壓了天下的政治主體性。雖然在中國歷史中，天下（亦卽人民）的政治主體性的自覺並不够，可是天下乃是一種客觀的偉大存在，人君對於它的抑壓，只有增加上述的基本對立。其極，便是橫決變亂。所以儒家道家，認爲人君之成其爲人君，不在其才智之增加，而在將其才智轉化爲一種德量，才智在德量中作自我的否定，好惡也在德量中作自我的否定，使其才智與好惡不致與政治權力相結合，以構成強大的支配欲。並因此而凸顯出天下的才智與好惡，以天下的才智來滿足天下的好惡，這卽是「以天下治天下」，而人君自己，乃客觀化於天下的才智與天下的好惡之中，更無自己本身的才智與好惡，人君自身，遂處於一種「無爲的狀態」，亦卽是非主體性底狀態。人君無爲，人臣乃能有爲，亦卽天下乃能有爲。這才是眞正的治道。老子主張「無爲而無不爲」，班固稱其爲「君人南面之術」。莊子說「聞在宥（在而有之，卽與以當下承認，而不另加造作之意）天下，未聞治天下也」。「在宥篇」雖未必出於莊子之手，但此語之可以代表莊子的政治思想，當無疑問。易傳謂「簡易而天下之理得」。孔子因爲「雍（孔子的學生）也簡」而覺其可以「南面」（做皇帝）。「簡」是近於無爲的。孔子並且進一步說「大哉堯之爲君也，巍巍乎唯天爲大，唯堯則之，蕩蕩乎民無能名焉」（看不出他的才智，所以也數不出他的功德）。「巍巍乎舜禹之有天下也，而不與焉」。「無爲而治者，其舜也與。夫何爲哉，恭已正南面而已」。又說，「爲政以德，譬如北辰，居其所而衆星拱之」。這裏的所謂德，用現代的語言說，是一副無限良好底動機。良好的動機，卽道德的動機，總是會捨己從人，而不會強人就己的。大學在政治上只是行「絜矩之道」。中庸在政治上只是「以人治人」。（係不以己去治人之意）。王船山在讀通鑑論中，要把人君「置於可有可無」之地，使君以不直接發生政治作用爲其所盡的政治作用。黃黎洲更淸楚說出天下是主，君是客，使君從屬於天下。這都是以各種語言表現出只有把人君在政治中的主體性打掉，才可保障民在政治上的主體性。這才是中國政治思想的第一義。由此而下的種種規定，都是第二義第三義的。人君要以「無爲」而否定自己，以「無爲」而解消自己在政治中的主體性，把自己客觀化出來，消解於「天下」的這一政治主體性之中，以天下的才智爲才智，以天下的好惡爲好惡，這才解除了政治上的理念與現實的矛盾，才能出現一種「萬物並育而不相害」的太平之治。儒家「無爲」的基底，是作爲人文世界根本的仁；而道家則係自然世界的自然。兩家祇在這種地方分枝。但在要求人君「無爲」的這一點上卻是一致。法家則是以臣民爲人君的工具，這是法西斯思想。但人君運用其工具的「

術」，依然是要「虛靜以待令」，要「明君無爲於上」，要「虛靜無事」，要「去其智，絕其能」（以上均見韓非子主道第五）。可見人君以其智能好惡表現自己的存在，即係以一人與天下相對立的存在。以一人與天下相對立，不僅破壞了儒家的仁，道家的自然，也破壞了法家的術。這祇要看歷史上凡是沾沾以術自喜的人君，結果總是歸於無術，便可明白這種道理。沒有理解到這一層，便不算眞正理解了中國政治思想的根底，以及數千年來治亂興衰，循環不已的原因。此一思想的線索，和它給與歷史政治上的影響，散見於古人的各種議論與各個事象之中，雖未構成一個完整系統，但實等於一股強力的伏流，不斷隨地湧現。而以在陸宣公的議論中，湧現得更明白具體。

三

陸氏所以能把中國治道的根荄發掘出來，具有三個條件。一是他個人的學識人格。二是德宗對他非常底親信。三是德宗自己很能幹，但逃到奉天後，又流露出一種痛悔的深切感情。此三條件缺一不可。「能幹」是臣道。人君的能幹，係通過其政治最高權力以表達出來的，自然變成由權威所支持的誇誕品。此時其臣下如也有能幹，立刻會與這種誇誕品相抵觸而迸得頭破血流。所以從中外的歷史上看，凡是自己逞能幹的人君，其臣下必定是一羣「聰明底奴才」。不聰明，人君看不上眼；不奴才，它即無法立足。人君造成此批聰明底奴才站在它脚底下之後，其內心遂常以天下的人才皆在於此，而實際都趕不上他，乃益以增加對自己才智之自信。這都是以臣道而處君位之過。陸氏面對着這樣的人君，所以第一須教德宗以人君之道，這便觸到中國治道的根本了。德宗是一個很有才智（能幹）而且又是很想把天下治好的人。他當雍王時，曾破史朝義於洛陽，與郭子儀等八人圖形凌烟閣。舊唐書說他「初總萬機，勵精治道。思治若渴，視民如傷。凝旒延納於讜言，側席思求於多士。……加以天才秀茂，文思雕華」。新唐書則說他「猜忌刻薄，以彊明自任。恥見屈於正論，而忘受欺於奸諛」。兩書所說的都是一個人的兩面；而且舊唐書所說的長處，正是新唐書所說的短處的根源。奉天之禍，（朱泚叛變，德宗逃到甘陝交界處的奉天），固然一面是因爲戰略的錯誤（陸氏先指陳過，不應虛關中以從事於山東）。但根本的原因，卻是由於德宗自信其才智，自用其才智，隨其才智而俱來的上下隔閡，人心疑阻。亦卽人君與天下的對立之尖銳化。陸氏曾對此加以檢討的說「斷失於太速，察傷於太精。」。「神武果斷，有輕天下之心」（以上皆見論敍遷幸之由疏）。又說，「智出庶物，有輕待人臣之心。思周萬機，有獨馭區宇之意。謀吞衆略，有過愼之防。明照羣情，有先事之察」（與元中論續從賊中赴行在官等狀）。「所以孕禍胎而索義氣者，在乎獨斷宸慮，專任睿明」。又說「違道以私心，有人而任己。謂欲可逞，謂衆可誣。謂專斷無傷，謂詢謀無益。謂諛說爲忠順，謂獻替爲妄愚。謂多疑爲御下之術，謂深察爲照物之明」。「奉天請數對羣臣兼許令論事狀）這都是說德宗自任才智，自逞好惡的情形。自任才智的人必然會自逞好惡。人君以一己才智之小，面對天下之大，好像一個單人拿着火把進入於一大原始森林之中，必因內心的疑懼而流於猜忌。猜忌者不敢任人，尤不敢任將。陸氏檢討德宗任將取敗的情形說：「今陛下命帥，先求易制者。多其部，使力分。輕其任，使力弱。由是分閫責成之義廢，死綏任咎之志衰。一則聽命，二亦聽命。爽於軍情亦聽命。乖於事宜亦聽命。將帥旣幸於總制在朝，不憂於罪累。陛下又以爲大權由己，不究事情」。（論沿途守備事宜狀）。又說「疑於受任，以制斷由己爲大權。昧於責成，以指麾順旨爲良將。鋒鏑交於原野，而決策於九重之中。機會變於斯須，而定計於千里之外。……上有掣肘之譏，下無死綏之志」（與元奉請許渾瑊李晟等諸軍兵馬自取機便狀）。又說：「戍卒不隸於守臣，守臣不總於元帥。至一城之將，一旅之兵，各降中使監臨（派宦官之類去監視有如蘇聯的政工），皆承別旨委任。（別旨是不經過正式手續的命令，如手令之類）。每至犬羊犯境，方馳書奏取裁。比蒙徵發救援，寇已獲勝罷歸」（請減京東水運收脚價於沿途州鎭儲蓄軍糧事宜疏）。德宗不僅猜忌武臣，並且也猜忌一切官吏。朝廷要用一人，都須經過他親自考核，弄得以後朝列空虛，無人可用。陸氏批評他「升降任情，首末異趣。使人不量其器，與人不由其誠。以一言稱愜（合意）爲能，而不核虛實。以一事違忤爲咎，而不考忠邪。其稱愜則付任逾恆，不思其所不及。其違忤，則責望過當，不恕其所不能。是以職司之內無成功，君臣之際無定分」（論朝官闕員及刺史等改轉倫敍狀）。由自任才智而猜忌，由猜忌而陷於孤立，乃一條線的發展。所以陸氏說，德宗「英資逸辯，邁絕人倫。武略雄圖，牢籠物表。憒習俗以妨理，任削平而在躬，以明威照臨，以嚴法制斷。流弊日久，浚恆太深。遠者驚疑而阻命，近者畏懾而偷容。君臣意乖，上下情隔。軒墀之間，且未相諭；宇宙之廣，何由自通。……人人隱情，以言爲諱。至於變亂將起，億兆同憂。獨陛下恬然不知」。（奉天論前所答奏未施行狀）自任才智之另一面，則必流爲自欺好諛。陸氏形容當時的情形說「議曹以頌美爲奉職，法吏以識旨爲當官」（奉天論前所答奏未施行狀），「貴近之臣，惟揣樂聞，不憂失實。咸言聖謀深遠，策略如神。小寇孤危，滅亡無日。陛下皆謂其信然，窮兵竭財，坐待平一。人心轉潰，寇難愈滋」（與元論續從賊中赴行在官等狀)。陸氏稱這爲「媚道大行」的世界。總之，德宗的失敗，不失敗於昏庸懦劣，而失敗於才智疆明。照陸氏的看法，德宗的作風，只能算是臣道，只可受人領導；而不能算是君道，不是去領導人的。陸氏對於君道與臣道，常加以淸楚的區別。其所苦苦爭執的就是要德宗能把握這種君道。亦卽是歸根到底的治道。

四

陸氏要挽救當時政治的危機，首先須解救德宗的孤立，朝廷的孤立。孤立是由人君與天下對立而來。對立又是由人君的好惡與才智在作祟；於是陸氏要德宗丟掉自己的好惡與才智，將自己的好惡與才智，解消於天下的好惡與才智之中，以凸顯出天下的好惡與才智，因而解消了人君與天下的對立，這卽是所謂「無爲」之治。由無爲轉進一層，卽是「罪己」「悔過」。罪己悔過的眞正表現，則在於以推誠代猜嫌，以納諫代好諛，以寬恕代忌刻。無爲，罪己，改過，是解消自己的政治主體性；而推誠，納諫，寬恕，則是爲了顯現「天下」的政治主體性。政治中只有一個主體性，卽對立消失而天下太平。一部翰苑集，陸氏代德宗所說的話，及他向德宗所說的話，大約可以這樣的加以概括。玆將陸氏所說的，擇要摘錄在下面，以資參驗。

「夫君天下者，必以天下之心爲心，而不私其心。(把自己的心，解消於天下之心之中)。以天下之耳目爲耳目，而不私其耳目。(耳目卽才智，把自己的耳目，解消於天下之耳目之中)。故能浸天下之志，盡天下之情。(與天下合而爲一）。夫以天下之心爲心，則我之好惡，乃天下之好惡也。安在私托腹心，以售其側媚也。以天下之耳目爲耳目，則天下之聰明，皆我之聰明也。安在偏寄耳目，以招其蔽惑也。……（將舜與紂的情形加以比較後，可見）舜之意務求己之過，以與天下同欲而無所偏好。紂之意，務求人之過，以與天下違欲而溺於偏私。（同欲卽與天下合而爲一，違欲乃與天下對立爲二）與天下同欲者謂之聖帝，與天下違欲者謂之獨夫」。（論裴延齡奸蠹書一首）

「聖王知宇宙之大，不可以耳目周，故清其無爲之心，而觀物之自爲也。知億兆之多，不可以智力勝，故一其至誠之意，而感人之不誠也。異於是者，乃以一人之聽覽，而欲窮宇宙之變態；以一人之防慮，而欲勝億兆之奸欺；役智彌精，失道彌遠……（舉了許多歷史證據後，可知）以虛懷待人，人亦思附；任數御物，物終不親。情思附，雖寇仇化爲心膂；意不親，雖骨肉結爲仇慝」。（與元論續從賊中赴行在官等狀）

「臣謂當今急務，在乎審察羣情。（羣情，卽今之所謂民意或輿論）。欲惡與天下同，天下不歸者，自古及今，未之有也。……（證驗以古今得失之後，則）陛下安可不審察羣情，同其欲惡。此誠當今之急也。……（能審察羣情）是乃總天下之智以成聰明，順天下之心以施敎令」。（奉天論奏當今所切務疏）

按治天下要有一個客觀的標準，人君應服從此一客觀標準。此卽陸氏在另一處所說的「

違欲以從道」的「道」。但這裏應特爲注意者，不僅人君個人的「欲惡」，不能作爲政治客觀的標準：卽任何好底抽象底名詞乃至主義，如非代表天下的好惡，則在中國的政治思想中，都不是政治上所應服從的客觀標準。中國所說的政治底客觀標準，卽是天下人之心，卽是天下人之「欲惡」，卽是天下的「人情」或「羣情」。孟子以好色好貨，「與民同之」，卽可以王天下；陸氏反復強調「欲惡與天下同」，卽是「違欲以從道」的「道」。用現在的話說，多數人的同意，卽是政治的客觀標準。倘把抽象底名詞或主義，硬性規定爲政治上最高無上的原則，以壓倒人民現實的「欲惡」，美其名曰爲了達到理想的將來，故不得不強人民以犧牲現在的「欲惡」。結果，抽象名詞或主義的自身不能向人民顯現，更不能向人民作強力的要求；而顯現此名詞此主義，以強力要求實現此名詞此主義者，實爲站在統治地位的少數人；於是少數人便將個人的「欲惡」，神化爲抽象的名詞或主義，以壓倒天下的欲惡；鞭策天下以現實其個人的欲惡；但彼猶可怛然無愧曰；「我是爲了實現……理想」。以共產黨爲首的極權政治，便是這樣形成的。中國的政治思想，一貫是以「與天下同欲」爲最高原則；仁義之施，亦必推原於人人不學而知的良知良能，亦卽「人心之所同然」。而從不在多數人的現實欲惡外，另安架一套原則。中國的政治思想，是要人君作聖人，此好像與柏拉圖氏「哲人爲王」的說法相同。然柏拉圖的哲人，是一手拿着彼之所謂「理型」（Idea）以區別衆生的金、銀、鐵等階級，而要大施改造的斤斧。中國政治上的聖人，則只是把自己消解在人民之中，使人民能現實其自己之欲惡，亦卽人人能「養生」「遂性」的「無爲之治」。而不要假借口號，憑自己的聰明才智，去造作一番。換言之，中國政治上的聖人，只是要把自己轉化爲一張白紙，以方便人民在上面畫圖案；而不是自己硬性底去規定一種圖案，強制人民照着來畫。這種意思的後面是蘊藏着對人性之無限底尊重，對人性之無限底信賴；而此種尊重與信賴，即所以顯露聖人的無限底仁心。所以我始終認爲哲學是各個人之事，是要通過「敎」（無權威強制在內）以廣被於人生之事。不可把哲學上的概念，去硬性規定爲政治上的最高原則。政治上的最高原則，只是天下人的「欲惡」；政府只是服從其多數，保障其少數；亦即「欲惡與天下同」，而將哲學上的議論，制限在「敎」的範疇內，將政與敎嚴格底分開；這才能避免少數狡黠者假理性口號以殺人民的流弊。中國的文化，最低限度在政治思想方面，只敎政治負責者以「民之所好好之，民之所惡惡之」。「惡人之所好，好人之所惡，此謂拂人之性，如此者，災必逮夫身」。至於實現人民好惡的政治制度，一向是主張「因革」「損益」，並沒有貽後人以所謂「封建社會」「宗法社會」這類牢不可破的殼子，強迫今日的人鑽進去上當。對於今日的局勢，中國文化在此種地方並無罪過。中國文化的罪過，只表現在何以會產生一批子孫，把自己的過錯，只向其祖宗身上一推，而毫不以自己的無知無良爲可恥。

「臣聞立國之本，在乎得衆。得衆之要，在乎見情。萬化所繫，必因人情」。「古先聖王之居人上也，必以其心從天下之心，而不敢以天下之人從其欲，（是說要天下照我所想的去想、去做的意思）。……與衆同欲靡不興，違衆自用靡不廢」。（奉天論前所答奉未施行狀）

「夫君人者以衆智爲智，以衆心爲心。恆恐一人不盡其情，一事不得其理」。（興元論解姜公輔狀）

「領覽萬機，必先虛其心。鏡鑑羣情，必先誠其意，蓋以心不虛，則物或見阻；意不誠，則人皆可疑。阻於物者，物亦阻焉。疑於人者，人亦疑焉」。（又答姜公輔狀）

按虛之工夫爲「損」，故又說「誠不至者，物不感；損不極者，益不臻」。（奉天論赦書事條狀）又說「損之又損」（諫尋訪宮人狀）。以歸結在「敦付物以能之義，闡恭己無爲之風」。（論朝官闕員及刺史等改轉論序狀）。洪範上說「惟辟（君）作福作威」，即是人君執賞罰之大權的意思。此一意思，至儒家道家皆加以徹底的修正（惟法家繼承此一觀點）。所以陸氏說；「夫與奪者人主之權利。名位者天下之公器。不以公器徇喜心，不以權利肆忿志。……凡制爵祿，與衆共之」（同上）。一個以天下自私的人，首先要把爵祿當作是他自己的。用爵祿以驅遣天下奔走衣食之徒，以滿足其個人的支配慾。這就是他們之所謂治天下。陸氏指明爵祿是天下的公器，不是人君一個人發洩其「喜心」「忿志」的工具，使人君的好惡不能通過賞罰表達出來，這是「恭己無爲」的第一步，也是最切實而不容易做到的一步。以上都可說是陸氏對治道的最基本底見解，亦即我所說的中國治道的第一義。

五

「無爲」所以防止人君與天下相對立。但奉天之亂，是德宗已經與天下尖銳對立的結果。以無爲去解消早經形成的尖銳對立，實有緩不濟急之感。所以陸氏進一步勸德宗「罪己」「悔過」。無爲好像是數學中的「零」，而罪己與悔過，則好像是數學中的「負號」。所以我前面說罪己悔過是無爲的轉進一步。人君向天下認罪悔過了，其本身對於天下，不僅是零的存在，而且是負號的存在，則天下如何會再與之相對，天下也實無處與之相對。「故奉天所下制書，雖武人悍卒，無不感動流涕」（新唐書陸贄傳），正是說明這種道理。一個眞正肯以一身擔當罪過的人，早已化除人己的界限，其對人必能推誠，納諫，且能轉出一種寬恕的精神。陸氏於此，反復考之於易、詩、書及孔子、老子之所言；證之於堯舜禹湯文武桀紂及唐太宗玄宗先後之所行，推驗出罪己，悔過，推誠，納諫，寬恕等，爲實現以天下治天下所必須走的一條大路。

德宗在奉天要陸贄檢討過去失敗的原因及當前的急務，陸氏認爲最緊要的是推誠納諫。德宗卻來一套理論說；「朕本性甚好推誠，亦能納諫。然顧上封者惟識斥人短長，類非忠直，往謂君臣一體，故推信不疑。至僉人賣爲威福。今茲之禍，推誠之過也。又諫者不密，要須歸曲於朕，以自取名。朕嗣位見言者多矣。大抵雷同道聽，加質則窮。故頃不詔次對」。陸氏針對這種文過飾非的心理說：

「人之所助在乎信，信之所立由於誠。……一不誠，則心莫之保；一不信，則言莫之行。……王者賴人之誠以自固，而可不誠於人乎？……（爲什麼要推誠呢？因爲）所謂衆庶者，至愚而神。夫蚩蚩之徒，或昏或鄙，此其似於愚也。然上之得失靡不辨，好惡靡不知。所秘靡不傳，所爲靡不效。馭以智則詐，示以疑則偸。接不以禮，則其循義輕。撫不以情，則其效忠薄。……故

曰，惟天下之至誠，爲能盡其性。不盡於己，而責盡於人；不誠於前，而望於後，必給而不信矣」。（奉天請數對羣臣，兼令論事狀）

「動人以言，所感已淺。言又不切，人誰肯懷。故誠不至者物不感，損不極者益不臻。夫悔過不得不深，引咎不得不盡。招延不可不廣，潤澤不可不弘。宣暢鬱堙，不可不洞開襟抱。洗刷疵垢，不可不盪去瑕痕。……；易曰，聖人感人心而天下和平。夫感者誠發於心而形於事。事或未諭，故宣之於言。言必顧心，心必副事。三者符合，本於至誠，乃可求感。惟陛下先斷厥志以施其辭，度可行者而宣之，不可者措之。無苟於言，以重取悔」。（奉天論赦書條狀）

按誠與信的反面是說謊。政治上的說謊，大抵有三種因素。一是爲了掩蓋自己的壞處，誇張或捏造自己的好處。二是爲了對人不相信，認爲眞話只可對一二親信的人說，不可向大家說。三是爲了自己所想的一套，和「天下」所想的不同；於是口頭不得不說天下所想的話，而實際則做自己所想的事。卽欲惡本不與天下同，不得已而僞裝與天下同。三個因素互相關連，以第三者爲最根本。「宣傳」便成爲極權主義世界說謊的代名詞。讀了陸氏「至愚而神」及「言又不切，人誰肯懷」的話，政治上說謊之徒，當可爽然自失。據現代心理學的研究，普通人一個謊話說出之後，平均要繼續不斷的說二十個謊話來蓋馬脚，於是謊話的本身不能不構成一個體系。在政治上更是如此。共產黨對外必建立嚴密的鐵幕，對內必用鐵索穿鼻式的控制，並且要不斷修改歷史，捏造神話，還要不斷的以「整肅」運動濟其窮。我想，這是其謊言系統的自律性底發展所不得不如此的。這也是它本身最大悲劇之所在。美國華盛頓一七九七年離開總統職位時的臨別贈言中說「我認爲誠實永遠是最好底政策的格言。不但適用於私事，而且同樣也適用於公事」。此一偉大的啓示，實與中國傳統的精神相合，大概不應把他當做是「宗法社會」的道德而一脚踢去吧。所困難的是，謊話說久了的人，因心理上的積累，遂以謊話爲眞，以眞話爲假，於是大家不說假話不行。中國之所謂「打官話」，卽是挾帶威勢的一種假話。從把假話稱爲「官話」的這一事來推斷，則中國的「謊言系統」，其來已非一日，特有積極與消極之不同耳。

「仲虺歌成湯之德曰改過不吝。吉甫美宣王之功曰，袞職有闕，仲山甫補之。夫成湯聖君也，仲虺聖輔也。以聖輔贊聖君，不稱其改過。周宣，中興賢王也；吉甫，文武賢臣也；歌頌其主，不美其無闕，而美其補闕。禮易春秋，百代不刊之典也。皆不以無過爲美，而謂大善盛德，在於改過日新。……是知諫而能從，過而能改，帝王之大烈也。……下之情，莫不願達於上，上之情莫不願求知於下。然而下常苦上之難達，上常苦下之難知，若是者何，九弊不去也。所謂九弊者，上有六，下有三。好勝人，恥聞過，騁辯給，衒聰明，厲威嚴，恣彊愎，上之弊也。諂諛，顧望，畏愞，下之弊也。……古之王者，明四目，達四聰，蓋欲幽抑之必通，且聞己之過也。垂旒於前，黈纊於側，蓋惡視聽之太察，唯恐彰人之非也。降及末代，聰明不務通物情，視聽祇以伺罪釁，與衆違欲，與道乖方。於是相尚以言，相示以智，相冒以詐，而君臣之義薄矣。……（為甚麼要推誠，要讓人盡量發表意見呢？因為）人之有口，不能無言。人之有心，不能無欲。言不宣於上，則怨讟於下。欲不歸於善，則湊集於邪。聖人知衆之不可以力制也，故植謗木，陳諫鼓，列諍臣之位，置采詩之官，以宣其言。尊禮義，安誠信，厚賢能之賞，廣功利之途，以歸其欲。使上不至於亢，下不至於窮。……古之無為而理者，其率用此歟。……（所以希望德宗）廣接下之道，開獎善之門。弘納諫之懷，勵推誠之美。……其納諫也，以補過為心，以求過為急。以能改其過為善，以得聞其過為明。……其推誠也，在彰信，在任人。彰信不務於盡言，所貴乎出言則可復。任人不可以無擇。所貴乎己擇則不疑。言而必誠，然後以求人之聽命。任而勿二，然後以責人之成功。誠信一虧，則百事無不紕謬。疑二一起，則羣下莫不憂虞」（奉天請數對羣臣兼許令論事狀）

按推誠、改過、納諫，為最大的君德，為實現無為而治的具體內容，亦即中國治道的中心問題之所在。陸氏另在「奉天論前所答奏未施行狀」中，援古證今，反復推論，而歸結為「濟美因乎納諫，虧德由乎自賢」。所以納諫又是推誠改過的具體表現。納諫即所謂接受反對意見。人君是政治最高領袖，人君之接受反對意見，對人君自身而言，含有三種意義。第一，係承認自己所幹的政治是「公」的。許多人不願人發表反對意見，因為它認為自己所幹的政治是「私」的；私人的東西，當然不願旁人干涉。第二，係能把自己的精神，客觀化到政治問題中去。政治的討論，只是關涉於客觀政治問題的是非，而不關涉個人的好惡與得失。客觀的政治問題，因正反兩方面的討論而是非愈明，即是政治領導者，在其精神客觀化的過程中，愈能得到圓滿的發展。精神停滯在自己血肉之軀以內的人，總在有意無意之間，把客觀的政治問題，要生吞活剝的扯進自己的血肉之軀以內；於是天下人本來談的是公事，而它總覺得談的是它的私事。天下人本來批評的是客觀問題，而它總覺得批評的是它自己。這如何能接受反對意見呢？第三，眞正有智慧的人，以一個人而面對着情僞萬端的天下，它一定會感到個人才智的渺小。眞正有仁心的人，以一個人而面對着憂樂萬端的人民，它一定會感到個人責任的無窮。以渺小底才智，背負着無窮底責任，自然會經常有一種歉然不足之情，而祇見自己之有過，不見自己之有功。由其歉然不足之情所看到的反對意見，乃是對自己精神缺陷的一種塡補，有如飢渴之得飲食，豈會不加接受。像史達林、希特勒之徒，天下之對於他，祇幻成爲專演頌揚讚美節目的劇場，怎麼可以許旁人說掃興的話。再站在客觀的政治立場來看，天下人都對政治發表包含反對在內的意見，（站在社會的立場對政治發表意見，其本質即是批評的。因爲不是批評的，便讓政府去做好了，何必發表意見。此種常識之在中國，似乎很難得人理解）這是天下自己在顯現其自己。人君鼓勵天下人發表包括反對在內的意見，並接受天下人包括反對在內的意見；而人君自己所表現出來的，不是自己的意見，祇是「如權衡之懸，不作其輕重，故輕重自辨，無從而訴也。如水鏡之設，無意於妍蚩，而妍蚩自彰，莫得而怨也」。（奉天請數對羣臣兼許令論事狀）這即是所謂以天下治天下。權衡水鏡，都是人君的無爲之爲。所以中國的治道，亦即中國的君道，常以人君能聽話（納諫）爲開端，爲歸結。一個人能聽自己所不願聽的話，這是表現其生命力的強韌，其生命力也因此而能更得到營養。假定人君祇要求人家聽它的話，而討厭人向它講話，這對它個人而論，好像失掉了陽光水土的植物，杜絕了一切生機。對天下而論，好像抽盡了氧氣的空間，窒息了一切呼吸。孔子以「予言而莫莫之違」是一言喪邦，其意義何等深切。人君能聽天下的話，天下人乃會服從朝廷的政令，因爲這種政令是代表天下人的。人君聽話，人民從令，這正是上下交流的政治，卽是不對立的政治。

六

當天下大亂的時候，政治沒有紀綱，社會沒有秩序，各個人也很容易失掉常態。這種罪過，可以說是由「集體災禍」而來的「集體罪過」。集體的領導者是人君，造成集體災禍的根源的也是人君，所以陸氏認爲人君對於集體的災禍應該「罪己」；而對於集體的罪過應該「含垢」。「丕大君含垢之德」，（收河中後請罷兵狀）這是作爲人君的內分之事，當然之事。再從現實上說，集體底罪過，站在政府的立場，祇有把它集體的忘掉，始能轉變社會舊底風氣，鼓舞社會新底生機。假定要一一計較追究，則應當從造成集體災禍的領導者層追究起；卽是首先要追問原來朝廷的負責層。所以原來朝廷的負責層，於情於理，沒有追究社會集體罪過的資格。若是原來朝廷的負責人，覺得自己還可以從頭幹起，則社會更有何人不可以從頭幹起，而要追算循環糾結，根本無法算清的舊賬？況且朝廷追算舊賬，祇能追算到朝廷力量可以控制得到的人與地方，亦卽是與朝廷較爲接近的人與地方。與朝廷較爲接近的人與地方尚且要去追算，則尚在敵人手下的，豈不是要斬盡殺盡？這是平定大亂的想法作法嗎？所以陸氏要勸德宗由「罪己」「含垢」中，轉出對這種集體罪過的一種深厚的寬恕精神。陸氏爲德宗所起草的制、詔，不僅都是此一精神之貫注，而都根據此一精神作了許多收京後的善後設施。陸氏對德宗敍述這一經過說「所以德音敍哀痛之情，悔征伐之事；引衆慝以咎己。佈明信以示人。旣往之失畢懲（按指德宗自己）；莫大之辜咸宥」（收河中後請罷兵狀）。這完全是實話。例如在「平朱泚後車駕還京大赦制」中說「君苟失位，人將安仰。朕旣不德，致寇興禍，使生靈無告，受制兇威，苟全性命，急何能擇。……究其所由，自我而致。不能撫人以道，乃欲繩以刑，豈所謂恤人罪己之誠，含垢布和之義。可大赦天下」。這一類話，在德宗或者以爲不過是「打應急符」的宣傳文章；而在陸氏則「言必顧心」的立場，覺得道理事實，確是如此。在此一寬恕精神之下，不特原諒了整個社會。而且也原諒了落伍或失脚了的舊日官員。例如在上引大赦制中說「亡官失爵，放歸不齒者，量加收敍」。「中外寮吏，僞居官次，國有大慶，所宜同之」。這才是以忘掉問題來解決問題的大手筆。在此種措施下，社會的生機，才能如春風之涵育萬物樣的涵育出來，以撥亂而反治。但自恃聰明才智的人，如前所述，結果必流於猜忌。而猜忌的人，必最缺乏寬恕精神。不僅睚眦必報，並且對人每想抓住一點藉口，羅織重獄，以立自己的威嚴。於是陸氏便不斷的針對德宗這種傾向來講話。例如德宗使中官告訴陸氏說「近日往往有卑官從山北來，皆稱自京城偸路奔赴行在。大都此輩多非良善。察其實情，頗是窺覘。今且令留在一處安置。如此之類，更有數人。若不根尋，恐有奸計。聊宜商量如何穩便者」。陸氏對此類猜忌之事，總是首先認爲有失人君的體統。覺得以人君而親自去搞防奸工作，是「以尊而降代卑職，則德喪於上」。「德喪而人不歸」「所關興亡」甚大的。接着便勸德宗當人心轉向之時，應「虛襟坦懷，海納風行，不凝不滯，功者報之，義者旌之，直者獎之，才者任之。……恕其妄作，錄其善心。率皆優容，以禮進退」。萬不可「降附者意其窺覦。輸誠者謂其遊說。論官軍撓敗者猜其挾奸毀沮，陳兇黨強狡者疑其爲賊張皇」。陸氏認爲對於想來的不准他來，來了以後又隨意加以監禁，則「徇義之心既阻，脅從之黨彌堅」。「今賊泚未平，懷光繼叛。都邑城闕，獯獫迭居。關輔郊畿，豺狼雜處。朝廷僻介於遠郡，道路緣歷於連山。杖策從君，其能有幾？推心降接，猶恐未多。稍不禮焉。固不來矣。若又就加猜刻，且復拘囚，使反者得辭，來者懷懼，則天下有心之士，安敢復言忠義哉。」（興元論續從賊中赴行在官等狀）又如對於德宗之不召見李楚琳之使，是因爲李楚琳原來「乘時艱危，俶擾岐下」「賊殺戎帥，款結兇渠」，不是沒有理由的。但陸氏以爲它現既派人來了，「乃能兩端顧望，卽是天誘其衷」，「厚加撫循，得其持疑，便足集事。儻能遷善，亦可濟師。今若徇褊狹之談，露猜阻之跡，懼者甚衆，豈惟一夫」。陸氏並且以爲齊桓晉文漢高，都能用仇用怨，所以能成霸功，定帝業。尤其是在非常的時候，「雖罪惡不得不容，雖仇讎不得不用。陛下必欲精求素行，追抉宿疵，則是改過不足以補愆，自新不足以贖罪。凡今將吏，豈得盡無疵瑕。人皆省思，孰免疑畏。又況阻命之輩，脅從之流，自知負恩，安敢歸化」。（興元請撫循李楚琳狀）又如趙貴先爲朱泚刼持，德宗原擬赦免：後來因諸將反對，德宗便又不主張釋放。但陸氏以爲「據法而除君之惡者人臣之常志；原情而安衆之危者人主之大權。臣主之道既殊，通執之方亦異」。陸氏總要德宗先有個人君的體統，站在自己的體統上來考慮問題。再敍述趙貴先被朱泚刼持的經過，認爲「其於情狀，實有足矜」。「況復懷光未殲，希烈猶熾；遭羅誘陷，其類實繁。……宥之以恩，則自新者咸思歸命。斷之以法，則懷懼者各務偷生。」（請釋趙貴先罪狀）又如德宗以竇參「交接中外，意在不測」，要陸氏加重它的罪刑。但陸氏認爲竇參「貧饕貨財，引縱親黨，此則朝廷同議，天下共傳」，只能按照這種事實去定罪「至於潛懷異圖，將起大惡，跡既未露，人皆莫知」。若「忽行峻罰，必謂寃誣，羣情震驚，事亦非細」，所以他不贊成。「良以事關國體，義絕私嫌。所冀典刑不濫於淸時，君道免虧於聖德」。（商量處置竇參事體狀）總之，寬恕精神，是作人的德量。也是平亂的一種大策略。

或者有人覺得像陸氏這樣，未免把現實的政治問題，看得太天眞了。但只要留心讀翰苑集中「論關中事宜狀」、「論兩河及淮西利害狀」，「奉天論李晟所管兵馬狀」，「奉天奏李建徽楊惠元兩節度兵馬狀」，「請不與李萬榮汴州節度使狀」，「論邊城貯備米粟等狀」，「論沿途守備事宜狀」等，使人不能不驚嘆他是一個偉大的智略家，又是一個練達的行政家，旣不空疏，又不迂腐。蘇子瞻以爲他是「智如子房而文則過」，眞不是隨便說的話。因爲眞正的智略，只有在坦易廓大的胸懷中才可以浮得起來；也只有在坦易廓大的氣氛中才可以運用得出去。逼窄的精神，生長不出深謀大略，正如逼窄的空間，使用不出長劍大戟一樣。說也奇怪，中國歷史上開國的人物，都帶幾分「豁如」「大度」（這是史記形容劉邦的）的氣象；而末世的政治人物，其共同的特徵，便是寬恕的反面——狹促。陸氏形容這種人說「所謂小人者，不必意懷險詖，故覆邦家。蓋以其意性險邪，趣尙狹促。以沮議爲出衆，以自異爲不羣。趨近利而昧遠圖，效小信而傷大道。故論語曰『言必信，行必果，硜硜然，小人哉』。夫以能信於言，能果於行，唯以硜硜淺近，不克弘通，宣尼猶謂其小人，管仲尙憂其害覇。況又有言行難保，而恣其非心者乎」。寫水滸傳的人，必去掉一個狠狠自好的王倫，而安排一個智不如吳用，力不如武松的「忠義」宋江。忠是不自私，義是能替他人負責，卽所謂義氣，亦卽所謂寬恕。不如此，則三十六天罡，七十二地煞，集不到一塊兒來。中國這種對人寬恕的精神，一直貫徹於江湖好漢之中，這不能不說是偉大。而生機竭蹶的末世，此一精神在政治圈中常轉變而爲一種直感底自利精神，以對人之控制與鬭爭爲天下大計了。

七

陸氏的政治思想，也就是中國整個的政治思想，歸納起來，即是要人君「捨己以從衆，違欲以遵道。遠憸妄而親忠直，推至誠而去逆詐。杜讒沮之路，廣諫議之門。錄片善片能以盡羣材，忘小瑕小怨俾無棄物」。（奉天論奏當今所切務狀）。換言之，即是要人君從道德上轉化自己，將自己的才智與好惡捨掉，以服從人民的才智好惡。在專制政治下言治道，不追根到這一層，即不能解消前面所說的在政治上二重主體性的基本矛盾，一切的教化便都落了空。所以中國過去一談到治道，便不能不落在君道上面；而一談到君道，便不能不以「堯舜事其君」，即是落在要其君作無爲底聖人的上面。史論家常將陸贄與賈誼並稱，再試以賈誼的言論作一例證。班固謂漢文帝「躬修玄默」，玄默是很合於做人君的條件，所以賈誼的「治安策」，很少對文帝談君德，而只鼓勵文帝在大一統的精神下，有所設施。這是因政治對象之不同而所提到的政治內容亦因之不同地方。但賈誼再進一步談到政治根本問題時，則謂「天下之命，懸於太子」，「太子正而天下定矣」。因爲太子是下一代的人君。漢文這一代，在君德上無問題；賈誼便不能不考慮到下一代。於是他提出一套敎養太子的意見，即是敎養下一代的人君的意見說：

「古之王者，太子廼（始）生，固舉以禮，使士負之……故自爲赤子，而教固已行矣。昔者成王幼在襁抱之中，召公爲太保，周公爲太傅，太公爲太師。保，保其身體。傅，傅之德義。師，道之教訓。……逐去邪人，不使見惡行。於是皆選天下之端士，孝悌博聞有道術者以衛翼之，使與太子居處出入。故太子廼（始）生而見正事，聞正言，行正道。及太子少長知妃色，則入於學。學者所學之官也（住在校內之意）。……太傅罰其不則醫其不及。……及太子既冠成人，免於保傅之嚴，則有記過之史，徹膳之宰，進善之旌，誹謗之木，敢諫之鼓，瞽史誦詩，工誦箴諫。……夫三代之所長久者，以其輔翼太子有此具也」。

賈誼所以沒有提出無爲二字，是因爲當時的政治，正在道家的無爲的空氣中，而賈氏是要以儒家人文性的無爲，（儒家的人文主義，是道德性的，此與近西方不同）轉化道家自然性底無爲的。其所舉出的教養方法，主要是要太子能够受教訓，實際也是達到「無爲」的一種工夫。所以賈誼說「臣聞聖主，言問其臣，而不自造事」。可見賈陸兩氏的基本精神是一致的。我可以這樣總結的說，極權政治，是要以其領袖的意志改造天下；而中國的政治思想，則是要以天下之「欲惡」改造其人君，使人君自己無欲惡，以同於天下的欲惡。「格君心之非」，是政治中的第一大節目。但實行「格」的，是人臣。以人臣去格人君存在心裏的非，而所謂非者，也不過是普通人所固有的個人的好惡和才智；對普通人而言，這並不一定算作「非」的。於是此一改造工作，不僅難乎其爲臣；而且被改造的人君，其個人的自由，比任何人都要被剝奪得多；對它的要求，比對任何人的要求都要來得嚴格。人不一定都要做聖人；但硬要把人君綁架上聖人的神龕上去，作一個無欲無爲的聖人，這對人君而言，也的確是一種虐待。所以納諫是中國政治思想上婦孺皆知的大經；而殺諫臣，殺忠臣，也是中國政治現實中的家常便飯。以唐德宗對陸贄知遇之深，中途也幾乎藉口把它殺掉，致使陸贄以盛年而貶居忠州以死。未死前，常閉戶不敢和外人見面。這不僅是德宗和陸贄君臣間的悲劇，也實在是整個中國政治史中的悲劇。我不僅同情陸贄，也未嘗不同情德宗。但政治上二重主體性的矛盾不解除，此悲劇卽永遠無法解脫。

中國歷史上的聖賢，是要從「君心」方面去解除此一矛盾，從道德上去解除此一矛盾；而近代的民主政治，則是從制度上，從法制上解除了此一矛盾。首先把權力的根源，從君的手上移到民的手上，以「民意」代替了「君心」。政治人物，在制度上是人民的雇員，它卽是居於中國歷史中臣道的地位，人民則是處於君道的地位。人民行使其君道的方法，只對於政策表示其同意或不同意，將任務的實行委托之於政府，所以人民還是一種無爲，而政府則是在無爲下的有爲，於是在眞正民主制底下的政治領導者，比專制時代的皇帝便輕鬆得多了。作皇帝最難的莫過於不能有其自己的好惡。其所以不能有其自己的好惡，因爲人君是「權原」，人君的好惡一與其「權原」相結合，便衝垮了天下人的好惡而成爲大惡。但一個人要「格」去其好惡，眞是一件難事。在民主政治之下，政治領導者的好惡，與「權原」是分開的，其好惡自然有一客觀的限制而不敢闖下亂子，於是其心之「非」不格而自格了。其次，則把虛己、改過、納諫等等的君德，客觀化爲議會政治，結社言論自由等的客觀制度。一個政治領袖人物，儘可以不是聖人，但不能不做聖人之事，它不能不服從選舉的結果，他不能不聽議會的論難，凡客觀上不能不做之事，也就是主觀上極容易去做的事。美國一個新聞業者可以反駡杜魯門是「罪大惡極的謊言者」。這在專制時代，假使人君對此而能寬容下去，它便是聖君；寬容不下去，它便要做出一樁大罪惡而成爲暴君。但在今日，不管杜魯門心裏怎樣，對此只有無可如何，付之不問。這種付之不問，旣不表現他是聖人，同時也表現他不能不接受這種聖人的客觀格式。於是中國聖賢千辛萬苦所要求的聖君，千辛萬苦所要求的治道，在今日民主政治之下，一切都經常化，平凡化了。假定德宗做的是民主政治下的總統或首相，我相信他會強過杜魯門和邱吉爾；因杜魯門沒有他的才智，而邱吉爾恐怕沒有他那一副眞性情。於是像陸氏這樣的政論家，大概也是車載斗量，値不得我們今日這樣的追慕。所以中國歷史中的政治矛盾，及由此矛盾所形成的歷史悲劇，只有落在民主政治上才能得到自然而然的解決。由中國的政治思想以接上民主政治，只是把對於政治之「德」，客觀化出來，以凝結爲人人可行的制度。這是順理成章，旣自然，復容易，而毫不牽強附會的一條路。所以我常說凡是眞正了解中國文化，尊重中國文化的人，必可相信今日爲民主政治所努力，正是把中國「聖人有時而窮」的一條路將其接通，這是中國文化自身所必需的發展。若於此而仍有所致疑，恐非所以「通古今之變」了。

四二、五、一、民主評論四卷九期

附錄：治亂底關鍵（註1）

——「中國的治道」讀後

殷海光

民主評論第四卷第九期載有徐佛觀先生（註2）所寫「中國的治道」一文。我（以下通稱「讀者」）讀了這篇文章以後，立刻覺得它是不平凡的人之不平凡的作品。時人爲文，根據口號與幻覺者多，根據學理與經驗者少。雖然，作者底主要構思方式大非讀者所敢苟同，可是作者對於自己所提出的問題確曾依照自己底構思方式苦思了一番，而且立言着意深遠。此時此地而能看到這種文章，眞是空谷足音。無論作者在該文中所提論據是否確切不移，他在結論中所指出的中國政治問題底根本解決原則，至少在讀者看來，是鐵定如山的原則。從這一方面着眼，這篇文章已經夠說是有價值的文章之一。一篇有價值的文章之有價值處，常在它能引起人底思緒。這篇文章引起了讀者許多思緒。讀者現在將這些思緒寫出若干，以作這篇文章底補苴。

作者在這篇文章裏所說的是「中國的治道」，但讀者因這篇文章而想起的，卻不限於中國及其往昔，亦不限於某一特殊的空間或某段時間裏的這種問題；而是想將作者所指出的道理加以普遍化。因爲這樣，更可以顯現作者所言之重要。

附註 1.原載『自由中國』8卷12期（1953. 6. 16）11—16頁，小題係編者所加。——編者
2.徐復觀的原名。——編者

「權原」和政體

作者開宗明義地說：

專制時代的「權原」在皇帝，政治意見，應該向皇帝開陳。民主時代的『權原』在人民，政治意見則應該向社會申訴。所以專制時代的諍臣，卽民主時代的政論家。……

這幾句話把專制與民主底區別劃分出來：劃分得多麼一刀兩斷（clear-cut）。『權原』一詞，新創得十分達意。作者說『專制時代的「權原」在皇帝』，讀者簡直可以將這個語句作個位換（conversion）：『「權原」在皇帝卽專制時代』。在這裏，『時代』之時間因素是不相干的因素；『皇帝』底不同稱謂及其形成的背景，也是不相干的因素。這裏所指的『時代』，不必須是，上古，中古，和近代這些段代劃分；而是指着專制時代中所有的那些特色或性質。依此，古代所有的專制特色，如果遺留到近代，那末我們同樣地可以說近代是處於專制時代。所以，在此『時代』一詞之所指乃一實際的內容。這一內容，與物理的時間當然毫不相干。復次，我們在此所指政治首領之是否爲一『皇帝』，也是一種實際的性質，與

此『皇帝』之如何產生也毫不相干，與在名義上是否叫做『皇帝』也毫不相干。在古代，由武力征伐或世襲得來政權者，君臨萬方，政出一人，這固然是『皇帝』；在近代，除此原因以外，藉口『革命』而攫取政權者，也可以形成事實上的『皇帝』。依此標準，遠之拿破崙是藉法國大革命之形勢而起家的『皇帝』；近者如史達林之流也是藉十月革命等等『革命』而起家的『新沙皇』。所以，讀者將『專制時代的「權原」在『皇帝』這個語句簡簡單單地位換為『「權原」在皇帝卽專制時代』。我們必須這樣了解作者這話底意義，作者這話才具有眞實存在的普遍性（existential universality）。作者這話具有眞實存在的普遍性，才可以普遍地應用。既然如此，於是在任何空間與任何時間，你對於有關大家的事覺得有『上條陳』或『上萬言書』之必要，你就是在事實上處於專制統治之下；反之，你對於有關大家的事，可以公開發表，公開討論，那末你就是在事實上處於民主政治之下。在民主政治之下，卽使你要『上條陳』，『上萬言書』，還找不到對象哩！

在第二節裏，作者說：

> 中國的政治思想，除法家外，都可說是民本主義：卽認定民是政治的主體。但中國幾千年來的實際政治，却是專制政治。政治權力的根源，係來自君而非來自民；於是在事實上，君才是眞正的政治主體。因此，中國聖賢，一追溯到政治的根本問題，便首先不能不把作為『權原』的人君加以合理的安頓；而中國過去所談的治道，歸根到底便是君道。這等於今日的民主政治，『權原』在民，所以今日一談到治道，歸根到底，卽是民意。可是，在中國過去，政治中

存有一個基本的矛盾問題。政治的理念，民才是主體；而政治的現實，則君又是主體。這種二重的主體性，便是無可調和的對立。對立程度表現的大小，卽形成歷史上的治亂興衰。於是中國的政治思想，總是想解消人君在政治中的主體性，以凸顯出天下的主體性，因而消解上述的對立。人君顯示其主體性的工具是其個人的好惡與才智。好惡乃人所共有，才智也是人生中可寶貴的東西。但因爲人君是政治最高權力之所在，於是它的好惡與才智常挾其政治的最高權力以表達出來，以構成其政治的主體性。這便會抑壓了天下的好惡與才智，卽抑壓了天下的政治主體性。雖然在中國歷史中，天下（亦卽人民）的政治主體性的自覺並不够，可是天下乃是一種客觀的偉大存在，人君對於它的抑壓，祇有增加上述的基本對立。其極，便是橫決變亂。……

中國底政治思想，是否除了法家以外，都可說是民本主義，讀者現在不能斷定。而作者對於『君權』與『民權』對立之所見，則確乎道着了要害。不過，我們對於這個問題，還可作進一步的觀察。在古代，『君權』與『民權』底這種對立，已够慘厲，已够中國人民長期陷於君權底威脅之中。而時至今日，以蘇俄爲例，君權與民權底這種對立，較之過去尖銳化不止千百倍。這是什麼原因呢？基本的原因，就是現代的君權握有現代統治技術。吾人置身現代而談政治問題，對於現代統治技術這一重要因素千萬不可忽而不論。時至今日，政治、經濟、敎育、交通，在極權國家都被編組爲統治權器。比起現代統治技術來，古代統治技術，不過草繩一根而已；而現代統治技術，則爲一把萬人鎖。一旦套入這把鎖中，誰都休想動一動。持木棍行刦者與持手槍行刦者，其行刦之『心』雖無二致，但效率則大不相同，因而所造成的結果也大不相同。從前的國君，那怕再暴戾，他最多不過『焚書坑儒』，和『收天下兵器』，他還不知道控制言論，控制腸胃，控制行路，控制居住。漏洞既然如此之多，所以『話說天下大勢，合久必分』。暴政弄到大家忍無可忍，機會來臨，尚可揭竿而起，鬧他個天翻地覆，出一口惡氣，換出一個局面，再回家種田。今日的暴君則不然。如史達林之流所例示者，今日的暴君手握現代的統治技術，其所實行的統治是密而不漏，面面俱到的全面統治。現代的暴君，不獨手握政治與軍事大權，而且在思想信仰上是大教主，在工業上是總工程師，他又是糧食倉庫底總庫長（藉此控制着千萬人底腸胃），他是陸海空交通底總指揮，鈔票印刷所底所長——製鈔大王。總而言之，現代統治技術所造成的極權統治，不獨統治着你底政治活動，而且深入你底食道；不獨統治着你底身體活動，而且統治着你底神經活動；不獨到達你底商店工廠，而且隨時惠臨你底寢室。這種統治演變所極，可能鑽入你生活底每一層面，干涉到私人生活底每一節目，如何得了！由史達林死後的種種情形看來，現代統治技術可能發展到一個地步，只要是一隻猴子有機會控制着統治底總樞紐，再有多大有才智的人也祇好俯首聽命，而莫可如何。現代的暴君既然居於現代統治技術底總樞紐，如果藉此發揮其惡，其效能豈不千百萬倍於往昔？人民所受之害，豈不千百萬倍於往昔？這種現代統治技術，對於任何個體，永遠維持着絕對優勢的地位。在這種技術所形成的網羅之下生息的人，遲鈍者根本感覺不到危機日漸加深；少數思力銳敏者即有所覺，亦莫可奈何。所以，這種統治技術，作了權力意欲之發揮工具以後，可以將『天下』這『一種客觀偉大的存在』根本翻造。這個問題，是現代研究政治者所必須正視的。

關於『政論家』底問題，作者底希望至少在目前是會落空的。殘存的餘燼可以不論了。一個政論家之培養，該需要多少方面的客觀基礎。而且，即使有了政論家，在一切發表意見的工具被直接或間接或全面或部分控制住了的環境之內，政論何能自由表達？權力意欲一與現代統治技術結合，便成了對個性、智慧、和天才的毀滅之爐。在所有的人衆被迫納入一個型模而塑造的環境之內，怎會出現政論家？蘇俄有政論家嗎？他們不過是政府統治之下的政治寫字機而已。今日，祇有民主自由的環境才會產生眞正的政論家。

人君「有爲」的四大原因

在這一節裏，作者又再着重一點，卽人君治天下的基本原則，是『簡易』，是『無爲』。這樣，才可以『使君以不直接發生政治作用爲其所盡的政治作用。』在君主時代，若無敵國外患，出現一個不好有爲的人君，讓天下有爲，各自發展，各遂其生，這卽是『太平之治』。可是，這種強調『無爲精神』的話，向許多人來說，剛好是『南轅而北轍』。爲甚麼呢？這有四大原因：一、實現『理想』；二、舊觀念的影響；三、甜蜜的痲醉；四、緊急事態。

一、實現『理想』：在咱們中國，近半個世紀以來，『搞政治』之事，有一個主流，就是搞政治者常挾着一大袍袱的『理想』或主義。我來搞政治，就是爲了實現『我底理想』。既然如此，一旦政權到手，豈有不作爲而且大作爲之理？對於這類底人談『無爲』，豈不等於叫商人莫賺錢？不獨此也，現代搞政治的，總是裹着一大堆人。這一大堆人，叫做什麼名稱，實在無關緊要。反正，至少其中一部分天真而老誠的分子，確乎是聽信號召爲實行『理想』而相從的。爲頭的人一旦政權到手，豈能叫這一大堆人終日靜坐『無爲』？當然，他勢必叫他們實行『理想』。一實行『理想』，就大有爲而特有爲起來。既是『實行理想』而大有爲，於是觀念化而名之曰『實現歷史使命』。既是爲『實現歷史使命』而『有爲』，於是理直氣壯，於是『責無旁貸』，於是振振有詞。在這樣的心理狀態之中的人們，你還能叫他們『無爲』嗎？你叫他們『無爲』，就是阻撓他們『實現歷史使命』。阻撓他們『實現歷史使命』，罪莫大焉！不獨此也，既然一大堆人在一人號令之下爲『實現歷史使命』而『有爲』，而且這堆人又是掌握着政權的人，於是他們自然會透過政治機構來『實現歷史使命』。一透過政治機構來『實現歷史使命』，於是『實現歷史使命』便制度化或組織化。一旦『實現歷史使命』制度化或組織化，就形成一個『面的有爲』。一形成了『面的有爲』，就不是一個人之『點的有爲』了。一到了『面的有爲』，問題就不像一人之『點的有爲』那樣簡單了。因而，也就更難轉變了。所以，在從前，設法使一個人君『無爲』，或者比較容易着手。在今日，要請與一大堆『有爲』的人牽連黏合在一起的首腦，『休息五分鐘』，其事之難，有如清理葛藤。

二、舊觀念的影響：舊觀念常易在新外形之內復活。過去被稱爲『聖明天子』者，常『日理萬機』，常『事必躬親』。這些觀念，最易與『肯負責任』和『不信任人』等觀念化合，並且進而認爲不『事必躬親』乃致敗之由。所以，演變所及，認爲愈是責任重大者愈必須『有爲』。流行的心理狀態如此，『無爲』之說怎聽得進耳？

三、甜蜜的痲醉：權力是一種甜蜜的痲醉劑，愈吃愈上癮，愈上癮愈愛吃，因果相尋，了無已時。君不見，白麵客，幾人不身死，幾人不家亡！幾人能中途自動戒除？權力之愛好，在人性中深植其根。權力之行使，可以使人得到一種特別滿足。而權力之行使，必須藉着『有爲』來實現。『有爲』愈多則滿足愈多。這正猶之乎白麵吸的愈多則愈好過。說句笑話，這是一『運作的眞理（operational truth）』。如果你請現代掌握權力者『無爲』，這好像要有吸白麵癮者少吸，甚至停吸。他底癮怎熬得過？何況大大小小的癮君子一連串的如此之多？更何況現代有了權力便有了經濟，而經濟利益是一大的誘惑？

四、緊急事態：『緊急事態』又使有爲者找到一個似乎強有力的『有爲』藉口。無論何處的大有爲者都會說，『事態』這麼『緊急』，當然應該由最有能力的人起來『領導』，應付危難。在這種關頭，你還勸人『淸靜無爲』，豈不等於勸人消極？豈不等於勸人推卸責任？其何以可？

這一類底話，乍聽起來，似乎有理；可惜經不起分析。在危難臨頭的時候，如果有現成的具有精神團聚力的人物起而領導，當然比沒有精神團聚力的人好。不過，這還要看領導底方式怎樣。就事論事，在危難時候所需要的領導方式，更須是『無爲』的領導方式。所謂無爲的領導方式，是原則性的領導，不是技術性的領導；是目標性的領導，不是利害結合的領導；是着眼於讓社會得以自發其生機的領導，不是摧毀社會生機以實現主觀喜欲的表面整齊劃一之領導。在危難之時，領導者如太有爲，便妨害了大家有爲。領導者無爲，讓大家有機會有爲，賢明的人君，都應該領悟此理。便是最大最高而且最眞實的『有爲』。大家都可有爲，才能合力應付危難。這好比救火一樣。如果消防隊長自逞能幹，拿着一條水龍堵在一條路口，隊員便都不敢上前了。結果，恐怕只有他一人救火。聰明的隊長應該讓出一條路來，自己站在適當的地點，鼓舞大家協力救火。如果不是如此，那末便不是爲公。希特勒、史達林之流無一不是藉口『緊急事態』來大有爲而特有爲的。結果，緊急事態是否應付過去在尙不可知之時，到是先建立了個人的極權獨裁地位。而且，這樣的『有爲』，固然可以滿足一種現實感，但結果常不見佳。希特勒非常喜歡『有爲』，連德國軍隊都要親自指揮。結果如何？

基於上列四條理由，作者所提對於古代人君尙且十有九行不通的『無爲』要求，拿到現代對於許多人來說，一定是十有十行不通的。時移世變，奈何！

獨裁政權的開國功臣下場慘

第三節中作者說：

陸氏所以能把中國治道的根咔發掘出來，具有三個條件：一是他個人的學識人格。二是德宗對他非常底親信。三是德宗自己很能幹，但逃到奉天後，又流露出一種痛悔的深切情感。此三條件缺一不可。『能幹』是臣道。人君的能幹，係通過其政治最高權力以表達出來的，自然變成由權威所支持的誇誕品。此時其臣下如也有能幹，立刻會與這種誇誕品相抵觸而迸得頭破血流。所以從中外的歷史上看，凡是自己逞能幹的人君，其臣下必定是一羣『聰明底奴才』。不聰明，人君看不上眼；不奴才，它卽無法立足。人君造成此批聰明底奴才站在它脚底下之後，其內心遂常以天下的人才皆在於此，而實際都趕不上他，乃益以增加對自己才智之自信。

作者之所言，可謂鞭辟入裏。這可以說明一種現象，卽是：古往今來，獨裁政權之形成與鞏固過程中，開國人才爲何被清算，消滅，或至少任其凋謝，以及爲何要培養一批新的奴才。開國人才大都是有膽有識，放蕩不羈，打破現狀，不拘格律，富於理想，和朝氣蓬勃的人物。打天下，是要靠這個類型人物的。但是，這個類型底人物，既能構成前一個政權的威脅，何嘗不能構成後一個政權底威脅。所以，漢高祖得到天下以後，第一件大事就是收拾功臣。韓信就是這一意念之下的犧牲品。蘇俄自一九三五年至一九三八年之間一連串的肅清行動，固然係以清黨底形式進行，然而就骨子裏說，還是史達林爲了鞏固一己權力而清除一般老布爾希維克。這與漢高祖之大殺功臣，在作用上，並無二致。老一輩的『從龍之衆』殺光了，自然需要一批人來塡補『行政的空虛』。隱然的政敵旣去，於是可以爲所欲爲，放開手來『訓練』一批了。旣談訓練，當然照着自己底意思來訓練。特別是近代的獨裁者，無不相信訓練萬能。於是，他們以爲要訓出怎樣的鷹犬就可訓出怎樣的鷹犬。蘇俄獨裁者痛惡各人有其獨立的見解，獨立的目標。他們對人衆只估量其『工具價值』。他喜歡你少出意見，多出辦法。你向這個方向發展，不難衣錦食肉。『領導方式』如此，於是一個社會裏的人，都變成有手有脚而無頭的人。所以，這類底人，以蘇俄外交官爲例，看起來未嘗不聰明能幹，可是你與他談起來，他總是『差點欵』：對於較根本，較深遠的問題，總是抓不着要領。這都是『聰明底奴才』之特色，假若我們有機會進入鐵幕，諒必遍地都是這種人物。這種辦法，在無敵國外患時，還現不出太大的毛病。一有敵國外患，而要眞人才拿出眞本領來應付時，便破綻百出，敗像畢露了。

獨夫不敢任人任將

作者又回溯歷史的往事，說：

自任才智的人必然會自逞好惡。人君以一己才智之小，面對天下之大，好像一個單人拿着火把進入於一大原始森林之中，必因內心的疑懼而流於猜忌。猜忌者不敢任人，尤不敢任將。

這話眞是對於獨夫如德宗之流者心情絕妙的描寫。讀史達林所著新蘇維埃帝國一書，得知史達林底心情原來也是如此。既然如此，自然得到下列結果：

陸氏檢討德宗任將取敗的情形說：『今陛下命帥，先求易制者。多其部，使力分。輕其任，使力弱。由是分閫責成之義廢，死綏任咎之志衰。一則聽命，二亦聽命。爽於軍情亦聽命。乖於事宜亦聽命。將帥既幸於總制在朝，不憂於罪累。陛下又以爲大權由己，不究事情。』……德宗不僅猜忌武臣，並且也猜忌一切官吏。朝廷要用一人，都須經過他親自考核，弄得以後朝列空虛，無人可用。陸氏批評他『升降任情，首末異趣。使人不量其器，與使人不由其視。以一言稱愜(合意)爲能，而不核虛實。以一事違忤爲咎，而不考忠邪。其稱愜則付任逾恆，不思其所不及。其違忤，則責望過當，不恕其所不能。是以職司之內無成功，君臣之際無定分。……』由自任才智而猜忌，由猜忌而陷於孤立，乃一條線的發展。所以陸氏說，德宗『……憤習俗以妨理，任削平而在躬。以明威照臨，以嚴法制斷。流弊日久，浚恆太深。遠者驚疑而阻命，近者畏懾而偷容。君臣意乖，上下情隔。……人人隱情，以言爲諱。……』於是媚道大行。

這眞是『事有必至，理有固然』囉！自然律之齊一性早爲人所共見。人爲律(artificial laws)之齊一性則一直遠不若是之顯著。但是，到了現代，現代統治技術大顯威靈，個體之差異日漸消亡，在政治方面的人爲律之齊一性不難辦到。這種現象，在極權地區莫不皆然，而蘇俄則最彰明較著。『物競天擇，適者生存』底公例，如加推廣，也可應用於政治現象。如果大家在理想面前碰壁，發現『媚道』乃適於生存之道，當然『媚道大行』。不過，一個國家或社會，到了這個地步，已經沒有它自己生存與發展之原理與價值可言：它只不過成爲此一極權獨裁者使行權力意志之對象，全國家或社會乃爲此一人之存在罷了。傷哉！極權幕中之民也。

以少數的人欲惡神化爲主義

第四節作者說，要解救德宗底孤立，必須『欲惡與天下同』。

用現在的話說，多數人的同意，卽是政治的客觀標準。倘把抽象底名詞或主義，硬性規定爲政治上最高無上的原則，以壓倒人民現實的『欲惡』，美其名曰爲了達到理想的將來，故不得不強人民以犧牲現在的『欲惡』。結果，抽象名詞或主義的自身不能向人民顯現，更不能向人民強力的要求；而顯現此名詞此主義，以強力要求實現此名詞此主義者，實爲站在統治地位的少數人；於是少數人便將個人的『欲惡』，神化爲抽象的名詞或主義，以壓倒天上的欲惡；鞭策天下以現實其個人的欲惡，但彼猶可怛然無愧曰：『我是爲了實現……理想』。以共產黨爲首的極權政治，便是這樣形成的。……

這一番話，簡直說得中肯極了！作者在此顯露出一個道理；政治是服務衆人之事，而不是由少數人強迫衆人來實現其『理想』之工具的事。既然如此，當然必須『欲惡與天下同』。如果不此之圖，強迫天下信奉什麼『理想』，便是強『天下與我之欲惡同』。這就是太陽從西方出了。如果我們是湖南人，我們僱一名厨子，希望他燒辣子給我們吃，那末這位厨子先生就得照着我們底嗜好去做。他無權說：『辣子咔多打胃痛，要不得囉！』因爲，『辣子咔多打』是否『胃痛』根本就大成問題，而是否好吃辣子，這是一好惡，這是一價值選擇。好惡之決定，價值之選擇，完全是我們主人底權利，你厨子根本管不着。我們請你來做辣子，你就做辣子好了，別的事請你不要管。如果這位厨子，還要大談其『主義』，說吃辣子如何有害，吃甜東西怎樣好，我主人不高興，他就舉起現成的菜刀，威脅我們；如果我們不『實行』其『吃甜東西主義』，便是不識好歹。不識好歹者，便不配生存，應割其頭。我們想想，這是什麼光景啊！可是現在，強人實行其『主義』者，如共黨類型者，都是這位厨子先生底好朋友。吾人須知，是否強人『實行主義』，乃極權與民主底界線。在民主國家，人民是主體，大家有其自己底意向、是非標準、和價值判斷。政府是客體，數年一換。它是爲人民底意向、是非、與價值判斷而服務的一工具。那裏有政府首腦規定一個什麼『理想』強制大家奉行之事呢？極權地區，如蘇俄等，則是人民大家絕對不能有其自身之『欲惡』、意向、是非、與價值判斷；而由政府頭目代爲規定一個啥子『主義』，強制大家『學習』，閱讀。這是民主與極權底界線之一。民主與極權底這一界線，眞是再清楚沒有了，決不容混淆的。其實，認眞說來，極權地區底頭目之於『主義』，不過是強迫羣衆『學習』與『奉行』而已。彼輩之所以如此，乃爲痲醉並欺騙羣衆，以建立、鞏固、並行使其政權而已。在蘇俄等地，你如果『學習』並『奉行』了其『主義』，就表示了你對其權威屈伏，他還讓你苟延殘生。而他們自己呢？他們自己信那些『主義』才怪哩！如果他們眞心奉其『主義』，何以一再因應實際政治利益而修改呢？或者，何以行起事便把『主義』拋到九霄雲外呢！

獨裁者難以納諫

在第五節裏，作者說：

按推誠，改過，納諫，爲最大的君德。……納諫卽所謂接受反對的意見。人君是政治最高領袖，人君之接受反對意見，對人君自身而言，含有三種意義。第一、其承認自己所幹的政治是『公』的。許多人不願人發表反對意見，因爲它認爲自己所幹的政治是『私』的；私人的東西，當然不願旁人干涉……像史達林、希特勒之徒，天下之對於他，祇幻成爲專演頌揚讚美節目的劇場，怎麼可以許旁人說掃興的話。……

作者此言，就德宗所處的時代情形而言是對的。因爲，那時『天子』一人赤裸裸在高出衆黎之上，君權絕對，他一人對天下負責，是非功過比較分明，沒有什麼東西可資掩蔽。今日的極權獨裁者則不然，今日史達林這類人物，他們底實際地位至少相當於『天子』，但又有一個『黨』（如共產黨、納粹黨，等等）來掩蔽其『私』。這類底『黨』自己沒有意志，本是史達林等私人權力底工具。然而，有了這樣的『黨』之掩蔽，他們底『私』圖可以『黨化』，藉黨底形式表現出來。對於一般人衆而言，有此類之『黨』存在，便可造成『黨務』乃『公事』之錯覺，而不復易察其爲『私』。這樣一來，對於他們自己，可以爲其『私』找到辯護或藉口。彼等高踞於其黨之上，有功屬己；有過屬黨，於是乎躲在這一掩蔽之後坦然無懼地以遂其『私』。所以，當今史達林這類底人，一方面有從前天子底絕對權力，另一方面有從前天子所沒有的掩蔽便利。這樣一來，如要他們不『私』天下，比從前的天子更困難萬倍了。既然如此，何能望其納天下之言？

最後一節說：

當天下大亂的時候，政治沒有紀綱，社會沒有秩序，各個人也很容易失掉常態。這種罪過，可以是由『集體災禍』而來的『集體罪過』。集體的領導者是人君，造成集體災禍的根源是人君，所以陸氏認為人君對於集體的災禍應該『罪己』；而對於集體的罪過應該『含垢』。『丕大君含垢之德』（收河中後請罷石狀），這是作為人君的分內之事，當然之事。再從現實上說，集體底罪過，站在政府的立場，祇有把它集體的忘掉，始能轉變社會舊底風氣，鼓舞社會新底生機。假定要一一計較追究，則應當從造成集體災禍的領導者層追究起；即是首先要追問原來朝廷的負責層。所以原來朝廷的負責層，於情於理，沒有追究社會集體罪過的資格。若是原來朝廷的負責人，覺得自己還可以從頭幹起，則社會更有何人不可以從頭幹起，而要追算循環糾結，根本無法算清的舊賬？況且朝廷追算舊賬，祇能追算到朝廷力量可以控制得到的人與地方，亦即是與朝廷較為接近的人與地方。與朝廷較為接近的人與地方尚且要去追算，則尚在敵人手下的，豈不是要斬盡殺盡？這是平定大亂的想法作法嗎？……

這一段話，說得可謂合情合理之至；祇可惜也許對於古代的君王有點益處。這話底效準，是有其時間與空間裏的客觀特殊條件限制的。所以，作者底這番話，視為歷史的回顧則可，如視為通則便不可。既然如此，這番話底效準，如相對於不同的時空裏的不同的特殊條件，可能等於零。顯然得很，這番話對於近代的極權獨裁者是一點用處也沒有。

就拿第二次世界大戰時的德國為例吧！德國之所以遭到毀滅，誰都明白希特勒要負最大的責任。我們關心現代史便可明白，或者，我們看一部電影『隆美爾傳』，也可以想像得到。但是，假如希特勒還活着的話，他肯承認錯誤嗎？最可印證的假定，是他不肯承認錯誤。爲什麼呢？第一、凡成功的極權獨裁者，一定是長年生活呼吸於歌功頌德的空氣之中。無論怎樣英明蓋世的人，他底知識多少不能不建立於知識素材之上。他長年無時無日不聽到諛頌之詞。由於潛移默化，這類言詞構成他底知識底一部分；所見者都說他是天生異人，所聽者都稱他是神聖明武。久而久之，他就會自以爲我果眞是不錯。這類底近代奇人，不能與我們凡人等量齊觀。從知識論的觀點來觀察，他們是生活在一個知識上的『封閉世界（closed world）』裏。我們怎麼能拿人間的正常道理和他們打交道？希特勒大作『我底奮鬪』開頭便說；『天生予於萊茵河之畔，予良以爲幸』哩！第二、極權獨裁者往往以爲過去的成功乃將來成功之保證。雖然這話毫無嚴格科學的根據，尤其在人事方面是如此。但這類天生異人卻常對此深信不疑。希特勒進兵萊茵大爲成功，你能說他不行嗎？他怎麼聽得進別人反面的話？更怎麼會知過愧悔？第三、現代統治技術固然害死了廣大人衆，但同時也未嘗不痲痺了極權獨裁者底心靈。吾人觀察近幾個實例，可知近代的極權獨裁者底心理皆有變態。近代的宣傳技術乃現代統治技術之重要的一面。在極權地區底宣傳技術中，『領袖無失論』，正如『領袖萬能論』（史達林無所不知，無所不能，所以任何事項都需他來指導），同爲宣傳底重要節目。既然如此，自然不能承認領袖有錯誤。有錯誤根本不承認，怎麼『罪己』呢？第四、正如作者已在別處指出的，極權統治乃一全面統治。在此全面統治之下，不可有一面漏網。因如有一面漏網，很可能招致面面俱漏之後果。『首領之威望』，乃極權統治最重要的資本。所以，在極權統治地區如蘇俄者，許許多多措施（包括敎育）皆以鞏固並提高其首領一人之威望爲基本着眼點。既然如此，他們自然絕對不能承認有錯，以保持其『完全合理』之存在。於是，彼輩縱有滔天大罪，不是歸咎於托洛斯基，就是誣稱『帝國主義者包圍』；不是往『猶太人』身上一推，就是向『叛國者』頭上一賴。抵賴，也是這些人底特長之一。

人君不能有自己的好惡

在結尾的地方，作者說：

……作皇帝最難的莫過於不能有其自己的好惡。其所以不能有其自己的好惡，因爲人君是『權原』。人君的好惡一與其『權原』相結合，便衝垮了天下人的好惡而成爲大惡。但一個人要『格』去其好惡，眞是一件難事。在民主政治之下，政治領導者的好惡，與『權原』是分開的，其好惡自然有一客觀的限制而不敢闖下亂子，於是其心之『非』不格而自格了。其次、則虛己、改過，納諫等等的君德，客觀化爲議會政治，結社言論自由等的客觀制度。一個政治領袖人物，儘可以不是聖人，但不能不做聖人之事，它不能不服從選舉的結果，他不能不聽議會的論難。……美國一個新聞者可以反罵杜魯門是『罪大惡極的謊言者』。這在專制時代，假使人君對此而能寬容下去，它便是聖君；寬容不下去，它便要做出一樁大罪惡而成爲暴君。但在今日，不管杜魯門心裏怎樣，此祇有無可如何，付之不問。這種付之不問，既不表現他是聖人，同時也表現他不能不接受這種聖人的客觀格式。於是中國聖賢千辛萬苦所要求的聖君，千辛萬苦所要求的治道，在今日民主政治之下，一切都經常化，平凡化了……所以中國歷史中的政治矛盾，及由此矛盾所形成的歷史悲劇，祇有落在民主政治上才能得到自然而然的解決。……

這一段話，對於全文而言，可謂畫龍點睛。作者也承認制度化（institutionalization）底重要。民主之從制度上解除中國政治上君民對立的『二重主體性的矛盾』，較之『從「君心」方面去解除』，要具體而着實得多了。

老實說，讀者對於『聖人』一詞底內含不大清楚。所謂『聖人』一詞究竟有否一定的意謂，讀者非常懷疑。至於自古至今，無論中外，究竟有多少『聖王』，尤其令人懷疑。老實說來，人之未太作惡，除了文化敎育以外，還是由於受到許許多多客觀的限制而然。如果一個人可以不受到任何限制而行動，那末總是一件危險的事。實在來說，咱們中國歷史上的皇帝，恐怕除了極少數以外，有許許多多是極難『侍候』的龍爺。代代相傳，『侍候』龍爺一事，似乎成了一種專門的學問和技術。爲了『侍候』一個龍爺，舉國上下，常常弄得惶惶恐恐，疲困欲絕；而且常常一搞就是幾十年一小亂，幾百年一大亂。幾乎每次改朝換姓，總是弄得殺人盈野，血流漂杵。這實在太浪費了，也太痛苦了。說到這裏，使我想到五十年前提倡共和的人。他們認爲中國要結束這種治亂循環的局面，要打開歷史的死結，只有一勞永逸，讓四萬萬人都做主人，政府做公僕。這個想法是根本正確的。本文作者則從『中國的治道』，體悟出中國必須走上民主之路，才能結束傳統的『君民對立』之『矛盾』，而使政治上『二重主體性』所演出的悲劇結束，並『把作爲「權原」的人君以合理的安頓』。這可說是作者最重要的貢獻。

治亂的安全辦法

讀者再重述一遍：在現代而思究政治問題，無論如何不能忽略現代統治技術。我們知道，在戰爭中，一件新武器底發明往往結束一個舊時代而開創一個新時代。火器之發明結束了戈矛時代。原子彈之發明開創了兵器上的新紀元。同樣，現代統治技術之應用，使政治上引出許多前所未有的新因素。現代統治技術具有高度的效能。這把利器如果握在柏拉圖所謂的『哲人王』手裏固然可以做點福國利民的事；但是，如果一旦握在尼羅王手裏，便可使整個國家化爲灰燼。有了現代統治技術，現代暴君發揮其惡，十百倍於往昔暴君。但在專制或極權政體之下，有什麼方法能够保險個個國君都『哲人王』啊！這太危險了！因此，面對現代統治技術所造成的新形勢，我們更緊急地需要一個政治上的安全辦法。這種安全辦法是什麼呢？現代人類底智慧和經驗所能提出的，有而且祇有民主政治。有了民主政治，我們就不必耽心出現尼羅王這類底人物了。復次，有了民主政治，則對政治首領『無爲』的要求問題，自然隨之解決。因爲，在民主政治之下，政治首領所能做的事項是那些，在憲法上可以明文規定得清清楚楚，並且有合法的反對黨在野監視着。這樣，憲法規定他只做那幾項事，他想多做一項，便是違憲便是越權；他一違憲越權，天天紛紛，十目所視，十手所指，他立刻陷於孤立，還能容身於天地之間嗎？

所以，作者在這篇文章裏所提出的結論，對於希望步入民主政治的苦難人民，尤其顯得重要。

理與勢——自由中國的信念

茲當百慕達會議前夕，遠東正漂着新慕尼黑的疑懼之際，吾人願藉此一申自由中國的信念。

天下的事，有理有勢。理是事之所當然；勢是影響於事的各種外在因素。理有是非，勢有順逆。拿着歷史的某一橫斷面看，吾人常見理與勢的不相應，理有時而爲勢所掩。但把歷史貫穿的看，則理必浸透於勢之中，與勢以最後的決定。使歷史上作爲決定力量之勢，必係與理相應之勢。中華民族數千年的歷史，實爲據理以造勢的歷史。在數千年歷史過程中，不論遇着如何的風險黑暗，但我們民族所創發、所遵循的當然之理，總會以某種形式顯現出來，開始好似微弱的朝暾，但終必戰勝一切陰霾之氣。當蒙古入主中國，腥膻遍地，生人道絕的時候，曾有這樣的一個小故事；一介書生的許衡，在大暑天行路，同許多人坐在一株梨子樹下休息。天熱口渴，同行的爭摘樹上的梨子吃，並勸許衡說，「亂世梨子無主，你何妨也吃一個呢？」許衡答道，「梨無主，吾心獨無主乎？」我們每想起這一小小故事，常不知不覺的激起無限感激之情。有主的心，豈特目無道傍的梨，實已目無蒙古的縱橫鐵騎。此一有主的心，將浸透於一切人的心中，而使一切的人，奮身起來為自己作主，以抵抗任何非理的迫害。蒙古在世界的統治，先崩潰於中華，此豈偶然之事。武王討伐有億萬人之紂，所憑者是理而不是勢。魯仲連義不帝秦，所憑者是理而不是勢。中山先生排滿革命，所憑者是理而不是勢。七七事變後的對日抗戰，所憑者也是理而不是勢。中華民族的信念，是理而不是勢，這是幾千年的歷史經驗所培育，所證明的。

大陸淪陷，我們的反共抗俄，本已居於劣勢。但我們的民族終不會滅亡，文化終不會斷絕，人性終不會泯滅，此乃理之昭如日月，確鑿不移的。自由中國縱使只有一人，此一人猶將揭日月而挾江河，以為此理在天地間作證。豈因勢之偶有曲折而會影響我們的信念？且從整個的世界看，共黨乃人類的公敵，人類必向共黨求生存，此早為舉世所公認。第二次世界大戰後，西方正式揭反共之幕的，乃開始於邱吉爾一九四六年三月在美國的「鐵幕」演說。一九三九年全英人民，以遠超過今日歡迎邱吉爾五月十一日的外交演說的心情，歡迎過自慕尼黑向希特勒妥協歸來的張伯倫。但張伯倫的綏靖政策，只提前了第二次世界大戰。一九四一年以後，羅斯福總統以遠超過今日若干人期待馬倫可夫或毛澤東會對世界和平有所貢獻的心情，期待了史達林。但物質的大量接濟，條約的盡量遷就，只促成了史達林對東歐與中國的吞併。自由世界與極權世界的並存，乃必無之理。凡理之所必無，亦卽勢力之所畢竟不許。自一九四七年「杜魯門主義」宣佈後，世界反極權主義的基礎已經奠定。在一九五一年由麥帥解職所引起的美國議會的辯論中，東西反極權主義的不可分割的事勢早經明瞭。艾森豪的當選總統，杜勒斯的僕僕風塵，解放政策與歐亞並重的標揭，臺灣中立化的解除，這都說明全球性的反共戰略，正在加緊的躍進。這是今日世界的大勢。此一大勢，乃與理相應之勢，亦卽爲不可動搖之勢。我們不贊成「美國在亞洲沒有打開新局面」的說法。美國由華盛頓哲斐遜所奠定的外交政策的演進，是以孤立主義對歐洲，以門羅主義守美洲，以門戶開放政策向遠東向中國進取，這才是美國基本的國策。因爲這才與美國自己「開明」的利益相符，「重歐輕亞」，是純粹戰略的觀點。歐洲係早經「成熟」了的地區，美國在這方面只有義務而無權利。共和黨所剛剛扭轉的「歐亞並重」，這才使美國的政略與戰略取得平衡。我們不必以悲觀的心理，爲美國作開倒車的構想。至於邱吉爾懷着一顆蒼凉悲壯之心，回想大英帝國過去的光榮，面對大英帝國艱難的現在，於是雖身歷慕尼黑的敎訓，仍於不知不覺中俘起慕尼黑的幽靈；其事至愚其情可憫。但這只不過是大勢中的小曲折。事實將證明，馬倫可夫們的兇殘面目，將經過此種小曲折而更得到鼓勵，因此而愈會顯露於世人之前。於是反共的大勢，在此小曲折中將益得到理的證明，將益堅確而不可拔。自由中國在此種小曲折中，只有在道義上向世人提醒其警覺，指點其迷津，決不應因此而有所恐懼，有所畏怖。

可是，我們所用心的，不怕自由中國反共抗俄的勢與理之不相應；卻不能不戒恐懼於自由中國反共抗俄的心，是否能與理相應。理無不公，故亦稱之曰「公理」。因此，吾人之心，不可不與全自由中國人人之心互相感通，團結全自由中國的人們，以眞能「吉凶與民同患」。理無不實，故亦稱之曰「眞理」「實理」。因此，吾人之心，不可不沉浸於反共抗俄的事事物物之中，順事物本身的法則以發揮其最高效率。以吾心之公對人，以吾心之實對物，然後心與理相應，而理可爲吾人作主，吾人卽可據理以造勢。假使我們以私忌的心對人，認爲只有我才可以抗俄反共；以虛浮的心對物，認爲標語口號卽可代替法則，取得效率，則私與公相剋，虛與實相反；口頭上雖說反共抗俄，事實上並未盡反共抗俄之理，於是吾人所憑者仍爲勢而非理。理只有是非而無大小，勢則不僅有順逆而且有大小。吾人若僅憑勢以自固，則遇勢之小於吾人者，吾人固可肆其志，而覺人之莫可奈我何；但一旦遇勢之較吾人爲大，且對吾人爲逆者，將立見神消氣沮，張皇失措。此無他，不與理相應的心，便是中無所主，隨風飄蕩的心；眞正的信念不會樹立起來的。所以當茲國際形勢，或小方有折之際，吾人既不憚據理以申自由中國的信念；尤不憚提醒自由中國負責的人們，在此小曲折中，不應僅兩眼向外，而各須反觀內照，以檢驗吾人之心，是否眞正與「公理」「實理」相應，因而無慚於吾人口頭上所說的反共抗俄之理。能於理無所慚，即能於勢無所畏。

四二、六、十六、民主評論四卷十二期社論

論組織

一

組織與自由，是人類生活的兩面。盲目的反對組織，也和盲目的反對自由同樣愚蠢。我們試留心觀察，凡是政治上反對自由的人，多半是想剝奪旁人的自由以擴充自己自由的人。假定它眞的反對自由，便應首先放棄自己的自由。同樣的，凡是社會上反對組織的人，實際它早已生活在各種組織之中；或者還要憑藉組織以反對組織。我認爲與其預防自由的流弊，不如先想辦法如何合理的運用自由。與其預防組織的流弊，不如先想辦法去如何合理的安排組織。與其只看到自由與組織在某些地方含有衝突性，不如先認取自由與組織在更多的地方是不可分離。人類的歷史，是爭取自由的過程；因此而不斷以自己的血來掙脫許多不合理的組織。但這並不是說掙脫了某一不合理的組織後，繼起的便是沒有組織。假定無政府主義能够實現，則彼時也只是沒有政府的組織，而依然會有其他形態的組織。

二

但是，自從共產黨提出階級的理論，並以強力付之實行後，一切觀念，都由牠賦與以特殊內容，便因此而每一觀念都發出各種的毒害。其毒害的總樞紐，也可以說是其毒害的總滙，即是它之所謂「組織」。這並不一定是因爲它對組織的特別加強，而是在於它對組織的特殊觀念。人類正常的組織必不可無，共產黨的變態組織必不可有。在反共鬭爭中，以「組織對組織」的口號並沒有錯誤，我們不能處於散兵游勇的狀態以等待它集體的襲擊屠殺。但我們要以人類正常的組織來對付它的變態組織。我們要在組織上也能分別開什麼地方是確切與共產黨絕不相同，這才能表現出我們反共的價值，這才能表現出我們反共的信心。也才能發揮反共的力量。否則只是在它的脚跟下打滾，反不出結果。

一般的正常組織與共產黨的變態組織的區別，許多人以爲是表現在組織的程度上，即是共產黨的組織是最徹底，最嚴密的。其實，這是似是而非的說法；最低限度，也不是溯本探源的說法。組織的程度，視乎所以組織者的需要。組織最嚴密的標準是適應戰爭。雖說以愛好自由著稱的英國人，在適應全體戰爭的時候，它的組織未必不算嚴密？邱吉爾曾經說過，爭取近代戰爭勝利的兩大要素，是組織與技術。我們難說爲了要適應戰爭的需要而使組織嚴密，便每一集團須變成共產黨嗎？

就我的了解，人類正常的組織，是「本位性」的組織。是組成分子站在自己的本位上所立的組織，是以組織來加強各組成分子的本位。所以組織是手段，而組成分子的本身是目的；組成分子的意志，因組織而更得到伸張；組成分子的人格，因組織而更得到發展。是由組成分子的意志與人格來變動組織，而不是組織的「假象」來變動組成分子的意志與人格。用更普通的一句話來表達，「組織是各人自己的」。這種正常的「本位性」的組織，是隨近代「我的自覺」，及民主政治的完成而始得到發展。這種組織，可以標示「個我自覺」的上昇，而成爲民主政治的保障。所以嚴格的說，在民主政治下，是自由的社會，也是組織的社會。在這種社會上的國家，才可稱爲「現代國家」。

正常的組織，是表現爲各種社會團體，每一社會團體，如宗教團體、工商團體、勞働團體，都是站在各個宗教者、工商業者、勞働者的本位而組成；組成以後，即以加強其宗教活動、工商活動、勞働活動，即是加強各個本位的活動。團體的紐帶，在於各組成分子意志的共同；團體的目標，在於各組成分子意志的祈嚮；團體的本身，只是各組成分子的工具，等於一架紡織機之爲紡織者的工具一樣。工具的本身，很難由「物的神化」而幻化出一套特殊的意志，以被覆在組成分子的身上，來代替組成分子的意志。團體與團體間的協調或連合，是根據於各個人對是非或利害的更大的共同認識與需要。此種共同認識之所以相信其能成立，是由於對人性的信賴。所以這種組織，是人性的組織。因爲組織是各組成分子的工具，所以每一人雖都活動於各種組織之中，但每一人同時也是獨立自主的生活着，無慚於是一個圓滿無缺的個體。人是因爲自己被工具化而始喪失其個性，決非因使用工具而會喪失其個性。

最大而且帶有更多強制性的組織是國家。各個人對國家而言都是國民，所以都是國家的一組成分子而對其負有責任。但正如德國法學家 Bluntschli 所指出，沒有何等政治權利的單純被治者的團體，不能稱爲國民。所以近代國家性質之所以異於古代或中世，不僅不准任何人站在國家的上面，並且也不准任何人說「朕卽國家」。國家是國民共同利害的更大結合，是國民共同的工具，是屬於每個國民自己的。所以國家的主體是國民，國家的「權原」是民意。因此，國家的組織，依然是各組成分子的「本位性」的組織，是各個團體獨立自主所不可缺少的保障。政府只是一個更大的有限責任公司。政府是爲了各個體而存在，各個體不是爲了政府而存在。所謂國民對國家的義務，實際是國民對自己的義務。也是國家對國民的義務。超出了此限度的，便不是近代性質的國家，而是古代的奴隸國家，中世的封建國家。

三

對照着上述的「本位性」的組織，共產黨的組織，可以稱爲「離位性」的組織。是組織分子離開各自本位的組織。所以組成分子是手段，是工具，而組織的本身是目的。組成分子的意志，要以組織之力去加以控制，加以消滅。操縱組織者的野心，僞裝成所謂「集體意志」，而將其神化爲至高至上的存在，以否定個體的存在。人格，人性，獨立自由等等一切屬於人類自己的東西，都成爲這種組織的障礙。其組織的目的，便在於鏟去本來是屬於人類自己的這些東西，而代替以無從捉摸的東西。這在共產黨稱之爲「階級性」。

爲了明瞭共產黨組織的「離位性」，最好是以它的工人組織爲例。共產黨自己標榜它是無產階級的政黨。它所操縱的一切組織（人民團體），爲了適應無產階級的要求與利益，共產黨不斷公開的要這些團體——農民、青年、知識分子等團體，脫離其原來作爲農民、青年，知識分子等的立場（本位），而掉換以「無產階級的立場」，這種離位性的要求，還可以理解的。但無產階級就是工人，在共產黨下的工人組織，應該是以工人的意志，利益爲本位的組織。但正如今年五月中共第二次工會代表大會清算李立三的工會路線中所指出，李立三所領導的工會，完全是工人本位，離開了共產黨的立場，而不能不徹底加以糾正；可見作爲無產階級本身的工人，也不能在其工人的本位上建立代表自己本位的組織，而須掉換爲共產黨的「黨性」。然則共產黨的黨性又是什麼呢？據說卽是無產階級的階級性。而無產階級的階級性，又不是由無產階級工人的本身所浮昇起來的。所以共產黨所說的無產階級，實際就是共產黨。它所說的「階級性」或「黨性」，實際就是操縱共產黨的一個獨裁者的權利慾；這在它們稱爲「史達林思想」「毛澤東思想」，亦卽是它們所說的「領導的意志」。共產黨組織的目的，就是要人類脫離其人以之所以爲人的本位，變成一個獨裁者手上的工具，好似兒童手上的積木版，七巧版一樣。

爲什麼不能以組織的嚴密性徹底性來作爲共產黨的組織特色呢？組織最嚴密徹底的，莫過於「以戰鬥爲主」的軍隊。假使嚴密卽是共產黨組織的特性，則共產黨應對於軍隊不加染手，而讓軍隊站在其戰鬥本位，國家本位上，成爲國家的武力。但它卻在軍隊中也要另外建立一套組織，使軍隊離開其作爲國家武力的本位，甚至脫離其「以戰鬥爲主」的本位，而掉換爲「黨的武力」乃至所謂「黨的政治性」。由此可見共產黨下組織的嚴密，乃是一種自然的現象或其結果；而其組織指導的基本方針，則在使人類的一切，不能在其本位上存在，不能由其本位而向上向前伸展。它是以組織來否定人類自身所有的一切，毀滅人類自身所有的一切，所以我們說它是違反人性，毀滅人性，而成爲人類的公敵，其根據卽在於此。

共產黨的組織，在某一保有自由空間內，所以依然能得到發展，係依靠兩個條件。第一是依靠它揭發人類的黑暗面，以烘托出它所標榜的共產世界的虛僞理想；於是使天眞無邪的人，誤認其「離位」性的組織，乃是爲人類追求理想的表現。因爲人類當追求理想時，總是從現狀向前昇進，或者是打破現狀而向前昇進的。這便與其「離位性」容易混淆。第二是依靠其巧妙的技術運用，開始隱藏其離位性，僞裝爲本位性的組織。例如它號召農民分田，工人增工資，激起人類的忿恨心以追求其本身現實的利益，這時它的組織活動，都說是爲了被壓迫者的利益而活動。因之，它所建立的組織，都說是被壓迫者本身的組織，亦卽是「本位性」的組織。等到上了鈎以後，各人憑其組織之力所得到的利益，立刻要吐出來而掉換爲共產黨的利益，這是共產黨所用的慣技。人類爲維持其本位性的生存，必須有一個起碼的物質生存條件。共產黨對準這一點，在無產階級政權的口號下，剝奪人們一切可以獨自生存的起碼物質條件，使人在肉體生存上，沒有絲毫可作爲憑藉的立足點，卽是使每一人變成根本沒有可以作爲一個獨立人的本位，而眞正成爲古代的奴隸，它的這種離位性的組織工作才能够徹底，才能够得到保障。在共產黨統治下的人們，在精神與物質上，都是兩脚離地，穿上它組織的索子而懸掛在空中的人們。這種組織，當然可以運用如意，因此而能發生力量；也和古代奴隸在歷史上之開運河，築金字塔等曾發生過力量一樣。不過，不論如何，一切人類，都是爲其自己而生存，在其自己的生命中去追求價值。所以誰也不能長久忍受這種「離位性」的組織枷鎖。於是共產黨的組織，隨其「離位性」之日益明顯，愈益要靠無知、恐怖、詐騙來支持。所以共產黨要把其組織基礎放在其所謂「農工」和兒童之上；而組織的技術，完全與特務的技術合流；並自己編製一套在人類文化大流之外的所謂「黨的理論」以作詐騙的符咒。此外還要經常製造恐怖的氣氛，威嚇的手段，實行不斷的血的清洗。所以共產黨的組織，是與「鬪爭」爲不可分。保存組織，即須要鬪爭。沒有鬪爭，亦即無有組織。這是共產黨組織的鐵則。共產黨的一切鬪爭，經過仔細的分析以後，總是指向人類自己的鄉愁，總是指向人類自己廻向自己本位的憧憬。人性旣係與有生俱來，亦必與有生同住；共產黨以組織來使人脫離其本性的本位，人便要以打破此一組織來回歸其本位；共產黨便以鬪爭來消滅這種回歸本位的願望，以保持其組織。於是人性與共產黨組織的鬪爭，成爲循環不盡的不是你死就是我亡之勢。

四

凡是歷史上的暴君，都要使它的臣民離開其本位而成爲它的工具。不過到了共產黨才發明以「組織」來把人類工具化而始更爲有效。所以「離位性」的組織，表面上是使人類脫離其本位而安放在所謂「階級性」之上，但事實則只是安放在一個獨裁者之下，即是安放在史達林之下。但我們應該注意的是，共產黨所說的階級性，實際上雖然只是一種藉口，其後面雖然只是一個獨裁者的野心，但此獨裁者畢竟是要通過其所謂「階級性」而活動。在理論上，階級和階級性，比任何的個人所能涵攝者爲大；其所佔的位置，亦應比任何個人所佔的位置爲高；於是作爲獨裁者的個人，在此一掩體之下，才有驅遣捭闔許多人的餘地，才能形成其獨裁的力量。蘇聯的空軍，是經過史達林獨裁爛熟之後，而始成爲「史達林的空軍」的。史達林一死，空軍依然只能標爲「蘇維埃的空軍」，而不能標爲「馬倫可夫的空軍」，這是一件最值得令人深思的例證。由此可知那怕是「離位性」的組織，也一定須要比任何個人爲更高更廣而比較抽象的東西來代替各組成分子的本位，而不能逕直以某一個人來代替各組成分子的本位。各偉大宗教教主，如釋迦、耶穌，其權威都是成立於他身死之後。活生生的任何血肉之軀，大家都知道一樣的和我們有能有不能，有合理有不合理，怎樣也不能硬把自己神化起來以代替每人皆有其獨立自由的人的本位。說上帝創造世界，是因爲無人可以看見上帝；相信耶穌是上帝的獨生子，只能成立於耶穌慘死在十字架之後。所以「離位性」的組織，若一落到以活生生的個人爲中心，如史達林希特勒的末年，就說明這一組織本身的圖窮匕現，乾枯殭化而不可救治。所以史達林一死，蘇聯便不能不老調重彈的說要「集體領導」，這是很清楚說明史達林的獨裁領導，連共產黨自己也並未嘗認爲合理，並未認爲成功。可是「離位性」的組織，尤其是在政治組織方面，其勢非落在個人的獨裁身上不可。這也是它本身一大悲劇。

五

民國開國以後，內憂外患，交相煎迫，始終未嘗脫離緊張狀態之下，在緊張狀能之下，常要求效率高而行動敏捷，於是自然要求組織上的嚴密。組織最嚴密者莫如共產黨，於是自然受共產黨的影響，使用共產黨組織的間架與技術，來以毒攻毒。從這點說，並不必解釋爲出於某一二人的惡意。我個人在相當長的時間內，也研究過如何使用共產黨的組織以加強國民黨的方法。但因我們對於組織認識的不足（例如陳果夫先生，爲國民黨中最好的組織家。

但他研究組織十多年，結果想把生理機體的細胞與神經的關係，移作政黨組織的標本，而忘記人雖由細胞組成，但人有意志自由，有反省自覺，怎樣可以把人的活動與細胞的活動相比？卽此可以說明對組織之缺乏理解），忽略了共產黨違反人性的「離位性」的組織原則，與我們尊重人性，因之是應採用「本位性」的組織原則，根本上是一矛盾。所以卽使我們暫時把政治的價值問題置於不問，認眞的學共產黨的組織，以求收效於一時；但是，第一，我們根本不能像共產黨一樣，剷奪掉每一個人最低限度的物質生存條件，於是你要它離位，它可以消極的相應不理。第二，中國文化，是人性的文化，卽是承認人人在其本位上的價值的文化。在此一文化基盤上，缺乏向外的崇拜性，因之，不易受「離位性」的鼓動。而中山先生雖晚年聯俄容共，但他絲毫不曾接受階級理論，所以他從來不以階級性來說明革命，而只以「覺」「不覺」來說明革命。覺不覺是人性的內省，而不是社會的外鑠，這是中國人性文化的要點。我們秉承人類文化的大流，（不論中外，能成爲一個文化大流的，都是人性的文化，只有側重於人性某一面之不同），立足於中山先生遺敎的根本敎義，所以必須反共，所以反共的精神與方向，也必須與共產黨相反。這便自然制約我們使我們學共不能學徹底，勉強的學，它「組織嚴密性」的局部利益未收，而阻撓擾亂反共大原則大方向的大害先見。並且因爲我們民族，缺乏抽象思維的傳統，連眞正比較抽象的國家觀念，一直到現在還未建立起來；所以這種離位性的組織原則，落在我們手上，不能掉換到一個比較抽象的對象上去，一開始便成爲以個人爲中心的活動。這裏我得申明一點，我現在是在研究一個客觀的問題，不僅不是在反對什麼人當一個組織的中心，而且承認每一個組織自然會有中心人物，乃至須要中心人物。但在兩種不同的組織原則下，其中心人物之互不相同，也和史達林之爲戰時蘇聯總理，邱吉爾之爲戰時英國首相，都能發揮最大的能力，但兩人的本質，卻絕不相同一樣。具體的說，在離位性的組織原則下，擔當組織的人，認爲組織的目的，無形間是要把人變爲「我的人」，把團體變爲「我的團體」。組織就是控制，把「人」和「社會團體」控制其手脚而使其成爲我的「家當」，「本錢」。不視「人」爲國家的，社會的，各人自己的；而只把人分爲兩大類：「是我的」，「不是我的」。是我的是親，不是我的是仇；是我的是善，不是我的是惡。決想不到人只是屬於他自己，社會，國家，而原不是屬於「我」。「我」之不能成爲「人」的是非善惡標準，也和「人」之不能成爲「我」的是非善惡標準一樣。因爲這一點弄不清楚，於是常常在所謂組織運用等口號下，經年累月，陷在劃分人我界限的泥淖中而不能自拔。在無事的時候，因爲中國知識分子，還未脫離因衣食而當門客的老套，所以每一在政治上有所憑藉的人，總可集合若干徒黨湊湊熱鬧。這和魏忠賢之有許多乾兒子沒有兩樣。但一到個人利害須重新抉擇時，便紛紛作鳥獸散，許多平日是「我的人」，到此便成爲「反我的人」了。於是平日以組織自豪的竟兩手空空，一無所有。這不是大陸上所謂派系的實況嗎？在此派系紛擾之下，毒害了天下的人才。破壞了國家的團結。傷敗了社會的風氣。曠廢了建國的事功。大陸之亡，亡於派系；而派系的根源，主要是來自以人爲中心的離位性的組織原則。此原則一日不改，派系卽一日不絕。所以此一組織原則，在共產黨爲罪惡的根源；在共產黨以外的是斷港絕潢的死路。

我們應該有對於人性的眞正信賴，因而承認反共爲發自各人人性之所不容自己，而不是爲了張三或李四。則各人爲了反共而須要有站在各自本位上的一個組織作自己的工具，也和爲了打一條蛇而須要一根棍子作工具一樣，怎樣有效便怎樣去做，而不應考慮到張三或李四等個人的問題。天下斷無有品德有智慧的個人，而會要求控制他人以作私人的工具。一切組織，都是生根於社會，統轄於國家，而不要任何形式的經紀人，這便很自然而有效了。此中所需要的不過是少數人私利私害的暫時放開，和組織觀念上的一種轉換。屬於形式上的變換是須要的。也是很容易的。爲了如何能加強團結，擴大反共陣容，以支持長期的奮鬪，我謹提出一根本而具體的問題，以供自由中國智慧的抉擇。

四二、十一、民主評論四卷十九期

學術與政治之間

唐君毅先生曾經以一長信答復我有關「思想自由與政治民主」的問題，在本刊四卷十八期發表。唐先生對：「民主自由之概念何以應爲第二義的」這一點，曾力加說明，這是唐先生一貫的觀點，其本意並無毛病。但就社會上看，此一說法，若不稍加分疏，可能發生誤解。發生流弊。爰將我對此問題的看法，稍加申述。

一

首先，唐先生說我「年來論民主政治的文章，頗着重把政治與學術思想劃開」，的確是如此。但我之所以覺得要劃開，不是說政治與學術思想沒有關聯，或不應當有關聯。政治與學術的關聯，可謂自明之理。我所要說的是任何學術思想，若要變成政治的設施，用中國舊的術語說，必須通過人民的「好惡」；用新的術語說，必須通過民意的選擇。任何好的學術思想，根據任何好的學術思想所產生的政策，若是爲人民所不好。爲人民選擇所不及，則只好停止在學術思想的範圍，萬不可以絕對是眞、是善等爲理由，要逕直強制在政治上實現。所以一切學術思想，一落在政治的領域中，便都在「民意」之前是第二義的，「民意」才是第一義。民意才直接決定政治，而學術思想只有通過民意的這一「轉折」才能成爲政治的。這不是貶損學術；而是說政治與學術，各有其領域。學術的眞價，是要在學術的領域中去決定，而不是在政治的領域中決定。假定某一學術思想，是要通過政治以發揮其效用，則必接受政治領域中的法式，而須要經過此一轉折，以成全政治中的民主。否則極權主義者可以假借任何學術思想爲名，以實行殘暴的極權統治；亦即是任何學術思想，在此種情況之下，皆可能變爲殺人的工具。舉例來說，英國工黨根據社會主義而相信自己的經濟政策是頂好的；保守黨根據自由主義也相信自己的經濟政策是頂好的。但誰在選舉中失敗，誰便只好在民意面前低頭，站在政府旁邊，以等待再一次的民意選擇。此之謂民主政治。極而言之，假定共產主義。在人民選擇了它的時候，便在政治上作主；在人民厭棄它的時候，便退處在學術思想的範圍，換言之，假定共產主義者承認在政治的範疇中，是民意決定它的主義，而不是它的主義決定民意，並且民意的選擇，是可以絕對自由變動的，則共產主義者也可以不是極權主義者，共產主義也可以不是殺人的主義。但是今日的共產黨，認爲它所信的從哲學到吃飯睡覺這一整套，是至眞至善，凡不贊成它的民意，都在其至眞至善的藉口或狂信之下，先殺盡它認爲與其思想不合的社會階層，再繼續作不斷的思想肅清工作。而它這種肅清工作，在它自己以爲是替天（主義）行道，所以殺千萬人，殺百十年，還皆覺得無所愧怍。從某一角度說，這與其說，是共產主義本身的罪惡，無寧說是共產主義在政治上不甘處於第二義，因而不准民意自由選擇的罪惡。民意的自由選擇，與暴力鬪爭，是絕對的反對物。我們應知道德國由考茨基們，所建立的社會民主黨，也是馬克思主義一支，而這一支假定在它取得政權以後，依然能「多數保障少數」，不妨礙人民再一次的自由選擇，一如英國工黨的情形，則我們便不能說這一支也是極權主義。今日有許多人以爲一說社會主義便是極權，只有資本主義才是民主，此一說法，依然是拿主義來直接決定政治，把主義放在民意的上面；此種說法的本身，即是一極權思想。假定民意在自由之下選擇了社會主義，你說不是民主，則此時之所謂民主，顯然不是以民意爲標準，而是以主義爲標準。難說在此種情形之下，信仰資本主義者可採用政變的方式來拒絕人民的這種選擇，而可稱爲民主嗎？我在這裏不是在爲社會主義作主張，而是在說明民主政治的本身，不粘貼着某一特定的主義或思想的內容，而是在建立一個人民可以自由選擇主義或思想的政治形式。在政治領域中，此一自由選擇的形式是第一義的，任何思想主義都是第二義的。不是由某一思想主義來決定政治上的極權或民主；而是思想主義的本身，或者相信某種思想主義的人，在政治方面是否願意站在此一自由選擇的形式之下，受此一形式之約束，以決定它在政治上是極權或是民主。我之所以主張學術思想與政治應該劃開，我之所以主張不要把任何學術思想在政治的範疇內壓在民主政治的頭上，即是說不要壓在「民意」自由選擇之上，是從此一角度來說的。學術對社會國家直接負責，是通過敎而不是通過政，敎是在自由中進行，而政治則總帶有強制性。

二

學術與政治之應該劃開的另一理由，是二者對眞理的立場不一致。古往今來，誰人所得的是絕對眞理，此處我不加斷定。但站在學術的立場，總是以探求普遍而妥當的絕對眞理爲目標，並且各人對自己所認定的眞理總是要負絕對的責任。不如此，便沒有所謂學術。思想自由，是敞開人類追求眞理之門，要人認眞的去思想。思想越認眞，其所把握者將愈深，其所以自信者將愈力，於是學術史上便出現了唯心唯物乃至唯什麼的許多思想。在學術上只有「唯」的人才有成就；眞有成就的人必是某種形式的「唯」。中國目前有許多人，主張思想自由，但實際它不想在自由中去思想，而是在自由中不思想；因此它自己便沒有思想，便不了解思想的歸結總是有所肯定（或者有抱疑問以沒世的人，但它之認爲必須畢生疑下去，認爲這是疑而不可解的東西，也是一種肯定），於是以爲在思想上有絕對的肯定，而成爲什麼「唯」的，便是極權主義，這樣一來，只有取消學術思想。在這一點上，我完全贊成唐先生的意見。但站在政治的立場來說，任何學術上的眞理，只能作爲是一個可以變動的相對眞理；政治對學術眞理，實際也只能負相對的責任。政治中的個人，當然可以其個人身分而絕對相信某一宗教或某一思想。但它要自覺這是自己個人之事，與政治要隔一關。只有最糊塗的人，才弄不清楚這一點，以爲個人的一切，都是政治。政治的一切都是個人的。只有把學術對眞理的立場與政治對眞理的立場分開，才是保證學術的純粹性，與政治的民主性的兩不相妨，兩相成就的大道。假定不是這樣，則第一，自從有眞理觀念以來，總是兩相對立。許多個人認爲解決了這種對立，而從歷史上看，卻又產生新的對立；這在學術上說，對立者不妥協的爭論，無寧是學術的一種推動方量。但若政治上也絕對站在某一眞理的立場，而向之絕對負責，則爲了解決此種對立，只有以強力推銷自己的眞理，並以強力消滅與之相對的眞理，這便非成爲共產黨以血來作「思想改造」的工作不可。有的則以爲不先解決哲學問題，便不能解決政治問題；於是，幾天幾夜之間，趕出一套打倒了其它一切的大哲學系統，這都是上了柏拉圖「哲人爲王」的大當。第二，任何學理上的東西，在政治上形成政策，付之實施的時候，必須或多或少的打點折扣。即使是在學術上無諍的眞理，例如邏輯眞理，假定有一位邏輯實徵論的先生，把它演公式上的態度，應用到政治圈去，將發現人民大衆的語言，沒有一句話不成問題，這還能構成什麼政治上的眞正「指謂」嗎？所以邏輯語言，在這種地方，只有大大的打一個折扣。因此，我們了解任何政治的設施，和對政策所作的理論說明，決不可認爲是學術思想的標準，這是政治負責人事實上所必不可少的對學術的謙虛；也是從事學術工作的人事實上所必不可少的對政治的界域，和站在學術上的獨立自尊的信念。但這是由各個領域的特性而來的。並不包含等級高下之意。

由上所說，政治與學術的最大區別，是質與量的區別。一萬個普通人對於哲學的意見，很難趕上一個哲學家的意見。一萬個普通人對於科學的知識，沒有方法可以趕上一個科學家的知識。這裏是質決定量，這是學術思想的本性。但在政治上，任何偉大的哲學家或科學家，他所投的票依然和普通人一樣，只能當作一張票看待。假定它要發揮更大的政治作用，惟有把它的意見，訴之大衆的同情，即是質要通過量而始能有政治上的作用。因此，政治是以量決定質的。移學術上重質的觀點到政治上來，那即是尼采。尼采的「超人」政治，無疑的是獨裁政治。但是，這並不是說民主政治是與人類向質的昇進會發生衝突，而是爲人類向質的昇進舖下一條大路。第一，我已經在「政治與人生」一文中說過，民主政治，是自己限定自己的政治，是在人生中把政治限定於一可有可無的地位，以解放人生在政治以外的生活，也是解放人生向質追求的生活。第二，民主政治中的自由，表現在多數保障少數的時候，便是給與多數與少數之間，有一確實可變的機會，以讓任何「質」可以反復的爭取「量」的機會；這樣，政治上的量的後面，依然是由學術上的質在發生作用。反之，一個獨裁者，以爲自己的意見，在「質」上是最好的，所以硬要把一個人的意見，以強制手段，勒派爲萬人的意見，使萬人成爲無選擇自由的機器人；於是獨裁的世界，一定是物化的世界。在這種世界中不可能有心靈的自由活動，不可能有學術思想，這便眞正成爲純物的一二三四的量的世界。

應該以量爲主的政治，更深一層的去理解，它是立足於人文精神的大原則之上的。人文精神，首先承認「生」卽是價值，「生」是第一價值。其次，再要求「生」得如何有意義，這可以說是第二價值。第二價值必須安頓於第一價值之上，而不可繞過第一價值，以談第二價值。尤其是以社會爲對象的時候。以「生」爲第一價值，是對於「生」的當下承認，亦卽是對量的當下承認。歐洲的人文主義，發展到重超人的質，以質爲第一價值時，這是人文主義的末流變種。正統的人文主義，都是以「生」爲第一價值的。至於中國的儒家在此一方向表現得更明顯。「天地之大德曰生」，王船山以「尊生」爲儒家精神的第一特點，以與道家之自然主義，佛家之寂滅思想相對比。因此，「養生送死無憾」，是「王道之本」，卽是先要從「量」上與以安頓。「老者安之」，「少者懷之」，此時不問那一個老者或少者的自身是否值得去「安」去「懷」；卽是此時只着眼於第一價值。孔子到衞國去，首先贊嘆的是「庶矣哉」，再接着是「富之」，「敎之」，這是在第一價值之上去安頓第二價值。若是在史達林，便要在「庶」之中先查明階級；若是在希特勒，便要在「庶」之中先查明「血統」或

「遺傳」；即是獨裁者不能當下對「生」加以承認，亦即是不能當下對「量」加以承認。孔子見了背人口名册的（那時稱爲「版」）便從車上站起來；遇到鄉裏人玩「儺」的把戲時，他穿着朝服「立於阼階」，以表示他最大的敬意，這都是表示對於「生」，對於「人」的價值與以當下承認的偉大人文精神。到了宋明儒者，多注重在個人道德上用心，於是從「生」的觀點去看人生的儒家人文精神，常爲由個人轉上一層的道德觀點所掩。從這一點說，儒家的人文精神，至宋明儒而加深，但也至宋明儒而變狹。不過只要眞正是儒家，也必定從個人道德的孤峻處翻出來，而成就其「民胞物與」之懷，流露爲「滿街都是聖人」之量。所以個人對個人說，有賢不肖之分；個人對社會說，任何人不能以其學問而偃蹇於社會之上。

三

從另一觀點說，對於民主政治所作的理論的說明，其本身即爲一種思想，一種學術。因此，它也和其他部門的學術思想一樣，會有它的淵源，會有與其他學術思想的關連性。但就其淵源來說，我不相信是如黑格爾所說的是一個絕對理性在必然性的發展中之一階段。而就其關聯性來說，也不是完全同質的依存關係。民主自由，在其自己的範圍內，有其自足的價值。我也是主張儒家精神，人文精神，應該是民主自由眞正的依據；但這一方面是來自個人在文化上的觀點，一方面是文化上一種疏導融通的說法，由此而可使兩方互相充實。就民主政治方面說，使它在人性上有本源的自覺；就儒家精神，人文精神來說，使它落實在政治上而切實有所成就。不能因此而說儒家精神，人文精神，即可概括民主政治；亦不可說沒有儒家精神人文精神或理想主義等的個人自覺而卽不配談民主政治。二千年以前中國已有儒家，但時至今日，不僅未能建立起民主政治，連對民主政治的觀念，尙在摸索之中。而歐洲人文主義首先所轉出的卻是意大利半島上各小國的專制君主，開歐洲史上一段專制王國的先聲。並且事實上，歐洲商人的活躍，卻爲促成民主政治的一大動力。由此可知民主政治之誕生，可由各種因緣湊合，而不是誰的獨生子。所以理想主義或經驗主義對民主政治的影響，都是可能性，而不是必然性。柏拉圖，（據近人考證，柏拉圖初到雅典，也想加入民主政治活動，因激於其師蘇格拉底之死，遂反對民主政治。且當時的民主政治，也不同於近代的民主政治）尼采反對民主政治；馬基維理、霍布士，也反對民主政治。而經驗主義與唯物主義之間，更有其近親近鄰的關係。一般人不承認政治與學術之間，須有一轉折；又不承認學術與學術之間，一面有其關連性，一面又各有其自足性；於是主張民主相同，而經驗主義者認爲要政治民主，必須打倒理想主義；理想主義者也常常鄙薄經驗主義；這都是由於把兩者間對政治的可能性看作必然性，因必然性而不能不一轉爲排他性。假定認爲必須從學術上先打倒那一派而後能在政治上得到民主，則除了用共產黨的方法以外，學術上恐怕誰也打不倒誰。並且若把二者在學術範圍內之爭，移到政治領域之內，卽根本違反了學術自由的原則，此種政治排斥性之本身，卽是不民主。除非那一方面落在政治問題上是反對民主，如馬列主義之反對民主一樣。就學術的關連性與自足性來說，譬如在長江三峽的大電力發動工程如果成功，這當然是淵源於三峽以上的大小河流。但這些河流的水，並非必然可以成爲可利用的動力；這其間另外需要許多科學上的條件和努力。加上這些條件和努力而完成此一動力工程之本身，卽有一自足的價值，而不容加以貶損。自從柏拉圖金字塔式的理型說出世以後，發展到黑格爾絕對理性的辯證發展，於是學術思想上把各部門各方面的問題，總看作是一個同質的統一的問題。在理想主義者方面，把它看作是上層下層的關係，而自己是居於上層。在經驗主義者方面，把它看作眞假問題，不合於自己經驗方法的都是假的，而自己才是眞的。康德的三批判書，主要用意，恐怕是想把文化上的三大問題，各安頓於一個領域之內，不使其互相攪擾。康德談到政治問題時，卽就政治而論政治。如他的「永久和平論」，主張世界聯邦，須由具備一部民主憲法的共和國家組成，亦卽是以民主政治爲和平的基礎，而不涉及到他自己的哲學，這是最平允的態度。近三十年來，好像有許多學人，開始承認不能以一種方法用作概括各種學術部門的標準；這實在是「向康德精神的回歸」。或許今後可以解決學術上許多不必要的糾結，而有一個新的開展。但這已軼出我所能說的範圍太遠了。

四

以上，我是從政治的客體上，把它和一般的學術思想加以界劃，在此一界劃上，站在學術的立場上看政治，政治是第二義的。站在民主政治的立場看學術，則學術又是第二義的。這裏不存在有固定的金字塔式的關係。但一落到對政治負責的各個人的主體來看，則我完全同意唐先生的說法。人自身是一個「全」。政治是此一「全」中可有可無，而且是惡性絕對多於善性的一部分。我在「政治與人生」一文中曾經大概分析過，完全政治化了的人生，是最壞的，最乾枯殭化的，也是最不幸的人生。同時，在這種人生的基礎上去弄政治，也決不會眞正了解民主政治，更不會眞正對民主政治有所努力。這種人，只有在它政治上失意時才談民主政治。它心目中的民主政治，只是爭權奪利的最廉價的招牌。因爲民主政治對整個國家社會而言，是要把政治局限於一小部面，以解放社會其它部面的生活，不會使整個社會只有政治活動，而無其他社會活動，致使社會成爲一個只有支配者與被支配者的純奴隸社會。所以民主政治的眞正意義，只有在自己的人生中，有豐富的文化生活，使其人生之「全」，成爲內容豐富之「全」，因而自覺到政治在自己生活之「全」中乃可有可無，害多於利的一小部分的人，才能眞正了解民主政治，才能眞正發大願心，要使政治局限爲社會生活的一小部面，和政治局限於自己生活之「全」的一部分一樣，爲實現海闊天空的人類此一生活形式而努力。此種人假使在一個未得到民主的國度中，因每一個體都未能完成其正常的發展，亦即是未能「遂性」，遂終生爲民主政治而奮鬪，這和釋迦爲了要度衆生盡入無餘涅槃的悲願，正復相同；這是純化了的人生的發用，這是在豐富而純化了的人生之「全」的提挈下所作的政治活動；所以這是人生化的政治，而不是政治化的人生。這是自己捨身投入於權利的政治濁流中，使政治由自己的局限而得到超升淨化，這是地藏菩薩投身地獄的宏願。當歐洲啓蒙時代的學人，幾乎是全部把民主自由，視爲最高的理想，以它們所學的一切來支持民主自由的鬪爭；實際，它們是以其所學來提挈人生中的這一政治部面，所以才有歷史上這一段的輝煌表現。現在我國一般比較聰明之士，它不能從學術上，充實自己的人生，而只能從權利上去擴充人生；權利欲是它人生之「全」，而政治正是權利之所在，於是它整個的人生都政治化了。它除了以政治來滿足其權利欲之外，在其人生中更不覺得有其他的需要，更發現不了比政治更好的東西。一般人，總容易把自己作尺度去看客觀的世界。這種人的人生既完全政治化了，自然認爲社會上也祇有政治活動，也祇有政治活動才可寶貴；因之，也祇有把一切社會活動化爲政治活動，一切化爲政治活動的工具，才合它的理想。在這種人支配之下，自然是政治壓蓋一切，自然會成爲民主政治的敵人。這種人乘機得勢，自覺氣象萬千；一旦運倒時衰，便不知不覺的顯得半文不值：此無他，它的人生中除「官」以外是一無所有，所以對這種人而言，是不做官，無寧死。而追源溯本，正是因爲在它的人生中，沒有得到學術文化的涵育提撕，以致沒有把人生之「全」充實起來，便成爲只有政治，沒有人生，把大本大源拔塞了的原故。人生要用學術來充實，政治是從人生中轉出來。中國過去談政治，常常是以學術人心爲第一，這站在擔負政治的各個人而論，是千眞萬確的。我想，這是唐先生眞意之所在。

學術，很粗略的說，可分爲兩大部類。一是成就知識，一是成就人格。知識以概念來表示，人格以性情來表示。任何概念，不能表示實體之全；對人生而論，更不能表示人生之全。所以概念性的學問，不一定便是成就人格的學問：假定能够，也一定要在人生的內部，有意無意的轉一趟火，通過性情以融合於其人生之全。儒家精神，人文精神，不是以概念爲主的學問；它須要知識，至少是不反對知識，但主要的是成就人格而不是成就知識。人格表現爲動機、氣象、局量、風釆；這四者是表現一種人生價值之全的，所以不僅可以提挈政治，而且也是提挈人生一切的活動，包括學術的活動，而與一切活動以活力，並端正一切活動的方向的。民主自由是一種態度；而儒家精神，人文精神，從某角度說，主要便是成就人生從性情中流露出一幅良好態度；這是對整個人生負責的，因之，也是民主自由的根源；而民主自由，也正是儒家精神，人文精神在政治方面的客觀化，必如此而始成其全體大用。中國儒家精神之未能轉出民主政治，從歷史文化的意義上說，是其發展在政治這一面之未完成。我認爲今日眞正把握住儒家精神的人，應以實現民主政治爲己任。這是儒家基本精神面對政治所不容自己的要求。民主政治在此種精神躍動之下，而益發源泉滾滾，不捨晝夜。這與孟子談盡心盡性，而又栖栖皇皇，求「王道」的實現，其「合內外之道」，完全是一致的。政治爲了管理衆人之事，須要知識，所以政治和成就知識的學問的關係，顯而易知，我這裏不多講。政治後面更須要人格，但政治和成就人格的學問的關係，在現代卻隱而難見（中國過去以此爲自明之理）。所以唐牟各先生年來通過民主評論在這一方面所作的努力，是一種偉大的努力。此種努力，若專就民主自由來說，正如唐先生所說，是間接的去談，是從根源上談。我不以爲二者之間，可引起爭論。假定有的話，那卽是疏導的工作不够，而須要作更進一步的努力的。當然，村學究所談的中國文化，和馬路政客所談的民主自由，其兩相杅格而難通，是意料中事，這裏可不多論。

四二、十、十六、民主評論四卷二十期

中國知識份子的歷史性格及其歷史的命運

我這裏所指的知識分子，是就過去所說的，「士」、「士人」、「士大夫」、及普通所稱爲「讀書人」的此一集團中的最大多數而言。由今人所看到的此一集團中的特出之士，除非他偶然取得政治上的機遇，否則在當時所佔的份量，實際是微乎其微。因之中國的歷史，是由此在歷史中只有集體紀錄而無各個紀錄的絕大多數的士人所塑造的。此絕大多數人的性格，並不能完全代表中國歷史的性格，因爲除了他們外，還有更多數的由中國文化所陶冶的善良農民。但他們的性格，一直到現在止，依然可以決定中國歷史的命運；因爲決定命運的政治與文化還是在這般人手裏。於是他們的命運，也幾乎就是中國歷史的命運。這裏，我試對此一集團的歷史性格作粗略的分析，以追溯其命運之所由來。望能藉此作個人的反省，時代的反省之一助。

一

知識分子的性格，首先是關係於它所持載的文化的性格。中國文化精神的指向，主要是在成就道德而不在成就知識。因此，中國知識分子的成就，也是在行爲而不在知識。換言之，中國人讀書，不是爲了知識；知識也不是衡量中國知識分子的尺度；這在二千年的歷史中是表現得很明白的。所以，中國知識分子，缺乏「爲知識而知識」的傳統，也缺乏對客觀知識負責的習性。西方人爲求得知識，要從具體的事物上求出抽象的概念。概念不能代表具體事物之全體，但能抽出具體事物之各部分作成一種確切不移的定義。中國人則是就具體事物之本身來看事物，缺乏概念性的思維習性。每一個具體的東西，其內容都是無限的；一草一木，都是一個無限。人們對於無限的東西，常是想像重於定義，並且也無從下定義；於是中國知識分子缺少對事物確切不移的概念，可以多方立說，並且可以隨便做翻案文章。我小的時候，父親告訴我，舌頭是扁的，可以說得過來，也可以說得過去。這是過去開啓青年人思路的一般說法。固然，我們早就承認，「是非之心，人皆有之」。但這只能從各人的動機去向內認取，並不能在客觀中如二加二等於四樣的共同肯定。所以「是非」在中國文化中缺少客觀的保證。中國知識分子甚至於因讀書而來的才智，只是作爲變亂是非的工具。因此，把這一羣人稱爲「知識分子」，實在有一點勉強。我覺得最妥當的稱呼是「讀書人」。因爲在教育未普及的情況下，這一羣人都或多或少的是讀過書，則爲不可爭的事實。

中國文化所建立的道德性格，是「內發」的，「自本自根」而無待於外的道德。由孔子所說的「爲仁由己」，「我欲仁，斯仁至矣」的這一精神，發展至宋明儒的言心言性，都是在每一人的自身發掘道德的根源，發掘每一人自身的神性，使人知道都可以外無所待的頂天立地底站起來。這完全是人格主義底人文宗教。所以人類的道德，只有在中國文化中才能生穩根，只有在中國文化中才能極其量。在我國的道德文化中，人是眞底參天伍地而成爲萬物之靈。因此，「自天子以至於庶人，壹皆以修身爲本」，人各以其一身挑盡古往今來的擔子，以養成涵蓋萬彙的偉大人格。但是，「利根」的人，稟賦特別好的人，固然可以憑內在的「自力」站起；而「鈍根」的人，普通一般的人，多半是要靠外在的「他力」才站得起來。宗敎，是一種他力；法的觀念，國家的觀念，也是一種他力。站在中國文化的立場，所注重的自然是「盡心知性」，其次是「禮防於未然之先」，而歸結到茫無畔涘的「平天下」，或者是「與天地參」；於是在中國文化中可以不要宗敎，可以不重視法和國家等從外面來規限人生的觀念。希臘人的行爲規範，係要在國家中完成；國家與法，是兩個不可分的觀念。蘇格拉底之不肯逃走，乃爲了尊重「法」，這便形成西方文化除求知以外的另一傳統。而這一類的東西，最低限度，在中國知識分子中不易生穩根。佛敎傳入中國，中國士大夫之所以能消化它，是從「闡提皆有佛性」開始；而風靡唐宋兩代上層社會的，則爲「見性成佛」的禪宗。我們由此可以了解，自本自根的中國文化是如何的根深蒂固；但在道德上卻只能成就少數人，而不易成就多數人。中國文化之深入社會，有待於政治上（他力）的「化民成俗」。這是兩漢所完成的任務；而知識分子則常翹出於「民」與「俗」之上，所以所「化」所「成」的，在知識分子身上，最缺乏安定性。「禮失而求之野」，因爲「野」才有較大的安定性。

知識的對象是物，知識的尺度也是物；物在外面是可視的，可量的，其證驗是人可共見，其方法是人可共用，而且可在時間空間中與以保存的。所以知識能作有形的積累。自本自根的道德的對象是各人自己的心，其尺度也是各人自己的心。心在內面，可內視而不可外見，可省察而不可計量；其證驗只是個人的體驗，其方法只是個人的操存；一切都是主觀上的；既不可能在客觀上擺出來如輕重長短之不可爭；也不能如產業傳承之不可易。於是作為中國文化基石的「心」，沒有方法作客觀的規定；而只靠自驗於心之安不安。孔子的學生宰予和孔子爭辯三年之喪，孔子問他對自己的主張是否心安？宰予自己承認心安時，孔子便毫無辦法，只好說「如汝安，則為之」。這種只能信自己而無法求信于他人，只好看自己而不能看他人的格局，若不向上昇起而係向下墜落，便可一轉而成為只知有己，不知有人的格局，恰合乎作為自然人的自私自利的自然願望。因之，中國知識分子，常是由文化上以道德之心為一切的出發點，一轉而為以自利之心為一切的出發點；由以一切為充實個人道德之心之資具，一轉而為以一切為滿足個人私利之心之工具；於是中國文化在成就人的人格上，常表現為兩極的世界；一是唐君毅先生「論中國的人格世界」一文中所敍述的世界；這是文化向上性的少數知識分子的世界；一是我在這篇文字中所要敍述的一般知識分子的純自私自利的個人主義的世界，這是文化墮性的多數人的世界。西方的自私自利的個人主義，可由「他力」的宗教、法、國家社會等加以限制；而中國的知識分子的自私自利的個人主義，則沒有，也不接受這些「他力」的限制，只有聽其「人欲橫流」的「橫」下去。

二

以上，僅就文化本身之所長所短，所有所無的可能影響來說。但文化落在歷史的實踐中，必定和歷史條件，互相影響。這裏，應該看看我們歷史條件所給與文化的影響，因而所給與知識分子的影響。

希臘的知識分子，是由商業蓄積的富裕生活而來的精神閒暇所形成的。他們解決了自己的生活，乃以其閒暇來從事於知性的思索活動；這裏包含了兩種意義：第一、他們不是爲了求生活而去找知識；這便保障了知識的純粹性，養成西方爲知識而知識的優良學統。第二、希臘的哲人，大體都熱心政治；但政治對於他們只是一種社會活動，乃至是他們思考之一種對象；他們並非把政治作爲個人唯一的出路；因而保證了個人對政治之獨立性，養成西方以獨立底個人立場，以社會立場，而不是以統治者的立場去談政治的優良治統。中世紀是宗教世紀，知識分子皆吸收在宗教團體之中。宗教團體對於當時的政治及社會，保持了自己獨立存在的地位。到了近代，知識分子是和工商業之發展而同時興起的；其形態是以知識支持了工商業，也以工商業而支持了知識。這樣，知識分子有其社會的立足點，也保持了對政治的獨立性，並開拓了希臘時代一般哲人所想像不到的廣大底活動範圍。近代西方文化的多彩性，固然有的是來自各種不同文化的接觸，而主要的則係來自社會生活的豐富性，因而使文化活動的範圍擴大。

中國由貴族沒落而開始形成的士大夫階層，亦即是此處之所謂知識分子，第一、在社會上無物質生活的根基；除政治外，亦無自由活動的天地。在戰國時代所出現的「遊士」「養士」兩個名詞，正說明了中國知識分子的特性。「遊」是證明它在社會上沒有根；「養」是證明它只有當食客才是生存之道。而遊的圈子也只限於政治，養的圈子也只限於政治。於是中國的知識分子，一開始便是政治的寄生蟲，便是統治集團的乞丐。所以歷史條件中的政治條件，對於中國知識分子性格的形成，有決定性的作用。

不過，我們若以爲中國歷史中的知識分子的性格，就是和現在的一模一樣，那便是很大的錯誤。現代知識分子的性格，可以在唐宋以來的科舉制度中去尋找其歷史根源。唐宋以前和唐宋以後，知識分子與政治的關係，有一個很大的區別，因而知識分子的性格，大概的說，也可分爲兩個不同的歷史階段，這一點多爲現時論史家所忽，所以我特別提了出來。

戰國時代的遊士，經過秦始皇焚書坑儒的大「整肅」運動而告一結束。西漢開國之始，士人數目似乎不多。在文帝以前，政府與士人尙無正式底制度化底關係。文帝二年十一月詔舉賢良方正，能直言極諫的人，這是士人進入政府開闢正常門徑之始。漢武帝雖然聽董仲舒的話立了太學，但漢代的人才，很少是出於太學。（王荆公變法，立三舍之法，興學儲才，在理論上是對的；但結果三舍中也不出人才。歷代國學中亦皆不出人才。蓋人才必出自社會，而決不會出自天子門生的官學。官學只有敗壞人才；這一點，黃梨洲在其「原學」中已看得很清楚）而皆出於由文帝所開始建立的「鄉舉里選」。選舉的科目，即是求才的標準，亦即是要求於讀書人的標準，大別爲賢良方正與孝廉，再加上直言極諫，和茂材異能等。賢良重材學，孝廉重「行義」。到了後漢，除賢良孝廉兩科外，又增設有敦樸，有道，賢能，直言，獨行，高節，質直，淸白，等等，但主要的還是賢良孝廉兩科。對於這些標準的評定，決於社會的輿論，即所謂「科別行能，必由鄉典」（永元五年三月詔書），亦即當時之所謂「清議」。州郡根據輿論保薦；並在州郡中歷練吏事，由椽吏而可上至九卿。通兩漢來看，從孝廉方面得的人才多於從賢良方面得的人才。把兩漢分別的看，則前漢從賢良方面得的人才比較多；後漢從孝廉方面得的人才比較多。這裏我們可以看出幾種歷史的意義。第一、士人仕途，是由於政府的選舉徵辟，而不是出於士人直接對政治的趨附奔競，可以養士人的廉恥；並使士人不能不以社會爲本位，那怕是出於勉強。第二、士人的科別行能，不是出於以皇帝爲中心的靈感，而是出於鄉曲的「清議」，是社會與政府共人事進退之權，而且社會是一種原動力，無異于政府把人事權公之于社會。因此，士人要進入政府，首須進入社會；要取得社會的同情，勢必須先對社會負責。于是不僅使士人不能脫離社會，而且實在含有眞實的民主意義，調劑了大一統的專制氣氛。第三、中國文化，是道德性的文化，是要成就人的道德行爲的；而兩漢對士人的要求，主要便在這一方面，這便與中國文化基本精神相一致。「西都只從郡國奏舉，未有試文之事」，此一特色更爲凸顯。士人要取得鄉曲的稱譽，必須砥礪品節。士人砥礪品節，又必可以激勵鄉曲。元鳳元年賜郡所選有行義者五人帛，人五十四，遣歸，詔曰：「朕閔勞以職官之事，其務修孝弟以教鄉里」。此種在教化上的上下相與之溫情厚意，至今猶令人感動。南史說：「漢世士務修身，故忠孝成俗。至於乘軒服冕，非此莫由」。所以中國文化的精神，不僅通過辟舉的標準而使其在士人身上生根，並且可由此而下被於社會，深入於社會。我說中國文化的化民成俗，是在兩漢完成的；我們的民族性，是在兩漢才凝結起來的：所以一個朝代的名稱，即成爲一個民族的名稱，原因正於此。還有，劉邦開始以布衣爲天子，終漢之世，朝廷和社會的距離並不太大；西都舉人貢士，多起自畎畝；東都亦屢以「昭岩穴，顯幽隱」爲言。而鄉下儒生，一旦舉薦登朝，即可慷慨與朝貴辯論國家大政（如鹽鐵論）。因爲漢代大一統的皇帝，有一個平民風格的傳統，不肯把皇帝懸隔起來，神化起來，所以，「直言極諫」，便始終成爲兩漢取士的另一重要科目，有的並明白指出「能直言朕過失者」（章帝建初五年一月詔）。這不僅在政治上可以通天下之情，而且也可以把皇帝的地位向社會抑平，以伸張士人的氣概。因此，漢代的選舉制度雖有流弊，但其所表現的基本精神，則確是趨向眞正民主的這一條路上。大體說，這是中國知識分子和政治關係最爲合理的時代，也是中國文化成就最大的時代。

到魏文帝時，尙書陳羣立九品官人之法；選擇州郡的「賢有識鑒者」，立爲大小中正，區別所管人物，就其言行，定爲九等，以作政府用人的標準，此卽所謂九品中正。南北朝間，雖小有損益，但大體沿襲到隋開皇中才與以罷廢。此一變革的流弊，大約有兩點：一是從東漢漸漸興起的門閥，到魏晉而成熟；於是影響到司衡鑒之責的「中正」們，以致如晉劉毅所說的「上品無寒門，下品無世族」。二則一人的品鑒，難期周允，正如馬端臨所說：「蓋鄉舉里選者（指漢代），採譽於衆多之論；而九品中正者，寄雌黃於一人之口。……又必限於九品，專以一人，其法太拘，其意太狹，其跡太露。固不若採之於無心之鄉評，以詢其履行；試之以可見之職業，而驗其才能，一如兩漢之法也」。所以自晉劉毅以來，加以攻擊而想廢棄的人很多。但大體的說，中正的品鑒，依然是以士人的行誼爲標準；此一標準，中正仍須採之於社會，並在理論上可以不爲政治權力所左右。不僅當時有的官大而品第甚低，有的並無官位而品第甚高；並且皇帝對於中正的品第，亦無從加以干涉。如宋文帝很寵愛舍人王宏，王宏想當士人，列入九品之內，文帝要他去找王球商量，王球不准他「就席」（並坐之意）；文帝嘆息的說「我便無如此何」。齊世祖很愛幸紀僧眞，紀僧眞也在帝前「乞爲士大夫」；世祖叫他去找江斅，結果未達目的，「喪氣而退」。世祖說，「士大夫故非天子所命」。由此可以窺見士大夫的尊嚴，非政治權力之所能與奪。而士大夫因內行不謹，被清議廢黜的，晉宋諸史所載，比比皆是。所以顧林亭說「九品中正之設，雖多失實，遺意（按指三代兩漢存清議於州里的遺意）未亡。凡被糾彈，付清議者，卽廢棄終身，同之禁痼。至宋武帝簒位，乃詔有犯鄉論清議，贓汙淫盜，一皆蕩滌洗除，與之更始。自後凡遇非常之恩，赦文有此語。然鄉論之汙，至煩詔書爲之洗刷，豈非三代之直道，尙見於斯民；而畏人之多言，猶見於變風之日乎」。秦蕙田也說；「夫流品之清濁，天子不得作主，而取於一二人之口，則當時九等之高下，原有公論。……非盡失實也」。由此可知，九品中正的用意，依然是使皇帝不敢私人才予奪之權，士大夫不敢放佚恣肆於社會之上。知識分子依然是站在皇帝與老百姓的中間，發生一種貫串平衡的作用。其自身卽在此貫串平衡的作用中，對政治保持了相當的尊嚴，維持住若干的人格。

這裏，我應稍稍提到南北朝的世族問題，亦卽所謂門第，閥閱問題。沈約於梁天監中上疏說：「頃自漢代，本無士庶之別。……雖名公子孫，還齊布衣之士。……有晉以來，其流稍改；草澤高士，猶厠清塗。降及季年，專稱閥閱」。自此士庶分途，南北朝三百年間，用人多取之世族。士大夫至此形成社會上的特殊階級，形成知識分子底貴族，這是社會的一大變局，流弊當然很多。但從知識分子對政治的關係而論，也有許多好的影響。第一、此種門第，仍受社會清議約束，如謝惠連因居父喪而做了十餘首詩送給他所愛幸的會稽郡吏杜德靈，致干清議，因此「坐廢不預榮伍」。所以六朝士大夫號稱曠達，而夷考其實，往往篤孝義之行，嚴家諱之禁（用陳寅恪語，陳似援引顧亭林語，待查），決不同於歐洲的貴族。第二、知識分子的門第，保證了知識分子對政治的獨立性，他們並不隨朝局爲浮沉。所以馬端臨說：「雖朝代推移，鼎遷物改，（世族們）猶昂然以門第自負」。這對社會而言，在變亂頻仍之際，依然是社會文化的一種支撐基點；而他們憑藉自己的門第，睥睨朝廷，並不變爲某一朝廷的寄生物。所以六朝士大夫，多帶名貴氣，與後世齷齪不堪的情形兩樣。這站在知識分子的本身來說，也算是難能可貴的幸運。

三

科舉制度，即今日之所謂考試制度，嚴格一點的說，是始於隋大業中之始建進士科。自此歷唐宋元明清而不廢。這是知識分子本身命運的一大變局，也是中國歷史命運的一大變局。考試制度，對南北朝的門第而言，自然算是一種開放；但若因此而遂以此爲政權的開放，則恐係一大錯誤。現代的公司行號，亦有招考職員，這豈係公司行號股權的開放？自此制實行以來，歷代有心之士，莫不以它爲人才之大敵。這並不關係於考試科目的內容，如詩賦，經義，八股之類；從科目上去求補救，今人想到的，古人都曾想到了。問題乃在考試制度的本身，恰恰發展了中國文化的弱點的一面，所以其破壞作用，遠大於建設作用，流毒至今而不可收拾。

州舉里選之法，人材的標準是行義名節，選擇的根據是社會輿論；入仕的途轍是公府辟召，郡國推荐；已如前述。科舉在事勢上只能著眼於文字，文字與一個人的行義名節無關，這便使士大夫和中國文化的基本精神脫節，使知識分子對文化無眞正底責任感；使主要以成就人之道德行爲的文化精神，沉沒浮蕩而無所附麗。文字的好壞，要揣摩朝廷的好惡，與社會清議無關，這便使士大夫一面在精神上乃至在形式上可完全棄置其鄉里於不顧，完全與現實的社會脫節；更使其浮遊無根。一面使朝廷再無須、亦無法，與社會共人才進退之大權，州舉里選的一點民主精神，因此一變革而掃蕩以盡。科舉考試，都是「投牒自進」，破壞士大夫的廉恥，使士大夫日趨於卑賤，日安於卑賤；把士人與政治的關係，簡化爲一單純的利祿之門，把讀書的事情，簡化爲一單純的利祿的工具。州舉里選的士大夫與政治的關係，是由下向上生長；而科舉考試下的士大夫與政治的關係，則全靠天朝的黃榜向下吊了下來。做皇帝的由此而更存輕視天下之心，更獎借其專橫自恣的妄念。但州舉里選，在過去，要有一個安定的社會，要有一種良好的風氣，要有健全的地方行政制度，更要做皇帝的人常有一種謙卑自牧，尊重社會，尊重文化，因而尊重士大夫的眞正良心。而科舉考試，簡便易行，且合於專制者偷惰簡慢自私的心理。所以隋祚雖短，後世攻擊此一制度的雖多，卒不能改弦易轍。唐代是我們民族生命力很強的一代；其取士之科，雖仍隋舊，但其經常的科目有六，而由皇帝「自詔」的「制舉」，登科記列有五十餘種，困學紀聞則謂有八十六種，可說把天下各形各色的人材都包羅盡了，所以取士的途徑依然是很寬；不過，自然的趨勢，重點是落在進士一科之上。其弊病，當時的人已看得很清楚。薛謙光曾上疏說：「古之取士，實異於今。先觀名行之源，考其鄉邑之譽，……人崇勸讓之風，士去輕浮之行。……衆議已定其高下，郡將難誣其曲直。……今之舉人，有乖事實。鄉議缺小人之筆，行脩無長者之論。策第喧競於州府，祈恩不勝於拜伏。……上啓陳詩，唯希欬唾之澤；摩頂至足，冀荷提携之恩。……

夫徇己之心切，則至公之理乖；貪仕之性彰，則廉潔之風薄」。寶應二年禮部侍郎楊綰請停明經進士，道舉（專試老莊等學說的）；肅宗命由李栖筠等四人研究的結果，已指出「今取士試之小道而不以遠大，是猶以蝸蚓之餌垂海，而望吞舟之魚」。認爲「食垂餌者皆小魚，就科目者皆小道」。一致主張加以改變；事雖不行，而「垂餌」兩字，再加上世傳太宗所說的「天下英雄盡入吾彀中」的「入彀」兩字，實已刻畫出此種制度的精神與面貌。士大夫與政治的關係，成爲「垂餌」與「入彀」的關係，這已不是人與人的關係，而是漁獵者與動物的關係。此種關係卡住了政治的大門，士大夫要進此一大門，自己的精神便不能不先磨折得使其下趨於動物之只知衣食，不知是非廉恥之境域，對政治當然成爲純被動的奴妾。此門一經擠入，便志得意滿，盡量在彀中享受其「餌」。所以唐代「進士浮薄」「世所共患」（新唐書選舉志語），清流遂隨唐祚而俱盡。

宋太祖承五代盜賊夷狄交相陵虐之後，本其眞正悔禍之誠，與夫歉然有所不足之念，承認「道理最大」，故發爲寬容之政，並遺誡子孫不殺士大夫；這是宋代儒學能夠復興的重要條件。但取士之制，一依唐舊，而局格更爲完備。加以門第之勢已盡，印刷之術漸昌，士人的數目便大大的增長。淳化三年，諸道貢舉的凡萬七千餘人。加以平民雖可以讀書，但讀書後，即不復如漢代士人之「耕且讀」，而成爲社會上游手好閑之徒，生計上毫無自立之道。士庶分途之外，再加上儒吏分途，至宋而更爲確定，不僅士大夫少實事磨鍊的機會，並少一謀出身衣食的途徑。楊龜山答練子安書謂「古之爲貧者，豈特耕稼陶漁而已。今使吾徒耕稼，能之乎，不能也。使之陶漁，能之乎，不能也。今是數者不能，將坐待爲溝中瘠，而可乎。不然，則未免有求於人，如墦間之爲也。與其屈己以求人，孰若以義受祿於吾君爲安乎」。這是多麼寒酸的語調。漢時士人之所能的，自宋以後皆不能，於是只有找「受祿於吾君」的一條路；而其取徑惟有去考科舉。宋代科舉的科目雖比明以後的八股爲寬，但任何文化內容，一成爲射祿之工具，其原有之精神卽掃地以盡，其作用必與原意相反。所以朱子說「程文是人生一厄」，希望人經此一厄後能做學問。他編近思錄時，本想加一門「說科舉壞人心術處」，因呂伯恭反對作罷。由此可知科舉本身之成爲學問的障碍，固不待八股形成之後。加以大量增加的科舉「豫備軍」，拼命向一條窄路中擠去，自媒自貨，本無廉恥可言；倖得倖進，奸僞自必隨之以起。柯氏宋史新編稱科目之弊，計有傳義，換卷，易號，卷子出外，謄銷滅裂等。於是主持衡鑒的，「不在於求才，專心於防弊」。唐舒元輿已經說「國朝校試，窮微索隱，無所不至。士至露頂跣足以赴試場，先輩有投槧而出者」。此種防奸的措置，愈來愈兇；「至於解髮袒衣，索及耳鼻」（日知錄搜索條引金史）。所以朱子說：「今日上之人分明以盜賊遇士，士亦分明以盜賊自處」。這是最坦率的揭發。這種上下以盜賊相遇之局，到明清而更酷。此一盜賊性格的集團，在社會必奸盜社會，在朝廷必奸盜朝廷。古人說「君子居鄉善俗」至此則「今士人所聚多處，風俗便不好」（呂氏家塾記）。古人說：「上致君，下澤民」，至此則爲了士人的患失之念，雖「殺百萬生靈，亡數百年社稷，只爲士大夫患失之一念」。（亦呂伯恭語）所以黃東發指出宋末危亡之機有四，而主要在於士大夫不負責任，不講是非之「無恥」（見戊辰輪對第一劄子）。宋代便在這「無恥」的一羣中被扼殺掉。元代的「九儒十丐」，宋代的知識分子也扼殺了自己。

有明一代的結論，可以顧林亭的「生員論」作說明。生員論中說「廢天下之生員而官府之政清。廢天下之生員而百姓之困蘇。廢天下之生員而門戶之習除。廢天下之生員而用世之材出。」他更從正面指出在科舉下的生員弄成「士不成士，官不成官，兵不成兵，將不成將」。由此可知明代之亡於盜賊夷狄，可說是必然之勢。滿族以異族憑陵中夏，威逼利誘並進；八股之外，更創造出讀上諭讀聖訓等的奴化方法；於是士大夫在「盜賊」的氣氛外，再加強「奴才」的氣氛，求其如唐宋明三代，尙有站在科舉中而爲眞正的人生、社會、民族奮起呼籲之人亦不可多得。考據學的興起，開始不過出於聰明才智之士，避開正面問題而逃空虛的心情；以後則在旣成風氣之下，互爲名高，因而闢出一條門徑。而梁任公竟說這是中國的文藝復興，未免對中西文化的大本大源，太皮相耳食了。說到此處，我們應該想到在這種歷史條件之下，有程朱陸王這一輩人出來，指出程文之外，另有學問；科名之外，另有人生；朝廷之外，另有立脚地；何者是士人的眞事業，何者是士人的眞責任，如何才能眞正算得一個人。這才是在強盜奴才的氣氛中，眞正的人底覺醒，知識分子的覺醒；這才是中國的眞正文藝復興。賴有這一輩人，使漫漫長夜中，猶見一炬之明，以維繫人道於不絕；這是何等的艱難，何等的氣魄，何等的偉大。這種人只是多數中的極少數；他們的存在，永遠是歲寒中的松柏，使人知道春天的顏色，使人相信可以有一個春天的；但亭亭之柏，鬱鬱之松，其本身並不就是春天。這畢竟是中國文化的制限，中國文化的悲劇。

四

在上述盜賊與奴才的氣氛中，中國知識分子的命運只有不自覺的被動的殉葬，而很少能作爲一個集團底自覺以挽救歷史的命運，自己的命運。南明未嘗不可以多支持一兩百年；但馬士英阮大成之流，依然是代表當時多數士人的風氣而掌握了大勢，因之，在那樣的慘痛教訓中，凡是可以在政治上通聲氣的士人，連一點眞正嘆息之聲也發不出來，天下焉有心死而身不死之理。而士人中眞正的反省，乃常出自立足於社會，未被現實政治折磨蹂躪糟塌奸汙的少數人身上。這是中國歷史中爲什麼每當興亡之際，總還出得來幾個像樣的人才；而歷代下詔求賢，從不愚蠢到只從自己的侍從之臣中轉圈子，而必要注意到岩穴之士，因爲這是遠離現實政治的社會人士。明末所以能產生顧亭林。黃梨洲、王船山、顏習齋這一批人物，以及這些人物的學問，何以或及身而絕，或一傳之後，精神全變；都可在士人與科舉制度下的政治關係上，得到眞正的解說。顧黃們在文化的觀點上，不盡相同；但對政治卻有一個共同之點，即是伸張地方、社會，以培養民力，制衡朝廷；恢復讀書人的人格與自尊心，以培養人才，制衡專制。於是他們談封建之意，談井田制度，談選舉、談學校（他們心目中的學校，是主導政治而不受政治控制的學校），談君道（天下爲主，君爲客），談臣道（臣乃爲天下，非爲君），談士大夫知恥崇實之道。他們要打掉皇帝是乃聖乃神的觀念；他們要打掉只有朝廷而無地方的集權觀念；他們要打掉人臣是奔走服役，爲君設臣，以臣殉君的奴妾觀念。他們要打掉以天子之是非爲是非，皇帝包辦天下之是非的專斷觀念。他們要對皇帝而凸顯出天下，對朝廷而凸顯出社會、地方；對科舉功名而凸顯出人格、學問。他們的精神是偉大的。他們所祈嚮的方向是正確的。但僅靠中國文化的力量，並不能轉換中國的歷史條件，於是黃梨洲只有希望「持此（明夷待訪錄）以遇明主」；而顧亭林亦惟有「待一治於後王」。以朱子那樣的反對科舉，依然只能望其二孫「做得依本分舉業秀才」。以顧亭林的民族性之強，也只好讓自己的外甥去考進士臣事異族。這是說明中國文化，在這種既成的歷史條件面前的無權；所以單靠中國文化，只能希望一治一亂的循環，並不能解開中國歷史的死結。

由孤立而進入東西正式交通以後的中國歷史，這確是歷史上的一大轉機。中國文化，應由與西方文化的接觸而開一新局面；中國的歷史，應由與西方文化的接觸而得一新生命。代表西方文化的科學與民主，一方面可以把中國文化精神從主觀狀態中迎接出來，使道德客觀化而爲法治，使動機具體化而爲能力；並以可視的可量的知識，補不可視不可量的道德文化所缺少的一面。另一方面則由科學民主而提供了我們以新的生活條件與方法，使我們可以解決二千年久懸不決的問題。顧黃們常常想把當時返之三代兩漢。三代的情形，多含有想像的成分，暫置不論。即以兩漢來說，千餘年以後的社會，究與千餘年以前的社會不同；後人可以吸取其精神，萬難取返其事實。漢代人士耕讀合一，還是消極的；而近代，則主宰了科學，即主宰了生活，這裏不再有所謂「閑散爲樂」，脫離現生活的問題。由科學所擴大的社會生活，與知識分子以向社會發展的廣大可能性，這裏不再有非當畢業秀才，即無立足之地的問題。民主倒轉了政府與人民的形勢，把州舉里選擴大到政治最高權力之所在，淸議擴大爲推動一國政治的原動力，不再像東漢士人，一旦把淸議推及於朝廷時，即有殺身之禍。此種應當發生的改變，就我們固有的人文精神，人格主義而論，可說是一種飛躍的伸長。就科舉制度下所養成的士大夫的性格而論，可說是滌舊染之汚，昭再生之望。我在這裏，不能詳舉此一中西文化接觸後所發生的波折，乃至阻滯的事實、原因、責任等問題；這都在意料之中，而且也關係到許多方面。我只指出，一旦既與此一偉大文化相接觸，便於理於勢，不論我們願意不願意，始終非由接觸而接受不可。由戊戌變法發展爲辛亥革命，中國第一次才出現了以孫中山先生爲首的知識分子集團的革命，眞正出現了秀才造反。不但推翻滿淸，而且推翻了二千年來的專制；此一驚天動地的事件，若不想到與西方文化接觸後所發生的偉大影響，便無法加以解釋。這說明了科舉下的知識分子的性格已開始了鉅大的改變，歷史的條件已開始了鉅大的改變。我們正面向着新底命運前進。

但我們應得承認：第一、歐洲由中世走向近代的改變，冒險的商人是走在知識分子的先頭；而由商人爲主幹的新興市民階級的力量，也遠大於作爲市民階級組成分子之一的知識分子的力量。中國則只是由知識分子帶頭，社會變化的程度遠落在後面。這便一面說明知識分子向前衝的力量的有限；一面說明知識分子沒有新興的客觀底社會要求以作其向前衝的根源及由此根源而來的規約性，於是既易使之夭折，又可能使之成爲泛駕之馬，橫衝直撞底脫離軌道。第二、由舊社會走到新社會，一定要使政治力量退處於消極地位，以讓社會、和各個人，可以在自由氣氛之下，根據自己的志願與力量站了起來，使社會成爲有力的社會，個人成爲有力的個人。有力的社會與個人，逐漸代替了無力的社會與個人，國家的內容也爲之改變；於是消極底民主政治，實際是培孕着一個強大的國家。西漢初年黃老之治，具備此一雛形；而近代民主政治與強大民族國家之互爲表裏的過程，正是確切不移的例證。民主政治是政府少管事的無爲政治。政府少管事，社會和個人便可以不受干涉的多管事。中國過去的專制政治，其由中樞的權力點去控制社會的力量頗弱，且因德治仁政等觀念，亦反對對於社會的控制；這確與歐洲歷史的王權專制，有其不同。但千餘年中的科舉制度，在形式上與精神上的控制士人，折磨士人，糟塌士人，則可謂無微不至；科舉下一般士人的品質，實在比農民差得多；「儒林外史」，「官場現形記」乃是此一集團所留下來的不很完備的實錄。海通以後，因內憂外患，暫時軟化了中樞政治的壓力；因科學民主，而啓發了士人的胸襟；乃有以辛亥革命爲標誌的歷史大轉變。但當時的士人，文化意識上的自覺非常淺薄，對於自己這一代所作的前因後果，缺乏深切的了解，這也是勢所必然。要使辛亥革命的方向站穩脚跟，首先要使士人從政治上得到解放，以完成士人性格上的徹底轉變。這並不是說要知識分子脫離政治，而是說知識分子應立足於社會之上，立足於自己的知識之上，人格之上，以左右政治；而再不由政治權力來左右知識分子的人格和知識。換言之，知識分子一鼓作氣地敲開了民主政治之門，而知識分子的本身，卻也要得到民主政治的培養。這便需要國家出現一種較長的和平局面。中山先生爲了爭取此一條件，便寗願讓出臨時大總統；黃克強先生爲了爭取此一條件，便寗願取消南京留守。從長遠的歷史意義看，中山先生民國元年之讓出臨時大總統，及十三年之聯俄容共，都是他天下爲公的偉大人格的表現。但民元之退讓總統，其意義實遠超過民國十三年之改組國民黨。不幸，袁世凱帝制的賊心，不僅破壞了辛亥新開而尙未站牢之局；並以收買，暗殺，刼持等卑鄙手段，將暫時潛伏而並未根本死去的根深蒂固底由科舉所養成的士大夫性格，在過渡社會的解紐狀態下復活起來；連所謂漢學大師的劉申叔，洋學大師的嚴幾道，都加入籌安會而稱爲六君子；於此可見洗滌由歷史所積累的習性之難；而中國的知識分子又開始在新環境中走上千年來的老路。

袁世凱帝制失敗後，中國一直在軍閥擾亂及帝國主義侵略的緊張狀態中；接着便是北伐，剿匪，抗戰的二十年的長期軍事行動。軍事要求集中權力，要求紀律與服從，這是勢所必然，但與民主氣息的培養則恰恰相反。加以因聯俄容共，使知識分子最大集團的國民黨，受共產黨及德意法西斯運動的影響，而將組織走向由一個權力中心點去控制一切的組織方向，以配合軍事集中的要求，及個人權力意志的滿足。在此一組織方向之下，人不是站在人格、知識、社會上直接對政治，對國家負責；而是人人由一個權力中心點投射出去，再由此權力中心點將每人繫縛着以對此一權力中心點負責。於是人格、知識、社會，不復是人的出發點與歸結點，只有此一權力中心才是人的出發點與歸結點。權力中心對政治、國家才是直接的，其餘的都是間接的。這裏，大家忽視了中國的文化，是重常識的人文主義；所以，中國的知識分子，根本缺乏狂熱的氣質，也不眞正相信偶像；於是由此種控制方式所得到的集中效果，不僅未能達到預期的強度，並且在時間上也只是曇花一現，立刻分裂爲一個人一個人的權勢之爭，卽所謂派系之爭。原則性的控制關係，立轉而爲純現實利害性的控制關係。這種控制關係，一面只找「羣衆」，一面是找「奶娘」。誰人僥倖有點政治權利，誰人都可找到一批羣衆；誰能揩得出一些油水，誰人都可被認作奶娘。由人格來的廉恥，由客觀問題上來的是非，由國家民族社會上來的責任感，及由人對事的關涉上來的能力高下等，皆與此種關係所涵蘊的內容，勢不兩立，非一步一步的清洗得乾乾淨淨不可。於是所謂組織活動，簡化爲「垂餌」與「入彀」的活動。活動的自然結果只實現了人事上惡幣驅良幣的法則。使千年來的科舉精神，在政黨的組織上借屍還魂，在組織的新瓶中裝上過去士大夫的舊酒。但科舉只能扼住政治入門的門口；一個人敲開門口以後，便可在精神上得一解放，只要有志氣，依然可以做學問，立事功。而玩此種組織，則有似玩「江湖」，愈玩愈深，愈玩愈窄，愈離開眞正人與人的關係，一往而不可復返。它對人的控制，是要求由生到死，由私到公，由肉體到靈魂。概觀近二十多年來知識分子的性格，其形態可略舉以三：一是以個人小利小害爲中心的便宜主義。在便宜主義之下，決不擔當一點天下的公是公非。昨日之所非，不妨爲今日之所是；私下裏的痛恨，立刻變而爲公開時的揄揚；口頭上的批評，立刻變而爲文字上的歌頌。一是貌爲恭順，刻意揣摩。百說百從，百呼百諾。但實則一事不辦，一事無成；當面的色笑承歡，決不代表背後的盡心竭力。一是捕捉機會，肆行敲詐，獲取報酬。此時的羣衆可奮起以敲詐其平日所奉事的領袖，在野黨可奮起以敲詐其平日受御用的在朝黨。力之所及，眞是「殺百萬生靈，亡數百年社稷」亦所不惜，更何有於禮義廉恥。爲了表現恭順，則集權的口號當行；爲了實行敲詐，則民主的理論應手。恭順與敲詐，互爲因果循環，逼得政治上既不能集權，更不能民主，眞是走頭無路。民國三十六年到三十七年大陸上的民主表演，是知識分子發揮由千年來科擧制度養成的性格所達到的最高峯。以客觀的歷史眼光去看，接着此一最高峯的後面，其勢不能不是共產黨的淸算鬪爭的大流血。共產黨推尊張獻忠李自成，而張獻忠李自成在歷史上的某一客觀意義，乃是向當時的「鄕紳」「生員」的大報復，這是中國歷史發展中所無法避免的報復。而共產黨則是變本加厲的與中國歷史的命運，知識分子的命運，乃至文化的命運以一總的結束。共產黨所擔當的罪惡，自然也超過了張獻忠、李自成；但在共產黨魔掌下所逼出的千千萬萬的知識分子的坦白書，我不相信其中便無幾分眞正痛悔之情含在裏面。當然，此一時代中包含有許多其他的重大因素，有非多數人所能負責；等於在科擧制度下的士人，不能對科擧制度的本身負責一樣。但我在這裏是站在知識分子反省的立場上來看問題，問題便應首先落在知識分子的自身。因爲我也正是其中的一分子。

時代畢竟是進步。過去的擧子生員，是占全知識分子中的絕對多數；而現在新形態的擧子生員，在全知識分子的比率中是漸佔少數。但這漸佔少數的總是和現實政治膠住在一起，政治制約着他們，他們也制約着政治。而我們是正處在由政治來決定生死命運的大悲劇的時代，這才是眞正時代的死結。這一死結在當前是否已經解開，我希望每一個人以平旦之氣，面對現實問題，一樣一樣的切實去想。吳稚暉先生，是這一代的大聰明人。他的遺囑要把自己的骨灰抛入海底，我覺得這是象徵着他對人類前途無限的悲哀，但我不願說這就是象徵着我們知識分子最後的命運。順着科舉精神的下趨，到今日已經墜落到底了。我這只要把兩漢六朝唐宋元明清以及今日對人在政治上所要求的標準作一對比，則其一代不如一代的下趨之勢，可說是十分清楚。再由此向下，我認爲早已日暮途窮，實再無尺寸之路可走。所以我要乞靈於中國的文化，乞靈於西方的文化，乞靈於每一個人的良知，乞靈於每一個人求生的欲望，讓大家來共同打開這一死結。朱子在指出宋代上下是以盜賊相與之後，接着說：「只上之人，主張分別善惡，擢用正人，使士子少知趨向，人心自變」。這可說是最低調的說法。我試仿此意以作此文的結論說：「只今培養大家的人格，尊重中西的文化，使每一人只對自己的良心負責，對自己的知識負責，對客觀問題的是非得失負責，使人人兩脚站穩地下，從下向上伸長，而不要兩脚倒懸，從空吊下，則人心自轉，局勢自變」。

三月廿四日於臺中　四三、四、十六、民主評論五卷八期

荀子政治思想的解析

一、荀子政治思想中的儒家通義

有人認爲荀卿約死於秦始皇統一宇內之前十二年；有人認爲他死於秦始皇完成統一大業以後，尙及見李斯之入相；兩說尙不能完全論定。但其活動與著書的時期，適當七雄鼎立之勢已竭，嬴秦統一之勢已成；諸子百家，亦由茁壯而衰老，惟法家一枝獨秀，以適應此大一統的趨向，這是大家可以公認的。從學術方面說，他承孟子之後，爲儒家開創期之殿軍；儒家的人文精神，由他而更得到一明確的形態；形成人文精神骨幹的禮、樂、及由禮而來的「正名」，孔子只提出一個端緒，在他都有詳細的發揮。在這一點上，他似乎可以說是儒學的完成者。西漢所結集的儒家典籍，幾無一不受其影響（詳見汪中荀卿子通論）。但從政治方面說，他面對與（秦）亡（六國）轉變的激流，並已感到暴秦氣氛的重壓，現實的政治問題，較其他任何問題，對於他更爲迫切；於是儒家的人文精神，因他的太偏重在政治方面，不僅縮小了人文活動的範圍，並且他所強調的人文的禮治，反而成為人文精神的桎梏。後世許多人以韓非李斯，係荀卿思想之轉手，此固昧於當時情實；然儒家精神，因荀子而受了一大的曲折，則亦不容諱言。

我在這裏，想先把荀子的政治思想與孔孟相同的地方概略的舉出來，不僅由此可以見荀子之所以為「大儒」，並且由此可以看出儒家在政治思想方面的通義，不容後人輕相假借。

第一、儒家繼承「民本」的思想，以「天下」在政治中為一主體性之存在；天子或人君，對此主體性而言，乃係一從屬性的客體，因此，儒家認為天下不是天子或人君私人之可以「取」或「與」。孟子很清楚的說「子噲不得與人燕，子之不得受燕於子噲」（公孫丑）。又說，「天子不能以天下與人」（萬章）。荀子繼承此一思想，對於湯武桀紂間政權的移轉，認湯武為「非取天下也」；「桀紂非去天下也」（正論）。並且否認堯舜的擅（禪）讓；因為「天子者勢位至尊，無敵於天下，有誰與讓矣」。「有擅國，無擅天下，古今一也」（同上）。這分明說天子之對於天下，不是私人「所有權」的關係，所以天下不是個人之所得而取或所得而與。決定天下的是人民的公意，人民才是天下的主人。所以孟子說，「得天下有道，得其民，斯得天下矣。得其民有道，得其心。斯得民矣」（滕文公）。又說，「得乎丘民而為天子」（盡心）。荀子則說，「天下歸之之謂王，天下去之之謂亡」（正論）。又說，「天之生民，非為君也。天之立君，以為民也」（大略）。天下不是私人可得而取或與，乃係決定於民心民意，則人君的地位與人民對人君的服從，無形中是取得人民同意的一種契約的關係。契約說雖非歷史上的事實，然實由「神權」、「君權」過渡到民權的重大樞紐。

第二、因爲天子或人君不是天下的主體；天子或人君的存在，乃基於人民的同意，等於是一種契約行爲，則對於違反契約者自可加以取消；故儒家在比西方早二千年即正式承認「叛亂權」，亦卽承認人民的革命權。孔子以「湯武革命，順乎天而應乎人」。董仲舒說孔子作春秋是「退天子、貶諸侯、討大夫」。孟子說，「聞誅一夫紂矣，未聞弒其君也」（梁惠王）。又謂「君有大過則諫。反覆之而不聽，則易位」（萬章）。荀子也認爲「臣或殺其君，下或殺其上，無它故焉，人主自取之也」（富國）。更進一步認爲「奪然後義，殺然後仁，上下易位然後貞」（臣道）。

第三、因爲天子或人君是應人民的需要而存在，人民最基本的需要是生存，所以人君最大的任務，便是保障人民的生存；於是愛民養民，便是儒家規定給人君的最大任務。近人蕭公權氏在其中國政治思想史中謂「孔子敎民重於養民，孟子養民重於敎民」。孟子的所謂「王道」，就是「制民之產」，「正經界」，「七十者可以衣帛食肉，黎民不饑不寒」，固然都是養民；但孔子「道千乘之國，敬事而信，節用而愛人，使民以時」；「子適衞，冉有僕，子曰：庶矣哉。冉有曰：旣庶矣，又何加焉。子曰富之」，然後再說「敎之」，養先敎後，孔孟同揆。蕭氏的誤解，大概是來自「自古皆有死，民無信不立」的一段話。其實，這一段的「足食足兵，民信之矣」的三件事，都是就在上位者的政治措施來說的；「民信之矣」是使民相信政府；「去食」而不去信，是要政府不可因財政困難，而輕作失信於民的措施。孔子斷無民可以餓死而民之信不可放鬆的意思。「老者安之，少者懷之」，豈有絲毫輕養之意。荀子一書，敎與學的意味特重。然荀子以禮爲政治的骨幹，再三謂「禮者養也」。可見養民以保障人民的生存權，在荀子的政治思想中，一樣是人君所負的最大最基本的責任。

第四、因爲要保障人民的生存，所以儒家特嚴「義利之辨」。「子罕言利」；欲弟子鳴鼓而攻爲季氏聚歛的冉有。孟子首章便說，「王何必曰利，亦有仁義而已矣」（梁惠王）。儒家的所謂利，指的是統治者的利益；所謂義，在政治上說，指的是人民的權利。孟子上說得最清楚，好色好貨，只要「與民同之」，和人民的權利合在一起，則色與貨都是義而不是利。所以義利之辨，在政治上是抑制統治者的特別利益，以保障人民的一般權利的。這一點在荀子也說得非常清楚。如：

「挈國以呼功利，不務張其義，齊其信，唯利之求，內則不憚詐其民而求小利焉，外則不憚詐其與（與國）而求大利焉，內不修正其所有，然常欲人之有……如是，則敵國輕之，與國疑之，權謀日行而國不免危削，綦（至）之而亡。」（王霸）

「上重義，則義克利；上重利，則利克義。故天子不言（自己的）多少，諸侯不言利害，大夫不言得喪，士不通貨財。有國之君，不息牛羊；錯質之臣，不息鷄豚；冢宰不脩幣，大夫不爲場圃。從士以上，皆羞利而不與民爭業，樂分施而恥積臧（藏）。然，故民不困財，貧窶者有所竄（容）其手。」（大略）

統治者自身言利，用現代的語言來說，必產生官僚資本，使政府成爲分贓的工具。美國現時艾森豪的商人政府，商人從政，必出賣彼所參加經營的股票；防微杜漸，吾先儒早提出於二千年之前。

第五、人君是由人民的需要而存在，則一切政治的活動，是爲人民而非爲人君。於是人臣之事君，並非爲了人君個人之應當供奉，而實爲了一種共同的任務。所以君臣父子，同爲人之大倫，但儒家卻作不同的看法；父子是絕對的關係，君臣是相對的關係。自漢儒三綱之說出，於是君臣之倫，也視爲與父子同科。然三綱之說，乃出自法家（韓非子有臣順君，子順父，婦順夫之說），爲先秦儒家所未有。「父子主恩，君臣主敬」，或「主義」，乃儒家的通說。孔子的「拜乎下」好像特別尊君，但這不過是尊重這種秩序。孔子對於當時人君的態度，都是採取敎導而非順從的態度。孟子特創爲「不召之臣」，以提高人臣的地位。在「君之視臣如手足」一段，特強調人臣與人君是處於相對的關係。荀子思想中，臣的地位遠不如孟子。但於臣之外特提出「傅」與「師」的觀念以與君並立；且以諫、爭、輔、拂，爲社稷之臣，而深以阿諛取容的「態臣」爲可恥；並再度提出「從道不從君」之義（以上均見臣道篇）。則儒家於君臣之際，不容苟合，固彰彰甚明。

第六、儒家主張德治。德治的最基本意思是人君以身作則的「身敎」。亦卽是孔子的所謂「其身正，不令而行；其身不正，雖令不從」。因此，「正身」「脩身」是德治的眞正內容（孔孟似乎都言「正身」，至荀子而始言「脩身」）。孟子說，「其身正而天下歸之」（離婁）。又謂，「天下之本在國，國之本在家，家之本在身」（同上）。人君先脩其身，一切道理先在自己的行爲上實現，再推以及人，自然會成爲「絜矩之道」。這才是德治的眞正意義。所以荀子也特別提出「聞脩身，未嘗聞爲國也」（君道）的話。

第七、儒家既不承認天下是人君的私產，更規定天子的任務是愛民養民；所以愛民養民是目的，而「得天下」只是一種手段。其次，儒家認為「自天子以至於庶人，一是皆以修身為本」，以求具備人之所以為人的德性；而德性乃「雖大行不加焉，雖窮居不損焉」（孟子盡心）的，有天下或沒有天下，無關乎德性的增損；「有天下」不過是得到推擴自己德性的一種工具，並非修身的目的。儒家的人格主義，決不肯把工具和手段混同於目的；更不肯為了工具、手段而犧牲目的。所以孔子說，「舜禹之有天下也，而不與焉」。孟子說，「非其義也，非其道也，祿之以天下，弗顧也」（萬章）。因此，他認為「舜視天下若敝屣」。他以伯夷為聖之清，伊尹為聖之任，孔子為聖之時，三個人在人格的表現方面並不相同；但「行一不義，殺一不辜，而得天下，皆不為也，是則同」（公孫丑）。荀子因政治的氣味太重，幾乎把人生一切，都淹沒於政治之中，於是人格自我完成的成分，似乎沒有孔孟來得深刻而顯著。但他兩次說「行一不義，殺一無罪，而得天下，不為也」。荀子是非難孟子的；由此一語言之相同，可知這是從孔子以來儒家相傳的最根本的大義；這係說明儒家是把政權（天下）隸屬於個人人格之下，使政權處於一極不重要的地位，不能因為追求政權而作稍有虧損人格及政權所要達到的目的的行為。必如此，一個人的人格才可以完成，政治才不致成為少數恣睢自喜者的窟宅。人格因此而可得到純化，政治也可因此而得到純化。這是儒家政治思想中的究竟義，也是儒家人格主義的最高峯。

以上是指出荀子之所以為儒家，是因為他在政治思想上繼承了儒家的這些通義。但這並不是荀子之所以為荀子的特徵。以下試就荀子不同於孔孟的特徵，略加申述。

二、荀子政治思想的特徵

一般人提到孟荀在政治上的異同，便容易想到一個是「法先王」，一個是「法後王」的問題。其實，荀子的所謂「後王」，不僅不是楊倞所說的「近時之王也」，不只於他在非相篇所說的「周道」。他在正名篇分明說「刑名從商，爵名從周」。在儒效篇分明以「法先王，統禮義」爲大儒。此外稱「先王」或「堯舜」的地方也很多，而在大略一篇中，亦分明謂時君不如五伯，五伯不如三王，三王不如五帝。他所嚮往的何只周道。他之所以特別提出後王、周道，是基於其思想上的經驗的性格，及其重「統類」的思想。荀子思想的經驗性格，隨處可見，最顯著的爲「不求知天」，不求知「物之所以生」（天論）。他認爲要了解過去的東西，應該從現在可以把握得到的地方下手；此即所謂欲觀聖王之跡，則於其粲然者矣」（修身）；而周道正是粲然可以把握得到的。其次，荀子的「統類」思想，是認爲天下許多事物，假定以統相屬，以類相推，便可「以一知萬」「以近知遠」。後王與先王，是同統同類的。由後王——周道的粲然者的統類推了上去，即可以知道周以前的先王。所以他說，「千萬人之情，一人之情也。天地者，今日是也。百王之道，後王是也。君子審後王之道，而論於百王之前，若端拜而議」（修身）。又說，「欲觀千歲，則數今日。欲知億萬，則審一二。欲知上世，則審周道。欲知周道，則審其人，所貴君子。故曰，以近知遠，以一知萬，以微知明，此之謂也」（非相）。固然，孟子特重政治的動機，所以特別重視堯舜，因爲堯舜是「性之也」。荀子特重政治的敷設，所以特別重視周道，因爲周是「郁郁乎文哉」；但這只是在歷史中的着眼點的重點不同，並非孟子尚古而荀子從今的區別。荀子在政治思想上之異乎孔孟，主要是在其禮治思想。

近人蕭公權在其中國政治思想史中謂「孔子從周，而孟子泛言先王」。又謂「孔荀說禮，皆從周道」；是其意，無寧謂荀較孟更近於孔，此實係一大誤解。「郁郁乎文」是在文物制度上說，所以孔子說「吾從周」。但論語中對堯、舜、禹之讚嘆，其用心實遠在從周之上。而「行夏之時，乘殷之輅，服周之冕，樂則韶舞」，是孔子在文物制度上亦並非完全從周。孟子的所謂先王，主要是指的「師文王」「法堯舜」，亦決非泛指。荀子之後王，亦決不止於周道，已如前述。至於禮的問題，論語中提及禮者最多，並且有「道之以德，齊之以禮」的話，是禮在孔子的政治思想中，所占的分量相當重。而孟子則甚少言禮；其列爲四德（仁義禮智）之禮，乃是不涉及形式的一種「心之德」。因此遂易引起蕭氏上述的誤解。其實，論語中言禮，有三種態度。一是隨順已有的禮俗；一是擴大本係宗教性的儀節於日常生活起居之間（詳見鄉黨）；一是由「禮之本」而賦與禮以新的意義，使禮「內在化」而成爲一種心之德，或用以涵養心之德；這是孔子最基本的用意所在。孔子針對着當時政治上的你爭我奪而特別提倡「讓」，他稱泰伯「三以天下讓」爲「至德」，乃將讓與禮連結在一起，而說「能以禮讓爲國乎何有。不能以禮讓爲國，如禮何」。所以孔子在政治方面所說的禮，主要是內在化而爲讓德的禮。孟子繼承此一內在化的傾向，更進一步直接將禮說爲「恭敬之心」「辭讓之心」，將禮與義連在一起，視禮與義爲互辭，不再注重形式（節文）的一面，這是眞正孔子思想的發展。到了荀子則一反孔孟內在化的傾向，而完全把禮推到外面去，使其成爲一種外在的東西，一種政治組織的原則與工具，這不僅是孟子所沒有的思想，也是孔子所沒有的思想。

荀子以「學至乎禮而止」(勸學)，又謂「禮者，人道之極」(禮論)，因此他便認爲「國之命在禮」(天論，彊國)。然則禮爲什麼對於荀子有這樣的重要性呢？這要先把荀子的基本意思條貫清楚，現分四點來說明。

首先，孔孟以敬與讓言禮，荀子則主要以「分」言禮，所謂「制禮義以分之」(王制，禮論)。「分」是按着一種標準將各種人與事加以分類；於是因「分」而有「類」，「類」是「分」的結果；故荀子常稱「知類」、「度類」、「通類」。分類之後，各以類相「統」，故又稱「統類」。「分」、「類」、「統類」，這是荀子思想中最基本的三個概念。三個概念貼到人身上來說，總謂之「倫」，所謂「禮以定倫」(致士)。「聖人也者，盡倫者也」(解蔽)。其實「倫」也是「類」，故有時又稱「倫類」。就見之於設施上來說，稱爲「制」，所謂「王也者，盡制者也」(同上)。分類時，必合於各人的情實，所謂「類以務象其人」(解蔽)。這種「務象其人」，汎名之曰「正名」(正名更兼物之名而言)，專稱之爲「報」，(報亦稱「應」)，或爲「稱」。

「爵列官職，賞慶刑罰，皆報也。以類相從者也。一物失稱，亂之端也。」(正論)

按照人與事的情實，加以分類，而使其相應(報)相稱；並按照類的等級加以標誌，使其易於分別，並含有鼓勵的作用，謂之「飾」。亦稱「文飾」「藩飾」。

「若夫重色而成文章，重味而成珍備，是所衍也。聖王財衍以明辨異，上以飾賢良而明貴賤，下以飾長幼而明親疏。上在王公之朝，下在百姓之家，天下曉然皆知其非以爲異也，將以明分達治而保萬世也。」（君道）

飾係各就其分位以爲等差，不相凌越，這種情形謂之「節」，所謂「禮，節也」（大略）。荀子認爲「由士以上，則必以禮樂節之；象庶百姓，則必以法數制之」（富國）。所謂「法數」，亦稱「械數」，亦簡稱「法」，是比禮低一級的東西。但所謂低一級，因爲一是朝廷的，以安排爵、官、賞、罰等爲主；一是社會的，以安排一般職業及人民之相互交往爲主；因之，禮有「飾」，而法無「飾」，禮較有融通性，而法更多強制性。但法數也是以「分」、「類」、「稱」爲骨幹，所以實際也包括在禮之內，衆庶百姓也實際是包括在禮的分、類、稱之內。他說，「禮者，貴賤有等，長幼有差，貧富輕重，皆有稱者也」（富國）。這當然把百姓也包括在內。

作爲分與類的標準而使之相稱的，首先是人倫的義務。人倫是天然的分類，所以重點不在分與類上，而是要各盡其本身的義務。

「請問爲人君，曰以禮分施，均徧而不偏。請問爲人臣，曰以禮待君，忠順而不懈。請問爲人父，曰，寬恩而有禮。請問爲人子，曰，敬愛而致文。請問爲人兄，曰，慈愛而見友。請問爲人弟，曰敬詘而不苟。請問爲人夫……此道也，偏立而亂，俱立而治。」（君道）

所謂「偏立」，是片面義務。所謂「俱立」，是平等義務。

荀子的禮，更重要的是把人與事結合起來，作相稱的分類。這種分類的標準是德、能、技、職等。

「譎（商）德而定次，量能而授官，使賢不肖皆得其位，能不能皆得其官。萬物得其宜，事變得其應……言必當理，事必當務。」（儒效）

「無德不貴，無能不官，無功不賞，無罪不罰。朝無幸位，民無幸生。尚賢使能，而等位不遺。」（王制）

「量地而立國，計利而畜民，度人力而授事，使民必勝事，事必出利，利足以生民……故自天子通於庶人，事無大小多少，由是推之。故曰，朝無幸位，民無幸生。」（富國）

「論德而定次，量能而授官，皆使其人載其事，而各得其宜。」（君道）

「明分職，序事業，材技官能，莫不治理。……人習其事而固。人之百事，如耳目鼻口之不可相借官也。故職分而民不探（王念孫以不探爲不慢之誤），次定而序不亂。……如是，則臣下百吏，至於庶人，莫不修己而後敢安正，誠能而後敢受職。百姓易俗，小人變心，姦怪之屬，莫不反慤。夫是之謂政教之極。」（同上）

荀子一書，這類的話最多。同時，他用作定位授官的標準的是德與能，而非由歷史所形成的固定性的階級；德能是每個人由自己的能力可以得到的，即是一個人能各以自己的力量，變更自己在禮的「分」中的地位，於是禮的「分」雖然定得很整齊，但社會各成員，依然有自由上進的機會。所以他說，「雖王公士大夫之子孫，不能屬於禮義（即德與能），則歸之庶人。雖庶人之子孫也，積文學，正身行，能屬於禮義，則歸之卿相士大夫」（王制）。因此，在他心目中的社會，是「朝無幸位，民無幸生」的理想社會。用現代的話說，是「各盡所能，各取所值（稱）」的理想社會。而禮是通往此一社會的橋梁，並且即是此種社會的本身。此其一。

其次，他面對着快要統一的這樣大的天下，便不能不構想到負政治總責的人君，必須無所不能，亦即是他所說的「兼能」，才可以統治得了。但人君如何可以兼能呢？在君道篇他從正面提出此一問題：「請問兼能之奈何？曰，審之禮也。古者先王審禮以方皇周浹於天下，動無不當也」。審禮何以能兼能？因爲禮是由「分」而「類」，因「類」而「統」，由「統」而「一」。凡是事物的組織化，亦即事物的單純化，統一化，所以禮之「分」，亦即是禮之「一」，因此，他除說「明禮義以分之」之外，更說「明禮義以一之」（富國）。他相信「類不悖，雖久同理」（非相），故可「以情度情，以類度類」（同上）。「類」與「一」在性質上是相同的，既可「以類度類」，則由類一直推下去，即可「以一知萬」（同上）。禮是「類」，是「一」，人君審禮，即是「以類行雜，以一行萬」（王制），這種「樞要」在人君手上，便很簡易的把天下治理了。

「推禮義之統，明是非之分，總天下之要，治海內之衆，若使一人；故彌約而

事彌大。五寸之矩，盡天下之方也。故君子不下堂，而海內之情舉積此者，則操術然也。」（修身）

「法先王，統禮義，一制度，以淺持薄，以古持今，以一持萬。苟仁義之類也，雖在鳥獸之中，若別黑白，倚（奇）物怪變，所未嘗聞也，所未嘗見也，卒然起一方，則舉統類而應，無所儗怍；張法而度之，則腌（順）然若合符節」（儒效）。「以類行雜，以一行萬……故喪祭朝聘師旅，一也。貴賤殺生與奪，一也。君君臣臣父父子子兄兄弟弟，一也。農農工工商商，一也。」（王制）

這裏的「一也」，大約是指屬於一類，由一個原則貫通支配的意思。

「主道治近不治遠，治明不治幽，治一不治二……故明主好要，而闇主好詳。主好要，則百事詳。主好詳，則百事荒。君者論一相，陳一法，明一指，以兼覆之，兼炤之，以觀其盛者也。」（王霸）

上面是人君能審禮便可以「兼能」的說明。人君兼能之後，

「故天子不視而見，不聽而聰，不慮而知，不動而功，塊然獨坐，而天下從之如一體，如四胑（肢）之從心，夫是之謂大形。」（君道）

由此可知禮治在荀子是走向「無爲而治」的統治術，此其二。這裏要順便一提的，無爲

而治，是在君主專制下的各家共同的要求。孔子認爲「其身正，不令而行」，所以歸結到「無爲而治」；老莊尙自然，自然是有爲的反面，亦卽是無爲。法家要使人君居於不可測之地，且怕人君隨便動手動脚破壞了法，所以也要人君無爲。荀子則由「禮義之統」而認爲可以達到「塊然獨坐」。無爲的形式一樣，而無爲的內容與達到無爲的經路各不相同。胡適之先生硬要指論語上的「無爲而治」是受了老子的影響，以證明老子一書，乃孔子曾經問過禮的老聃的著作；並把論語曾子所說的「昔者吾友，嘗從事於斯矣」的吾友，硬說指的卽是老聃；把曾子說成一個認「太老師」作朋友的人，未免用心太苦了。

再其次，荀子從人類社會的起源上，證明禮的必要。

「力不若牛，走不若馬，而牛馬爲用，何也。曰，人能群，彼不能群也。人何以能群，曰分。分何以能行，曰義。故義以分則和，和則一，一則多力，多力則強。」（王制）

按此處之所謂「義」卽是禮。「禮義」自孟子而始運用，荀子亦多連用。連用者每可互用。羣卽是一種廣義的社會組織。人之所以能戰勝毒蛇猛獸，一是人善用工具，一是人能構成社會的羣。而在荀子則認爲羣是人類戰勝自然環境的唯一因素，禮是羣的原理與方法，當然是支持人類社會生存的骨幹，此其三。

最後，前面說的「兼能」，是從「治」方面說的。人君治的主要內容是「養」。卽兼能是要能「兼足天下」。荀子認爲「兼足天下之道在明分」（富國）。明分何以能兼足天下？

荀子認爲人的欲望是相同，而人的賢能不同；「天地之生萬物也固有餘，足以食人矣」（富國），但不平均的滿足人的欲望。所以只好按着「禮義之分」，由賢能技職所形成的分位之不同，而各與以和各人分位相稱的待遇。這樣一來，分配不決定於各人主觀的欲望，而決定於客觀的分位，大家便可以不爭。其次，隨分位之不同而分配數量亦因之不同，分位高者享受高而人數少，分位低者享受少而人數多；生產增加，則分配量亦比例的增加，人既可以自力改變自己在禮中的分位，亦即可以自力改變自己物質的享受，而可鼓勵社會的進步。這恰與近代「各取所值」的理想相符合。他說：

「分均則不偏（徧），勢齊則不一，衆齊則不使。……勢位齊而欲惡同，則必爭。爭則必亂，亂則窮矣。先王惡其亂也，故制禮義以分之，使有貧富貴賤之等，足以相兼臨者，是養天下之本也。書曰，維齊非齊，此之謂也。」（王制）

「使有貴賤之等，長幼之差，知賢愚能不能之分，皆使人載其事，而各得其宜，然後使穀祿多少厚薄之稱，是夫羣居和易之道也。」（榮辱）

「禮起於何也，曰，人生而有欲。欲不得，則不能無求。求而無度量分界，則不能不爭。爭則亂，亂則窮。先王惡其亂也，故制禮義以分之，以養人之欲，給人之求，使欲必不窮乎物，物必不屈於欲，兩者相持而長，是禮之所起也。故禮者養也。……君子既得其養，又好其別。曷謂別，曰貴賤有等，長幼有差，貧富輕重皆有稱者也。」（禮論）

這裏，荀子以調節欲望與生產的關係來說明禮的起源，亦即是以經濟來說明禮的起源，已經深入到荀子政治思想的核心，最足以看出其思想上的經驗的，功利的性格。儒家在財富分配上，多主張「均」；而荀子的禮義之分，則是一種差別待遇。然這種差別待遇，是要稱於「德」「能」「技」等的標準的；並且在差別待遇之下，還有一個共同的基數以作一般人民生活的保障。如「由天子至於庶人也，莫不騁其能，得其志，安樂其事，是所同也。衣煖而食充，居安而遊樂，事時，制明，而用足，是又所同也」（君道），這種差別待遇，是各取所值的差別待遇。在理論上並不違反「均」的原則，此其四。還有，荀子以前，儒家無「抑末」的思想。至荀子而始有「工商衆則國貧」（富國），及「省工賈，衆農夫」（君道）的說法，此或係受有法家影響，或係至荀子時而「土著商業資本」之害始著。要之「重本抑末」，非儒家原有思想，特附帶提出。

由上述四點說明荀子的禮治，雖角度不同，但都是互相貫通，互相關連。總括的說一句，即是以合理的組織原則與方法，把社會構成一套整齊的有機體，以達到「各盡所能，各取所值」的理想人羣生活。於此，我們不能不驚嘆其理論上構造之完整與嚴密，及其思想在古代的突出與奇特。

三、荀子政治思想對儒家精神之曲折

凡是抹殺道德的人格尊嚴，而想完全從具體的物質方面來解決人的問題的，必走向極端的個人主義或社會主義。極端的個人主義，在自由的口號之下，「爭必亂，亂必窮」，而在

「爭」的過程中，則如荀子所說強凌弱，衆暴寡，出現許多以自由爲藉口的低級的小極權主義者。到了「窮」的階段，常激出一個大的獨裁。社會主義，在正義口號之下，勢必一切政治化，一切組織化，在政治化組織化的尖端，也必定是一個獨裁者。社會主義者常常認爲只有在正義之下才有自由；結果必定自由，因而也否定了正義。荀子的政治思想，無形的也含有此一可能性。

這裏應該先申述一下荀子與法家在思想上的關涉。首先應指出他與法家最不相同的地方。第一、法家反對歷史文化，「明主之國，無書籍之文，以法爲敎。無先王之語，以吏爲師」（韓非子五蠹篇）。因爲人類是非曲直的價值觀念，是由歷史文化累積而來；反歷史文化，即可不受這些價值觀念的約束，而一切歸之於現實政治權力的支配。荀子的禮，乃是生根於歷史文化之上。他說，「故國者重任也，不以積持之則不立。……故一朝之日也，一日之人也，然而厭焉有千歲之固，何也，曰，援夫千歲之信法以持之也……以夫千歲之法有持者，是乃千歲之信士矣。故與積禮義之君子爲之則王」（王覇）。可知荀子以禮乃千歲之積，故他以「法後王」爲雅儒，以「法先王」爲大儒（見儒效）。儒家本身即是代表中國的歷史文化（孔子述而不作，信而好古），荀子是儒家，在這一基點上決不能同於法家。

第二、儒家是人本主義，以法的「械數」從屬於人的本質，因而尙德尙賢。法家是法本主義，不重視人的本質，使人從屬於法，使法爲主而人爲客。中國過去之所謂法，根本沒有由法以限制人君，限制政府的意思，所以荀子認爲「有治人，無治法」；理由是「合符節，別契券者，所以爲信也；上好權謀，則臣下百吏，誕詐之人，乘是而後欺。探籌投鉤者，所以爲公也；上好曲私，則臣下百吏，乘是而後偏。衡石稱縣（懸），所以爲平也，上好傾覆，則臣下百吏，乘是而後險。……故械數者治之流也，非治之原也」（君道）。法家則認爲「君人者能去賢巧之所不能，守中拙之所萬不失，則人力盡而功名立」（韓非子用人篇）。儒家的人治乃與德治是相關連的。這點是和法家截然不同。

第三、因爲法家對人君的要求是「術」是「勢」而不是德，所以人君的舉動特別須要詭密，這與近代的獨裁者完全符合。「故明主之行制也天，其用人也鬼。天則不非，鬼則不困」（韓非子八經篇）。荀子則恰與此相反。「故君人者周（密），則讒言至矣，直言反矣，小人邇而君子遠矣……君人者宣，則直言至矣，而讒言反矣，君子邇而小人遠矣」（解蔽）。又說，「上周密，則下疑玄矣。上幽險，則下漸詐矣。上偏曲，則下比周矣（猶今之所謂派系）……故主道利明不利幽，利宣不利周。故主道明則下安，主道幽則下危……故上易知，則下親上矣。上難知，則下畏上矣……主道莫惡乎難知，莫危乎使下畏已」（正論）。荀子這一段話，好像是指着現代的各種獨裁者來說的，當然與法家相反。

但是，在荀子的思想中，畢竟含着走向獨裁政治的因素。這便牽涉到他的性惡問題。荀子與孟子的區別，有點像程朱與陸象山的區別。孟子與陸象山是把心與性看作是一層的東西；而荀子與程朱則分心與性爲二，看作是兩層的東西。不過程朱把性看作是在心的上一層之理；而荀子則把性看作是比心下一層的本能的「欲」。荀子認爲「生之所以然者謂之性」，「性之好惡喜怒哀樂謂之情」（正名），情是性的表現，情不是惡，然而惡由情出，所以他便說性惡。但他認爲使情不至於惡的是心，所以他說「情然而心爲之擇，謂之慮」「欲（欲由情出）過之而動不及，心止之也。心之所可中理，則欲雖多，奚傷於治。欲不及而動過之，心使之也。心之所使失理，則欲雖寡，奚止乎亂。故治亂在於心之所可，亡於情之所欲」。因此，他也認爲「心也者道之工宰也」（以上皆見正名）。這與孟子「耳目之官不思而蔽於物，物交物，則引之矣。心之官則思，思則得之，不思則不得也」的意思正同。不過孟子對於心是從兩方面去肯定，一是從認識方面（思），一是從道德方面（如惻隱之心）。而荀子則缺少道德這一方面的肯定，又把心與性分開，說性是惡，於是道德不能在人的本身生根，禮也不認其係出於人的內心的要求，而只是由於「聖王」「先王」根據利害的比較。正論篇已經說明先王爲了防止「爭則亂，亂則窮」，因而爲之起禮義。性惡篇又說，「古者聖王以人之性惡，以爲偏險而不正，悖亂而不治，是以爲之起禮義，制法度，以矯飾人之性而正之，以擾化人之情性而道之也」。禮義既由先王聖王防人之性惡而起，則禮義在各個人的本身沒有實現的確實保障，只有求其保障於先王聖王。先王聖王如何能對萬人與以此種保障，勢必完全歸之於帶有強制性的政治。這樣一來，在孔子主要是尋常生活中的禮，到荀子便完全成爲政治化的禮；禮完全政治化以後，人對於禮，既失掉其自發性，復失掉其自主性，禮只成爲一種外鑠的帶有強制性的一套組織的機括。在此機括中，雖然有尚德尚賢以爲其標準，亦只操之於政治上的人君，結果也只會變成人君御用的一種口實。於是荀子的「朝無幸位，民無幸生」的理想社會，事實上只是政治干涉到人的一切，在政治強制之下，整齊劃一，沒有自由，沒有人情溫暖的社會。這與孔子的「老者安之，朋友信之，少者懷之」，孟子的「老吾老，以及人之老；幼吾幼，以及人之幼」，「出入相友，守望相助，疾病相扶持」的社會，完全是兩種性質的社會。

　　孟子因爲相信人的性是善，所以信任人民的「好惡」，於是人君政治的設施，遂一要以人民的好惡爲標準，這才能貫徹民本主義。他說，「得天下有道，得其民，斯得天下矣。得其民有道，得其心，斯前民矣。得其心有道，所欲與之聚之，所惡勿施爾也」（離婁）。在這種情形之下，統治者的眼睛要向下看。荀子認爲性惡，於是人民的好惡不可靠，要靠人君拿禮來「擾化」，因爲「人君者，所以管分之樞要」，於是人民一切不能自己作主，經常要把自己的眼睛向上看，弄得人民賴人君而存在。他說，「百姓之力，待之（人君）而後功；百姓之羣，待之而後和。百姓之財，待之而後聚；百姓之勢，待之而後安」（富國）。百姓不能生於政治組織機括之外，這與今日極權主義國家的情形，眞有相似之處。

在荀子的禮治之下，人君是「管分（禮）之樞要」，百姓賴人君以生存；加以禮的「藩飾」是一級推上一級，推到人君那裏，在荀子的描述中，眞够堂皇偉大；於是人君的地位，至隆至高得神化起來了。他形容天子是「居如大神，動如天帝」，活像希特勒、史達林的神氣。

孔子「道之以德，齊之以禮」的禮，是與「道之以政，齊之以刑」的刑是相對的。所以在孔孟的思想中，對於刑是採取一種謹愼的，無可奈何的態度；因爲人性之善，能用德相感，可以不用刑；勢至於非用刑不可，亦自覺這是治者的德化不够，自然會流露「哀矜而無喜」及「安有仁人在位，罔民而可爲也」的心情。但因荀子認爲性惡，所以禮是成立於利害爭奪比較之上，沒有得到人道良心上的保障，於是爲了推行禮治，禮與刑的關連，便較孔孟大爲密切，罰在荀子的政治中，較孔孟遠爲重要。而人君之「勢」，也幾乎重於人君之德。他在正論篇反對傳說中的「象刑」（以象徵性的方法來代替實際的刑謂之象刑），而認爲「治則刑重，亂則刑輕」（正論）。又說：

「夫民易以道，而不可與共故，故明君臨之以勢，道之以道，申之以命，章之以論，禁之以刑。」（正論）

「故古者以人之性惡，以爲偏險而不正，悖亂而不治，故爲之立君上之勢以臨之，明禮義以化之，起法正以治之，重刑罰以禁之，……今當試去君上之勢，無禮義之化，去法正之治，無刑罰之禁，倚（立）而觀天下民人之相與也，若是，則夫強者害弱而奪之，衆者暴寡而譁之，天下之悖亂而相亡，不待頃矣。」（性惡）

荀子把禮外在化了，政治化了，而禮又是「人道之極」，其歸結必至人只有政治生活，而無私人生活，社會生活。且必至以不合於現實政治者爲罪大惡極。所以他說「才行反時者，死無赦」（王制）；而孔子誅少正卯的故事，亦堂皇出現於其大略篇，此點與「管子」九敗篇主張誅戮「不牧之民」，及韓非子以隱者爲「不令之臣」，同出一轍。天下至於誅戮隱士，誅戮言行不合於現實政治之人，則眞可謂生人之道絕。孔子對隱士的態度，由「虞仲夷逸，隱居放言；身中清，廢中權」的話表白得最清楚。由孔子稱「隱居放言」爲「中清，中權」推之，可斷其決無誅少正卯之事。此一故事之流傳，形成了二千年正反兩面對儒家的誤解，實含有無窮的毒素。孔孟不承認政治可以支配人的一切，所以孔子是「無道則隱」，處亂世是「危行言遜」；孟子是「窮則獨善其身」。而荀子的處亂世則惟有「崇其（暴國）美，揚其善，違其惡，隱其敗，言其所長，不稱其所短，以爲成俗」（臣道）。此種卑微屈辱的生活，眞是知識分子的悲劇。這固然是他已嗅到暴秦氣息的反映，實逼而處此，亦由其太重視政治，認爲人無所逃於政治之間的思想有以致之。

荀子自認爲繼承仲尼子弓，在政治思想上，也有許多地方還是繼承儒家的圭臬，已如第一節所述，所以他的理論構造雖甚爲嚴密，然內容實含有不少的矛盾；彼亦賴此矛盾以在其思想上有一制衡作用，不至一往不返，大體上尚能與法家劃一界線，以保持其儒家的規格。然因其對人性的根源自信不及，即是對人格尊嚴的根源自信不及，遂偏於在功利上，在利害上去求解決人的問題，差之毫釐，遂在其政治構想之歸結點流於與孔子相反的方向而不自覺。今日淺薄偏激之徒，以道德爲玄談，輒欲驅逐道德於政治生活之外，此乃低級極權思想之變相，以此求自由民主，眞可謂南轅北轍了。

中華民國四三年九月二五日於臺中市

中國政治思想與政治制度論集

東方的憂鬱

一

人類以羣體而生存。羣體不能缺少政治；但政治多是毒害羣體。此一基本矛盾，只有當羣體的各組成分子，能自己掌握其政治運命時，才能逐漸與以解消。所以我不是說有了民主政治便解決了人類的一切問題；但因民主政治之出現，而解消了，最低限度，減輕了政治底毒害性，排除了人類解決其他問題時所遇各種障礙中最大底障礙，則是鐵底事實。東方民族，今後要自己掌握自己的命運，首先便須各民族的人民能自己掌握自己政治底命運。所以政治的民主化，是東方民族求繼續生存發展上所不能不闖過的第一道大關。而二十世紀初頭以來，東方民族也正或疾或徐底開始有了扣關的行動。

但是，從近代底歷史教訓看，民主政治，只能實現於一個對外有國家主權底疆土之上。十六世紀後歐洲各民族國家的逐漸成立，可以說是準備了實現民主政治的前提。最不幸的是，西方國家開始是向教皇，向皇帝，爭取此一前提；而東方則正是向民主先進的西方國家爭取此一前提。於是在東方民族眼中的西方強國，不僅不是代表政治理想底天使，而只是搾壓東方民族的惡魔。這不僅對東方民族爭取政治民主的前提條件而阻礙了它的進程，且容易迷誤東方民族對民主主義底理解，增加反對民主主義者許多底口實。民族主義和民主主義，實際只是在一條通路上面。但時至今日，還有許多西方人士，口裏不反對東方的民主，而心裏則害怕乃至憎惡東方的民族主義。於是蘇聯便接着說：我可以幫助你們趕走西方的帝國主義，且提供你們以另一方式的民主。蘇聯的幫助，雖不一定表現爲金錢物質，卻表現爲一種新底鬪爭精神，及發揮此種精神的新底鬪爭技術。由新底鬪爭精神和新底鬪爭技術之結合，東方便產生了在物質科學以外、而爲西方人所不曾經驗過的力量。在此一形勢之下，許多東方人的徘徊不定，不是沒有理由。固然，蘇聯所說的民族主義，只是更殘酷底帝國主義；但東方人現前所經驗的並不是蘇聯的殘酷，而只是來自西方的虐待。因此，對蘇聯在此一方面的虛僞宣傳，只有具備抽象思考能力的少數人才能了解。多數人，則只能從直接底感覺上去了解問題。而東方力量的源泉，正是來自這種多數人身上。

此一矛盾，因美國近年來政策的比較合理，也許是在漸漸轉變。並且印度、印尼，緬甸等國家底地位，已經慢慢底在樹立起來。不過，美國不能離開英法而自陷於孤立。美國要英法完全放棄其東方的殖民主義，則英法便要向美國反問：那末，我們爲什麼還要在遠東陪着你抵抗共產主義？同時，印度諸國之獲得今日的國家地位，雖然不是來自蘇聯的直接援手；但毫無疑義底，是由蘇聯威嚇底陰影在無形中所促成。蘇聯雖然尚不至成爲這些新興國家的新歡，但除了美國以外的西方國家，則確是他們的舊恨。由此，可以了解「亞非中立集團」

的構想，不應當簡單用「投機」兩字加以抹煞。至於越南馬來亞等地，依然在夾縫中掙扎；掙扎的結果如何，誰能作出一個樂觀底推論？

二

東方的矛盾問題，決不止此。在不算有民族問題的地區，其夾雜底情形也並無兩樣。

我們說民主政治是人類政治生活中的常軌，這固然是由人類歷史經驗的比較所得出的結論；但這對東方的一般人而言，依然只能算是理論上的預見。民主政治，歐洲到了十八世紀才開始得到理論底反省。歐洲的新興市民階級，一開始只是爲了自己生活的直接利益而一步一步底摸索上這條道路。他們不僅是基於一種觀念，而是基於自身切己的利害以爭取民主，這才會拿出眞正底力量，這才是民主政治獲得成功的最大原因。經過理論底反省，我們不能不承認民主政治是一切人類生活向上的共同需要；但從生活上能直接感到其爲需要的人，常常是超過了「起碼生活」的人；而且這種人的數量並須達到相當的多數，使其利益的範圍，感到有採取新底途徑的必要與可能時，他們的生活才眞正接觸到了民主政治。在東方，日本的資產階級，過去也不會一貫底眞正爲民主而效力。其他各國的工商業者，更不曾爲了自身的利益而對民主政治感到有迫切底要求。他們對於民主與反民主的鬪爭，常是採取隔岸觀火底態度。至於最大多數在「起碼生活」下掙扎的農民，他們之無法感到民主政治的需要，正和他們之聽不懂這一類的名詞，完全是一樣。所以，東方的民主運動，固然是創造自己命運的運動，但在現實上不過只是知識分子的運動。東方因經濟的落後，社會機能的不發達，一般底知識分子，尙不能成爲社會底寄生蟲，而只能成爲政治底寄生蟲。在民主底氣氛掌握了大勢時，一般知識分子都可以談談民主；遇着反民主底勢力掌握了實權時，一般知識分子立刻便會向其「領主」出賣民主。剩下來眞正爲民主而奮鬪的，只是知識分子中少數的少數。奮鬪的工具，主要靠言論。這些少數者縱可忍受一切的威嚇以堅持其言論，但其力量常常薄弱到不能保持一個獨立自主底言論機構。

東方目前的民主運動，若僅作爲一個思想運動來看，則思想總是由少數影響多數，從時間上去取得空間；所以目前爭取民主勢力的微弱，從整個歷史的發展看，乃是大潮水前面的浪頭，決不令人氣餒。但是這只是就朝着一條單線前進，只是向一種舊式反民主的勢力前進，所得出的樂觀底看法。可是，事實上，東方的民主運動，在另一面還要抵擋住一股新底反民主底洪流的衝激——共產主義的衝激。共產主義作爲一種理論來說，實際上早經破產。蘇聯本身一直到現在還要靠欺詐、恐怖、肅清等手段來維持這種主義，卽是最大最清楚底證明。但它在東方，卻是拿着爲大衆解決「起碼生活」的號召而出現，這是東方大衆可以直接感受到的問題。在此種號召的後面，緊接着有一套史無前例底組織枷鎖。當大衆對其號召半信半疑之際，它卽將大衆誘騙驅迫於此一枷鎖之中，形成一種滾石於千仞懸崖之上，非一滾到底不可之勢。當大衆以滿身血汚從共黨欺騙的號召中清醒過來時，大衆過去在精神物質上的一切憑藉，都已經由共黨所煽起的盲動衝毀了，自己的手脚也經由共產黨的組織枷鎖穿得牢牢的了。東方的民主運動，若不能擋住這一股洪流，則不論民主主義者的願意與否，也一定與舊式底反民主主義者會同歸於盡。在舊式底反民主主義者之下，還有呻吟的空隙；在新式反民主主義之下，連這種空隙都會沒有了。

於是東方舊式底反民主的統治者便常常這樣底說：「正唯如此，你們（民主主義者）便應服服貼貼底皈依到我的懷抱，收拾起民主底高調不彈」。平心靜氣底想，這種說法也不能不算是一份道理。「白刃在前，不顧流矢」，大家為什麼不可以延長民主底節目，合在一起，先把白刃擋過去再講呢？可是問題並非如此簡單。東方沒有民主的傳統，但東方很早就有一種合理底精神和「大公」底觀念；這種精神與觀念是支持東方生存的基石，也是東方通到民主在精神上的橋樑與根據。所以東方過去之「沒有民主」，並非即等於東方文化是在「反民主」。今日意識底反民主的人們，實際上也是在反上述的合理精神與大公底觀念。這是東方人自身所忍受不了的。況且要抵擋共產黨，必須有眞實底力量；而反民主的人們，也常常拿「事實」「力量」等為阻礙民主設施的藉口；但這種因反民主而必至反合理精神，反大公觀念的人們，儘管口裏說須要力量，說是為了力量；而實際則必在毀滅一切力量。於是問題又掉回了頭。即是，單為了能得到反共的力量，事實上也不能不須要民主。在這裏，以抵抗共產黨的力量問題為中心，對於民主正反兩面的爭論，正使東方人在一條驚濤駭浪底船上，互相扭着彼此的衣領不放。

三

再換一個方式來談此一問題吧。許多人說，民主自由，是向統治者爭出來的。東方的民主自由，當然也只有向統治者手中去爭的一條路。我承認這要算是歷史底眞理。不過，由此我們也可明瞭一個事實：即是，民主化的過程，是統治者與被統治者相持相拒的過程，也是舊有力量消解的過程；所以民主化常常要求對外有一個相對底和平環境。近代民主國家的力量，是來自消解後的再結合，在再結合中創造出新底更大底力量。東方目前的情勢是：若走向與統治者相爭的路，則大敵當前，有什麼方法可以抑制由爭而來的力量的消解作用。若走向與統治者不爭之路，又有什麼方法可以抑制統治者在政治上的愚昧自私。最便宜底想法是勸統治者一本合理與大公底精神，來一個大團結運動，共同渡過此一難關再講。就常情說，這應該是統治者可以接受的一條路，也只有統治者願意接受才可以走得通的路。但這種想法，實際上是太天眞底想法。若沒有合理與大公底精神以作團結的基礎，則統治者多加幾個幫閒漢，只有更增加其慢心，加劇其腐蝕。若站在合理底立場上，則任何人可以有意見，任何人可以作批評，這便會傷了東方統治者底尊嚴；這種尊嚴，對於東方的統治者是非常神聖的。若站在大公的立場上，則應該賢者在位，能者在職；這便會妨礙了統治者的親倖的地位，因而有傷統治者的感情。這種感情，對於東方的統治者而言，是宇宙萬物的尺度。再截穿了說一句吧，假使眞正這樣做，事實上卽是統治者主動底走向了民主。民主在東方統治者的心目中是對他們自己權力的削弱；他們的內心便可以說：我之所以反共，就是爲了自己的權力；先削弱了我的權力，我又何必反共？這又是無法解開的一個連環套。

四

還有，在促成西方民主政治中最有力底因素，是「權利」觀念；沒有此一觀念，民主政治便不能生根落脚。權利觀念之產生，只是來自各個人生活上直接的利害。如上所述，西方新興市民階級各個人的直接利害，同時，即具有其社會底連帶性，由此種連帶性所支持的權利要求與活動，亦常常是人類理性底要求與活動。東方知識分子個人的利害，要使其具有社會底連帶性以構成正確底權利觀念，則只有通過知識分子各個人的道德覺悟而始有其可能。這種道德性，對於某一個人說，常須否定其自己的權利以成就多數人的權利。這本是東方文化傳統精神之所在。但東方文化，已被東方的知識分子所唾棄了，於是東方民主自由者口裏的權利，實際常只是意指着一個人的利害感情之直接刺激反應。因此，西方因近代的個人主義而始形成社會意識，而東方則常常出現反社會底個人主義，實質上只是虛無主義。虛無主義在歷史上只是爲極權開路而並不爲民主開路。就我看，東方的民主運動所要求於知識分子應負的責任及其人生境界，實在要遠超過於西方對知識分子的要求。東方知識分子如何能了解此一要求而挺身加以承當，這對東方知識分子自身而言，恐怕須要自己對自己的革命。這是人類各型革命中，最艱難底一種革命。

東方，現在也正向民主的途中蛻變，爲了不使在蛻變中因消解作用而爲另外一股逆流所淹沒，便須要東方的統治者與知識分子同時有一種高度底道德自覺，將道德觀念與權利觀念結合起來，使東方的民主政治，可以不通過對立對爭而實現。這在現實上未免有點近於神話。但擺在面前的，除了這一條神話的路以外，還有可以走通之路嗎？

四三年十二月十五日夜於臺中市

四四、一、一、民主評論六卷一期

儒家在修己與治人上的區別及其意義

一

我在「釋論語民無信不立」一文（祖國周刊一一五號）中指出「孔孟乃至先秦儒家，在修己方面所提出的標準，亦即在學術上所立的標準，和在治人方面所提出的標準，亦即在政治上所立的標準，顯然是不同。修己的，學術上的標準，總是將自然生命不斷底向德性上提，決不在自然生命上立足，決不在自然生命的要求上安設人生的價值。治人的政治上的標準，當然還是承認德性的標準；但這只是居於第二的地位；而必以人民的自然生命的要求居於第一的地位。治人的政治上的價值，首先是安設在人民的自然生命的要求之上；其他價值，必附麗於此一價值而始有其價值」（見該刊一一五號第八頁）。我的這種觀點，近四年來曾經不斷底提出；但這篇文章提得更爲具體；更證明我在「荀子政治思想的解析」一文中，指出近人蕭公權氏在其所著「中國政治思想史」中說孔子是「敎重於養」的說法，是一個嚴重底錯誤，完全是正確的。但我在這篇文章中，依然是採取會通論語孟子全書的意義，以得出結論的方法。最近又偶然發現可作直接證明的材料。禮記上說：

「子曰，無欲而好仁者，無畏而惡不仁者，天下一人而已矣。是故君子議道自己，而置法以民」（表記）。

「子曰，仁之難成久矣，唯君子能之。故君子不以其所能者病人，不以其所能者愧人。是故聖人之制行也，不制以己，使民有所勸勉愧恥，以行其言」（同上）。

表記一篇多論仁，仁爲儒家思想之中心，亦即人生的最高標準。但這只能作個人修己的標準，不可因此而便作政治上治人的要求於人民的標準。「議道自己」的「道」，指的是根據仁以樹立的做人標準，這種標準，只能要求從自己下手去作。「置法以民」的「法」，是社會一般人的生活規約；制定這種規約，則不是用修己的「道」做標準，而是以人民所能達到的爲依歸。對修己的標準而言，這是一種最低的標準。上引表記的第二段話的意思，與所引第一段話的意思，完全相同，並且說得更爲明白。

此外，董仲舒的春秋繁露仁義法第二十九，主要是推明這種意思。如說：

「是故內治反理以正身，據禮以勸福，外治推恩以廣施，寬制以容衆。孔子謂冉子曰，治民者先富之而後加教。語樊遲曰，治身者先難而後穫。以此之謂治身之與治民，所先後者不同焉矣。詩云，飲之食之，敎之誨之。先飲食而後敎誨，謂治人也。又曰，坎坎伐輻，彼君子兮，不素餐兮。先其事，後其食，謂治身也。春秋刺上之過，而矜下之苦。……求諸己謂之厚，求諸人謂之薄。自責以備謂之明，責人以備謂之惑。是故以自治之節治人，是居上不寬也。以治人之度自治，是爲禮不敬也。」

當我寫「荀子政治思想之解析」及「釋論語民無信不立」的兩篇文章時，心裏並不記得上引的材料。但我先由儒家「尊生」的基本精神，尊重人性人格的基本精神，加以推論；再將論語孟子的全書意義加以會通，所得出的結論，與上引材料，若合符節；由此可見一種思想文化的基本構造，有其必然的內在關連；不是可以隨意從其枝節地方去加以附會或抹煞的。

二

這種分別之所以重要，一方面是像我所已指出的，若以修己的標準去治人，如朱元晦們認爲民寧可餓死而不可失信，其勢將演變而成爲共產黨之要人民爲其主義而死，成爲思想殺人的悲劇。另一面，若以治人的標準來律己，於是將誤認儒家精神，乃停頓於自然生命之上，而將儒家修己以「立人極」的工夫完全抹煞。淸儒戴東原挾反宋明理學的成見，其言性，言理義，主要乃在形氣（自然生命）上落脚。形氣活動，表現於人的好惡，於是無形中卽在好惡上落脚。他說：「孟子曰，其日夜之所息，平旦之氣。其好惡與人相近也者幾希。以好惡見於氣之少息猶然，是以君子不罪其形氣也」（讀孟子論性，戴東原集卷八）。當然儒家不是宗敎，所以「不罪其形氣」；但儒家還要追問出一個爲形氣作主宰的東西。爲形氣作主宰的東西，本具於各人的心性之中，這是道德主體的內在性的一面。但內在於各人心性之中的道德主體，必發而爲人心之所同然，這卽同時超出於各人主觀之外，而賦有客觀的意義，從主觀狀態中脫出，以成爲客觀底眞理。儒家的倫理道德，是不斷的向客觀眞理這一方向去努力，去形成的；這才能爲人類「立人極」。程朱特拈出一「理」字，並認爲「性卽理」。其根本用心卽在於此。戴氏不了解此意，所以批評程朱說，「程朱以理爲如有物焉，得於天而具於心；啓天下後世人人凭在己之意見而執之曰理，以禍斯民。更淆以無欲之說，於得理益遠，於執其意見益堅，而禍斯民益烈。……離人情而求諸心之所具，安得不以心之意見當之」（答彭進士允初書，同上）。戴氏認爲人與物不同的地方，是物的「自然」不合於天地之正，而人的「自然」能踐乎中正。他所說的「自然」，卽是指人情之所欲；他所說的「意見」，是與人情自然之所欲相對，對人情自然之所欲發生別擇控制的作用。程朱以此爲理。他以此爲意見。於是戴氏認爲儒家精神，乃在「情」上，「欲」上立足，卽在自然生命上立足。他一方面引孟子「廣土衆民，君子欲之」，「魚我所欲也」，「生我所欲也」這一類的話，以爲其立足於「欲」的根據（見答彭進士允初書）；但把孟子接說下去的話，如「捨生而取義也」這一類的話，則略而不顧。一方面引孟子「形色天性也，惟聖人可以踐形」的話，以爲他整個的自然主義思想作根據；而故意把「惟聖人可以踐形」一句中「惟聖人」三個字的重大意義，略而不顧。在他心目中的聖人與衆人，在德性的成就上並無多大區別，所以他接著便說「人之於聖人也，其材（形氣）非如物之與人異」（皆見讀孟子論性）。由人性人格之平等，而淆爲學養修持上之平等，這是自然主義者的自然結論。戴氏的觀點，本可自爲一說，有如西方以欲望爲基底之功利主義，而不必依托於孔孟。自立一說而又必以孔孟爲依托，則其自身的思想既受制約，儒家的精神亦因之而受損害；這眞可謂合之兩傷。

歷史學家錢賓四先生在其四書釋義的論語要略第五章「孔子之學說」中，完全以「好惡」來解釋論語的仁，卽將儒家精神完全安放於「好惡」之上，我想，這是繼承戴東原的思想，而更將其向前推進一步的。錢先生的基本論點是「仁者直心由中，以眞情示人，故能自有好惡。不仁者以有自私自利之心，故求悅人，則同流俗，合汚世，而不能自有好惡」（四書釋義上册五六頁）。但是說到仁，總不能不綰帶着對他人的態度，於是錢先生認爲仁與不仁之分是「徒知己之好惡，不知人之同亦有好惡者，是自私自利之徒，不仁之人也。以我之有好惡而推知他人之亦同我有好惡者，是仁人也」。又說「故仁者，人我之見，不敵其好惡之情者也。不仁者，好惡之情，不敵其人我之見者也，後世之言仁者，不敢言好惡；不知無好惡，則其心痲痺而不仁矣。仁道之不明於世，亦宜也」（同上，六六頁）按中國過去所說的好惡，指的是由「欲望」發展而爲「意志」的表現。合於欲望者卽好，反於欲望者卽惡。有好惡卽有追求其所好，避免其所惡的行動，卽根據意志的行動。動物有欲望，動物卽有好惡。而且許多動物能以各種姿態表示其好惡，表示其追求或逃避的意志，這是近年來動物心理學所證明的。因此好惡並非人所獨有。而且最能以好惡之眞情示人者亦莫過於一般動物。其次，一種好的行爲，要通過好惡而實現；一種壞的行爲，也是通過好惡而實現；禪宗對於人生道德是從消極方面去表現，所以不言好惡；儒家對於人生道德，是從積極方面去表現，所以要言好惡；王陽明之強調好惡，這尤其是他個人的儒釋分途的地方。但儒家不抹煞好惡，決不是即在好惡上樹立道德人生的標準。因爲好惡之本身不可以言善惡，善惡乃在其好惡之動機及其所要達到的目的之上。換句話說，好惡之本身無價值，必依其所以好惡者以決定其價值。論語子曰，「我未見好德如好色者也」；孔子這句話，很淸楚的說明好德的價值在好色的價值之上；而這種價值的上下，乃決定於「德」與「色」，而不決定於兩方是否將其所好的眞情表露出來。好色者未嘗不可以形之歌詠，而好德者也可以「默而志之」。論語又載「子貢問曰，君子亦有惡乎？子曰，有惡。惡稱人之惡者……」。子貢之問，來自對於「惡」的懷疑。孔子之答，乃指明君子惡其所當惡。「惡其所當惡」，即是對於「惡」的一種限定。又答子貢之問謂「不如鄉人之善者好之，其不善者惡之」，這也分明是說好惡應得其當。亦即說明好惡之價值不在其本身而在其是否得當。「當」即是客觀的標準。錢先生認爲「不仁者以有自私自利之心，故求悅人……而不能自有其好惡」；其實，巧言令色的人，表面上掩蔽其好惡，實際常常是爲了貫徹其好惡，實行其好惡。巧言令色去鑽官做的人，因爲官才是他眞正所好的。談好惡，一定應連接著行爲；以行爲貫徹其好惡的人，不能說是「不能自有其好惡」。「其父攘羊，而子證之」，這是以眞情示人；「父爲子隱，子爲父隱」，這是不以眞情示人。這種不以眞情示人，可以說是「不能自有其好惡」，其所以不能自有好惡，是另有一較高的道德意識在後面對好惡發生控制或平衡的作用。況且暴戾姿睢之人，放浪不羈之士，常可以其好惡的眞情示人；魏晉時的名士，如世說新語所記，尤多坦易任情，不事矯飾，其風格亦可令人嚮往；但這未必能符合於孔子所說的仁。至於在政治上，最能有其好惡的莫過於秦始皇、史達林、希特勒；最不能有其好惡的乃是那些受善納諫，以及被議會所制衡的政治家。不錯，錢先生也考慮到這一點，所以提出「仁者推己之好惡，而知他人之好惡。以不背於他人之好惡者，而盡力以求滿足其一己之好惡焉」（同上），這似乎可以從好惡上把人己統統顧到。但是一個人盡力求滿足一己之好惡而能不背於他人之好惡，這一定是好惡有節或好惡能得其正的人。盡力滿足一己的好惡，這是人與一般動物所同，在這種地方說不上道德或不道德，即在這種地方不能安設道德價值。若逞一己之好惡而妨礙他人之好惡，便謂之不道德；若節制自己的好惡而不妨礙他人之好惡，便可謂之起碼的道德（政治上通常只要求到此一程度），若犧牲自己的好惡以成就他人的好惡，通常稱之爲大德。一個人之所以能節制其好惡，乃至犧牲其好惡，或者因爲是受了外在條件的制約，如中國過去之所謂禮，近代之所謂法；此時對其行爲發生良好作用者乃是禮或法而非好惡之自身。或者是因爲內在的道德之心，即仁義禮智信的五常之性，內發而對其好惡發生自律或超越轉化的作用；此時對其行爲發生良好作用者乃道德之心，五常之性，而非好惡之自身。錢先生說「孟子稱公劉好貨，太王好色，與百姓同之，使有積倉而無怨曠，孟子之學，全得諸孔子」（上書六九頁）。孟子這段對齊宣王因勢利導的話，其重點不在「好貨」「好色」而在「與民同之」，彰彰明甚。假定公劉太王順著其好貨好色之情，以「自有其好惡」爲目的，則他們意欲所指向的只是貨與色，如何能顧到人民。他之所以能「與百姓同之」，能在自己好惡之外，還要顧到百姓的好惡，這不是他好色好貨的本身在發生作用，而是在好色好貨的後面或上面另有一種道德之心在提撕其好惡。我們沒有方法從好色好貨的本身推出「與民同之」的結論。否則齊宣王爲什麼須要孟子這樣費力去誘導，而依然不能做到與民同之。古今的暴君汚吏，無非是好色好貨。所以政治「民之所好好之，民之所惡惡之」的極則，只能實現於不自有其好惡之人。先秦諸子百家，幾乎都要求人君無爲而治。「無爲」即是不自有其好惡；這是統治者的修己。以無爲去成就人民的好惡，使人民能遂其好惡以保障其基本權利，這是統治者的治人。惟修己以超越於自己的自然生命底好惡之上，才能達到成就人民好惡的治人的目的；在這種地方，修己與治人有其必然底關連。這種修己與治人的關連及其區分，幾乎可以說是儒家精神的全部構造。

在所有儒家的文獻中，提到好惡時，大體上都是注意如何能以性率情，而不至以情蔽性，以使好惡能得其正。從修己上說，很少直接從好惡本身上去建立人生價值的理論。甚至除莊子以外，在道、墨、名、法中，也似乎沒有這一種理論。王弼以老莊注易，他釋乾文言「利貞者性情也」說「不性其情，何能久行其正」。這種文化的大防，是不可輕易突破的。因爲在好惡上立足，便只有主觀上個人的衝動，而根本否定了向客觀眞理的努力。而此一努力，乃是人類文化中所必須表現出來的。莊子的齊物論，不是要在客觀底標準上去齊，而是在否定客觀標準，否定「物之所同是」，以還原於各是其是的好惡上去齊，即是以當下承認好惡之本來不齊爲齊。他說：

「民濕寢，則腰疾偏死，鰌然乎哉。木處，則惴慄恂懼，蝯猴然乎哉？三者孰知正處。民食芻豢，麋鹿食薦，蝍且甘帶，鴟鴉嗜鼠，四者孰知正味。蝯，猵狙以爲雌，麋與鹿交，鰌與魚游。毛嬙麗姬，人之所美也。魚見之深入，鳥見之高飛，麋鹿見之決驟，四者孰知天下之正色哉。自我觀之，仁義之端，是非之塗，樊然殺亂，吾惡能知其辯」。（莊子齊物論）

在人生行爲中，只承認好惡，則一切只停留在各個生命的主觀狀態中，自然不能承認共同的客觀標準。不承認客觀的標準，歸結也只有在各自主觀的好惡上落脚。不過作爲莊子自序的天下篇，承認聖王「皆原於一」；且對於道德仁義名法，皆出以肯定之態度；並嘆息於「天下之人，各爲其所欲（好惡）焉以自爲方。悲夫，百家往而不反，必不合矣」（以上皆見天下篇）。則其齊物論，殆亦故爲荒唐謬悠之言，非其本意；所以他依然不肯以好惡混同於仁義。

王陽明有「良知只是個是非之心，是非只是個好惡。只好惡就盡了是非，只是非就盡了萬事萬變」的一段話，好像陽明把好惡直湊拍上良知，於是陽明在良知上立足，也似乎卽是在好惡上立足。其實，陽明的這一段話，是他和禪宗的分水嶺。良知不承接下「是非」「好惡」，則良知只是返觀內照之知，不能成就人生積極的行爲。此段話的關鍵還是在良好知上；只有直承良知而來的好惡，才可以盡了是非。陽明「良知之說，是從百死千難中得來」，所以並不能說好惡就是良知。陽明在存天理去人欲的工夫上，與程朱並無二致。天理可表現而爲好惡，人欲也可表現而爲好惡。好惡只是一般，而所以好惡者則是兩樣，所以工夫不在好惡上而在好惡後面的根據是天理或是人欲。若只就好惡立論，則根本用不上存天理去人欲的工夫。取消了這一段工夫，則孔孟程朱陸王的精神便會一齊垮掉。佛家說「直心是道場」，其工夫乃在如何能「直心」，亦卽如何能「復其本心」，使「本心作主」，所以人心道心之分，天理人欲之分，乃在工夫過程中所必須安設的；否則常易認賊作父。我認爲陽明之言好惡，不同於錢先生之言好惡，這在兩人對於「克己復禮」的「克己」的解釋上，截然不同，更可得到證明。錢先生以「任」釋「克」，克己卽是任己，由己；而不採取「克去私欲」的通釋，因爲只站在好惡的立場，不能談天理人欲，所以也不能談克去私欲。但陽明卻說：

「人若眞實切己用功不已，則於此心天理之精微，日見一日。私欲之細微，亦日見一日。若不用克己工夫，終日只是說話而已。……且待克得自己無私可克，方愁不能盡知，亦未遲。」

由此可知陽明之以克去私欲來解釋克己，及不在好惡上立足，彰彰甚明。所以錢先生以好惡釋仁之說，我懷疑是受莊子齊物論的影響，而將戴東原的思想，更大膽向前發展了一步。此一思想本身的意義，可以從各個角度去衡量；歐洲文藝復興期從宗教氣氛中回到俗世的人文主義，與錢先生的基本精神，似乎更相接近。也可以說在錢先生的思想中注入了時代精神而或爲錢先生所不自覺。但其與孔孟程朱陸王的修己以立人極的思想，我總覺得有很大的距離，所以錢先生的文章，都是條理密察；但關於論仁及與此有關的地方，終不免抵牾而未能條暢。我想，其最初的分歧點，恐怕是來自把儒家治人的標準，當作修己的標準來看了的原故。這是我想向錢先生懇切請教的。

三

儒家不僅在要求統治者以人民之好惡爲好惡的政治思想上，是涵育著深深的民主政治的精神；並且修己與治人的標準的劃分，實可爲今日民主政治尙無基礎的地方解決一種理論上的糾結，使極權與民主，不致兩相混淆；這也不能不說是一個奇蹟。

因爲我國缺少民主政治的實際體認，並且受了共產黨一切歸結於政治的說法的影響太大，所以常常把學術上的爭論，直接和政治勾連在一起；於是主張自由的人，一不小心，便滑落到極權主義的圈套之中而不自覺；所以我曾經寫過「學術與政治之間」一文（民主評論四卷二十期），將政治與學術的妥當領域，加以界劃；一面保障民主政治自由選擇的運用形式，不致因學術上的所謂眞理而動搖。一面從政治的多數決定中，保障學術的純潔性獨立性。當我寫那篇文章的時候，還沒有想到儒家將修己與治人分開，卽含有這種意義，而只是將既成的民主生活的事實，作一理論上的反省。最近讀到臺灣大學陳康教授「論思想統一問題」的大文（見自由中國十二卷第九期），更覺得儒家的用心，到現在還有一種重大的啓蒙作用。

陳敎授的文章是從「在一個國家裏規定行爲的思想必須是統一的」這一大前提之下開始，而舉出了四種統一方式。一是像秦始皇那樣統一於他自己一人（其實從思想上說，秦是統一於法家一家）；一是像漢武帝那樣，統一於儒家一家（其實，從政治的事實上說，漢武以後也是統一於皇帝一人）。一是像共產黨那樣，統一於一黨；一是像民主政治那樣，統一於人民的多數。陳敎授站在「錯誤可以百出，眞理只有一條」的立場，認爲「統一於多數的思想，比較最接近絕對是、非，和絕對利、害；它的錯誤可能性比較統一於一黨，統一於一家，統一於一人所有的錯誤可能性減少至於極微。」所以不待說，陳敎授是贊成統一於多數的。但是陳敎授認爲前三種統一方式是少數人壓迫多數人，固然不好；後一種則是多數人壓迫少數人，雖較前三者爲優；「然而這些少數人何辜，獨不能伸張人權和多數人一樣？」陳敎授認這「脫離不了五十步笑百步的類型」，而是「民主主義須要解釋的一個問題」。據陳敎授自己的解釋是「少數服從多數，……並非受屈於多數。」而是因爲多數人的意見「更接近絕對是、非和絕對利、害的意見。這一意見雖非少數人現實主持，然而卻是他們遵著同一道路可能達到的比較良好的意見。因此，多數統治少數，事實上……是少數人（將來）可能有的意見，統治他們自己現實所有的意見」。即是少數人以其將來之我，統制現在之我，是自己統制自己，所以並不違反人權。陳敎授因爲假定民主政治的基礎，乃在於其多數所代表的眞理性；求眞理有其必須的條件，所以他最後爲了民主主義的思想統一方式，提出兩個條件。「其一是國民的觀點要多；另一是國民要具有科學的批評精神和邏輯的論證能力」。

陳敎授肯以認眞的態度來談有關現實的問題，這一點使我覺得非常難得。但陳敎授對於民主政治，似乎還有若干隔膜。所以他所提出的問題，似乎不曾得到解決，反而有走向相反的方向，極權主義方向的危險。

首先，在民主政治下的少數服從多數，何以從來未感到這其中含有少數者的人權問題？因爲民主政治的實際運行，和陳敎授的想法有些兩樣。所以在民主政治之下，根本不會發生政治上底思想統一乃至須要思想統一的問題。不錯，陳敎授一開始已經限定「本篇所謂思想，指規定人的行爲的思想」，以與純知識活動的思想相區別。但民主政治由多數所決定而須要統一的行爲，乃是一種極被限定的行爲；每個人大部分的行爲，儘管有其若干共同趨向，並承認若干共同標準規約；可是這是由傳統、習慣敎育文化等而來，並不是由政治的多數決定而來。民主政治的起點，便是要使政治愈少干預人類的生活行爲便愈好。假定人類的生活行爲，一一由政治去決定，則不論通過任何方式來決定，都是極權的壓迫。其次，在行爲的後面，固然有其思想根據；但政治上，行爲與思想的關係，並沒有邏輯上必然的關係。相同的思想，在政治上可以趨向不同的行爲；相同的行爲，在政治上可以來自不同的思想。例如自由中國的反共抗俄，是一個大的共同行爲；講自由主義的可以贊成，不講自由主義的，甚至是托派的人也可以贊成。講全盤西化的人可以贊成；講中國本位文化的人也可以贊成。信仰三民主義的人可以贊成，不相信三民主義的人也可以贊成。尼赫魯在國內反共，在國際親共；狄托在國內實行共產主義，在國際上反對共產主義的祖國。所以民主政治，只問現實的政策，不問政策後面的思想。這不是完全否認政策與思想的關連，而是把政策後面的理論根據，亦卽是一個人在行爲後面的動機，保留給各個人自己，在政治上可以付之不問。所以政策的統一，行動的統一，並不就是等於思想的統一。世界上只有最愚蠢的政治家才要求大家以和他相同的同一思想動機來贊成他的現實政策。共產黨根據其階級性的理論，便特別重視思想動機對於行爲的關係；認爲只有先把每個人的行爲動機弄清楚後，以達到理論與實踐的一致，才算是可靠。換句話說，它們認爲只有先解決了思想問題，才能眞正解決政治問題；所以要大力作洗腦等血腥的工作。但蘇俄到現在爲止，還是以政治暴力來不斷的解決思想問題，並不是以思想來解決政治問題。如果認爲一個國家某階段的政策統一，卽是思想統一，則政治卽可干涉到每個人的內心生活而成爲極權政治。站在儒家立場來說，由純正的思想動機以貫徹到日用行爲，使思想與行爲之間，沒有一點矛盾，卽是王陽明所說的知行合一，這是修己之事。以修己之事來作治人要求，儒家從道德的立場要與以限制；近代民主政治從人權的立場也決不許可。

更重要的是：民主政治最高的立足點，不是認爲政治上的多數，能「達到比較更接近絕對是、非，和絕對利、害的意見」。絕對是、非和絕對利、害，是不可變動的，因之是屬於學術上的問題；這不是多數能夠作決定的。我在「學術與政治之間」的那篇文章裏說得很清楚：「一萬個普通人對於哲學的意見，很難趕上一個哲學家的意見。一萬個普通人對於科學的知識，沒有方法可以趕上一個科學家的知識」。我們不能把哲學與科學完全劃出於人類行爲範圍之外。德國哲學家 E. Spranger 在一九五○年寫給日本中央公論編輯部的一封信曾說過這樣的一句話，「大衆如（對文化問題）獲得了勝利，則我們全世界的文化，恐怕就要趨於潰滅」（見民主評論二卷四期）。這是一位哲人，身居兩個世界的連結點，深切體認出以政治多數決定文化思想所孕育的危機的痛苦呼籲。同時，陳敎授說共產黨是把思想統一於黨，其實，最低限度，共產黨在理論上它是主張統一於多數；因此，「大衆」與「特殊階級」（亦卽少數人）的對稱，成爲它的政治鬪爭，思想鬪爭所經常使用的工具。它的思想鬪爭的方法，主要是通過「羣衆路線」，以多數來克服少數。它爲什麼對反對者要作無情的摧毁，因爲它相信「人民大衆」的多數是在它那一方面，卽是絕對的是，在它那一面；其反對者只是因爲其階級性或一時的缺少自覺，而站在絕對的非那一邊。陳敎授認爲多數的決定是「比較更接近絕對是、非和絕對利、害的意見」，因此，這是眞理的一條直線發展，而爲少數者將來所不能不接受的意見；所以少數者雖然「被壓制」，但站在「眞理只有一條」，且爲人的理性所不能不接受的立場，少數者之受壓迫，祇是將來可以覺悟之我，來壓迫現在還未覺悟之我，因此陳敎授認這依然是「少數和多數在理性之前，彼此平等」。在統治這種少數者的手段上，陳敎授當然不會主張與共產黨相同；但對於政治上多數與少數在眞理面前的估價，則完全是一致。因爲這種一致，於是共產黨對反對者的肅清，祇是這些觀點向前進一步的發展；用共產黨的口氣說，祇是它的革命的手段來徹底實現眞理而已。

民主政治的少數服從多數，祇認爲這不過是以數量來解決問題的明確辦法；由多數所代表的意見的優勢，不過是相對的，一時的；因此，是根據一定的程序可以改變的。民主政治下的少數者，並不是在眞理前的屈服，也不是被多數者統治其思想，更不是由將來的少數者的自己，來統治現時的少數的自己；而是以堂堂的反對者而存在；其思想要由多數者與以保障；並且現在的少數者要爭取成爲將來的多數者。民主政治，不是以多數者所代表的眞理性爲基礎；所以少數服從多數，只是民主政治中的一個條件；不僅不是唯一的條件；而且也是與極權主義者所共同承認的條件。世界上也有造不出多數的極權統治。這乃是一種最低級的極權統治。民主政治的基礎，是安放在可以經過和平的序程，自由底修改政治上的錯誤之上；因此，少數服從多數，只有和多數保障少數同時存在，才有其民主的意義；祇有在多數與少數可以自由變動的情形之下，民主政治才是以其「運用的形式」來接近政治上比較絕對是、非和絕對利、害；這決不是由多數者的政治內容所能代表的。（關於民主政治，是政治的形式，而不直接關涉到政治的具體內容的這一點，我曾在「中國政治問題的兩個層次」一文中加以闡述。）照陳教授的說法，民主政治中的少數遲早應歸於消滅；結果祇存在著比較接近絕對是、非和絕對利、害的這一方面；因陳教授是「假定少數人（將來）可能有的意見，統治他們自己現實所有的意見」；這句話的意思是說明現在的少數者到將來認識進步以後，自然會歸到現在接近絕對是、非和絕對利、害的多數那一方面去了。這正是一黨專政的理論根據。民主國家，如英國，第二次大戰時，保守黨是多數；戰爭剛要結束時變成了少數；上次大選又變成了多數。這種時而多數，時而少數的現象，簡直是絕對的是、非，在那裏翻觔斗。這種翻觔斗的現象，在邏輯理性的立場是不應該有的；但在民主政治的立場是永遠會有的。

因爲陳教授把政治和學術的觀點弄混淆了，所以他對民主主義的「思想統一方式」所提出的兩個條件之一，卽是「國民要具有科學的批評精神和邏輯的論證能力」的條件，不僅不是民主政治運用中的必要條件，並且也無形的會落到另一反民主的圈套中去而不自覺。民主政治和儒家思想一樣，祇要是一個「生」的單位，卽承認其有完滿無缺的價值。「人生而自由平等」的另一意義，是不需要出生以後的附加條件，人才有其權利；而是作爲一個「生」的單位卽有此權利。所以只要不是精神變態或發育不全的成年人，他的認識卽有起碼底邏輯的暗合性，民主政治卽對之寄與以完全的信心而信任其選擇的能力，尊重其選擇的權利。在這裏，祇有量的多少發生決定作用，而不是質的高低發生決定作用。「邏輯的論證能力」，這是學術上的質的問題。學術是由質來決定的；十個沒有邏輯訓練的人，關於邏輯上的論證能力，趕不上一個有邏輯訓練的人；在學術的立場上，十個人在這一方面應當接受一個有訓練者的指導。但在政治投票的時候，一個有邏輯訓練者依然祇能算一票，依然應接受十個沒有邏輯訓練者的共同意見。假定把科學的批評精神和邏輯的論證能力當作民主政治運用中的必須條件，則不僅中國沒有多少人具備此種條件，最低限度，在幾十年內沒有實行民主的資格。卽英美的工人階級乃至農民，也未必能合此一要求。於是政治問題，應當由敎邏輯的敎授們來一番演算或辯論以作決定；結果，「哲人爲王」，邏輯論證能力最強的應當取得統治者的地位。對於老百姓，最低限度，應規定邏輯爲義務教育的必修科，並大量開設邏輯補習班以作選擧的準備。但是，在政治上，決不能如此。在儒家，祇問人民的好惡；在民主政治，祇是基於選民自己利害的選擇。一個人，對於自己在利害上的選擇，是無待於邏輯的論證能力的。當然有這種能力更好。人民的多數選擇，可能是一種錯誤；而民主政治正是給人民以自由底改正其錯誤的保障。若是認爲多數卽是代表眞理，則民主政治改正錯誤的機能便歸於消失，這卽意味着民主政治整個機能的消失。

政治與學術的觀點不淸，其弊害已如上述。但是，知其一，不知其二，也是人之常情，所以分淸也並不容易。儒家思想，主要是「規定人的行爲的思想」。但它在二千多年以前，已經把同是規定人的行爲的思想，卻在修己與治人兩方面界劃淸楚；這種界劃的基本用心，針對着共產黨的現實（馮友蘭曾說共產黨是要人人作聖賢。以政治強制之力來要人人作聖賢，卽使是眞的，也會成爲莫大的罪惡），針對着陳教授所提出的問題，似乎還有其深遠的意義。由此可見孔家店所出的貨色，似乎並沒有隨五四運動的打倒口號而俱倒，恐怕這是陳教授所意想不及的。

四四、六、十六、民主評論六卷十二期

按此文錢賓四先生，曾以「心與性情與好惡」一文作答。同見民主評論六卷十二期，讀者可以參閱。

附錄：評「學術與政治之間」甲集

——徐復觀文錄讀後感書——

程滄波

徐復觀先生在本書自序中說：「正式拿起筆來寫文章，是從民國三十八年開始。」徐先生正式發表文章，雖是近七八年的事，但是他今日的文名，他今日所代表的呼聲，正是自由中國的第一枝筆。也是自由中國第一位大政論家。前幾年有人眞誠地推崇他是當代的陸宣公。記得兩年前他在民主評論發表過一篇關於陸宣公的文章，是蘇東坡以後推論陸宣公最完全精密的一篇文章。在一個研究歷史的人，古今人物是極難相提比擬的。所以我對徐先生的論著，並不想把他與中外歷史上任何人物作對比，而只覺得他是這一時代中國最有良心責任的一位大政論家。如果勉強要比擬，徐先生在中國歷史上的地位，是極爲崇高而獨立。徐先生自稱從民國三十八年起，纔正式拿起筆來寫文章，他因爲「對此一鉅變的前因後果，及此一鉅變之前途歸結，……想了看了以後，在感嘆激盪的情懷中，不能不把想到看到的千百分之一，傾訴於同一遭際的人們之前。」從徐先生近八年來所發表的文章內容看，他的學問修養與氣慨的蘊蓄，正所謂「積之也厚」，然而他必待民國三十八年纔正式開始作文，這又足證明他的胸襟態度，是一位頂天立地人物，而不是一個普通文人。

一般輿論對復觀文章的推崇，是讚賞他的氣與識，從民國三十八年到今天，他在各地發表過不少有關時事性的文章。這許多文章的內容，今天海內外文壇，並不是沒有人看到，也並不是沒有人能寫，但沒有那一個人能像他看得如此深，沒有那一個人能像他寫得如此親切，更沒有人像他能不顧一切，忠誠坦白地傾訴貢獻於當世。「假定一個時代，到了由釘死自己的良心理性，進而想去釘死社會的良心理性的阿諛家們，起來取眞正的時論者而代之的時候，這正說明此一時代的終結。」（原書自序。）復觀的時事論文，所以能不顧生死利害而忠誠勇毅地呼籲，他正想憑他的良心理想，他又在想憑一般人類的良心理性，去倒挽時代的狂流。在這一點上，如果把歷史上的人物來比擬，他不是陸宣公而略似陳同甫。陳同甫當時的時勢，比起陸宣公所處又危急得多了。然而，陳同甫猶有求名之心，有求用之跡，這是歷史家的公評。復觀這幾年的行誼，他不但把功名富貴拋棄乾淨，而且把生命利害也完全視之如敝屣。陳同甫當時，苦的是無進身之階。龍川的議論奏疏，是爲求用，亦爲求名。而復觀的議論文章，只知有國家，只知有人羣，而不知有身家，更何有乎功名富貴！這是復觀高出陳同甫的地方。爲將來歷史家所不可不知的一點。

在「學術與政治之間」甲集本書中，徐先生在自序中說明關於純時事的文章，幾乎不曾收錄，我想這類文章的不朽，是不一定要待他自己收錄印存。復觀文章的光芒，時事文章原不過是他議論的一面，他對時代對文化最大的貢獻，還在積極方面的學術主張。他在這一方面最值得我們稱賞的地方，便在把儒家精神、人文主義精神與民主政治溝通滙合。「儒家精神、人文精神，不是以概念爲主的學問；它須要知識，至少是不反對知識，但主要的是成就人格，而不是成就知識。……民主自由是一種態度，而儒家精神、人文精神，從某一角度說，主要便是成就人生從性情中流露出一幅良好的態度，這是對整個人生負責的；因之，也是民主自由的根源；而民主自由，也正是儒家的精神，人文精神在政治方面的客觀化，必如此而始成其全體大用，……我認爲今日眞正把握住儒家精神的人，應以實現民主自由爲己任，這是儒家基本精神面對政治所不容自己的要求。……」（原書一三四頁）復觀數年來學術論文中提出這種主張的地方很多，而且他還不斷在這一方面努力。這是中西學體用之說，或全盤西化與發揚中國固有文化各種紛紜論戰以後一個獨特的創造。本書二十篇論文中，對這一個主張是相當有系統地在那裏發揮。

所以復觀的文章學術，不僅擅有陸贄與陳同甫之長，而且秉着朱紫陽與黃梨洲一類的積極建設。陳三立序梁鼎芬詩，稱其「志極於天壤，誼關是國故，搊肝瀝血，寤言永歎。」東坡論陸宣公：「上以格君心之非，下以通天下之志。」我所認識的復觀，不是梁節庵，不是陳同甫，而是陸宣公朱紫陽與黃梨洲的混合一體。希望復觀對中國的政治與文化問題，在看出一條明確簡捷道路以後，更能在積極的文化理論建設方面，多多發明。復觀的成就，應該在此而不在彼。

顧亭林初見明夷待訪錄稿，致書黃梨洲有云：「天下之事，有其識者，未必遭其時；而當其時者，或無其識；古之君子，所以著書待後有王者起，得而師之，然而易窮則變，變則通，通則久，聖人復起，不易吾言，可於今日也。」今天我讀復觀的文錄，感慨萬端，不敢自擬於亭林先生萬一，而終將仰望復觀可繼黃梨洲而再起乎。

是誰擊潰了中國社會反共的力量

一

共產黨的極權政治，是從社會運動中妊育出來的。他們爲了奪取政權，總是首先侵蝕社會。所以反共的堤防，應該先建築在社會上面。沒有社會反共的堤防，則政府遲早總會土崩瓦解。這便是今日中國局勢正確的解答。然則中國社會沒有反共的力量嗎？如其有之，則又是被誰摧毀了呢？

社會反共的眞正力量，應該具備三種條件。第一、在生活上，可以獨立自主，因而富有獨立自主的精神，不肯接受任何奴役。第二、具有廣大的社會性，因而可以在社會上發生主動的作用。第三、生活既不流於驕奢，也不陷於萬分窮困，因而容易接受理性，追求理性。具備這三種條件的，只有中產階級。這一點，自從柏拉圖與亞里士多德們明白提出以後（不過那時候不稱爲共產黨，而稱爲煽動政治家），一直到現在，還是眞理。在一個有堅強中產階級的國家，他可能有被觀賞的共產理想，但決不會出現極權主義的政權。

中國社會，正如毛澤東所說，是「中間大，兩頭小」的社會。也就是中產階級占絕對優勢的社會，但中國並沒有擋住極權主義的洪流，以致今日大家都抱有陸沈之痛。然則中國中產階級的力量到那裏去了呢？年來的事實，中產階級對此一問題的表現，大多數人是冷淡沈默，少數人反隨波逐流。及至感到非起而抵抗不可時，則共黨的魔掌，早扼住大家的咽喉，誰也沒有力量。史無前例的人類悲劇，便是這樣造成的。中國中產階級的這種動向，將如何加以解釋呢？

中產階級，在中國應該包括自耕農、中農、富農、及一般的工商業者，與智識分子（公教人員在內）。因為中國的共產黨，是在農村中壯大起來的，為了壯大他自己所需要的營養，都是壓搾農民的血汗；所以一直到現在為止，中共在農村的手段最殘酷，農民對中共的了解也最眞切。中共的任何口號，任何手法，從來沒有欺騙住共區裏的農民。共區裏的農民，從富農以至貧農，反共的意識最為堅決。這也正是中國社會最大的力量。但中國農民，因為教育落後，他的政治意見，不能主動的表達出來。而政府在農村的統治，可以說是貪污土劣的大合唱。一方面壓迫得善良的農民吐不過氣來，使其失掉了活力。而統治的方式，除了拉丁要糧以外，不肯以任何形式，使農民有自動發揮活力的機會。並且年來政府施政的方策，無形中是走的剝削農村，以營養都市的路線。在此一現實情形之下，儘管在中共到了以後，農民會拚死的反對；但在未到之前，卻首先不擁護政府，甚至反對政府。於是這一廣大而深厚的反共力量，除了自發的，零星的，出以紅槍會等落後的方式以外，不僅是由政府貪污無能的統治所摧毀；並且連他們眞正反共的意識，也由於中共的宣傳封鎖，政府的疏隔淡漠，和一部分外國獵奇的新聞記者們的渲染，反把他們拿來作了「土地改革者」祭神的「聖牲」。這可以說是悲劇中的悲劇。

但近代中產階級的中堅分子，多半是指的工商業者，及智識分子。這卽是所謂市民階級。而中國的工商業者與智識分子社會的地位，畢竟比農民好得多。政治的感受性，和參與的機會，也遠較農民爲大。但農民雖然沒有發揮出大的反共力量，還有反共的意識。而工商業者和智識分子，卻連反共的意識都看不出來。這當非偶然之事。

本來中國的中產階級，都有其本身的弱點。由於商業革命工業革命的經濟發展，歐洲才產生了近代的市民階級。由於文藝復興，宗教革命的文化自覺，歐洲才產生了近代的智識分子，給一般市民階級以精神的武裝。所以歐洲近代在政治上發生鉅大作用的中產階級，對於中世紀而言，不僅是量的增加，而且是質的改變。這種質的改變，是有自發的經濟文化作用，以作其基礎的。中國的工商業者和智識分子的蘇醒，到五四運動時代，才具備了一點社會的規模。但蘇醒的動機，主要是激於外力的壓迫。而在剛剛蘇醒的時候，又正遇着歐戰後歐洲的經濟文化，都發生了動搖的時候。因爲係動機於外力的壓迫，所以其蘇醒缺少了眞實的內在之力，蘇醒得並不徹底。因爲蘇醒以後所遇着的世界情勢，正當經濟文化，發生了危機，所以工商業者和智識分子，不能順利的走上現代的坦途。於是工商業者和智識分子，一方面還不能完全脫離封建式的自私；一方面又因爲國家處於半殖民地的地位，而增加其倚賴性，投機性。以這樣不健全的中產階級，一旦遇到史無前例的，挾着國際性的陰謀暴力的集團，軟硬兼施，欺迫並用，他們祇有先之以糊塗，繼之以屈伏了。

但上面並不是說他們完全沒有具備近代中產階級的意識與作用；相反的，中產階級的意識與作用，在他們中間，究竟已走上了發展的途程。不過發展得還未完成，還不純粹，還不堅定。在抗戰發生以前，工商業與文化工作者，都有一種欣欣向榮的氣象；而國民黨的完成北伐，與江西剿匪，都得到了他們大力的支持，卽其明證。及日本發動對中國的侵略，一面固然摧毀了中產階級生活的根基，但同時也促成了民族精神的大覺醒。在民族精神激勵之下，全國國民，都不顧生命財產的犧牲，各人分擔艱難的任務。當時的主要工商業者，和教育文化工作者，忍着播遷流亡的損失與痛苦，祇要能追隨得上政府，都口無怨言的，追隨政府。我們回想起來，由平津、由京滬、由武漢、由每一個被蹂躪地區，向西行進的行列，眞是人類歷史上最壯烈偉大的行進行列。形成此一偉大行列骨幹的，正是中國的中產階級。可以說中國的中產階級，在抗戰當初，以較五四運動萬千倍的速度，挾着萬千倍的內容，飛躍的向自己時代的使命前進。但中國的政府，並沒有了解此一行列，因而不曾以適當的政治去領導並充實此一行列，使其扎穩社會前進的根基，因而切實負起抗戰建國的使命。相反的，在抗戰的過程中，政府把此一行列的精神完全擊潰了。於是此一行列，從生活與精神兩方面，倒退下來，變成生活失常，精神變態的社會殘骸。這便爲第三國際征服中國，開闢了一條大路。

二

完成擊潰中國中產階級的任務的，是兩個東西。一是由「孔宋財團」所代表的財政金融，一是由國民黨內派系所表演的「派系政治」。

「孔宋財團」，並不專指孔祥熙宋子文兩個人。凡在政府及在社會上，能作主要經濟活動的，多半與他們直接間接有關，其活動的性質與方式也大約一致。儘管他們彼此之間，不是沒有矛盾。同時，國內軍閥官僚和大大小小的買辦，搜括來的大量金錢，也常常委托他們，在國外爲其經紀。而在孔宋以前所形成的政學系財團，在本質上和他們並無分別，並且也漸降爲附庸的地位。所以用「孔宋財團」四個字來概括經濟的統治者，是大抵不差的。

孔宋財團所代表的財政金融政策，概括的說，有下面七個特點：

第一、他們僅憑票號與買辦的知識經驗，來處理國家的經濟問題。再無其他任何現代眞正的經濟知識。所以他們可以大恩小惠的養幾個幫閒的「經濟文人」，但他們決不能接受任何與國計民生有益的建議。反之，他們遇着這樣有力的建議，而無法直接拒絕時，便想法運用政治權力去與人以打擊。

第二、他們在國家資本，戰時統制等好聽的名詞之下，把社會的資源財富，集中起來，加以控制掌握。尤其是對金融機關的控制掌握。他們鑽在裏面，以政府的名義，掩護自己的營利行爲。名爲國家的四行兩局，以國家銀行的姿態，享受國家銀行的特權。但此一財團的私股，則鬧了許多年始終不曾退出。更由這些所謂國家銀行，培養出許多私人的「子銀行」子銀行都是靠着政治關係，直接間接利用中央銀行的發行，和政府機關的存款，來取得由通貨貶值所得的非常利潤。再由子銀行支持許多公司行號，利用低利貸款等手段，站在國家的法律圈外，去囤積居奇。此一財團的金融網，張遍了全國各要地，層層向內吸收，吸到私人腰包以後，即轉到美國去安全保管。據魏德邁說是十三億美金。據美國國務院等四機關最近研究的一批（注意：僅是一批而已）數目是五億多。這可以說是對金融命脈公開的佔領。

第三、他們除了公開的佔領以外，並不放棄貪污行爲。而貪污行爲，主要是採取間接的手段。因爲官價與黑市滙率的鉅大差額，他們便可以一切名義盡量的盜竊外滙。他們壟斷進出口貿易，以官價滙率向國外買貨，以黑市滙率向國內賣出。因爲貨幣的迅速貶值，他們便可以隨便向國家行局低利貸款，借到手後，便等於奉送。因爲交通和資源的困難，以及戰時法令的限制，他們便可藉此限制他人，便利自己的方法，取得交通與資源資金的特殊便利，而使正當的工商業尤其是工業，無法生存。一般生產者，從生產技術和管理上所獲得的利潤，遠敵不過由這種特殊便利所得的利潤。於是生產界發生反淘汰的現象。扼死了民族工業的生機。

第四、因爲他們是國家最有錢的人，所以自抗戰以來，一直反對實行任何方式「有錢出錢」的政策。一面造成財富畸形的集中；一面餓垮了軍隊，餓垮了公務員。從民國二十九年夏季起，到三十三年夏季止，因餓因凍致死的壯丁新兵，遠大於因作戰致死的數目。作者三十二年十一月由西北回重慶，親眼看到成都中央軍校在鄂北所徵募的練習團，走到廣元附近，完全變成了人鬼之間的行列。這絕對不是特殊的例子。但這一羣肥頭大耳之流，對於各種慘絕人寰的情形，卻熟視無睹，睹亦無所動於中。凡是支持國家，支持政府的骨幹，都拋到饑餓線上，站不起來。只讓這般渣滓浮來浮去。

第五、他們爲要維繫他們經濟的地位，遂以不正當的手段，向有力的官僚做人情。其方式：是送法幣，送美金公債，送官價外滙，送低利貸款。隨便舉一個例子吧，戰時所謂要人們的子女，只要能離開母親的，即不論程度如何低劣，都以國家的官價外滙，送到外國，準備鍍金回來，繼承父志，再害國家的下一代。凡是守正不阿，安份守己的人，都是奄奄一息。

第六、他們把私人投機的行爲，擴大到政府的經濟政策上去，於是政府不通過大經大法的經濟政策，來領導社會，而常是以投機的方式，與社會相競爭。他們利用自己所做的圈套，加入投機的行列，占得特別便宜。除社會及政府都受物質損害以外，更鼓勵了社會的投機，喪盡了政府的信用。

第七、他們把自己的親戚爪牙，分佈到國家每一個重大的金融與企業機構中去，形成一個政府之上的「經濟王國」。一面爲此一財團的大亨們完成上述目的的工具，一面使這批爪牙分潤餘瀝，使其成爲一個站在政府以外的特殊剝削集團。他們除了得到便宜價款，勾結行號，折扣利息等經常舞弊行爲以外，更把特殊不法的利潤，朋比分肥。政府的簡任或將官的待遇，常常趕不上他們的一個工友。不管輿論如何指責，政府也曾表面禁止，但這是由孔宋財團的封建關係所發展出來的東西，只要孔宋財團的精神不死，他們便可以一切不管，一切也管他們不了。內地吃完了，便搬到臺灣、香港、美國、一切最安全的地方去吃，除非共產黨統一了世界。

在上述七大特色之下，使整個社會的經濟活動，都捲入予投機舞弊的大浪潮中。大家在不合理的金融財政政策之下，只好也用不合理的手段，爭取不合理的生存。不能或不肯加入投機舞弊浪潮中的人，便只有坐以待斃。於是中產階級合理而穩定的生活基礎，完全破壞了。一部分或分潤餘瀝，而變爲此一財團的「家奴」。或接響追踪，而成爲此一財團的「庶子」。大部分人，則都失掉了生存的保障，失掉了生存的信心。尤其是在此一財團的財政金融政策之下，最明白的告訴社會，凡是奉公守法的，一定叫你吃意外的苦頭。凡是作歹爲非的一定叫你得到預期的好處。社會一切的道德、法制，信用等等，所有賴以維繫人與人正常關係的精神因素，都破壞無餘。更加以貧富的距離加大，生活的差別懸殊，由對現實不平不滿所激發的感情，衝破了中產階級固有的和平中正的情調。所以中產階級，在此一財團壓迫之下，小部分變質，大部分破產。

三

上面所說的孔宋財團，不能僅從經濟本身去了解它，而實際是政治的產物。是政治在經濟方面所表現出的自然形態。但若單就政治來談政治，則十多年來，國民黨內部派系政治的作法作風，與孔宋財團正是一對難兄難弟，在社會上發揮異曲同工之妙。至於難兄難弟把政府糟蹋到「友敵共棄」的程度，則本文不打算提他。因爲牠們本身就是政府，所以也無特別提的必要。

中國國民黨，他本是中產階級的政黨，本是代表中產階級政治路線的政黨。但因外受共產黨組織形式的影響，內受封建餘毒的侵襲，隨統治時間的延長，而逐漸失去了中產階級的本性。由「以黨治國」，退墮到黨內的「派系分國」（分國之贓）。這種情形，民國十六七年以後已經開始。不過當時各派系的內部，仍有其政治上的活力。一直到抗戰發生，各派系有其反作用，也未嘗沒有其正作用。有時正作用且高於反作用。但到民國二十八九年以後，則只有反作用，幾乎沒有正作用，而成爲不可控制之局。其內容雖然複雜，但因爲一切都是以派系爲中心，通過派系而表演出來的，所以我稱之爲「派系政治」。詳細的說，就是「派系分國的政治」。

派系政治，是在三民主義空頭支票掩護之下，由各國人的封建自私所形成的。完全大公無私的政治家，歷史上並不多見。但自私有自私的類型和特色。而此一集團自私的類型與特色，乃在其殘餘的封建性。各人以自己現實利害爲中心，順着血緣關係，由子女親戚，推及於同鄉、同學、學生、以及所謂「一手提拔之人。」每一有權力者所拿的尺度，都是與他自己親疏厚薄的關係。凡沒有私人關係的，便一律排斥於各派系之外，也就是排斥於政府之外。於是國民黨之所謂「黨」，變成了封建人事關係的許多小集團。但典型的封建社會，還有封建的道德加以維繫。而現時的封建，畢竟是沒落的東西，封建的道德，已揚棄而轉向爲新的形態。於是封建關係的本身，便沒有任何眞正可靠的道德觀念之存在。所以每一小集團的內容，都空虛動搖，並無眞正的團結性。當各派各系互爭之際，不斷的截取中山先生的遺教中的一言半句，或社會流行的名詞口號，以拱衞自己，打擊別人。實際，他們什麼也不是，什麼也不想，而只是想分得國家的權位。因爲大家對於國家的權位，只當作滿足私人慾望的工具去追求，權位只對他的慾望負責，而不對國家的問題負責，所以追求到手以後，決不發生眞實的責任感，而只感到分的不够。分了這，又想分那。紛紛擾擾，窮年累月不休。這一情勢，到了三十六年秋冬之際的所謂選舉，以鑽罵賴哭等手段，分國大代表，分立監委員，而達到冠絕古今，登峯造極的境地。正當中共自三十六年九月開始竭盡一切的手段，動員擴軍，準備突破戰場的膠着狀態，發動三十七年決定性攻勢的時候，國民黨人則在民主政治口號之下，不惜花上與中共動員，擴軍，約略相等的時間，與更超過的人力物力，再加上中國傳統文化所遺留下來的若干禮義廉恥，盡擲之於這一「分」的選舉。這眞是可以說是「

乾坤一擲」了。國民黨員，好像也知道這是最後的一次機會，所以分得更公開，分得更徹底，分得人之所以爲人的起碼面子也不要。派系政治，好似一個大糞坑，一粘上他便臭。他已經臭壞了中國性的三民主義。現在又臭壞了世界性的民主政治。大家說民主政治可以救中國，派系政治便拿出這樣的民主政治來給你看，使談民主政治的人作嘔發抖。

於是有人埋怨當時不應該辦這樣一個裝面子的選舉，以致因虛名而受實禍。不知派系政治的特色，是只講關係，不講是非；這一西洋鏡拆穿以後，則你分得，我也分得；何況就感情說，我跟你這多年。就利害說，我也可以搗亂。所以派系政治發展到那個階段，已經近於瘋狂。大家整天的慷慨激昂，總非分點什麼東西不可，「經濟王國」分不進去，官位卻又有限；已經占有了官位的人，假定要分出去，他便可以到香港去革命。於是只有想辦法去分民意機關。估計從縣參議會分到立監委員，大概露面的黨員，都可以分得一杯羹。分了以後，或者可以相當無事。不然，則因欲分無着，所鬧的亂子，一定會大過於分而不均所鬧的亂子。所以「分選舉」，是派系政治必然的歸結。

當然，在國民黨內，不是沒有許多無派無系的志潔行芳之士。即派系之中，也不少有志節，有正義，有熱情的人。正和國代立監委中之不乏很好的人材一樣。但這裏是作爲一個集體去看問題，而不是作爲各個人去看問題。導演這個集體的主流，千眞萬確的是上面所說的派系政治。所以有的儘管痛心疾首，卻無可如何；有的則本質善良，而在積非成是的大氣壓中，不能自拔。都不能發生實際作用。

派系政治，對內既都感到分得不够，則對社會，天經地義的會關緊大門。加以民國十三年國民黨改組，受了「一黨專政」的影響。「專政」二字，深入一般人心，牢固而不可破。

不僅不能適應抗戰發生以後的情勢，向社會一般優秀人士，開放政權；並且始終不懂得樹立一個健全的新聞政策，鼓勵健全的輿論，以輿論來爲自己政權作去腐生新之用。中國在抗戰初期，雖然有少數政治人士，想利用時勢，奪取地位。但這種人的力量，還是微乎其微。其所以能發生影響，乃在一般智識分子，對政府普遍發生反感以後。在抗戰初期，大多數的智識分子，尤其是大學教授，都是爲了要政府健全自己，加強抗戰力量而講話的。當時參議會及以西南聯大爲中心的輿論，主要是集中於有錢出錢，肅淸貪污腐化，制裁舞弊投機，整飭社會風氣，改善士兵待遇等問題。到了三十三年以後，才有一部分人轉到政權問題上去。記得三十三年秋，我去看聞一多，大家還是第一次見面，上下古今的亂談，談到青年從軍問題，他感嘆的說：「我今天去開了一個會，有許多先生反對學生去從軍。兩種觀點，兩種說法。一種是學術觀點，認爲去從軍的都是好學生，這會影響到將來的文化。一種是政治觀點，認爲這是國民黨發動的，不必爲他撐腰。我當時發了一頓牢騷說，沒有民族，還有什麼文化？只要與抗戰有利，國民黨發動的，爲什麼又不可以撐腰？這都是智識分子的自私。」我引這一段話，是想說明以後愈走愈偏的聞一多，原來並不是那樣的偏激；藉以證明抗戰時期輿論的趨向並不壞。但政府始終認爲政權是我們的，政權代表國家，國家至上，所以我們也是至上。大家只仰候我的施與，歌頌我的施與，而沒有要求和批評的資格。批評就是搗亂，就是心懷惡意，侮辱莊嚴。於是由深惡痛絕之情，或發爲有形的制裁，或與以精神的壓迫。間或給少數智識分子一點甜頭，可是一得到甜頭的智識分子，便立刻失去在社會的作用。這樣一來，便逼着一部分人憤激而走極端，去爲中共張目。大部分人，則抱「君平忘世，世亦忘君平」的態度，一切都置身事外，冷眼旁觀。中共利用此一形勢，加強運用，結果各大學的教授學生，凡是肯出來說話的，都變成直接間接爲中共說話。社會上只看到反政府的智識分子，看不出擁護政府的智識分子。有許多反對政府的言論，簡直是近於荒謬，連智識分子中的許多人也看不過眼；但政府既不與他們相干，大家又何必多事？政府許多擺在面前說不過去的事實，誰又抬得起頭來爲政府多事？當局固然努力取締，但過去既不能接受合理的輿論，則後來也一定不能拒絕非理的輿論。政府到了此時，除了擁有一批行尸走肉的官僚外，再沒有任何基礎，沒有任何內容。平時被反政府的言論駡得體無完膚，心理上如同罪犯。一旦前線軍事失敗，便只有混亂一團，望風瓦解了。

上面所說的智識分子，正是中產階級的靈魂，有着絕大的社會作用。照他們的階級本性說，如何能隨着共產黨走？共產黨將來又怎樣肯允許他們隨着走？但年來的悲劇，確是這樣演出的。固然智識分子的本身，也有很多的弱點。但派系自私的政治作風，使大家「實逼處此」。至於抗戰以來派系政治在教育行政上所種的惡因，此處更不具論。

四

現在神州已經大部陸沉了中產階級，能不被這一洪流淹沒的，可以說是非常的少。這並不是中共的宣傳發生了什麼效力。主要的是中國的中產階級，已經精疲力盡，再沒有力量逃；更主要的，是對於政府絕望，覺得逃也無益。當社會對政府未絕望以前，從共區逃出的政治難民，經常保持在一千萬以上，中共的宣傳，何常發生效果？一般智識分子的心理，有極少的部分，是認爲對中共不妨一試。一小部分，則並不贊成中共，但認爲不值得同這樣的政府逃。大部分，則欲逃無力，只得懷着恐怖的心情，聽天安命。最近我曾接到一位未曾謀面的學人來信，中有一段，很可把這種情形反映出來：「……雖日弄丹鉛，然時聞桴鼓，偶因犬嗥鷄啼，輒爲栖毫輟牘。坐是不能靜心述作，惟亦不敢曠廢時日耳。曩者課藝××，尚可粗得溫飽。今則敷講上庠，不免凍餒。來日大難，既不容有負郭之田，以深居窮巷。則高蹈之節，祇能效首陽之餓夫。縱令曲學取容，亦祇能免殺身而已。此誠千古之奇變，士林之大厄矣。」此信到達時，某學人的住處已經淪沒，抄錄於此，以作這一代智識分子的墓誌。

中國國民黨內的一羣腐化自私分子，對於中國中產階級的鉗形攻勢，是出於「利令智昏」的無知。但中共的智慧，卻比國民黨人高明多了。牠知道中產階級雖然破產，但由生活積累而來的生活意識，不僅依然存在，並且一與極權政治接觸，會立刻昂揚高漲起來，成爲中共的死敵。於是中共便大規模有計劃的從文化經濟兩方面，來徹底的消滅中產階級。在文化方面，現在正以所謂新民主主義的文化，來改造，也就是消滅智識分子的知識，也就是消滅智識分子的存在。毛澤東的新民主主義，在文化方面，有三個要點。第一、是說中國的歷史文化，是封建的，把他一筆鈎消了。第二、是說歐洲的正統文化，是舊民主主義的，也一筆鈎消了。第三、是說中國只能有新民主主義的文化，而新民主主義的文化，是從蘇聯十月革命來的。陷區的智識分子，正日以繼夜的，學習這種文化。但毛澤東也知道僅靠這樣一本小册子來鈎銷人類幾千年的文化，未免近於滑稽；他乃再加上毒辣的經濟政策，去挖斷他們的根子。中共經濟政策，有一個總的目標，就是把社會任何人可以獨立生存的資具，徹底加以搜括破壞，使每一個人都裸身赤立。假定中共認爲不需要時，他儘可以不殺你，而你卻只好活活的餓死。這樣一來，還有中產階級求生的餘地嗎？

不過中國人民拒絕中共的統治，是全國各階級一致的。而中產階級在歷史上所負的使命，是從文化與經濟兩方面，有其合理性與必然性，是無法加以消滅的。所以中國的前途，還是由痛定思痛的智識分子，領導廣大的活不了命的農民，起來推翻中共的極權政治。現在共區裏面自動起來抗共的農民，還不曾得到智識分子有力的領導。但遲早一定會得到的。或者來自現已被中共淹沒而爲中共所消化不了的人們；或者來自中共的內部，來自拆穿了西洋鏡以後，由極權回到中的政治路線的中共黨員。中國不可能出現一個唯一的狄托。但一定會出現許多狄托。至於現在尚未落入魔掌中的智識分子，當然有更大的決定性的作用。所以爲中產階級，尤其是爲智識分子，保留一塊最後的自由空間，這是絕對的必要。而爲中產階級本身，及凡關心中國前途的朋友們，所應一致努力的。

可是現在還未落到中共魔掌中的智識分子，事實上依然是沉默冷淡。於是政府的宣傳機構，便不斷的提出「既怕共產黨，便不應該中立」的責難。當然，在對極權主義的鬪爭中，還有什麼中立？同時，除了極少數投機分子以外，我相信誰的內心也不是中立。但沉默冷淡的態度，卻使人感到是中立，使人感到過去智識分子與政府同歸於盡的沉痛關係，到最後並沒有改變。這在智識分子的本身，自然要深切的反省；但政治負責的人，更應該深切的反省。大凡負政治責任的人，如果是內心想實現極權而又沒有能力；外表想裝作民主而又沒有技能；結果只有在力之所及的地方，抑壓輿論，卻不能分別輿論的性質；防制社會，而不能了解社會的內容；妨礙他人，孤立自己，這在實際上，還是摧抑中產階級，爲中共開路。在這種環境下的智識分子，除了沉默冷淡外，還有什麼辦法可想？一個政權能不能得到社會的合作，是政權本身的一個眞實的測驗，這責任是應該由政府去負，而不是由社會負的。政府的宣傳機構，首先要從這種根本地方着眼。所以目前中國的中產階級，在中共區域裏，處的是絕路；卽在非中共區域裏，依然處的是低潮。中產階級，尤其是其中的智識分子，爲了國家，爲了人類的歷史文化，應該一反過去因循怠忽的態度，在絕路與低潮中，奮身而起。但現在還有政治權力的人，也應該誠懇的接受失敗的敎訓，把自己的政權變質，使自己的政權，能鼓勵中產階級，能適合於中產階級追求理性的要求。對於現在還可以搶救得出來的優秀分子，不論與我有關無關，應該負責搶救出來。凡是爲反共而展開的社會活動，不論「是不是我的」，應該無條件的加以扶助。在反共的大目標下，任何個人，任何機關，任何事件，都可以批評，都可以在批評中去興廢取捨；使富於追求理性的中產階級，親切感到這是我們的政權；這是代表我們的政權；這樣一來，則死裏逃生的中產階級，尤其是智識分子，由理智與生命力所燃燒的熱情，要抑壓，也抑壓不下去。

歸結起來，爲了扶助中產階級乃至全民的活力，使其能恢復反共的力量，則根絕孔宋財團的遺毒，和轉變由派系自私所流轉出來的孤立政治，這是國民黨最後的測驗，也是全國人民，尤其是中產階級的智識分子，對國民黨最後的要求。國民黨能做到這兩點，才算是眞正在改造，眞正在變質。這是爲了使僅存的中產階級，尤其是智識分子，能在爭取自由獨立的艱鉅工作中發生力量。「包辦」的時代早經過去了。何況「包」的一定「不辦」，也一定「不能辦」。中山先生所倡導的天下爲公，這應該是每一個忠實的國民黨人反省的第一課。

三八、九、一六　民主評論一卷七期

從平劇與歌舞伎座看中日兩國民族性

民國四十年從三月到九月，曾以華僑日報駐東京特派員名義，住在東京，並以司托噶的筆名為該報寫了若干通訊。茲錄存此篇以作紀念。

四六、七　於東大

一個民族的傳統藝術，常常代表一個民族的傳統感情。這對戲劇而言，更為明顯；因為戲劇是活的藝術。我不懂戲劇。但通過日本的歌舞伎座，彷彿我更接觸到了日本人的感情。因而對中日民族藏在深處的感情基調，也彷彿通過平劇與歌舞伎座的連結，而得到了活生生的比較。所以我在第一次看了東京銀座的歌舞伎座以後，便把天下大事擺在一旁，忙着寫這樣的一封通訊。其實，戲劇有人生的一面，人生也有戲劇的一面。在這兵慌馬亂的年頭，何必一定說幾個藝人的出色當行，趕不上壇坫疆場上的英雄豪傑呢？

日本的歌舞伎，是日本傳統戲劇的正宗。凡是日本傳統的東西，無不受有中國歷史文化的影響，歌舞伎當然不會例外。日本近代文明的進步，當然也反映在戲劇身上。不過，這對歌舞伎而言，只能算是新瓶裝舊酒。舞臺的壯麗，佈境的精巧，燈光的調適，這都是近代的新瓶；而故事的構成，表演的技術，以及音樂的配合，卻依然是東方情調的舊酒。

我看的四齣戲，兩齣是歷史故事，兩齣是歌舞。高貴的服裝，和我國的龍袍鎧甲，十九相同；跑龍套沒有我國露場面的多，但那種要死不活的神情，卻並無二致；全武行的場面則與我國一般。一個或幾個脚色擺出一種威武，莊嚴等架子給人看，使人叫好，這也是我國的所謂「亮相」。念白的咬字熬腔，恰等於我國平劇中的道白。凡此種種，都可看出日本戲劇和我國有不淺的血緣。至於純舞蹈節目，這或許是從他們的土風舞昇華起來的，在平劇中卻很少見。

說到他們和平劇不同的地方，首先是表現在音樂上面。他們沒有鼓吹，沒有二胡，而是以三絃爲主的所謂「長唄喇子連中」或什麼「連中」（連中是一幫一組或一團之意）。這種「連中」，非常整齊嚴肅，一樣是出來擺場面的。鼓吹在我國明朝末年才流入民間，其音節是激揚發越；而日本的各種舊式音樂，多於素樸凝重之中，帶有滯澀抑鬱之意。也或許可以說鼓吹是大呂，而日本的舊式音樂則是清商。他大概和中國或印度有關連，但考證不是我的責任。僅就欣賞而論，則比較起來，我還是喜愛我們的鼓吹。尤其是在平劇中把牠使用得與劇情的喜怒哀樂，乳水交融，眞做到「有聲有色」，在人間平添一番熱鬧。

就戲劇表演的本身說：日本也一樣是有念有唱。但演員的本身，只念而不唱；唱是拿樂器者的責任。念的作用，是直接道白戲劇的情節；而唱的作用，則間接表現劇中人內心的情緒。平劇演員，一個人旣念且唱，好像有點不合實際；但其妙處正在使看的人覺得只有念了後又唱，唱完後又念，念唱相生而復相忘，這才算表達了一個劇中人完整的感情，使人對於某一戲劇所包含的東西，有一個較圓滿的接觸，而不覺其稍有遺憾。又譬如說哭吧，日本劇中的哭，表現的非常逼眞；但平劇中的哭，則如千哀萬怨，假借抑揚搖洩的腔調，自千崖萬壑中傾瀉而來，這才算盡了哭的能事。所以我覺得只有平劇中的哭，才眞正哭出了人世的悲哀，超現實而眞反映出了現實。

更重要的是在表情的方式上，畫出了中日民族的分歧點。平劇的表情，使劇中人物的性情心境，不僅通過演員的念唱，直接表達出來，主要還要通過演員的眉目鬚髮手足等動作，表現得淪肌入髓。爲補助面部表情的不足，於是而有臉譜；臉譜之妙，是在臉上構成的富於浪漫色彩的圖案，恰合於被表現者的性情脾胃，而毫不覺其不自然。這要算是我們在戲劇中的一大貢獻。

但日本歌舞伎演員，初一看，好像是中世紀木版刻畫的人物，簡直看不出他臉上的表情。深一層去看，則女的表情總使人覺其淒冷，而男的表情則總使人覺其陰森。他們好像是千百年不曾見太陽的深溝鉅壑，使人無從捉摸到他底下藏的是些什麼東西？而只是淒冷陰森之氣，令人鬱而不舒，積而不散。即以現在日本的梅蘭芳「六世中村歌右衞門」來說吧：據聞構成「歌右衞門」的條件，是要莊重，豪華，氣韵，偉大，美艷。但從我的眼睛看來：除了舞蹈或者以身段來表現情感時，確深刻表達了日本女性柔婉之美以外，他雪白而呆滯的臉上，使人看了只覺得有難以形容的歉意，而毫無風神，毫無氣韵，所以不能構成令人驚心動魄的美感，那裏趕得上我們梅郎的儀態萬千，風華蓋代呢？這並不是說他的技術不高，正因爲他的技術太高了，所以他的淒冷，與另外一位演員「幸四郎」的陰森，成了日本人感情深處的典型，才贏得日本人士的推許。日本人士也用極簡單的臉譜，但是拘而不化，所以不能刻畫入微。有一幕舞蹈劇，以兩個人代表善惡作相對的舞蹈。代表善的臉上便套上寫一個善字的面具，代表惡的臉上便套上寫一個惡字的面具。這假定在我們的平劇，只要在臉上勾他幾筆，便意義昭彰，活龍活現了，那裏用得上這種生吞活剝的辦法？日本的歌舞伎，並不是不好，他的精鍊，簡潔，寧靜，都使我有一番欣賞；但看完後總覺得不十分滿足，好像遺漏了一些什麼？歸結起來，日本的表演是盡量把感情抑制下去，而平劇則是盡量發揮出來。日本的表演方式，是頗接近現實，卻很難使觀者把自己的現實，融到臺上的現實感中去。而中國平劇的臉譜，髯鬚，二胡，鑼鼓，地鷄毛，背上的令箭旗，都和現實相去頗遠；可是看了好的平劇以後，卻令人把自己的現實，與臺上的不現實，相渾相忘。一場的打鬪離合悲歡，只落得「父老閒來消白晝，兒童歸去話黃昏」，便也十足的「興觀羣怨」了。相渾相忘，是藝術的最高境界，但這只有在不太現實化的情況下，才有其可能。日本全武行的翻觔頭，也沒有平劇的翻得渾淪圓熟，因爲有種無形的東西把他們抑制拘束了，使其不能盡情開展，所以連這種小玩意，在我看來，也沒有中國的成熟。

我上面這些話，並不是出於民族的自誇，而是想藉此以透出一點較深而又較眞的消息。中國儒家重視禮樂，是要把人類內部的原始感情，合理的疏導，合理的發舒出來，即所謂「因人情而爲之節」，使人的性與情一致，內與外一致，不在內心的深處，常藏着有什麼不可測定的陰森之氣，使人能過一種天眞的愷弟祥和的生活。於是中國的人生，是趨向沒有城府的物我相忘的境界，即是孔子所說的「游于藝」的境界。日本人對生活矜持敬畏之念，還沒有落實到和平樂易之中，於是日本人的感情深處，總存積着許多不願發舒，不敢發舒，或甚至不知發舒的小小深淵。深淵與深淵之間，各自歛抑，各成界劃，遂凝結而成爲一種陰鬱的氣氛，感到隨處都應有所造作，都應有所戒備。由此愈積愈深，使他自己負擔不下，一旦暴發出來，便橫衝直撞，突破平時所謹守的一切藩離而不可遏止。陰森與暴戾，只是一種感情狀態的兩面。日本人對人的過分禮貌與過分野蠻，都是從這種感情中發出來的。這種民族性格，畢竟是陰涼的悲劇性的性格。所以我一方面欣賞日本人到處保持着的東方靜謐之美；但在靜謐的後面，也多少感到了他們所藏的陰鬱，他們過份歛抑的陰涼，而總想祝他們人生的珍重。（五月廿八日自東京）

從現實中守住人類平等自由的理想

最近讀了兩篇朋友的文章，覺得有幾句話想說。一是唐君毅先生的「自由，人文與孔子精神」（民主評論三卷二十、二十一期）。此文會通中西自由觀念，體大思精。並認爲自由權利思想，本爲中國之所無所短，不作絲毫附會；且根據孔子之眞正自由精神，以指出「孔子信徒，仍必反對一切極權主義」；這都足給今日用剽竊依附來談中國文化者以一頂門針。但我尙引爲不足者，唐先生認自由權利，必以依托於「文化活動」爲其價值，這種說法，對個人而言，固無不可。然自由權利，乃就社會中之各個人來說的。以社會中各個人的立場來爭取自由權利，其本身卽係一絕大之文化價值，而不須以另一文化活動爲其價值。社會中各個人之自由，與一個人精神上，道德上之自由，乃屬於兩個方面，而不屬於兩個層次。等於「老者安之，少者懷之」，「老者可以衣帛食肉，黎民不飢不寒」，此事之本身卽具備一自足之價值，與「食無求飽，居無求安」，全係兩方面的問題。把兩個方面的問題，看作兩個層次的問題，無形中便使自由權利因從屬於另一層次而落空，這便容易發生流弊。我曾以此意請教於唐先生，承來信說這是由於他文章之不够善巧，其本意決非如此。

另一篇文章是戴杜衡先生的「從經濟平等說起」（自由中國七卷八期）。戴先生對經濟學的湛深地研究，非像我這種門外漢可置一詞；而戴先生主張以經濟自由來維護政治自由之用心，尤爲本人所心折。但我認爲戴先生這篇大作，實可發生與戴先生所期望者相反的作用。爰把個人讀後的感想，拉雜寫出來，以就正於戴先生及關心此一問題的人士。

我首先認爲以人間爲對象所標出的任何主義，都是爲了說明人間所發生的問題，解決人間所發生的問題。凡就現實問題所提出來的主義，其本身只是一種權宜的說法，相對的說法。離開主義所依以成立的現實問題，僅把名詞當作一種純概念的東西，而將其絕對化，再由這種純概念的演繹，以求代替實際的人間，改造實際的人間，則任何主義，都會成爲殺人的絕對主義。政治經濟，都是人間之事。談政治經濟，總要先了解承認現在有些什麼問題，面對現在的問題去衡量各種思想和主義，而不必先堅持我是信仰或反對什麼思想或主義。

其次，人類的理想，也可以說很早便由古代的哲人、宗教家，以簡單的詞句揭示出來了。但同樣的詞句，在每一時代都可發現或賦與以新的內容；而最好的時代也不曾實現了一個完全的理想。任何理想，在現實中都是一點一滴的在相對中去實踐。我們萬不可因其爲一點一滴的實踐，因其係相對而非絕對的實踐，便將全部理想加以抹煞。不然，便不能肯定任何指導人生的理想。

一七八九年由法國大革命所提出的人權宣言，其自然法的思想根據，雖有許多值得加以修正；其新興市民階級的社會背景，雖僅有一歷史階段的意義；但它以「普遍的形式」所表達出的「人生而有自由平等之權利」的詞句，經過近兩百年的周折變化，證明它還是指導人類前進的理想。自由與平等，在某些地方是表現爲不易調和；但從整個的看，卻又表現爲不可分割。

當十六世紀，因「我的自覺」而鼓勵了人們世俗的要求；因地理的新發現而鼓勵了冒險家對財富的追逐。此時的新興市民，要從僧侶與貴族的特權中獲取追逐財富的自由，於是在倫理上一反中世紀同情窮人的道德觀念，而代以「財富本身即是道德」的觀念。在政治上，則援助國王去打擊僧侶貴族，以助成中央集權的近代君主國家之成立。此時的市民階級，不僅不曾考慮到整個人類的平等問題，連它自身也只要求在經濟上有自由，並不曾明確意識到政治上之平等不平等；他們寧願爲了解除僧侶貴族對追求財富的限制而擁戴一專制的君主。但事實上，政治上沒有平等，經濟的自由也會落空。於是乃不得不轉進一層向專制的國王進攻，這才眞正揭開了近代民主革命之幕。

民主革命，是市民階級聯合當時之農民及無產者共同進行的。市民階級與農民及無產者的連接點，爲法律前之平等，卽政治上之平等。一般的說，當時並沒有眞正浮起經濟平等的觀念。但法國大革命剛告成功，一七九二年，丹格來在國民會議提出憲法時的報告說：「由有產者所統治的國，才是眞的市民社會；由無產者統治的國，是停止在自然狀態」。塔氏（Tohn Tay）也同樣的說：「國家應由所有者統治之」。於是此一革命的結果，資本家有結合團體之自由，而勞動者的團結則視同大逆不道。連勞動者的選舉權，卽在歐洲民主國家，也到十九世紀的最後三十年才得實現。這一事實，是說明了不平等的經濟，造成了不平等的政治。不平等的政治，亦卽是沒有自由的政治。

這中間，還有理論上的一段插曲。漸有近代教養的市民，決不能逕情直遂的採取「我富你應窮，我活你該死」的說法。於於亞丹・斯密斯便說：「由自然底單純體系，人在經濟生活中，一面互相激烈競爭，一面由看不見的手，促進各人始料所不及的一個目的」。此目的，意卽指社會全體之福利。私人財富之增加，卽社會福利之實現，這便是自由經濟的中心理論。英國在十九世紀之末，二十世紀之初，財富的光輝，照耀了整個世界。但據 Charles Booth 及 Bowntree 在一八八九年第一次所發表的私人實際調查報告，倫敦百萬人口中，有三分之一以上的人們，過着悲慘的生活，尤其是兒童。當時有的資本家說：「自然既是不正義的，則社會也就沒有正義的存在。不正義與不平等，從搖籃便給與我們的」。（見因·勒·邦的社會主義心理學）這與戴先生文對窮人的說法，「與其怪人，不如怪天」的說法，恰是東西一轍。但事實並不因此說法而告解決。一九〇九年英自由黨的財相喬治（Loyd George）在下院提出了以徵收累進稅奢侈稅遺產稅爲中心的「鬪爭預算」，慷慨陳詞的說：要於三十年間，「消滅悲慘不潔的窮困」。這是證明亞丹·斯密斯這一類的樂觀說法之破產。

上述這一情勢，卽是產生十九世紀五十年代後，以經濟平等爲中心的一串努力爭取經濟社會立法的歷史背景。經濟平等口號的提出，並不是來自某一社會主義者的靈感，而是來自百十年無數勞動者悲慘的生活。十八世紀「人權」的基本信念，在大多數人中間因生活安全失掉了保障而受到損傷。但他們並不是如戴先生所說的都是白癡或懶惰者。

蘇聯革命之始，世界有正義感的偉大人士，都寄與莫大的同情，如法國的紀德，英國的羅素，中國的孫中山先生。但隨時間之經過，不僅證明沒有自由的獨裁政治，在經濟中所成就的是新的奴隸制度；而且也證明私有財產制度之消滅，正所以保證獨裁政治更不斷底走向獨裁。這便提供了世界富有正義感的人們以新的敎訓。此一敎訓，依然是證明自由平等之不可分割。

自由經濟在經濟發展過程中所盡的任務，無人加以否認。但英國政府正式完全採用放任自由的學說，是始於一八四六年穀物條例之廢止。可是在一八三六年，即通過最初的工場法，以保護自由契約下的兒童。時至今日，世界沒有一個國家能完全採取古典經濟學者的自由放任的原則。凡主張對自由經濟加以修正的人，歸納起來，其動機有三：第一是站在人道的立場，人權的立場。除了「自由人權」以外，二十世紀不能不加上「生存的人權」，於是國家在經濟社會方面，不能不採取若干積極性的措施。聯合國於一九四八年除共黨集團外，由四十八國所通過的「世界人權宣言」，即係代表自由人權與生存人權之結合。第二是因自由經濟所發生的無政府狀態而容易引起恐慌及浪費，於是須採用相當的計劃經濟以資補救。如最近西歐六國所採用的許曼計劃，即是眼前之一例。其最重要的還是在第三點，要以經濟的相對平等，來維護人類的民主自由。伯卡（Carl L. Becker, 1873-1945）在其一九四一年出版的「現代民主主義論」中說：「通過教育與學校，庶民對於其應有之權利，對於以自己團結之力擁護自己的權利，已經有了覺悟。現代任何文明，對於其受益者或對於後世，縱有如何的光輝和快適，但若不能滿足庶民的生活欲望，則庶民因具有破壞其認爲不值得保存的東西之力，而可將其加以打毀。民主主義終極的任務，或係在於輝煌文明之建設；而其當前的任務，則在於以何種方法，使自己能生存下去。其關鍵端在於能否犧牲許多自由中的若干自由，能否犧牲文明許多快適中的若干快適，以提供庶民不可缺的物質的必要物」。英國托勒教授（R. H. Tawney）於一九三一年出有「平等論」，拉斯基教授於一九三三年出有「站在危機的民主主義」；E・H・卡教授（E. H. Carr）；於一九四二年出有「和平之條件」；美國杜威博士於一九三〇年出有「個人主義論」；一九三六年出有「自由主義與社會行動」；他們除了拉斯基晚年外，都不是社會主義者。但都是想修正自由主義的經濟，爭取相對的經濟平等，以守護民主自由。

綜合當前思想界與現實的大形勢看，都是努力如何使自由與平等相調和，以自由保證平等，以平等保證自由，重新奠定民主主義的基礎。誠如戴先生所說，沒有一個社會主義者主張絕對的平等；但這也正如主張自由的，不可能主張絕對的自由。法國人權宣言中以「不害及他人」爲自由的界限，這是很寬而又伸縮很大的界限。這卽暗示自由是相對的而非絕對的。我們沒有理由因爲只能實現相對的自由而否定自由的理想；同樣的，我們也沒有理由因爲只能實現相對的經濟平等而否定平等的理想。在兩大理想相對的調和與均衡中前進，這正是說明人類歷史的艱辛，也正是說明人類歷史的偉大。這才是我們當前課題之所在。我們討論有關經濟的問題，應該先承認這一歷史的背景。

四二、一、一　民主評論四卷一期

按此文原分三段。第二第三段，係針對戴先生原文的辯論，現皆刪去，僅存第一段。

為生民立命

唐君毅先生在「人文精神的重建」的自序裏說：「民主自由，是爲生民立命」。大哉斯言，我在這裏將其涵義略加申述。

張橫渠講的這句話，主要是從敎化上說明讀書人對社會所應負的責任。此處的所謂「命」，指的是人之所以異於禽獸的「具萬理而無不善」的人性。此性不受外在的，後起的東西的規定，而係與有生以俱來，所以稱之爲「命」。左傳「人稟天地之衷以生，所謂命也」。中庸「天命之謂性」。天命的命，實同於西哲「天賦人權」的所謂「天賦」。生民皆有此命。所以皆是完滿具足。皆可以作頂天立地的人。但是照中國的說法。因「氣質之稟，或不能無所偏；物欲之私，或不能無所蔽；是以於性之德有所不明，而觸意妄行，或墮於夷狄禽獸之域」（見朱子論語或問學而時習節），生民的命，遂坎陷蒙蔽在裏面，伸長不出，站立不起，生人之道，卽將歸於廢絕，這是宇宙間最大的悲劇。讀書人是要希聖希賢，是要盡己之性以盡人之性，對於此種大悲劇之不得解救，卽是自己性分內有所虧，自然不能不發生迫切之感，自然不能不拿出自己的擔當來，以敎化之力，就生民所固有之命，加以啓迪誘發，使其伸長站立起來，以完成每一個生民的人格。這是從孔子以至宋明諸大儒，建立師道，講學不輟的一大共同悲願。中華民族，屢經鉅變奇變，而依然能綿延嗣續，屹立於天壤之間，卽是此種悲願所發出的宏力。

不過，生民的具萬理而無不善的命，同時也應該是在其生活上能有平等自由的命，亦卽是政治上的天賦人權之命，假定有前者而無後者，則不僅不能在抑壓委頓之下，責人人從道德上去作聖賢；卽使是聖賢自己，也應從抑壓委頓中，翻轉出來，使自己隨着天地萬物，皆在其分位上能各得其所。聖賢爲了拯救天下，爲了「一人不出地獄，己卽不出地獄」，而可以忍受抑壓委頓；但聖賢不僅不以抑壓委頓期望之於他人，並且也決不以抑壓委頓的本身爲道德；否則卽是奴隸的道德。奴隸的道德，歷史上常常成就了少數暴君的不道德，以造成罪惡的世界。所以人格的完成，同時必須人權的樹立。人格與人權，眞正是相依爲「命」而不可分離。從敎化上立人格的命，同時從政治上立人權的命，這才是立性命之全，得性命之正，使前者有一眞確的基礎，使後者有一眞實的內容，於是生民的命才算眞正站立起來了。

中國的聖賢，對於人格所應憑藉的資具，不是沒有注意到。所以一方面承認有恆產而後有恆心，一方面又特別以「無爲」爲君德，並提倡愛民的德治。但是社會的經濟活動，必受到政治影響；政治問題不解決，經濟問題卽不能解決；所以中國歷史上人民生活的大破產，都是來自政治上的黑暗；於是「制民之產」的願望，只好徒托空言。其次，中國聖賢，對於政權運用的形式，除了「聖君賢相」以外，再沒有想出其他的方法；君不聖而相不賢，乃古今中外歷史的共同現象；於是希望的是德治，而實行的是暴政昏政。聖人至此，除了「隱居以求其志」之外，實在沒有任何方法。且卽使有了聖君賢相，實行德治，這也不過是由上而下的「雨露之恩」；對生民固有的頂天立地的「命」而言，依然是一種委曲。所以中國聖賢爲生民立命的悲願，結果只落在講學著書的教化上面。然而教化儘管教化，我們也儘可相信人性之善而生民可以接受聖賢的教化；但在教化之下，眼看着生民婉轉委頓於專制獨裁之下，生命與意志，失掉了自由和保障，而無可如何，聖賢此時必悲痛於教化之無權，教化之無着落，卽不能不承認此卽教化自身之一大限制。何況政治沒有民主，學術卽決沒有自由，教化卽決沒有自由，所以宋明講學，無不受到政治上的直接壓迫；而今日獨裁國家，不特對思想教育，百端統制；並且進而從讀書人手上，奪去教化的大權；將獨裁者昏悖童騃的妄說，憑政治的暴力，來代替古今中外聖哲科學家們日積月累的眞知灼見，逼着人們去背誦恭維，以毒害兒童青年，欺蒙愚夫愚婦，此之謂杜塞慧根，斷絕慧命，卽是「爲生民絕命」。若有人起而指其愚妄，馬上會說你思想有問題，其生命卽因之不保。這是我們東方今日所面臨的現實。假使孔孟復生於今日，亦必奔走呼號，以求能先從政治上爲生民立命，打開從教化上爲生民立命的困難；而孔孟在今日所講的教化，亦必是以促成民主自由爲主要內容的教化。論中國文化而接不上這一關，便不算了解中國文化自身的甘苦。欲融通中西文化，首先必須從中國已經內蘊而未能發出的處所將其迎接出來，以與西方文化相融通，這是敞開東西融通的一條可走之路。假定於此而先把自己錮蔽起來，豈特徒增中西的扞格，且亦阻塞中國文化精神應有的發展之流，不足以言「通古今之變」。唐先生的此一驚天動地的補充，給今日談民主自由者以一明確的指歸，以見民主自由不是爲了政客們的便利。同時給今日談中國文化者以一當頭棒喝，以見中國文化，決非供奉之資，獨裁之具。橫渠地下有知，當拊掌大笑，說「唐子可謂能爲古聖繼絕學了」。

四三、一、九　人生七卷二期

向日本人士的諍言

此文係應東京明治大學教授大野信三先生之約，爲「新生亞細亞」月刊所撰，發表於該刊之五月號，正如其編後記所說：「有的是使日本人士聽了刺耳的；但確實提到使人考慮的要點」。我對該刊能發表這樣一篇「苦口之言」的文章，非常感佩，惟譯文間有訛誤，現將原文刊出，藉供國人參考。

亞細亞的新生，在理論上，是每一亞細亞人的新生，每一亞細亞人應負同等的責任。但在事實上，因各種主觀客觀條件的不同，此種新生，還是會先從某一二個國家開始；先要某一二個國家頂天立地的站起來，作爲新生亞細亞的骨幹。尼赫魯現正意識的爭取此種地位；菲律賓自去歲大選，政權得到平和的移轉後，也可能有此資格。但從最現實的觀點看，由日本新生來促成亞細亞的新生，比較上更是事半功倍。可是，就我所能了解的日本民族性來說，日本能不能擔負此種責任，或者依然如過去數十年的敎訓，日本的強盛，反成爲亞洲新生的絆脚石，結果，日本自己也被絆倒，這倒眞值得日本人士作眞正的反省。外交詞令乃至普通的應酬話，在這種眞實問題上是沒有意義的。我願以日本的友人的資格，在這一點上稍盡諍言之誼。

日本民族最大的長處是「好善」。孟子說：「好善優於天下」。這是日本能實現明治維新大業的總根源。在明治維新之前，日本與中國接觸，便吸收了中國文化，並由中國而吸收了印度文化。其吸收的規模、速度與深度，不是世界其他民族所能比擬。明治維新後的吸收西洋文化，正是此一好善精神的自然成就。在所謂「善」的面前，投擲出自己的全部生命力去追求獵取，而將自己的生命融解於善之中，這在個人已經是難能可貴，何況是一個民族。我覺得日本人應引此自豪，不應被不十分正確的民族自尊心所蒙蔽，阻遏住此種精神的繼續發展。

日本民族最大的缺點，不是一般人所說的只能模仿，不能創造，乃至因模仿而失去主體性的這一類的指責，這都是似是而非之論。我認爲他眞正的缺點，是在不能「與人爲善」。這個「與」字，有推許，協同，助成等意義。中國與人爲善的最早例子，是尙書最後一篇秦誓上所說的「人之有技，若已有之；人之彥聖，其心好之，不啻如自其口出，是（實）能容之」的一段話。後人因爲這一段話，竟以爲孔子預知秦將繼周，所以尙書終於秦誓，這當然是出於附會，但亦可見「與人爲善」的精神，在中國文化中，是看作和「好善」的精神，同等重要；並且認爲自己好善的人便會與人爲善，二者是一個精神的連貫。可是日本民族，在這一點上並沒有連貫下來。自己好善，卻並不與人爲善，甚至走向相反的方向。

關於這一點，我可以舉兩個小的例子，其實也並不算小。我在日本陸軍士官學校求學的時候，日本敎官對於中國學生，在敎課上總是採取保留的態度。和日本學生同樣的戰術作業，但教官並不發給同樣的原案，日本學生用的原案印成「講授錄」出賣的時候，決不許中國學生買。後來有的中國同學花多錢買到一兩部，我也偷着看過，內容固然比發給中國學生者精彩，但由現在看起來也實在尋常，更說不上有什麼國防秘密。這不僅是士官學校如此，更不是我那一期如此，所有中國人在日本受軍事教育的都是如此。因此，凡是稍爲有點良心血性的中國留日學生，沒有一個不是堅決反日的。日本人士，不想造就不願與日本作戰的中國人，而只想造就勢非與日本作戰不可，只是在作戰能力上比日本人差一點的中國人。這種想法，實近於可笑；但這是絕大多數的日本人士的想法。

和我鄰居的一位朋友，他是曾在日本某帝大學醫的。有一次，他慨嘆的和我說，「英美在中國所教育的醫學人才，它總想方法培養到底，所以中國好的醫生，多半出於這一系統。日本人在中國，在朝鮮，在臺灣，培植了大批的醫學人才；尤其是朝鮮臺灣，可以說是日本的醫學勢力圈。但日本人對於這些地區的醫學人才，決不像英美一樣，培植到底，而一般的只能使其當助手，當副教授；所以在醫學上站不到地位，這是日本文化政策的大失敗。」不過，這位朋友認這是日本的失敗，而日本人士或者認這是它的成功。有日本朋友問我：「爲什麼中國留英美的學生都很活躍。而留日的學生這樣多，卻不活躍呢？」我當時只笑着以政治的理由作答覆。其實，最根本的原因，是因爲日本的「支那通」乃至一般與中國有關的人士，從文化上也不肯和中國的留學生作誠懇的合作。許多做中國工作的日本人，只是以一時利用的心理來講中日親善，與中國人來往；所以中國的留日學生，除了品格太差的以外，大多數認爲和日本人在一起，不僅沒有好處，反要受各種不名譽的嫌疑。這是日本在文化這一部面上，幾十年來的積累所給我們的印象。

若在政治這一部面上，中日過去的關係，中國人可以忘去，但日本人自己不應當忘去。我總結的說一句，日本過去是把自己的前途，放在鄰國的衰亂以至滅亡的這一基本假定之上。只要中國多現出一分希望，日本便多增加一分對中國侵略的決心。正如我上面所引的秦誓的另一段話：「人之有技，冒疾（妒嫉）以惡之……是（實）不能容」。由一九二八年的濟南事變以至九一八事變、七七事變，都從這裏得到最眞實的解釋。結果，中國的建國失敗了，而日本也一樣的經過一度亡國之痛。所以秦誓對於那種妒嫉他人爲善的人所下的結論是「以不能保我子孫黎民，亦曰殆（危）哉」。這是日本人士今日所應眞正接受的古訓。

戰後日本不樂與人爲善的心理，卽妒嫉爲善的心理，更向兩個方向發展，益增加日本的混亂與困難。一是表現在日本自由主義者及右翼分子的反美的情緒之上。日本左翼份子反美，是可以理解的；日本對美國的政策有所批評，也可以說是當然的。但日本的自由主義者及右翼分子，反美反得如此的普遍和激烈，則只有上述的心理才能加以解釋。從最基本的政治利害看，從日本的地理形勢看，從日本的經濟條件看，我不認爲反美是日本自由主義者及右翼分子的出路。但日本的輿論，常超出常識之外去衡論日美關係乃至世界關係，使日本的國策，暗地裏常是動盪不定。我覺得這不是日本人士的認識力不足，而是上述的心理作用壓蔽了它的認識力。

另一方向，是正向日本自身伸展。日本人的好學的精神，守秩序的精神，尊師重道的精神，是我們素所感佩的。但現在日本各大學的學生，破壞社會的心理，超過了充實自己的心理。於是好學的精神低落，師生的情誼日薄，大家心裏總藏着一股怨氣，好像淘氣的小孩子，非把自己手上的玩具弄壞不可。弄壞以後又當如何，也和孩子一樣的不認眞的想下去；

這眞是最可悲嘆的現象。前不久，我的一位朋友赴美考察返臺，道經日本，特地到仙臺去看看他的母校。回來後，他向我說：「日本已經變樣了；學校已經不是戰前的學校」。而從東京到仙臺的火車，其亂糟糟的情形，連臺北到臺中的火車情形都趕不上」。這一切，是說明不樂與人爲善的心理，轉向到國內來以後，便形成對於社會的嫉視敵視心理，凡覺得不是我的東西，都不是可愛惜的東西；我不能支配現在，便只好打倒現在。這樣一來，日本對國外不樂與人爲善的心理，發展到危害了自己原有的好善的基本精神，而益增加了共產黨的破壞活動，延宕了日本進一步的發展。至於亞細亞現在許多國家，害怕日本的復興，不敢和日本合作，可以說是「事有必至，理有固然」。

日本人士戰後與外人來往，無形中喜歡流露出「叫窮」的口氣，這是當然的，戰爭毀滅了一個東方強大的帝國。但日本爲了自己策勵自己而叫窮，是可以的。爲了對美國外交的討價還價而叫窮，也是當然的。可是不可以在亞細亞之前叫窮。因爲在亞細亞中，日本還是居於比上不足，比下有餘的地位。所以日本在亞細亞，應當是先有所與，然後有所取。先多幫助人家，再想得到人家的幫助。最低限度，在精神上，在文化上，應當如此。這便叫作東方文化精神的「與人爲善」，便是以日本的新生來促成亞細亞的新生，只有新生的亞細亞，才能有眞正新生的日本。

日本人自己期待着自己，亞細亞也在期待着日本人。日本明治維新的偉業，是亞細亞人的光榮，是有色人種的光榮。但因不樂與人爲善的心理而使其鄰人未受其福，首受其害。在這種地方，日本人士應有勇氣作眞正精神的反省。不過，在我認識的少數日本友人間，不僅充份表現日本民族固有的好善精神，而且也充分流露出與人爲善的精神；則我上面的觀察，或者並不得當，或者日本的明智之士，在精神上已經有了大的反省了。

四三、五、二三　中央日報

中國自由社會的創發

孔子奠定了儒學基礎，同時也就是創發了中國的自由社會。我看，這是中國民族經過萬千苦難而尚能繼續生存發展的主要條件。

我這裏所說的自由社會，指的是一個人能憑藉自己的努力而可改進自己的地位而言。出現此一事實之艱難及其重大意義，將可由與其他古代社會的對比而得到了解。

古埃及古巴比倫和古印度，都是世界文明的發源地，對於人類的文明，都有過不少的貢獻。但在他們的文明中，尙沒有轉出一條使每一個人由自己的努力以改變自己地位的觀念與途徑。他們的統治階級，不須要階級以外的任何條件而即是統治階級。他們的被統治階級——奴隸、賤民，世世代代都是奴隸賤民，根本不能想像到在任何自主的條件之下能改變自己的地位，除非是叛亂。但古代的叛亂，從來不會解決這樣的問題，因爲他們根本缺少這種觀念。

再說到文明盛極一時的希臘羅馬。他們的國家，是由「自由人」這一階層構成的。在此一階層中，保持了個人能以自己的努力來改善自己地位的自由。這比古埃及、巴比倫、印度，誠然是前進了一大步。但自由人只是少數，佔多數的還是奴隸。在他們的政治觀念中，不認奴隸是國家中的構成分子；在他們的學問對象中，奴隸不是在「廣場」上或在「學園」裏可以受到教育，接受知識的人。他們的所謂「人」，決不是有一共同基點，可以享受基本權益的普遍性的人。在他們的文化中，根本缺乏「人類」的觀念。柏拉圖把人生而分爲金、銀、銅、鐵四品，即是此一現實的反映。西方「人類」的觀念，是來自耶穌。總結的說一句，他們時代中的大多數人，在精神及物質上，和牛馬乃至各種物件一樣，釘死在各自出生時的原有位置。歐洲的自由社會，可以說是由文藝復興和宗教改革才眞正開始的。

在上述完全無自由的社會，一切都凝結殭化，勢必向兩極發展。上層的只知道逐物欲生活，慢慢成了被繡衣錦的木偶。下層的無任何希望或機會的鼓勵，而眞正成爲既無爪牙之利，又無毛羽之豐的直立動物。即是在動物中也是條件最惡劣動物。社會的生機，活力，自然一步一步的枯竭下去，有如在大旱天裏的草木，最後只有枯萎以死。

我對於中國古代史沒有作過研究。但就人類進化的一般情形而論，當然有很長的一段時間，同樣是處於非自由的狀態。由非自由的狀態轉向自由的狀態，在孔子之前，在觀念上和事實上，一定已積累了許多準備工作；但到孔子才有其確定的方向，作了系統的努力。

孔子把非自由的社會轉向爲自由的社會所作的努力，可簡單的從兩方面說。一是以「學」與「教」的精神、方法，把人從「自然」中解放出來，以確立「人」的地位；使人可以從其作爲「自然物」之一的地位中，從本是作爲動物中之一的地位中，站立起來，能以各人自己的力量來變動在人的價值中的分位；可以由無德而進爲有德，可以由無能而進爲有能；除上智與下愚外，在德與能的各種層次中，一般人都可自主的上昇或下墜，不再和其他的動物一樣，限定於生下來的自然位置，一成而不可變。像「爲仁由己」的這一類的偉大啓示，在歐洲到了文藝復興時代的人文主義大師們才很明確的提了出來，他們因此而指出「自由」乃人之所以區別於其他動物的唯一標識；但中國在二千五百年前已由孔子很堅確的建立於「學」與「敎」的基礎之上了。中國學和敎的觀念，當然不始於孔子；可是使「學」與「敎」成爲普遍的人類的東西，則確係奠基於孔子。「有敎無類」這句話，在西方近代以前，幾乎不能說得出（斯圖噶派含有此類精神，但西方人不以它爲正統）。孔子常用「學不厭」「誨不倦」來表白他自己，站在歷史的觀點，才可以了解這是改變人類運命的驚天動地的大事。

其二：僅僅在人自身的德與能上面獲得了自由，若是在社會的地位上不能獲得自由，則前者會完全落空而無眞實的意義。因此，自由社會的成立，還要打破由歷史所自然形成的階級，使各個人能各以其自己的努力改變社會的階級地位。孔子根本沒有談過無產階級的社會（大同世界中仍有君臣），人類不會有無產階級的社會；以無階級相標榜的共產黨，其自身卽是最嚴酷的金字塔式的階級構造。孔子承認階級；（名分）但他竭力指出階級所應當憑藉以存在的條件，使人能獲得此種條件，因而可自由改變在階級中的位置。人在階級中有自由改變的機會，階級便由人類生命的桎梏而變成爲人類生命的鼓勵。孔子在這方面，是從兩方面提出他的主張：一是主張凡有某種地位的人，應該具備與某種地位相適應的「德」與「能」，此卽他「正名」的最根本意義。此一主張的另一意義，卽是沒有具備與其地位相稱的德與能的人，卽不應保有其地位。孔子尊重君臣的名分，是尊重政治中應有此一秩序的形式，並不是尊重某一特定的人君。他對於當時的各個人君，都是採取老師敎學生的態度，敎導他們應如何爲君，如何才配稱爲人君；這在論語禮記中是隨處可以看出的。他決不認爲某一人君的地位是不可變易。他想應公山拂擾之召，這是說明他贊成公山拂擾的叛亂行爲。關於「叛亂的人權」，歐洲在十八世紀才正式提出；但在中國，則由孔子而經過孟子以到荀子，早在理論上具備了明確的形態。董仲舒說孔子作春秋是「貶天子，退諸侯，討大夫」，董氏生在天下定於一尊的大一統的朝代，而特別強調此一微言大義，可見其是出自儒家的眞正傳承。可以說明孔子對於政治階級的眞正態度。孟子主爲匹夫匹婦向人君復仇，這是大家都知道的事實。卽在有若干地方受了法家（這是中國的極權思想）影響的荀子，也兩次提到「傳曰，從道不從君」，及「上下易位然後貞」，可見這不是他私人的創說，而是儒家的眞正傳承。道是每一個人所共同承認的，亦卽是大家站在平等的地位所承認的。把道放在君的上面，這是說明君不是代表階級的崇高，而係代表一種德與能的成就。因而君是由大家所承認的道來決定的，亦是間接由大家來決定的。

在另一方面，相應於上述的有位者必有其德，孔子更主張「有德者必有其位」。「君子」是貴族的尊稱；但在論語中則十分之九是指的有德的人，這卽說明，原屬於社會階級上的尊稱，一變而爲任何人由人格上的努力而卽可獲得的尊稱；此種尊稱，再不屬於客觀的限定，而收納在各個人主觀的主宰範圍之內。這樣，社會上還那裏能有「四種姓」這類的固定階級之存在呢？再從政治上說，孔子常夢見周公，想「爲東周」，這種政治上的抱負，不是處於平民地位所能實現的。形成孔子這種心理與願望的根據是出自有此德卽應有此位的觀點。所以孔子除了主張「親親」之外，更主張「賢賢」，主張「選賢擧能」。同時反對「官人以世」，春秋「譏世卿」，反對有一批人不論其德能之如何而固定的站在統治的地位。孔子認爲「親親」是一個內心德性的「見端」，是人的德性實踐的基點，所以在親親中，完全與社會階級問題不相關涉，這是稍有中國文化常識的人都可以了解的。儒家將君臣父子並稱，但對君臣與父子，徹底作兩樣的規定。「父子以天合」「君臣以義合」，所以「父子主恩，君臣主敬」或「主義」（敬與義在以前常互用），即是君臣的關係，是從屬於「義」之下，而應隨「義」來變動的。「賢賢」，是說明那一個人是「賢」，則政治上即應承認其是「賢」而使其獲得只有賢才可以擔任的職位。此一思想發展而成為中國二千多年來的選舉乃至科舉制度。科舉制度的流弊，我曾經痛切的指出過；但在另一方面，則選舉和科舉，都是使可由自己的努力以獲得政治上的地位的途徑，因而中國比歐洲早兩千年便擺脫了固定的貴族統治，使社會與朝廷得到交流，使每一人在政治中有其自力上進的機會，即是使每一個人能以其自力改變其社會地位的機會。這能不說是孔子創造了我們的歷史嗎？

我在這裏，只能粗略的指出孔子創發自由社會的一個輪廓，而不及作詳細的陳述，尤其是關於孔子對於「禮」的思想的詳細陳述；這是今人所最不了解，而實有加以詳細陳述之必要的問題，只好讓將來有機會時再說。可是由孔子所創發的自由社會，在歷史上並沒有徹底完成；這是因為政治中有一個基本問題沒有解決，即是政權的運用問題。儒家只指出人君可以「易位」，提出了「征誅」與「禪讓」的兩種易位形式，同時指出了操易位大權的應該是人民。但人民如何去行使此一大權，則沒有提出解答，而要等待今日民主政治的實現。所以孔子之教，延續了民族的命脈，並未能完全解決民族在政治這一方面的問題，因而中國歷史始陷於一治一亂的循環狀態。儒家之未能創造出民主政治的形式，原因很多；但若謂儒家精神會妨礙民主政治，這不是出於黑了良心的民族敵人，便是來自太無知識的文化買辦。由孔子思想在政治方面的正常發展，必然要走上民主政治的道路，而這種民主政治，是超過（不是反對）歐洲民主政治所憑藉以成立的功利主義，以奠基於人的最高理念的「仁」的基礎之上，使近代的民主政治因而更能得到純化，以解決僅從制度上所不能徹底解決的問題。站在中國人的立場，眞正尊重孔子的人，即應當爲民主政治而努力，使孔子的精神在政治方面能有一切實的着落。眞正嚮往民主政治的人，即應當發掘孔子的基本精神，使民主政治，能生根於自己偉大的傳統之中，和社會各種生活得到調和。偏私浮薄之徒，是不能了解此一問題，也決無法解決此一問題的。

四十三年九月二十八日中央日報孔誕紀念專號

釋論語「民無信不立」

——儒家政治思想之一考察

我在「荀子政治思想的解析」一文中（中華文化出版事業委員會出版之中國政治思想與制度史論集）曾提到近人蕭公權氏在其中國政治思想史中謂孔子敎民重於養民，恐怕係誤解了論語「自古皆有死，民無信不立」的一段話。我認爲孔子主張「去食」而不去信，是要政府不可因財政困難而輕作失信於民的措施。孔子斷無民可以餓死而民之信不可放鬆的意思。當時我之所以作此論斷，只是根據先秦儒家政治思想的基本精神作一推論，並未暇作文獻上的考查。該文刋出後不久，有位熱心的讀者來信說在同一論集裏張其昀先生的「中國政治哲學的本原」中解釋這一句話時以爲「民信卽爲國民之共同信仰與思想，釋以今語，是謂主義，儒家最大之努力，卽爲確定吾民族立國之主義，以發揚民族之精神與道德。」（三頁）該讀者覺得張先生的解釋，似乎和我的解釋不同，到底那對那不對，希望我作一答覆。我感到對於古典的解釋，多少總會受到解釋等所處的時代乃至個人地位的影響，此在我國西漢時代已甚顯著，此類解釋，與文獻原意之是否相符，並無關係，沒有論列的必要。但這句話的解釋，在中國過去的註釋家中，早發生歧異；而這種歧異裏面，實包含有一種政治上的觀點不同，關係於政治思想史者頗大。爰稍加疏導，以供留心中國政治思想史的人的參考。

一

論語顏淵第十二有下面這樣一段話；

子貢問政，子曰，足食足兵，民信之矣。子貢曰，必不得已而去，於斯三者何先？曰，去兵。子貢曰，必不得已而去，於斯二者何先？曰，去食。自古皆有死，民無信不立。

後來程伊川說：「孔門弟子善問，直窮到底。如此章者，非子貢不能問，非聖人不能答」。可見這一段簡單的問答中，實具備了孔子政治思想的具體輪廓。誤解了這一段話，不僅誤解了孔子的政治思想，並且也會誤解到孔子學術思想的基本精神。但是對這一段話的誤解，其來已非一日。而這種誤解，是隨專制政治逐漸掩沒了原始儒家的政治思想而加深的。

鄭康成註這一段說：

「言人所特急者食也。自古皆有死，必不得已，食又可去也。民無信不立，言民所最急者信也」。

鄭注之意，信是就人民本身說的。將鄭註釋以今語，人民寧可餓死而不可無信。皇侃疏引李充曰：

「朝聞道夕死，孔子之所貴；捨生取義，孟軻之所尚。自古有不亡之道，而無有不死之人，故有殺身非喪己，苟存非不亡也」。

李充的說法，可以看作是鄭注的一種補充理由。但是何晏的論語集解卻引孔安國注謂：

「死者古今常道，人皆有之。治邦不可失信」。

照孔注的意思，信是就統治者自身說的。將孔注釋爲今語，統治着寧可自己餓死而不可失信於民。劉寶楠論語正義以食爲「制國用」的「食政」，等於今日之財政。民信是「上與民以信」。因爲古來「咸以信爲政要」。足食足兵民信爲「三政」。去兵謂「去力役之征」。去食謂「凡賦稅皆蠲除」。自古皆有死，民無信不立者，謂「自古人皆有死，死而君德無所可譏，民心終未能忘，雖死之日，猶生之年」，這完全是引伸孔義。與鄭注分明是相反。

朱元晦論語集注對此的解釋是：

「民無食必死，然死者人之所必不免；無信，則雖生而無以自立，不若死之爲安。故寧死而不失信於民，使民亦寧死而不失信於我」。

朱注主要的意思是說民寧餓死而不失信於統治者。但他下這樣的解釋時，心裏多少感到有點不安，所以揷進「寧死而不失信於民」一句，於是「自古皆有死」之死，變成爲統治者與被統治者的共死，朱元晦的態度是謹愼而調和。但在文理上多少有點附益之嫌。

二

然則在上述三種不同的解釋中，究竟以那一解釋爲合於孔子的原意？這要就論語本身來取證。

論語上提到信字，可分爲兩大類。一種是就士的操持上講的；如「弟子入則孝，出則弟，謹而信」之信。及「主忠信」之信。一種是就政治上來講的；如「信而後勞其民」之信，及「敬事而信」之信。前一種「信」是人的一種德性，是每一個人所當持守的。後一種信，是政治上的一種條件，是說統治者必自己做到信的條件，以使人民能相信它。這種信是對於統治者提出的要求。而不是對人民提出的要求。先秦儒家，凡是在政治上所提出的要求，都是對統治者而言，都是責備統治者，而不是責備人民，這可以說是一個「通義」，此即「德治」的本質。論語子貢問政這一條，足食足兵，民信，分明都是就爲政者本身說的三個條件。民信的信，自然不是對人民的要求，而只是對統治者的要求。所以孔注，尤其是劉寶楠的正義，將食釋爲「食政」，即政府的財政，民信是統治者寧死亦不失信於民，最能得孔子的原意。以共黨的殘暴，尙且發明一百多種吃樹皮草根及觀音土等救濟饑餓的方法，孔子豈有站在政治立場上會說「人民寧可餓死」之理。鄭君雖在此處把信解釋為對人民的要求，但當他箋毛詩下武篇時則謂「王道尚信」，「王者之道成於信」；蓋在政治上所說的信，無不係對統治者以立言。皇本此章「民信」上有「令」字，成為「令民信之矣」。「無信」作「不信」，成為「民不信不立」。我雖不能斷定皇本與現行之孰眞孰訛，然由此可以證明孔注乃一般流行之通說。後來王若虛論語辨惑中解釋這最為清楚。「夫民信之者，為民所信也。民無信者，不為民信也。為政而至於不為民信，則號令輕，紀綱日弛，賞不足勸，而罰不可懲，委靡頹墮，無（任何）事不能立矣，故寧去食而不可失信」（滹南遺老集卷六）。

朱元晦注釋的錯誤，是從一個更大的錯誤來的。孔孟乃至先秦儒家，在修己方面所提出的標準。亦卽在學術上所立的標準，和在治人方面所提出的標準，亦卽在政治上所立的標準，顯然是不同的。修己的學術上的標準，總是將自然生命不斷底向德性上提，決不在自然生命上立足。決不在自然生命的要求上安設價值。治人的政治上的標準，當然還是承認德性的標準；但這只是居於第二的地位，而必以人民的自然生命的要求居於第一的地位。治人的政治上的價值，首先是安設在人民的自然生命的要求之上；其他價值，必附麗於此一價值而始有其價值。孔子在修己上主張「居無求安，食無求飽」；甚至要求「殺身成仁」。但在政治方面，則只是「節用而愛民」，「因民之利而利之」，以至「老者安之，少者懷之」。孟子對士的主張是「尚志」，是「仁義而已矣」；但在政治方面則認為「救死而恐不贍，奚暇治禮義哉」，可見他認救死比禮義重要。而他之所謂「王道」，歸結起來也只是「老者衣帛食肉，黎民不饑不寒」；他的所謂仁政只是「所（民）欲與之聚之，所惡勿施爾也」。此一用意，在大學說得更為明顯。誠意正心修身，是對政治負責人自己說的；而對人民來說，則只是「民之所好好之，民之所惡惡之」。王陽明說得最徹底。民之好惡，就是至善（止于至善），這種修己與治人之標準的不同。是了解中國先秦儒家思想的一大關鍵。但這一關鍵，到後來便慢慢糢糢了。常常把修己的德性，混淆爲政治上對人民所要求的標準；於是兩漢以後，儒家政治思想的精神脈絡，除極少數人外，常隱沒而不彰；程朱在這一點上也不知不覺的陷於此一錯誤。朱注認信爲「民德」，爲「人之所固有」，所以覺得人民卽使餓死也要他們守而不失，這是以儒家修己之道責之人民。但他對一部論語一直解到死。其用心眞可謂入微入細；內心當然感到統治者自己站在人民上面去要求人民爲信而死。這種片面的要求。總有點說不過去；所以便把統治者與人民綰帶在一起，而成爲統治者與人民共爲信而死，這似乎解釋得更爲圓滿了。但這種圓滿仍與孔孟的基本精神不合，孔孟對於統治者和人民，從不作同等的要求。所以對於敎養的關係，都是養先敎後，養重於敎的。

三

養與敎的關係，不僅是政治上的一種程序問題，而實係政治上的基本方向問題。儒家之養重於敎，是說明人民自然生命的本身卽是政治的目的；其他設施，只是爲達到此一目的的手段。這種以人民自然生命之生存爲目的的政治思想，其中實含有「天賦人權」的用意。所謂天賦人權，是說明人的基本權利是生而就有，不受其他任何人爲東西的規定限制的。承認人權是出於天賦，然後人權才成爲不可動搖，人的生存才眞能得到保障；所以政治的根本目的，只在於保障此種基本人權，使政治係爲人民而存在，人民不是爲政治而存在。較儒家爲晚出的法家，以耕戰之民，爲富國強兵的手段；人民自己生存的本身不是目的，由人民的生存而達到富國強兵才是目的，於是人民直接成爲政治上之一種工具，間接即成爲統治者之一種工具，這樣一來，人民生存之權不在於自己而在於統治者之是否需要，這是中國古代的法西斯思想，當然是與儒家根本不能相容的。固然「飽食暖衣而無教，則近於禽獸」，儒家不是不重視敎；但儒家之所謂教，只是「申之以孝弟之義」，「皆所以明人倫」，這是就每一個人的基本行爲而啓示以基本規範；其敎之所成就，依然是直接屬於每一個人的自身，這與「概念」性的東西並不相同，亦即與今日一般之所謂「主義」完全異致。不過，這種敎的根據雖然是人性所固有，而「立敎」則保出自人爲。統治者若以立敎爲自己的最高任務，則不管敎的內容如何，自然會流於以政治的強制力量，強制人民服從自己所認定的眞理或價值，認定人民係爲實現此一眞理或價值而存在。假定他所要求者並無錯誤，但每人實現眞理與價值之層次不能相同，於是人民生存之價值亦因之而各異，勢必如柏拉圖將人分爲金銀銅鐵四等，亦必如今日共產黨將人分爲許多不可逾越的階級；平等底基本人權便不能成立。加以用政治強制的力量去推行眞理或價值，即係某一眞理或價值自身的殭化，而妨礙壓迫了人性無限底可能性之發展。因此，以立敎爲第一的政府，勢必流於極權政府。何況根據人類歷史的經驗，權力是發現眞理與價值的最大障礙。統治者常常把自己的權力意志以各種方式神化爲眞理與價值；於是表面上要人民爲此眞理與價值而犧牲，實際就是要人民爲其權力意志而犧牲，這更是古今中外的通例。所以先秦的儒家，自己是站在社會上去立敎；站在社會上立敎，乃是信任人類理性的自由選擇，而不是出之於強制要求。在政治上，只要求統治者自己有德，而以尊重人民的好惡爲統治者有德的最高表現。只要求統治者提供敎育的工具——學校，只要求統治者以「身教」而不以「言教」。言教乃是師儒立教之事，統治者是要自己通過師傅、諫諍、輿論，來終身受教的。自己不肯受教而常想去立教的人君，在儒家看來，乃非昏卽暴的人君。今人所說的「政教合一」，這不過是酋長政治的遺風，決非儒家精神所允許。從前人君到學校去要行「釋奠」之禮以祭先師先儒，這是說明「教」不是來自人君而係自有其源頭。並且站在政治立場以言教，不過是一種最低調的人生規範，以及應用材能；決不涉及什麼概念性底、哲學性底東西。卽令是如此，也依然要放在「養」的後面，以表示這種教是爲養而存在，亦卽是爲人民的自然生命而存在；只是以教來加強自然生命，而決不是以教來抹煞自然生命的存在。用現在的話說，卽是不以任何思想或主義來動搖天賦人權。儒家在政治方面的這種大方向，可謂昭如日星。我之所以常常說儒家精神通於民主政治，我之所以反對蕭公權氏孔子是教重於養的說法，其原因卽在於此。這是儒家與極權主義的大分界。因今日共產黨之出現而此一分界的重大意義，已經是更爲明顯。假使這一點沒有弄清楚，就對於以「生」爲價值根源的（生生之謂易，天地之大德曰生）儒家精神，不算有了眞正的了解。

至於有人把「民信之矣」的「信」解釋爲今日流行的所謂「主義」，意思是說人民可以餓死而不能不信主義；主義在何處？是在統治者的口中。這樣一來，卽是人民可以餓死而對統治者不可不擁護。這樣來講中國文化，要中國文化無形的爲專制極權服務，恐怕是中國文化所不能接受的。

四四、元月、日　祖國周刊九卷十一期

釋論語的「仁」—

屈萬里先生在「仁字涵義之史的觀察」的大文中（見民主評論五卷二十三期），指出仁字出現得很晚；而論語上所說的仁，和孟子以後所說的仁，內容上有廣狹之不同；這確係事實。但論語這種內容廣泛的仁字，是否能找出一個中心觀念加以貫串，因而了解其在文化史上到底有一種什麼確定的意義，去歲孔子誕辰我在臺中省立師範學校的講演中，曾作過一次初步的嘗試。現更寫此文，略加闡述。若因此而對孔學精神之發掘，能稍有所裨補，則始願誠不及此。

一

首先我們根據下述三端，可以確定「孔學」即是「仁學」。孔子乃至孔門所追求，所實踐的都是以一個仁字爲中心。

第一、孔子下面的一段話，可以看作是他的自述。

「君子去仁，惡乎成名。君子無終食之間違仁。造次必於是，顛沛必於是」。（里仁）

同時公認爲最後傳孔子之學的曾子，他下面所說的一段話，正是孔子的話的申述。

「士不可以不弘毅，任重而道遠。仁以爲己任，不亦重乎？死而後已，不亦遠乎？」（泰伯）

第二、孔子博學多能，但一切都是從一個中心點出發，並歸結到一個中心點。這個中心點卽是「仁」。孔子說：

「參乎，吾道一以貫之。曾子曰唯。子出，門人問曰，何謂也。曾子曰，夫子之道，忠恕而已矣」。（里仁）

「子曰，賜也，汝以予爲多學而識之者與？對曰，然。非與？曰，非也。予一以貫之，」（衞靈公）。

「子貢問曰，有一言而可以終身行之者乎？子曰，其恕乎？己所不欲，勿施於人。」（同上）

孟子證以「強恕而行，爲仁莫近焉」的話，一以貫之的忠恕，也正是「爲仁」。

第三、孔子對於門弟子好學不好學的批評，也是以仁爲標準。「季康子問弟子孰爲好學，孔子對曰，有顏回者好學，不幸短命死矣」（先進）。「哀公問弟子孰爲好學，孔子對曰，有顏回者好學。不遷怒，不貳過，今也則亡，未聞好學者也」。（雍也）孔子爲什麼特別稱顏子爲好學呢？因爲

「回也其心三月不違仁。其餘則日月至焉而已矣」（雍也）。

由上所述，可知論語一書，應該是一部「仁書」。即是應該用「仁」的觀念去貫穿全部論語，才算眞正讀懂了論語。但是，問題的關鍵還是在：「仁」到底指謂的是什麼？孔子對於門弟子問仁的答覆，不僅因人而不同；即使對於同一個人的答覆，前後也常不一致。例如樊遲一個人問了三次，孔子便有三種的答法。

「樊遲問仁，曰，仁者先難而後獲，可謂仁矣」（雍也）。

「樊遲問仁，子曰，愛人……」（顏淵）。

「樊遲問仁，子曰，居處恭，執事敬，與人忠。雖之夷狄，不可廢也」（子路）。

在同問而異答中，仁的概念，若不是從彼此內在的關連中所發展出來的一個高級概念，則此概念之自身可說是毫無內容，其概括性只像一隻裝雜貨的籃子。這種概括是可有可無

的。論語上所說的仁，不應該是這樣。

其次，論語上所說的仁，有時好像是遠在天邊。孔子自己說「若聖與仁，則吾豈敢」（述而）。孔子在當時已被人稱爲聖人，尙且不敢以仁自居，可見仁的境界是無限的。但他卻又說「仁遠乎哉，我欲仁，斯仁至矣」（同上），這又簡直是近在眼前了。同時，仁人好像到處都有，又好像到處都沒有。他說「里仁爲美，擇不處仁，焉得智」（里仁）；這豈不是到處都有。但孟武伯問子路、冉求、公西華算不算得仁，他都說「不知其仁也」。子張問令尹子文及陳文子算不算得仁，他乾脆說「焉得仁」（以上均見公冶長）。前者是自己的高弟，後者是一代的聞人。則孔子心目中除了顏子三月不違仁之外，並世實在找不出够稱仁的人。這種「高不可階」，和「當下卽是」的兩種境界，在孔子仁底概念中，到底有沒有一種內在底關連，而不至是一個迷離惝恍，不可捉摸的東西呢？

× × ×

孔子答覆樊遲問仁中之一，是「仁者愛人」。論語有許多與「愛人」相關連的意思。到了孟子說到仁的時候，便多從愛人這一點上去引伸發揮。西漢董仲舒的春秋繁露仁義法篇說「仁之爲言人也。仁之法在愛人，不在愛我」。這當然是繼承「仁者愛人」的說法。許叔重說文解字仁字下云，「仁親也。從人二」。從人二，猶言從二人。卽仁要由人與人的關係而見。鄭康成禮記中庸注「仁讀如相人耦之人」。阮元謂，「人耦者，猶言爾我親愛之詞也」。凡漢儒釋仁，都從「愛人」立論。僅趙岐孟子存其心章注謂「天道好生，仁人亦好生。」此爲以「生」訓仁之始，似較「愛」爲深一層，然亦由愛而發。總上所述，可以說「愛人」確是仁的一種主要內容。但論語上所說的仁，固須涵有愛人之意，卻不可說愛人卽等於論語上所說的仁。愛人是在與人發生關涉的時候才會發生的。一個人的生活，尤其一個人的治學生活，並非完全在與人發生關涉之下進行。顏子「其心三月不違仁，其餘則日月至焉」，不可謂顏子在三個月之間是不斷的在愛人；而其他的人則只是間或的愛人。孔子對門弟子問仁的答覆，以答顏淵者的層次爲最高，其次爲答仲弓之問。對顏淵是說「克己復禮爲仁」，而終於非禮勿視聽言動。對仲弓說是「出門如見大賓」，而終於「在邦無怨，在家無怨」。這都是就個人律身修己上立論的，而並未向外關涉到人與人的關係，這便分明不能以「愛人」來盡仁字的意義。到了宋儒程朱，不以漢儒從外面人與人的關涉上去解釋仁爲滿足，而向內推進一步，或者在精神狀態方面去形容仁的境界；或者爲愛人尋求一個內在底根據。程明道說「仁者渾然與物同體」，又說「仁者以天地萬物爲一體」（二程遺書卷二二先生語一），這是愛人的一種最高的精神境界，也可以說是人之所以能愛人的一種最高根據。以後王陽明這一派言仁，多繼承此說。程伊川說「……後人遂以愛爲仁。……愛自是情，仁自是性，豈可專以愛爲仁」（遺書卷十八伊川先生語四）。伊川不主張專以愛爲仁，主要是來自他把性與情，亦卽性與心分作兩層來看的緣故，這裏不牽涉到此一問題。伊川常以「公」說明仁。如「仁道難名，惟公近之，非以公便爲仁」（遺書卷三二先生語三）。「仁之道，要之只消道一公字。公只是仁之理，不可將公便喚作仁」（遺書十五伊川先生語一）。就我看，他是提一「公」的觀念出來以作爲仁的表徵。所以能公，是由於仁。朱元晦繼承此說而將仁解釋爲「心之德，愛之理」（論語「孝弟也者，其爲仁之本與」注）。人何以能愛人，是因為有仁作根據，伊川與元晦的解釋，本身含有許多不易說清楚的地方，此處不能詳論。伊川曾說「自古元不曾有人解得仁字之義。須於道中與他分別出五常」。（遺書卷十五伊川先生語一）。他又曾覺得所有對於仁的解釋，都與論語所說的仁不盡相合，認為應把論語所有說仁的話都擺在一起來融會一番。可見「仁」對於他不算是解決了的問題，所以他覺得不如把仁義禮智信的五常，具體的擺出，以使人能抓住一個眞實意義。總之，宋儒說仁，是從外推到內。尤以明道的說法，漸與論語原始精神相近。但他所說的，是一個現成的境界，此一境界，可以爲論語上之仁所含攝。不過論語上說仁，多從實際踐履上立論，亦即多從工夫上立論。程明道們的說法，超過了這一點，亦即是忽略了這一點，所以也不能與論語上所說的仁，完全吻合無間。

二

我以爲要了解論語上的仁，首先應該有點文化史的觀點。

「知道你自己」的反省口號，是人類眞正道德成立的開端。同時，這句口號，也常常被人「視爲終極底道德及宗教的法則」。希臘在蘇格拉底出世以前，在自然學方面已經有相當高度成就。蘇格拉底在這一點上並沒有什麼特殊的貢獻。蘇格拉底之所以在希臘思想史上能夠劃一個時代，只是因爲他遺留了一個「人是什麼」的這一發問。希臘文化，到了蘇格拉底，才由向外的向自然的好奇性底追求，轉而爲向人自身的反省。在一切動物中，只有人是能以其自身作爲問題的動物；即是只有人才能自反自覺，所以只有人才能發生倫理道德的問題。但任何民族，一定要其文化發展到了相當的高度，才能引其自反自覺。有了自反自覺以後，此一文化系統才算眞正生穩了根。蘇格拉底不僅在自然學在理論學上無新底貢獻，甚至他也不曾遺留着有系統底倫理學說。但他畢竟是希臘文化發展過程中的一個重大的里程碑；希臘的人間學，希臘的倫理道德的根源，畢竟不能不導源於蘇格拉底；這是因爲希臘文化到了他才開始了人自身的反省，自覺。但是，希臘文化，是以自然學爲基底，自然學是知性向外活動的結果，以蘇格拉底爲代表的反省，依然是順着這一條道路。知性活動的特色是主客分明，計算清楚。於是希臘的倫理道德，只能停止在節制，勇氣，正義的這一階段。而希臘正義之神，手上是拿着天秤，並含有罪罰補償的意義。這是由外在的計算以求「人」與「我」間能得其平的意思，這沒有達到孔子所說的仁的境界。換言之，希臘文化的反省，不曾轉出仁的觀念。

中國文化，大約從周公已經開始了人文主義性格的構建。禮樂是人文主義的徵表，而這恰是周公的最大成就之一。但概略底說，周公所制作的禮樂，一方面因當時階級的限制，只限於貴族而不能下逮於庶人；另一方面，即使是對貴族自身而言，禮樂在生活上，也只有分別和節制與調和的作用；這是外在底人文主義。通過人生的自覺反省，將周公外在底人文主義轉化而爲內發底道德底人文主義；此種人文主義，外可以突破社會階級的限制，內可以突破個人生理的制約，爲人類自己開闢出無限的生機，無限的境界，這是孔子在文化上繼承周公之後而超過了周公制禮作樂的最大勳業。他一面說「周監於二代，郁郁乎文哉，吾從周」；一面又說「禮云禮云，玉帛云乎哉。樂云樂云，鐘鼓云乎哉」。「人而不仁，如禮何。人而不仁，如樂何」。這分明指出了他由繼承而轉換的眞消息。經過此一轉換，中國文化的道德性格，才眞正底建立了起來。而轉換的動力，樞機，乃至目標，就是論語上所說的仁。論語上所說的仁，是中國文化由外向內的反省，自覺，及由此反省，自覺而發生的對「人」，對「己」的要求與努力的大標誌。「愛人」，乃是自反自覺之一個結果，若僅就個人來說，這本是主觀的東西。但就其每一人皆可以有此自反自覺以達到此狀態及要求與努力來說，同時又是客觀底。所以孔子可以將其概括爲一個「仁」的觀念以作爲「學」的最高標準。以下我試就此加以解釋。

首先我認爲追求一個名詞的語源，可以發現文化概念的源流演變之跡，但決不可以語源的意義，作爲衡斷文化中某一概念的是非得失的標準。因爲語言所代表的概念，是不斷底在演變；而且是由人不斷底作意識底創造和增加的。假定硬說千年以後的某一概念，卽同於千年以前的某一概念，這固然是危險。但硬拿千年以前的某一概念，以限定或否定千年以後的某一概念，同樣也是非常的不合理。希臘的 Logos，由語言而演變爲近於中國之所謂「道」的性質，我們固然由此可以了解希臘文化中的論理底性格；但豈可以初期 Logos 的概念限定或否認後朝的 Logos 的概念？清儒以及近人對於宋明理學中常用的名詞做了若干追溯語源的工作；假定以此種工作辨明宋明儒所使用的名詞與宋明儒以前的同一名詞，其內涵實大有出入，這是有意義的。假定想以此種方法作爲漢學宋學之爭的一種武器，那便毫無意義。就仁字來說，從語源字形上來釋仁爲愛，到現在也迄無確定不移的說法。許叔重仁「從人二」的解釋，在今日文字中已成爲疑問；於是根據「二人爲仁」以作爲釋「仁者愛人」的立論根據的，都受到動搖。仁字造字的意義，到現在爲止，似乎還不能十分明瞭。不過仁字出現得很晚；在仁字未出現以前，「人」有時卽是仁；卽仁字出現以後，人與仁也常通用，這是不會錯的。如論語「問管仲，曰人也」。此「人」字當卽係仁字。因此，我認仁字最初的解釋卽是「仁者人也」。仁字的意義，卽由此而引伸發展。禮記中之表記，中庸，皆謂「仁者人也」。孟子亦謂「仁也者人也」。可證這是先秦時對仁字的一種基本底，共同底解釋。董仲舒春秋繁露仁義法第二十九謂「仁之爲言人也」，尙承此訓。但因爲董氏要限定仁之義爲愛人。乃將「仁」與「義」相對，一轉而說成「仁之於人」，再轉而說成「仁之法在愛人」，將「仁者人也」一語，憑空添一「於」字，再添一「愛」字，以使「仁」字的字形與「仁者愛人」之義相合；我認爲這是「仁者人也」的派生之義，而不是本生之義。許氏「從人二」之說，大概由董說附會而來。「仁者人也」本生之義，我覺得原來只是說「所謂仁者，是很像樣的人」的意思。在許多人中，有若干人出乎一般人之上；爲了把這種很像樣的人和一般人有一個區別，於是後來另造了一個「仁」字。這應當卽是「仁者人也」的本義。這樣一來，屈先生在其大著中所引詩經兩處歌頌田獵的「美且仁」的話，便可加以解釋了；「漂亮，而且很像人樣子」。言其不是婦人女子式的漂亮，而是丈夫氣概的漂亮。「仁者人也」第二步則發展而爲「所謂仁者，是眞正算得人的人」。此一句話，是含有純生理上的人，並不眞正算得是人；而應當在生理之上，追求一個人之所以爲人的根據的意思。眞西山謂「仁者人之所以爲人之理也」（眞西山文集卷三一問求仁），可謂是直承仁者人也的解釋。蘇格拉底所問的「人是什麼」？是一個人在反省的開端時從反面所發出的疑問；而「仁者人也」，是一個人在反省的開端時從正面所作的承當。由此，我便斷定，論語的仁的第一義是一個人面對自己而要求自己能眞正成爲一個人的自覺自反。眞能自覺自反的人便會有眞正的責任感。有眞正的責任感，便會產生無限向上之心。凡此，都是論語中仁字的含義，不消多作解釋的。道德底自覺自反，是由一個人的「憤」「悱」「恥」等不安之念而突破自己生理的制約性，以顯出自己的德性。德性突破了自己生理的制約而生命力上昇時，此時不復有人己對立的存在。於是對「己」的責任感，同時卽表現而爲對「人」的責任感；「人」的痛癢休戚，同時卽是己的痛癢休戚。於是根於對人的責任感而來的對人之愛，自然與根於對己的責任感而來的無限向上之心，渾而爲一。經過這種反省過程而來的「愛人」，乃出於一個人的生命中不容自己的要求，才是論語所說的「仁者愛人」的眞意。卽是先有「仁者仁也」的反省，自覺，然後才有「仁者愛人」的結論。在此結論以前的過程，皆是「爲仁」的工夫，亦卽是「仁」自身的逐步呈露；「爲仁」的工夫之所在，卽仁之所在。所以論語上的仁，眞正是「卽工夫，卽本體」。而孔子對學生的教示，總是從工夫上以顯示仁體之意義爲多。其工夫的關鍵，端在一個人面對自己的反省，自覺；因爲只有這樣，才一開始便湊拍上了仁，有個眞實下手處。程明道常常以醫家的「痲木不仁」來從反面形容仁。沒有反省自覺的人，卽是對自己沒有感覺的痲木不仁之人。對自己痲木不仁，對他人當然更不會有休戚相關的感覺。因此，從反省自覺，及由反省自覺而來的切實向上的處所說仁，實在更把捉到了仁的精髓，較之從「愛人」方面去說仁，實更爲現成而深切。當然，人世間的愛，不一定要經過此種反省自覺的過程才有。但不經過此種過程所表現出的愛，多半是來自生理的慣性，有似乎佛家所謂由「執」而產生的「貪」「嗔」「痴」中之痴。這種愛的自身卽形成一種限制（如普通男女之愛等），隨時可以斷滅，更不能推擴而爲民胞物與的愛，卽所謂人類的愛。這種愛不是孔子所說的仁。希臘文化中也有愛的觀念，但主要是一種友誼的乃至知性對理念世界的思慕。在他們中間，沒有人類愛的思想，亦卽是沒有「仁」。西方人類愛的精神是來自基督。一個人跪在上帝面前否定了自己，同時即浮現出了人類。人類都是上帝的兒女，都是自己的弟兄，此時自然覺得應該愛神以及愛神之所愛。這樣才轉出人類愛的觀念。但宗教之愛，雖然有一自反的過程，可是宗教的自反，一開始後便投射到外面去讓神負責去了，所以這種愛對於人自身而言，依然有一間隔，不能達到渾然與物同體的境界。這裏不暇詳論。

三

以上所說的，主要是從「仁者人也」的古訓推演下來的。但這只能算是一種假定。若不能根據此一假定而將論語所說的「仁」，乃至論語的全副精神，作毫不牽強附會的解釋或翻譯，則上面所說的祇是信口開河；最大限度，也祇是我個人的一種想法看法。現在我試將上面所說的，應證到論語上去。

孔子說顏淵三月不違仁；而我們也把「君子無終食之間違仁，造次必於是，顛沛必於是」的話當作是孔子的自述，那末，孔子顏淵的生活，應該就是仁的現實印證。論語上有關孔子自身的：

「子曰，默而識之，學而不厭，誨人不倦，何有於我哉」（述而）。

「子曰，德之不修，學之不講（按就誨人說），聞義不能徙，不善不能改，是吾憂也」（同上）。

「葉公問孔子於子路，子路不對。子曰，汝奚不曰，其爲人也，發憤忘食，樂以忘憂，不知老之將至，云耳」（同上）。

「子曰若聖與仁，則吾豈敢？抑爲之不厭，誨人不倦，則可謂云爾已矣」（同上）。

「子曰，莫我知也夫。子貢曰，何爲其莫知子也。子曰，不怨天，不尤人。下學而上達。知我者，其天乎」（憲問）。

「子絕四，毋意，毋必，毋固，毋我」（子罕）。

「子路曰，願聞子之志。子曰，老者安之。朋友信之，少者懷之」（公冶長）。

「子路宿於石門，晨門曰，奚自？子路曰，自孔氏。曰，是知其不可而爲之者與」（憲問）。

「長沮桀溺，耦而耕。孔子過之，使子路問津焉。……桀溺曰……滔滔者天下皆是也，而誰以易之。且而與其從辟人之士也，豈若從辟世之士哉。耰而不輟。子路行以告，夫子憮然曰，鳥獸不可與同羣，吾非斯人之徒與而誰與。天下有道，丘不與易也」（微子）。

「子曰，自行束修以上，吾未嘗無誨焉」（述而）。

「互鄉童子難與言。童子見，門人惑。子曰，與其進也，不與其退也，唯何甚」（述而）。

「子曰，有敎無類」（衛靈公）。

「默而識之」的「默」，「是吾憂也」的「憂」，「發憤忘食」的「憤」，都是自反自覺的發端和功候。四「毋」是自反的工夫。「忘食」「忘憂」是由自反的責任感而來的無限向上的努力。「下學而上達」，是層層向上的歷程。「不怨天，不尤人」，是一個深切自反的人以一身承擔責任的心境。比這低一層次的是答仲弓問仁的「在邦無怨，在家無怨」。由自反的向上，是自己生命無待於外的擴大；生命因此種擴大而得到眞底安頓，圓滿，自己能够把握住自己的生命，便會「樂以忘憂」，此卽所謂「孔顏樂處」。生命之擴大，同時卽係由自然底生理底生命所形成的制約性之解除，於是對自己之責任感，同時卽涵攝著對人類之責任感；自己向上的努力，同時卽涵攝著希望人類向上的努力；所以「老安」「少懷」之願，實卽冥合于「忘憂」「忘食」之中。自己向上，係出於自反自覺的不容自己之心；希望人類之向上，也同樣出於自反自覺的不容自己之心。晨門說他是「知其不可而爲之」；他自己說「吾非斯人之徒與而誰與」，正是此種不容自己之心的流露。亦卽是其「滿腔都是惻隱之心」（程明道語）的流露。孔子實現其自己向上的是「學」，實現人類向上的是「誨」。「學不厭」，「誨不倦」，在他原是「人己雙成」的一件事。卽是他的仁。一般人之所以學而感到厭，誨而感到倦，乃係生命中有時麻木間斷的現象，亦卽係其有時而不仁。孔子對互鄉童子「與其進」「不與其退」之心，正是「知其不可而爲之」之心。此心之量，非達到「有敎無類」，盡衆生皆登聖域不可。我們可以說，從論語中所看出的孔子，完全是仁的自我實現。

顏淵的情形，論語上的記載是：

「哀公問弟子孰爲好學，孔子對曰，有顏回者好學，不遷怒，不貳過」（雍也）。

「子曰賢哉回也。一簞食，一瓢飲，在陋巷，人不堪其憂，回也不改其樂。賢哉回也」（同上）。

「曾子曰，以能問於不能，以多問於寡，有若無，實若虛，犯而不校。昔者吾友，嘗從事於斯矣」（泰伯）。（朱元晦對此的解釋是「顏子之心，唯知義理之無窮，不見物我之有間，故能如此」。）

「子曰，語之而不惰者，其回也與」（子罕）。

「子謂顏淵曰，惜乎吾見其進也，未見其止也」（同上）。

「子曰，回也非助我者也。於吾言，無所不說」（先進）。

「子曰，回也其庶幾乎，屢空」（同上）。

「子曰，余與回言終日，如愚。退而省其私，亦足以發，回也不愚」。

「……顏淵曰，願無伐善，勿施勞」（公冶長）。

「顏淵喟然嘆曰，仰之彌高，鑽之彌堅。瞻之在前，忽焉在後。夫子循循然善誘人。博我以文，約我以禮。欲罷不能，既竭吾才。如有所立，卓爾。雖欲從之，末由也已」（子罕）。

顏淵的好學，即顏淵的不違仁。「人我無間」，「欲罷不能」，即是仁的眞切形容與解釋。他在尅己自反，無限向上的這一點上，與孔子大體相同，但在融攝擔當人類的全責任上，則不及孔子的充實彌滿。也就是說他還沒有能够盡仁之量。

再就孔子一般教人來說，他認爲完全不知自覺自反的人，即無從施敎。「不憤不啓，不悱不發」（述而）。「不曰如之何如之何者，吾末如之何也已矣」（衞靈公），因爲這是麻木不仁之人。所以，孔門入德之門，主要是由自反而來的改過遷善。「見賢思齊焉，見不賢而內自省也」（里仁）。「已矣乎，吾未能見其過而內自訟者也」（公冶長）。「行已有恥」（憲問）。「君子恥其言而過其行」（同上）。「過則不憚改」。「見善如不及，見不善如探湯」，這類精神，在論語中隨處可見。這都是「爲仁」的工夫，同時也就是仁。自覺自反是求之在己，這便是所謂「古之學者爲己」（憲問），「及君子求諸己」（衞靈公）。能自反的人，一定是篤實不欺的人，所以論語特重視忠信。除分別言忠言信者不計外，將忠信合舉者即有六處之多，而且分量都是很重的。

「子曰，主忠信，無友不如己者」（學而）。

「子曰，十室之邑，必有忠信如丘者焉，不如丘之好學也」（公冶長）。

「子以四教，文行忠信」（述而）。

「主忠信，毋友不如己者，過則勿憚改」（子罕）。

「子張問行，子曰，言忠信，行篤敬，雖蠻貊之邦行矣」（衞靈公）。

「子張問崇德辨惑，子曰，主忠信，徙義，崇德也」（顏淵）。

忠信是由自反而來的仁的實踐，同時也是由自反而來的仁的初步實現。所以孔子便常常以忠信爲論仁的標準，即此可見孔門之論學；亦即孔門之論仁。

「子曰巧言令色，鮮仁矣」（學而）。這是忠信的反面。

「或曰，雍也仁而不佞。子曰，焉用佞。禦人以口給，屢憎於人，不知其仁，焉用佞」（公冶長）。妄也是與忠信相反。

「剛毅木訥近仁」（子路）。因爲這是忠信的表現。

「樊遲問仁，曰，仁者先難而後獲，可謂仁矣」（雍也）。司馬牛問仁，子曰，仁者其言也訒。……爲之難，言之得無訒乎」（顏淵）。這都是忠信之一端。

「樊遲問仁。子曰，居處恭，執事敬，與人忠，雖之夷狄，不可廢也」（子路）。這等於是「主忠信」的複述。孔子答樊遲之問仁，與他答子張之「問行」「問崇德」的話，完全相同。而子夏以「博學而篤志，切問而近思，仁在其中矣」（子張），這分明是以求學即是求仁。孔子答仲弓問仁是「出門如見大賓，使民如承大祭。己所不欲，勿施於人」（顏淵）；這和他答子路問君子之「修己以敬……修己以安人」的內容也可以說是完全一樣。由此可以斷言，仁在孔子的心目中，不是與其他學問相對而成爲特定之一物，乃是由自反自覺而來之責任感及由責任感而來之向上的精神與實踐。這是學問的動力，同時又是學問的內容。論語上常常是「學」與「仁」不分的。這是孔子之所謂「學」的特性。

四

以上所引證的多是論語上就一般人實踐著手處的一端一節以立論。對於「爲仁」的工夫次第以及含攝仁之全量的敍述，只有在答顏淵問仁及子貢問仁兩章中說得較爲清楚。所以我在這裏略加疏解。

> 「顏淵問仁，子曰，克己復禮爲仁，一日克己復禮，天下歸仁焉。爲仁由己，而由人乎哉。顏淵曰，請問其目。子曰，非禮勿視，非禮勿聽，非禮勿言，非禮勿動。顏淵曰，回雖不敏請事斯語矣」（顏淵）。

「己」是自然底，生理底生命。「克己」是在自反自覺中突破自然底生理底生命之制約。「禮」在孔子已轉化而爲人所固有的德性及德性的表徵。「復禮」是恢復人所固有的德性以顯露人之所以爲人的價值。「天下歸仁」是說一個人由「克己」而恢復了自己的德性，亦即是恢復了仁以後，天下同時卽含攝於我之仁中。「我」與「天下」原爲一體；但被我的自然底生命所隔斷了。現在旣由自反自覺而突破了自然底生命（克己）以恢復了作爲人之根源的德性——仁，則與「我」限隔了的「天下」，依然回到（歸）我的仁內，天下與我復合而爲一了。「爲仁由己，而由人乎哉」是說明一個人的實現仁，是要經過自反自覺的向內底實踐；并非有待於外在底條件。論語上所說的仁，皆係兼「人」「己」而爲言。而工夫則必須從「爲己」「克己」這一方面開始；這樣，「人」乃能在「己」的生命中生下根，進而與「己」渾而爲一，這樣便可極乎「天下歸仁」之量。自來注釋家，不曾把「天下歸仁」的意義解釋清楚；（如朱元晦謂「一日克己復禮，則天下之人皆與其仁。極言其效之甚速而至大也」。孔子豈會作此誇張之論）所以對於孔子這一段「即工夫，即本體」的敘述，沒有能够完全了解。

「子貢曰，如有博施於民，而能濟衆何如？可謂仁乎？子曰，何事於仁，必也聖乎？堯舜其猶病諸。夫仁者，己欲立，而立人。己欲達，而達人。能近取譬，可謂仁之方也矣」（雍也）。

子貢所問的，實在很難答覆。因爲他所提出的全是外在的條件。若以此爲仁，則不僅埋沒了由克己所迫進到裏面去的一段深切爲己的工夫；並且也斷絕了一般無財無位者的「爲仁」之路。若僅從外在的條件以爲衡斷仁的標準，則今日大資本家捐施百千萬金元的慈善事業，其價値豈不超過了杏壇設敎，鹿苑談經，山上垂訓？但孔子「人我兼攝」的仁，雖不以濟衆爲決定仁的基本條件，但不能否認濟衆爲仁所要達到的客觀的目的。若逕直斷定濟衆不是仁，則抹煞了仁所應有的客觀底，社會底功用，或且流於遁世之士的孤明自守。所以孔子用「何事於仁，必也聖乎」的話將它閃開。這句話的意思不是說「這豈僅可以算得仁，一定要超過於仁的聖才能够」。當時一般所稱之「聖」，是以「智能」爲主。如「夫子聖矣乎，何其多能也」，這有如文藝復興時代「全能之人」的意味。孔子的意思是「你所說的博施濟衆，與仁無干；一定要全能的人才可以」。「何事於仁」是說「事於仁」的人未必能濟衆；能濟衆的人未必就是發於內心之仁。這很蘊藉底指出了子貢的好高騖遠，問得不得要領。孔子接着便很切近底將仁指點出來說「夫仁者，己欲立，而立人；己欲達，而達人。能近取譬，可謂仁之方也矣」。後來程伊川說「……嘗謂孔子之語仁以教人者，唯此爲盡。要之不出於公也」（二程遺書卷八二先生語）。程氏的話是不錯的，但這兩句話說來也沒有解釋得恰到好處。一般的意思以爲仁是在「而立人」「而達人」上表現出來；於是無形中把立己和立人，達己和達人，看作是兩件事，因而在談到「仁」的時候，重點自然落在立人達人的上面。殊不知孔子這句話，是把兩者說成一種必然底互相含攝的關係；在「立己」「達己」之內須必然底含攝着「立人」「達人」。在「立人」「達人」之內，須必然底來自「立己」「達己」。雖然下手是在己欲立己欲達，但就其自身的內在關連說，實是一事的兩面。其關鍵端在於由自反自覺而來的對人對己的一種不容自己之心。欲立欲達的「欲」字，卽爲此種不容自己之心的活動。要這樣去了解，才把握住了孔子所說的仁的結構和輪廓，才配說得上「唯此爲盡」。不然，則不僅世界上有許多自己向上，但並不同時想到他人也該同樣向上的人，卽是己欲立，但並不「而立人」的人，固然算不得仁。同時世界上也有許多自己偷惰苟且，而專責望他人作聖賢的人，卽是自己並不欲立欲達，但責望「人立」「人達」的人，未必就算得仁嗎？

根據以上的了解，我們應該可以承認一個人的自覺自反，乃「當下卽是」，所以孔子說「仁遠乎哉，我欲仁，斯仁至矣」。但由自覺自反而上，可以說是宇宙無窮，吾人之悲願，亦隨之而無窮；孔子亦不敢自謂能盡此仁之量，所以他只以實現仁的實踐工夫自信，而不敢以全量之仁自居。同時，仁的本體卽含攝着仁的工夫；仁的工夫亦卽是仁的本體。孔子平時所說的仁，多從「卽工夫，卽本體」上說；如「忠恕」「忠信」，「自訟」，「改過」，「見善如不及，見不善如探湯」，這都是實現仁的工夫，亦卽是仁的本體在各層次各方面中的顯露。工夫須就每一人來指點；每一個人的氣質、習性、成就，各有不同，於是孔子對於仁的指點，亦因而有各方面各層次的不同。然其基本精神殆無不可以互相貫通，會歸爲一的。還有：一個人由自反自覺的向上，可以「應跡」爲各種善行，因而可以由各種善行以觀人之仁，甚至於「觀過」也可以「知仁」（觀過斯知仁矣）。但一般人之善行或智能，並不一定是出自其自反自覺。所以對於子路冉求公西華之才能，及令尹子文之忠，陳文子之淸，皆不許以仁。還有，仁有次第有層次而無止境。若自覺其有一止境界限，卽不是仁。所以原憲問「克伐怨欲不行焉，可以爲仁矣。子曰，可以爲難矣。仁則吾不知也」（憲問）。後來程伊川謂「人無克伐怨欲四者便是仁也。只爲原憲著一個不行，不免有此心但不行也。故孔子謂可以爲難」（二程遺書卷十八伊川先生語四），伊川的意思是原憲所說的尙未成熟自然，故不許之以仁。其實，孔子就工夫上說仁時，皆是，「不免有此心」。假定原憲以克伐怨欲不行爲「爲仁之方」，孔子當然會加以證許。但原憲很自信底卽指此四種行爲是仁，這卽是一種有止境之心。有止境之心，卽不是仁的無窮無盡的不容自己之心；所以孔子給他當頭一捧，把他向上一提，使此一死語頓成活句。

論語上，孔子不許管子爲知禮，（管仲而知禮，孰不知禮）卻許管仲以仁，（如其仁，如其仁）於是日人津田左右吉在其「論語與孔子的思想」中覺得仁若是孔子的最高概念，而此處又把仁放在禮的下面，因此認爲論語是一部雜湊的書。殊不知要從當時夷狄的侵凌中保存華夏，這是孔子作春秋的一大因緣。管仲一匡天下，免華夏於被髮左衽，這和子貢所說的博施濟衆的架空的話，全不相同，孔子對此，心中是感到萬分的眞切。只看他說「民到於今受其賜；微管仲，吾其被髮左衽矣」的口氣，其眞切之情，可以想見。當時一般人對管仲之功，不能像孔子這樣感到眞切，乃因爲一般人缺少像孔子那樣對華夏的眞切責任感，亦卽是沒有孔子心中之仁。由孔子心中之仁而來的對管仲事功的眞切感，自然非許管仲以仁不可。此豈淺薄之徒所能體認於萬一。

此外，論語上，子游和曾子，都不許子張以仁。「子游曰，吾友張也，爲難能也。然而未仁」（子張）。「曾子曰，堂堂乎張也，難與並爲仁矣」（同上）。我們若僅以愛人爲仁，則子張所說的「君子尊賢而容衆，嘉善而矜不能」（同上）的話，縱然不能極仁之量，也不能在其同門高弟中獨蒙「未仁」，「難與並爲仁」之名。我認爲子張的言行，是從知解上來的意思爲多，從自反自覺中流出之意爲少。朱子說他「少誠實惻怛之意」，范氏謂「子張外有餘而內不足」，（皆見論語集注上引子游曾子條下），應該是對的。這正是我對仁的解釋的反證。因此，論語陽貨章孔子答子張問仁所說的「能行五者於天下，爲仁矣」的一段話，全從外面鋪排，與論語全書論仁的精神和語氣不合，我認爲這是經過子張的手而走了樣的話。其次，孔子答子貢問仁「工欲善其事」的一段，（衞靈公）也有同樣的毛病。

這裏還須附帶一提的是，論語上所說的仁，有時指的層次很底，如「里仁爲美」之仁，及「君子篤於親，則民興於仁」（泰伯）之仁，只不過是仁厚之意。但與仁的基本精神，不相違背。

五

所謂「五常」的仁、義、禮、智、信的名詞，均曾在論語中多次出現。中庸上所謂三達德的智、仁、勇，也曾在論語上很整齊的加以敍述（如仁者不憂，智者不惑，勇者不懼）。但是義、禮、信等名詞，對於仁來說，都是被仁所概括而爲其次級的概念。同時，觀於「仁者必有勇，勇者不必有仁」的說法，勇也可以概括於仁之中。所以在論語中，仁可以說是概括了全體；義、禮、信、勇，及恭、敬、忠、恕等等，都不是可與仁相平行，相對舉的概念。能與仁的概念可以看作是平行而眞正是對舉的，只有「智」的概念。「仁者靜，智者動」，「智者樂，仁者壽」，「仁者樂山，智者樂水」。仁是向內的沉潛，所以用一「靜」字去形容。智是向外的知解，所以用一「動」字去形容。仁向內以顯露道德主體，智向外以成就知識才能。仁雖爲孔學的骨幹，但孔子對於智，實已付與以一個與仁相平行的地位，以成就其「內外兼管」，「體用該備」的文化建構。

站在內底實踐底立場，論語將仁建立爲一極概括而統一底概念，自無不當。因爲如上所述，論語中的仁所概括的東西，實際是內底實踐的有機歷程。歷程的自身，自然形成一種統一，這是道德實踐的特性。但爲了立敎的關係，則須把這種內底實踐的內容，客觀化到外面來以使人接受了解，則原有之實踐，至此而成爲一種擺在外面的知識。知識的特性，根據現代思考心理學的研究，常常要求從極概括的知識概念中，漸漸作限定，分節，體系化的活動，以達到其自身的明確性。即是，智識常常是從非限定底，進而走向限定底。因此，論語上「兼攝人我」的仁的概念，到了孟子便分節化而成爲仁與義的兩個平行概念；於是孟子之所謂仁，主要是以愛人爲言；孟子之所謂義，主要是以自律爲言。孟子之倂言「仁義」，實係論語上仁的概念的分化。因此，就個人的修持實踐上來說，論語上主要的是「爲仁」，而孟子則爲主的是「集義」。仁則多半說爲政治方面的「仁心」「仁政」「不忍人之政」。這是董仲舒「以仁安人，以義正我。故仁之爲言人也，義之言我也」（春秋繁露仁義法第二十九）之所本，亦卽是漢儒專從愛人方面來解釋仁之所本。若僅從政治觀點來說，則釋仁爲愛人，對統治者而言，有由概念之限定而來的澄清確切的好處；誰也不能希望統治者都做內聖的工夫；而統治者的愛人，其功用亦可與仁以滿足。孟子和董仲舒，在以愛人來說仁時，恰都是從政治的觀點立論的。但如前所說，愛不是出自人我一體，則愛不算在生命中生了根，於是此種愛只能成爲一被限定之愛。被限定之愛的價值，根本是不能確定的。要人我一體，則只有從自己自反自覺的實踐工夫中翻騰上去，由「我」中轉出「人」，於是「人」乃非與「我」對立之人，愛乃成爲不容自已底無限底愛。所以就仁的本體來說，必兼攝「人」「我」以爲言；而且「克己」的工夫，亦卽是仁的本體。所以孟子依然要說「仁也者人也」，「仁者人心也」的話，非把仁收回到「人心」之內，而使其成爲一概括統一底概念不可。因此，宋儒不滿意漢儒僅從人與人的關係上去說仁，乃將仁轉到內底實踐上去，而極其量於天地萬物爲一體，比較上是與孔子的精神爲相合。淸人如阮元之流，僅由文字語言上拾漢儒之餘唾，欲以此而上迫宋儒之壘，張漢學之幟，亦徒見淸人在思想上之淺薄而已。

四四、三、十六、民主評論六卷六期

政治上的識與量

政治上須要有才能，更須要有識量。才能是表現在能把應做的事做好。識是能照見自己，也能了解他人；量是能容納他人，也能安頓自己。從歷史看：政治上由才能不足所引起的問題小，從識量不足所引起的問題大。古人說「士先器識而後文藝」；若就政治說：應當是「官先識量而後才能」。

每一個人的才能，都有其極限。漢朝的黃霸做太守做得很好；但一旦做了丞相，便勛名頓減。假使一個人的識不足以照見自己，常以爲自己的才能是無窮大，比如一個好的營連長，自己覺得可以當總司令，於是千方百計以鑽營爭競之；偶一得志，便以其營連長的才能，橫衝直撞一頓；這恰似一甌之水，傾於巨壑之中；而欲其與三江九澤，競其波瀾，其結果是不難想見的。

識的重要，尤其是在面對着社會的時候。打着燈籠夜行的人，能照明數步；於是在數步之內的成爲可信，在數步之外的成爲可疑。若換上一副新式的手電筒，能照明百步，於是在百步之內的成爲可信，在百步之外的成爲可疑。但一到了白晝，則皎日當空，山河顯露，南北東西，四通八達。遊目四顧，於山水，則欣賞其林泉；於平原，則欣賞其曠闊。昨夜懷疑為山魈木魅，嚇得一身冷汗的，原來不過是古木槎枒，奇石蹲踞。盡目力之所及，既無可疑，亦無可怕，自然用不上猜忌，更用不上講求對付之方，豈非一大快事？

社會的人事現象，其複雜，其深度，遠非自然現象可比。一個問題，人家了解了十分，而我只了解一分，便很容易對於自己所了解以外的九分發生懷疑。一件事物，我只看見了一面，而人家表現出其他的三面，便很容易對人家所表現出的其他三面感到古怪。若僅站在社會上說：這種情形雖足以減少人與人間的善意和合作，但因各有自然的分際，其為害尚淺。政治則是一種統治的權力。若是政治上的識見也是如此，勢必由疑而忌，由忌而防，由防而權謀策術，而決死鬪爭。其結果，失敗者固然失敗了。勝利者，也將不斷的把自己以外的人看作敵人，因而逼成敵人；同樣的是幕悲劇。

兩三歲的小孩子害了病，他最仇視的是醫生，最討厭的是藥物。小孩愈聰明，對醫生藥物鬧得愈厲害。但是小孩的力量究竟不能拒絕醫生；而小孩的父親母親，也會連哄帶罵的逼他吃藥；這是小孩有病得到適當治療的保障。民主國家，盡父親母親之責的是憲法。政府對於社會的批評，高興固然要聽，不高興也不得不聽。尚未完成民主的國家，盡父親母親之責的只有依賴政府各個負責者的良心；而這種良心，必須通過各人的「識」，始能表現得出來。

「量」的最高根據，是對於「生」的價值的當下承認。即是，凡是有生命的東西，即應承認其自身有不可動搖的價值。他人之不必以強同於我為其價值，也像我之不必以強同於他人為其價值一樣。因此，對於各種不同的東西，必先承認其應該有此不同。若要在不同之中求得某一程度之相同，則應當在各種不同的中間去求出其公約數；而不可以強制之力，硬把自己變爲一條公理公則。此卽是眞正的「量」。但普通所說的量，則多半是來自學問變化氣質後的良好氣質。政治中最壞的氣質，是陰狠、剛愎、忿厲。富有這種氣質的人，一遇着與己意不合的時候，尤其是遇着古今中外，政治上所必不可免的批評的時候，立刻引起反感，立刻加以惡意的推測，於是種種可以不必有的糾葛，便因之而起。人的認識能力，只有在感情平靜的時候，才能發生作用；上述的氣質不變化，則心中常蘊着一團陰霾，常蓄着一團風暴，心理容易離開正常的狀態，認識自然不能清明。於是一切活動，將陷予永久的人事糾紛之中。打倒一個，又來一個；打倒了東邊的，又來了西邊的，將愈陷愈深而不能自拔。這就是缺少「量」的緣故。誠能切實在變化氣質上用功夫，化陰狠爲坦易，化剛愎爲平正，化忿厲爲祥和，於是可以發現在人與我之間原來都是站在同一的水平線上，人之不能強同於我，亦猶我之不可強同於人。彼此既不可強同，不如忘去人我，而去尋求客觀事實上的是非得失。人言而「是」，此「是」乃印證於客觀事實之上而得其「是」，吾何苦而不從？人言而「非」，此「非」亦可從反面以凸顯出客觀事實之「是」，吾可由客觀事實之是與以辨明，又何苦卽視之爲仇敵？且客觀事實之是非，常須經過時間的考驗。若遽以我目前所斷定之是非，爲合乎客觀上之是非，爲求我的是非得以貫徹，遂立意將與吾相反者打倒而剷除之，此實係最唐突冒昧之舉。廿四史中遺留下來可讀的奏章，今日吾人所公認爲是者，在其當時總有十分之九認爲不是。而今日克姆林宮宮庭內所認定的金科玉律，散佈到世界性的空間上，幾無不成爲笑談。由此可知：一人一時一地所認之是非，並非眞正卽合予客觀事實之是非，則與吾相反之意見，何可遽然加以抹熬，甚至加以仇視？所以政治上的「量」，不僅是容納他人，實亦使自己之生命，能廻旋於較大較寬之地，因此而得其安頓。政治上，不是靠打倒異己才可以安頓自己，而是靠了解異己，在與異己者相反相成而各完成其分際之中，才能安頓自己。共產黨的致命傷，是能打倒他人而不能安頓自己，其結果也必被其自己埋葬下去。

由上所述，也可以了解識與量是互相補益的，有識自然有量，有量亦可以養識。無量之至，必至肝膽胡越，觸處成障，何能有識？無識之至，必至杯弓蛇影，一身不知所措，何能有量？政治上的識與量，必在民主政治上能得其保障，並得與以提高。故論政者必以實現民主政治爲大本。若民主政治不可一蹴而幾，則政治負責者對於識與量的自覺，實爲迫切而不容自己的要求。而「量」的自覺，尤爲開闢知慧，培養生機之第一著。識縱不能養成於一朝，而量則可轉於一念。所以一個人的量的廻轉，同時亦爲識的開放。這是社會的迫切要求，也應該是政府負責者自身的迫切要求。

四四、九、二　香港華僑日報

儒家對中國歷史運命掙扎之一例

——西漢政治與董仲舒——

數十年來，中國知識分子，輒將此一時代之悲慘遭遇，集矢於儒家思想；而董仲舒之推明孔氏，抑黜百家，尤爲一般人所詬病。董仲舒乃至整個儒家，在我國歷史中之地位及其功過，究竟若何，本文根據歷史事實，將從各個角度，與以衡情之論述。倘因此文而對我國之歷史問題，及由歷史所延伸之今後問題能提供讀者以了解之新線索，則作者之始願誠不及此。

民國四十四年九月二日作者於臺中市

一、儒家法家政治思想的對比

在約百年以前，我國政治之理想是三代；而奠定兩千年來實際政治之局格者則爲秦漢。秦以法家思想致霸，雖國運短促，然漢得天下後，除了去泰去甚以外，政治之本質，依然是秦代的延長。換言之，亦卽是法家政治之延長。及天下稍定，元氣稍復，在思想上卽逐漸展開儒法之爭；法是當時政治的現實，統治者成爲法家的代表；而儒則是一部分人的理想，人民是一部分人的後臺。賈山賈誼們對法家已有一種自覺的批判，因而表現出由法家轉向儒家的轉捩點。他們立論，大抵是以「古」與「秦」相對比，主張由「秦」而返之「古」；「古」即是指的儒家理想，「秦」即是指的由秦到漢的法家政治。兩漢像樣點的知識分子，幾乎都參加了此一爭論。被今人稱爲懷疑主義的王充，也同樣參加儒家的行列而成爲儒家的鬪士。儒法之爭，是中國歷史升降的大關鍵。把握到這一點，我們讀兩漢的鉅著史記與漢書，乃至其他兩漢人的著作，才能眞正了解其精神，才能眞正敞開中國歷史的奧秘。但這批知識分子中，在思想上——不是現實上——爲儒家重新奠定基礎，在政治上對法家加以全面批評，因而緩和了法家的毒害，乃至壓縮其活動範圍的，卻不能不歸功於董仲舒。董仲舒的「天人三策」，乃代表當時儒法思想在政治方面鬪爭的高峯。用現在的語句表達董氏的工作，正是「把人當人」的人性政治，對「把人不當人」的反人性的極權政治的決鬪。此一決鬪，在當時並未立刻收實際上的多大效果。然儒家思想，在打了若干折扣之後，卻獲得了理論上的勝利；此一勝利，逐漸使法家的傳統，下降而爲「吏」的地位；於是以前的政治實權雖仍操之於「吏」，而在政治的名分上，吏總是從屬於儒。後世的胥吏政治，是秦漢法家政治的縮小與延長；後世「官」與「吏」或「儒」與「吏」之爭，也是兩漢儒法之爭繼續。這是了解中國歷史的一大線索。

要了解上述的線索，首須對以韓非爲代表的法家思想，在與儒家思想對照之下，作一概略敘述。

第一、儒家思想乃建立於人性皆善的這一基本認定之上；故人與人關係，是以互信互愛爲基礎。法家的人性論，乃立足於性惡之上。因此它根本不相信人與人之間，能夠建立親愛互助的可質信賴的關係；所以它便不能相信儒家「老吾老，以及人之老」的「推恩」政治，而自然走上基於猜疑心理而來的劫持控制之途。韓非說：

「人生之患，在於信人。信人則制於人。人臣之於其君，非有骨肉之親也，縛於勢，而不得不事也。故爲人臣者，窺覘其君心也，無須臾之休……爲人主而大信其子，則姦臣得乘其子，以成其私。……爲人主而大信其妻，則姦臣得乘於妻，以成其私。……夫以妻之近，與子之親，而猶不可信，則其餘無可信者矣」（韓非子卷五備內篇）。

「且父母之於子女，產男則相賀，產女則殺之。……故父母之於子女也，猶用計算之心以相待也，而況無父子之澤乎。」（卷十八六反篇）。

「黃帝有言，上下一日百戰。下匿其私，用試其上；上操度量，以割其下。……有道之君，不貴其臣。……無使民比周，同欺其上」（卷二揚權篇）。

第二、就人君地位來說，儒家雖然承認它是政治秩序中不可缺少的一環，但君臣之間，只是互相對待的關係。「君使臣以禮，臣事君以忠」；「君之視臣如草芥，則臣視君如寇仇」。「合則留，不合則去」，人臣並不是人君的私人工具。並且在人君的上面，另外還要拿出一個「古」或「天」壓在它頭上，使人君不能自有其意志，必以「古」或「天」的意志爲意志；否則不配作人君，而可來一套「革命」「受命」的。在「古」和「天」的後面，揭穿了說，只是人民的好惡，利益。所以在儒家心目中的人君，決不是使其恣肆於羣生之上的絕對體。儒家也說「貴賤尊卑」的話，但儒家不把這些東西由「身分」制度來決定，而是要由各個人的「德」及「能」，並根據「德」「能」所發揮出來的義務來決定。德與能，是每個人可以自作主宰。因此。貴賤尊卑，都是可以變動，應當變動的。到了法家，大力掃蕩了歷史遺留下來的貴族的身份地位，這是它們的一種貢獻。但儒家的反對貴族，因爲它是選賢舉能的障碍。而法家的反對貴族，則不過是以貴族爲人君絕對化的障礙。人君之所以形成政治中的絕對的地位，完全是由法家思想所造成。這也是秦自孝公以來，一直接受法家思想，並一直支配到西漢的實際政治的最眞實的重要原因。儒家常稱堯舜禪讓，湯武征誅。韓非則乾脆以堯舜湯武爲「反君臣之義，亂後世之教」。他更說：

「夫爲人子而常譽他人之親……是誹謗其親者也。爲人臣常譽先王之德厚而願之，是誹謗其君者也。（按此係指儒家）……非其親者，知謂不孝；而非其君者，天下皆賢之，此所以亂也。故人臣毋稱堯舜之賢，毋譽湯武之伐……盡力守法，專心於事主者爲忠臣」，（卷二十忠孝）。

因爲法家把人君看作是至高無上的東西，便徹底把君臣的關係懸隔起來。他說：「道不同於萬物，君不同於羣臣」，而人臣只不過爲人君所「畜」。（忠孝篇，「所謂君者，能畜其臣也」）由此可知尊君而卑臣，只是法家思想而不是儒家思想。此在西漢初年崇尚道家的司馬談，尚知道得很清楚。所以他在敍述六家要旨中說：

「儒者……序君臣父子之禮，列夫婦長幼之別，不可易也」。「……儒則不然。以爲人主天下之儀表也。主倡而臣和，主先而臣隨。如此，則主勞而臣逸」。

「法家……正君臣上下之分，不可改矣」。「若尊君卑臣，明分職不得相踰越，雖百家不能改也」。

劉向別錄亦謂：「申子學主刑名，刑名者以名責實，尊君卑臣，崇上抑下」。

由上可知，在承認君臣關係的這一點上，是儒法所同。然儒家理想中之君是「勞」，而法家理想中之君是「尊」；儒家理想中人君對於人臣是「禮」是「敬」（敬大臣也）；而法家理想中人君對於人臣只是猜防賤視。（「不信其臣，不貴其臣」）這一大分水嶺，在漢繼承秦代尊君之後，依然是很分明的。但自東漢以後，便漸漸模糊了。

第三、儒家對我們民族最大的貢獻之一，是在二千年以前，卽明白指出政治乃至人君，是人民的工具，是爲人民而存在；而人民不是政治乃至人君的工具，不是爲政治乃至人君而存在。所以人君要以人民的好惡爲好惡，而不是人民以人君的好惡爲好惡，在儒家思想中，每一個人，都是人格的存在，所以特別尊重每一個人人格的成就。而政治的目的，便是要助成這些人格的成就，使人人「皆有士君子之行」，以開啓一人文的世界。所以政治的本身，卽要求其人文化，人格化。此卽德治禮治的眞意所在。法家則正與此相反，政治完全是爲人君的統治而統治的，一切都是人君統治的工具；所以它便否定個體存在的價値，以個人人格人文的成就爲統治上的障礙。因爲只有在肯定獨立自主的個體時，才有人格人文的可言；而人格人文的修養，正所以完成獨立自主的個體。此種個體只能服從理性而不能服從權威，這便成爲古今中外極權主義者的敵人。韓非說：

「夫父之子孝，君之背臣也。……擧匹夫之行，而求社稷之福，必不幾矣」（卷十九蠹篇）。

「廉貞之行成，而君上之法犯矣。……賢能之行成，而兵弱地荒矣。……私行立而公利滅矣」（同上）。

「博習辯智如孔墨，孔墨不耕耨，則國何得焉。修孝寡欲如曾史，曾史不戰攻，則國何利焉」（卷十八、八說篇）。

他既完全否定了人格的世界，人文的世界，他自然要否定政治上助成人格人文的設施。他說：

「上古競於道德，中世逐於智謀，當今爭於氣力」。「然則今有美堯舜鯀禹湯武之道於當今之世者，必爲新聖笑矣。是以聖人不期修古，不法常可」（奉十九五蠹篇）。

「夫仁義辯智，非所以持國也。去偃王之仁，息子貢之智，循徐魯之力，則齊荆之欲（齊荆乃欲滅亡魯徐二國者），不得行於二國（徐、魯）矣。夫古今異俗，新故異備。如欲以寬緩之政，治急世之民，猶無轡策而御馯馬，此不知之患也」（卷十八、八說篇）。

因爲儒法兩家所認定的政治主體不同，所以，儒家要求人君成爲聽取臣民意見的工具，而法家則要求臣民成爲人君的應聲蟲，一如今日高級的極權主義國家，只要求服從敎條；低級的極權主義國家，只要求「聽話」一樣。他說：

「順上之爲，從主之法，虛心以待令，而無是非也。故有口不以私言，有目不以私視，而上盡制之」（卷二有度篇）。

第四、法家爲達上述目的，他必反對儒家在政治上所主張「把人當人」的人文價值的敎化設施，而一歸於嚴刑重罰。嚴刑重罰，是法家在政治上的總歸結。他說：

「今有不才之子，父母怒之弗爲改，鄉人譙之弗爲動，師長教之弗爲變，……州部之吏，操官兵，推公法，而求索姦人，然後恐懼，變其節，易其行矣。……故明主必其誅也。……明主之國，無書簡之文，以法爲教。無先王之語；以吏爲師」（卷十九、五蠹篇）。

「夫嚴刑重罰者，民之所惡也，而國之所以治也。哀憐百姓，輕刑罰者，民之所喜，而國之所以危也」（卷四、姦刼弑臣）。

「世之學術者說人主，不曰乘威嚴之勢，以困姦邪之臣。而皆曰仁義惠愛而已矣。世美仁義之名，而不察其實，是以大者國亡身死，小者地削主卑。……夫嚴刑者民之所畏也。重罰者民之所惡也。故聖人陳其所畏以禁其邪，設其所惡以防其姦，是以國安而暴亂不起。吾以是明以義愛惠之不足用，而嚴刑重罰之可以治國也」（同上）。

「明主峭其法而嚴其刑」（卷十九、五蠹篇）。

「嚴刑重罰」，把人不當人的政治，只能建立在人民愚蠢之上。法家爲達此目的，除了反德反智以外，更如今日極權國家一樣，要把人民一個一個的隔開，在大鐵幕中形成無數的小鐵幕。所以他在難四篇說「官有一人，勿令通言，則萬物皆盡涵」。秦律偶語者棄市，即由此而來。

這裏對於法家的所謂法，還須特別說明。法家的法，廣義的說，乃統治者強制人民爲統治者盡片面義務的命令，狹義的說，祇是一種刑法。此和西方近代法的觀念相去頗遠。儒家不是不承認刑罰之不可缺少；但儒家在這一點上與法家仍有其重大的分別。第一是儒家以刑罰爲政治上次級的東西，而法家則認爲是最高級的東西。第二是儒家以刑罰爲政治上的輔助手段，而法家則認爲唯一的手段。第三是儒家以刑罰爲不得已而用的，而法家則認爲是天經地義，非用不可的。再就刑法的本身來說，儒家的人性政治，是以「欽恤」之心，（今文尚書堯典，欽哉欽哉！惟刑之恤哉），一貫的主張「目的刑主義」。因此而爲省刑主義，寬刑主義，教育刑主義。法家的極權政治，是以報復之心，徹底主張威嚇性的「應報刑主義」，法家認爲只有由犯人科刑的痛苦而始能達到政治所要求的目的；所以嚴酷烈慘，是法家的本來面目。歐洲到了十九世紀，目的刑主義才漸取應報刑主義而代之，中國卻由儒家提出於二千年以前；我們不難由此而了解儒家卽在刑法思想這一方面所占的世界性的地位。（以上係參照日人根本誠的「上代支那法制的研究」刑事編的「上代支那刑罰思想之展開」一章。此書關於儒法兩家刑罰思想之比較敍述，最爲平實詳明），此一大的區別，隨處可以發現明確的對比。例如儒家主張「罪人不孥」，而法家自商鞅起卽主張「相收司連坐」。秦以後兩千年間，常因一案而動輒誅戮百千萬人，其銷鑠吾民族之精神活力者最爲慘酷，實皆由法家思想中導出，此誠吾民族之最大不幸。

其次、法家與道家的關係，司馬遷在史記老莊申韓列傳中一則曰「申子之學，本於黃老而主刑名」。再則曰，「韓非……喜刑名法術之學，而其歸本於黃老」。三則曰，「其極慘礉少恩，皆原於道德之意」。司馬遷之父司馬談，「習道論於黃生」，推道家爲六家之冠。司馬遷繼承家學，又受董生影響，反法家之意識特隆，其所述道法兩家關係，決無因不了解或拘成見以致牽強附會之事，故其說，至爲可信。但因老子一書，富於形而上學之氣息，引起西人之注意；而其虛無主義之情調，又與中國若干知識分子的口胃相合，乃爲了袒護老子而想推翻司馬遷的結論，遂以韓非子中之解老喻老非韓非所作，而謂司馬遷所指者乃漢初之黃老，並非老子本來面目。殊不知道家與法家之顯明結合，不始於韓非而始於愼到；所以解老喻老，縱不出自韓非本人，但韓非子全書之精神脈絡，其與老子相通者殆隨處可見。老子拿一種「先天地生」之虛無境界，以否定人文世界之一切設施與人生價值；對於現實生活，不肯作一正面之肯定，而僅賴「深靜以窺幾」的機巧，此與韓非之人生觀，社會觀，正有其相同。其在政治上，則主張「不尚賢」，「絕仁棄智」，「常使民無知欲」，而其動機乃出自「以百姓爲芻狗」之心，則彼雖未正面提出嚴刑重罰之主張，但「小國寡民」「至老死不相往來」之烏托邦，在現實中既不復存在，擺在眼前的，只是一統之勢既成，上下之機巧變詐日亟的局面，則除了嚴刑重罰以外，道家又有何方法來治理天下？同時，韓非的法，乃係否定一切人格價值，人文世界的符號，其本身卽係一種虛無。因其係一種虛無，則其發而爲事象，亦只有歸於恐怖。所以虛無主義一轉而爲恐怖主義，乃古今中外所表現的共同道路。再就另一方面說，韓非認定創法用法以宰制天下者是人君，人君完全是一個孤立的絕對體，連妻子都不可靠，人臣都是窺伺的謀害者，然則人君到底憑藉什麼本領來達到宰制天下的目的？因此，只有把申不害的「術」拿來再加以深化神化，使其擔當法之所自出，而爲臣民所不能窺測的主體。韓非子一書，言術之比重，實超過於言法。而深化神化後之術，正與老子的「至虛極，守靜篤」，自居於不可測之地，以窺天下之機者相合。於是韓非心目中的人君，正是老子所說的道之「權化」。所以他說：

「故明主之行制也天，其用人也鬼」（卷十八、八經篇）。

「道者萬物之始，是非之紀也（按韓非之所謂道，與老子同），是以明君守始以知萬物之源，之源以知善敗之端。令名自命也。令事自定也。虛則知實之情，靜則知動者正。……故曰，君無見其所欲。……君無見其意。……去好去惡，臣乃見素。去舊（慣性）去智，臣乃自備。……是故去智而有明，去賢而有功，去勇而有強。……故曰寂乎其無位而處，寥乎莫得其所。明君無爲於上，羣臣悚懼乎下」（卷一、主道篇）。

「權不欲見，素無爲也。事在四方，要在中央。……用一之道，以名爲首。名正物定。名倚物徙。故聖人執一以靜，使名自命，令事自定。……聖人之道，去智去巧。智巧不去，難以爲常」（卷二、揚權篇）。

以上的話，可以說是老子的重述或引申。不過秦人行法家之治，並未能保留住法家守法不私的客觀精神；而韓非學老子，也沒有保留着「聖人無常心，以百姓之心爲心」及「民不畏死，奈何以死懼之」之教訓。此正係取法乎上，僅得其中的一定不移之理。因此，法家援引道家以爲其思想的根據，只能說明道家有向法家推演及被法家利用的最大可能性，而不能說法家即是道家。

二、西漢政治之剖視

秦自孝公用商鞅起，即成爲法家的實驗場所。秦政見韓非所著書，至嘆爲「得見此人與之游，死不恨矣」。這是因爲韓非把商鞅的思想更向前推進了一步，一面與秦的傳統深相契合，一面與秦政陰鷙之資，水乳交融。秦以法家政治而統一六合，這是因爲凡是極權主義的初期，都可由強制及集中而發生一種強大力量。李斯與韓非同事荀卿，因「恥卑賤」而入秦，其順應秦之傳統及秦政之資性以取容，乃無可疑之事。故其云爲，全係抄取法家。如秦政三十四年博士湻于越，請封子弟功臣，秦政下其議，李斯的意見是：

「今天下已定，法令出一，百姓當家則力農工，士則學習法令，辟禁。今諸生不師今而學古，以非當世，惑亂黔首。……古者天下散亂，莫之能一，是以諸侯並作，語皆道古以害今，飾虛言以亂實。人善其所私學，以非上之所建立。今皇帝並有天下，別黑白而定一尊，而私學乃相與非法教之制。……如此弗禁，則主勢降乎上，黨與成乎下，禁之便。臣請官吏非秦紀皆燒之。非博士官所職，天下敢有藏詩書百家語者，悉詣守尉雜燒之；有敢偶語詩書，棄市。以古非今者族。吏見知不舉者與同罪。令下三十日不燒，黥爲城旦。所不去者，醫藥卜筮種樹之書（按此乃當時之科學。任何極權者，皆反歷史文化而不會反科學）。若欲有學法令，以吏爲師。制曰可」（史記秦始皇本紀，又見李斯傳）。

這可說是法家思想的全部實現。其後李斯勸二世「行督責之術」，也是法家的本來面目。秦的政治和思想全爲法家所支配，這是無絲毫可疑之事。中國現代可稱爲史學家者，僅有陳垣與陳寅恪兩先生。寅恪先生謂「李斯受荀卿之學，佐成秦治，秦之法制，實儒家一派學說之所附繫」。這不能不說他是一個很大的誤解。

漢興以後，大家只認其因蓋公對曹參的進言，行黃老之治；而忽視它在黃老的後面，依然是繼承秦代的法家政治。一般人之所以疏忽了此一重大事實，其故有三：第一是因劉邦起自閭閻，身受秦政之害，所以直覺的對秦政作了去泰去甚的修正，使法網由密而疎。第二：漢文以資性之美，常行減賦減刑之政，自司馬遷起，樂爲史家所稱道，而不知其中實多溢美之詞。東漢應劭在風俗通義中已有所辨正。他說：

「前待治賈捐之爲孝元皇帝言，太宗（文帝）民賦四十，斷獄四百餘。案太宗時，民重犯法，治理不能過中宗（宣帝）之世。地節元年天下斷獄四萬七千餘人。……前世斷獄，皆以萬數」（風俗通義卷二）。

「向曰，（劉向對成帝之問），文帝時政頗遺失。（下引馮唐之言，賈山諫不宜敎從郡國賢良吏出遊獵及愛幸鄧通等數事）……上曰（成帝），後世皆言文帝世，天下幾至太平，其德比周成王，此語何從生。向對曰，生於言事。文帝禮言事者，不傷其意。……後人見遺文，則以爲然。世之毀譽，莫能得實」（同上）。

其實，孝文本「好道家之學」（史記禮書），及「刑名之言」（史記儒林傳）；且「外有輕刑之名，內實殺人」，「猶有過刑謬論」，（皆見漢書刑法志），史有明文；可知風俗通義對於傳說的糾正，是非常可靠的。第三，一般人以爲法令密如牛毛，爲法家政治的特徵。漢初法網較疎，遂以漢治與秦大相逕庭。不知法家依據黃老，其理想依然是在緩刑薄賦。至於法令之日演日密，乃其不承認人文世界之必然結果，並非法家的理想本來如此。所以李斯獄中上書自稱其功謂「緩刑罰，薄賦斂，以遂主得衆之心」。漢初各種議論中稱刑之不足以止刑，其勢必日益滋蔓者，屢見不一見。可見秦之法是由疎而密，漢之法亦同樣的是由疎而密。

史記儒林傳謂「孝惠呂后時，公卿皆武力有功之臣。孝文時頗徵用（言孝文稍用文學之士），然孝文帝本好刑名之言。及至孝景，不任儒者；而竇太后又好黃老之術。故諸博士具官待問，未有進者。及今上（武帝）卽位，趙綰王臧之屬，明儒學，而上亦鄉之」。然趙王兩氏所致力的是欲立明堂以朝諸侯，此實係以陰陽家思想來附會武帝的誇大性質，與儒家本義無關。所以簡單的說，漢初的政治思想大勢，是黃老與法家的天下；而陰陽災異之說，也分得一部分勢力。黃老制約了漢初的君相，不輕事更張，不輕生事端，不走入侈泰。其實，秦政之侈泰，胡亥之荒淫，固爲黃老所不許，亦爲法家所不許，所以在此等處所，二家並無矛盾。但這只是消極作用。僅靠這種消極作用，不能統治天下。擔當統治天下積極任務的，卻是一代的「法制」。藏在漢初黃老政治後面的，卻是秦代的法制，法家的法制。這便從根本地方規定了漢代的政治方向。

漢承秦後的法家政治，可以分三點來說明：

第一是表現在作爲制度之骨幹的君臣的關係上。儒法家對君臣關係之不同，已如前述。我國在秦以前，君臣之地位並不懸絕，此徵之人類進化史的氏族社會封建社會而可信。君臣地位之懸絕，是由法家爲統治而統治，以人君爲統治的絕對體所建立的觀念，而由秦政所實現的。要表現君之特別尊，臣之特別卑，必有一套特定的儀節，此卽所謂「朝儀」。秦政統一天下，合傳說中的皇與帝爲一而「號曰皇帝」，「命爲制，令爲詔」，「自稱曰朕」，並廢謚法以使子不得議父，臣不得議君；當然隨着有一套尊大與卑微，相形而益彰的儀節。如古者臣拜，君亦答拜，至秦則不復答拜。古者君臣告語之詞皆曰書，至秦則詔、令、書、疏，分別均嚴，卽其一例。漢高起自匹夫，卽帝位之後，「悉去秦苛儀，法爲簡易，羣臣飲酒爭功，醉或妄呼，拔劍擊柱」，（史記叔孫通傳），尙保有若干村野純樸之氣。這時恰有一個「所事者且十主，皆面諛以得親幸」的叔孫通，搶着此一進身機會，迎合高帝「患之」的心理，遂建議重定朝儀。「大抵皆襲秦故」。初實行時，「自諸侯王以下，莫不震恐肅敬」。於是高祖曰「吾迺今日知爲皇帝之貴也」。（以上皆見史記禮書及叔孫通傳）。自此以後，君臣的關係，完全成爲由法家思想所形成的天地懸絕的關係，儒家也只好向此一既成事實投降。專制政體，由此而遂成定格。此種君臣關係一經決定，便賦與昏暴之主以精神上的武裝，使其得以摧殘盡知識分子在政治中、在社會上的人格與靈魂，二千年來，只有作「文犬」「文丐」，才有富貴利達之路。這是中國政治在二千年中，愈演愈下的總根據。朱元晦對於此中關鍵，看得最爲清楚。

「黃仁卿問，自秦始皇變法之後，後世人君，皆不能易之，何也？曰。秦之法，盡是尊君卑臣之事，所以後世不肯變」（語類一百三十四）。

他又說：

「叔孫通爲緜絕之儀，其效至於羣臣震恐，無敢喧嘩失禮者，比之三代燕享羣臣氣象，便大不同，蓋只是秦人尊君卑臣之法」（語類一百三十七）。

由朱元晦的話，亦可窺見此一尊君卑臣之局，爲眞正之儒家思想所不許。所以，宋明諸大儒，對於現實上的君臣關係，幾無不採取批評補救的態度。至黃梨洲的「原君」、「原臣」出，實可與盧騷的「民約論」東西比美。可惜此一發展，不久又被滿清的專制統治壓回去了。直至中山先生而始得到初步的解決。

第二是表現在作爲法制之骨幹的「法」的性質上。漢代法的性質，不是根據儒家精神的目的刑主義，而是根據法家精神的應報刑主義的秦法。漢書刑法志說：

「漢興，高祖初入關，約法三章。……其後四夷未附，兵革未息，三章之法不足以禦姦。於是相國蕭何攈摭秦法，取其宜於時者作律九章」。

蕭何作律的科條當屬簡單，但夷三族，訞言令、挾書律等皆繼續存在。不過「蕭曹爲相，塡以無爲」；而孝文「躬脩玄默」，「禁罔疏闊」（皆見漢書刑法志）。這些都緩和了法家的流毒。但是，嚴刑重罰的這一基本精神，並無改變。如：

「秦用商鞅，連相坐之法，造參夷之誅。增加肉刑，大辟有鑿顚抽脅鑊烹之刑」（漢書刑法志）。

而漢則：

「漢興之初，雖有約法三章，網漏呑舟之魚。然其大辟尚有夷三族之令。令曰：當三族者，皆先黥劓斬左右趾，笞殺之，梟其首，菹其骨肉於市。其誹謗詈詛者，又先斷舌，故謂之具五刑。彭越韓信之屬，皆受此誅」（同上）。

此當然係秦法的再版。高后元年除三族罪訞言令（按漢書文帝紀：「今法有誹謗訞言之罪」，則所謂高后除訞言令者，乃一時之寬惠，而並未改其律條），孝文二年，又不顧周勃陳平的反對，免父母妻子同產坐收之罪；然及新垣平之事起，「復行三族之誅」。文帝除肉刑，而代之以「當劓者笞三百，當斬左右止（趾）者笞五百」，結果是「外有輕刑之名，內實殺人」。景帝元年，下詔曰「加笞與重罪無異；幸而不死，不可爲人」。致使此以天性刻薄著稱之皇帝，曾作兩次修改。然「酷吏猶以爲威」（以上皆見漢書刑法志）。以上是文景盛時的情形。到了武帝「姦軌不勝」，遂命持法深刻的張湯趙禹，重定諸律令，其情形是：

「律令凡三百五十九章，大辟四百九條，千八百八十二事。死罪決事比，萬三千四百七十二事。文書盈於几閣，典者不能徧睹。……奸吏因緣爲市，所欲活則傅生議，所欲陷則予死比，議者咸傷之」（漢書刑法志）。

再演變下去，到了成帝時，則：

「大辟之刑，千有餘條，律令煩多，百有餘萬言。奇請它比，日以益滋」（同上）。

這與秦的演變情形完全一樣。中間宣帝爲路溫舒之語所感動，特置廷平之官，以求補救。但當時涿郡太守鄭昌上書，勸其「刪定律令」，而「宣帝未及修正」。其後元帝成帝，受儒家思想之影響漸深，皆欲加以修改，使其「務準古法」（卽儒家思想），然當時「有司無仲山甫之材，不能因時廣宣主恩，建立明制，爲一代之法，而徒鉤摭微細，毛舉數事以塞詔而已。是以大議不立，遂至今（班固時）」（以上皆見漢書刑法志）。所以漢書刑法志全篇的文字，皆出自深悲隱痛之精神。中間引「周官有五聽八議三刺三宥三赦之法」，將儒家的「目的刑主義」與法家「應報刑主義」兩相比較。又引孔子「善人爲國百年，可以勝殘去殺」的話，認此乃「爲國者之程式」。而對於漢代則再三嘆息的說「然而未能稱意比隆於古者，以其疾未盡除，而刑本不正」。「罔密而奸不塞，刑蕃而民愈嫚，必世而未仁，百年而不勝殘，誠以禮樂闕而刑不正也」。由此可知漢代除武帝外，雖皆有愼刑之意，以求臨時補救之方；但補救又有時失之過輕，過輕則人易犯，而又轉於過重。而刑法的本身是出自法家，與儒家精神不合，亦卽所謂與「古」不合；刑的根源已經「不正」了，枝節的補苴，不能改變其大的趨向。而其中樞治獄，至有二十六所之多，至光武始加以減裁（容齋續筆卷一「漢獄名」）。此種事實，兩漢人士都有深切感受，隨處表現出來；而反爲後之治史者所忽視，則治道之不明，眞非一朝一夕之故了。

第三，是表現在由上述法制所推行的吏治上。西漢人主，因高祖開布衣天子之局，除統治意識以外，尚保有若干社會意識，故多有恤民之意。並很重視對人民負實際統治之責的吏治。但吏治所憑藉的是法制，而漢代的法制祇是法家的刑罰觀念，根本沒有儒家的「敎化」觀念。賈誼在其治安策中說：

「道之以德教者，德教洽而民氣樂。毆之以法令者，法令極而民氣哀。……湯武置天下於禮樂，而……累子孫數十世。……秦王置天下於法令刑罰，……下憎惡之如仇讐；禍幾及身，子孫滅絶。……今或言禮誼之不如法令，教化之不如刑罰，人主胡不引殷周秦事以觀之也」（漢書賈誼傳）。

由賈誼反撥當時的話來看，卽可知漢初政治的主流是法家而不是儒家。景帝殘刻成性，其生平卽屬一典型的法家。而路溫舒在宣帝初卽位時，曾上書請尚德緩刑略謂：

「臣聞秦有十失，其一尚存，治獄之吏是也。……方今天下賴陛下恩厚，亡金革之危，饑寒之患，父子夫妻，戮力安家。然太平未洽者，獄亂之也。夫獄者天下之大命也。……今治獄吏則不然，上下相毆，以刻爲明。深者獲公名，平者多後患。故治獄吏，皆欲人死，非憎人也；自安之道，在人之死。是以死人之血，流離於市；被刑之徒，比肩而立；大辟之計，歲以萬數。……故天下之患，莫深於獄。敗法亂正，離親塞道，莫甚乎治獄之吏。此所謂其一尚存者也。……唯陛下除誹謗以招切言，開天下之口，廣箴諫之路，掃亡秦之失，尊文武之德，省法制，寬刑罰，以廢治獄，則太平之風，可興於世……天下幸甚」（漢書五十一路溫舒傳）。

這裏指明了因爲漢法卽秦法，所以漢之吏治，亦無異於秦之吏治。宣帝號爲明主，吏治超過漢初，漢書上循吏傳的人物，多出自他的時代。但他說「俗儒不達時宜，好是古非今，使人眩於名實，不知所守」。這和李斯是一樣的口氣。而漢書載元帝爲太子時，「見宣帝，用多文法吏，以刑名繩下……常侍燕從容言，陛下持刑太深，宜用儒生。宣帝作色曰，漢家自有制度，本以霸王道雜之，奈何純任德教，用周政乎？」（漢書元帝紀），按「周政」無形間卽係與「秦政」相對而言。亦卽儒家與法家相對而言。元帝號稱好儒尙惠愛，但以法家爲主流的法制未變，則政治的基礎亦未變。所以匡衡曾上疏說：「今俗吏之治，皆不本禮讓而上克（刻）暴，或忮害好陷人於罪，貪財而慕勢，故犯法者衆，姦邪不止。雖嚴刑峻法，猶不爲變」。所以他主張「宜壹曠然大變其俗」（漢書匡衡傳）。一直到王充寫論衡的時候，尙謂「儒者寂於空室，文吏譁於朝堂」。又謂「文吏在前，儒生在後」。「文吏治事，必問法家。縣官事務，莫大法令」。「法令漢家之經，吏議決焉」（以上皆見論衡程材篇）。所以司馬遷創循吏酷吏兩列傳，酷吏盡爲漢吏，而循吏傳中，漢代卻無一人，其所以指陳漢政之本質者至爲深切。而班固在漢書刑法志中亦慨嘆的說：

> 「今郡國被刑而死者歲以萬數，天下獄二千餘所。其冤死者多少相覆，獄不減一人，此和氣所未洽也。原獄刑所以蕃若此者，禮教不立，刑法不立，民多貧窮，豪傑務私姦不輒得，獄豻不平之所致也」。

我國吏治，輒稱兩漢。而兩漢吏治之實質乃若此，生民之氣，幾何不戕賊以盡。居常怪朱元晦與陳同甫爭漢唐，爭王伯之辨，心裏總覺得朱元晦有點迂闊。現在才知道理學家不滿意漢唐的緣故。讀史不能析其關節條理之所在，如何能窺見大儒之識見及其用心於萬一？

三、漢武帝的臉譜

爲更親切的了解董仲舒的時代背景，除了上述西漢一般政治的情勢外，對於和董仲舒有密切關連的漢武帝，還應當特別提一筆。一個偉大的史學家，對於他當時的政治及政治人物，必具備眞正的洞察力，從許多政治的虛僞中窺破人物的眞正性格與一個時代的眞正精神，而把它認眞的表達出來。此卽司馬遷所說的「具見其表裏」（封禪書）。否則只是排比故事的「史匠」。史馬遷和班固，生於大一統的專制時代，以當代人寫當代之史，冒着眞正生命的危險，雖有時不能不有曲筆或隱筆，但他們總要運用一種文學上的技巧，把一個時代的眞相與眞問題表達出來，以指出歷史所要求的眞正方向。我們讀漢史時，對於他們所說的人與事，總覺得比讀其他史書來得親切，其原因正在於此。特別是司馬遷受儒學的薰陶，尤其是受董仲舒春秋學的薰陶，綜史學文學天才於一身，其洞察力與表現力更爲千古一人。（班志雖謂道家者流，蓋出於史官，但道家精神中轉不出史學）。他沒有從正面寫武帝本紀，或曾寫過而早佚失。但他在封禪書（現時史記中之武帝本紀，乃褚先生據封禪書所補。褚先生於此亦有特識，不可謂「其才之薄」），酷吏傳，儒林傳中寫出了一個活生生的武帝的臉譜。爲便利計，我首先引若干褚先生根據封禪書所補的武帝本紀，來看看他的內心生活。

「孝武皇帝卽位，尤敬鬼神之祀。……是時上求神君，舍之上林中蹏氏觀。神君者，長陵女子以子死悲哀，故見神於先後宛若。及武帝及位，則厚禮置祠之內中……」。

「是時而李少君亦以祠竈穀道却老方見上，上尊之。……少君言於上曰，祀竈則致物，致物而丹砂可以化爲黃金。黃金成以爲飲食器，則益壽。益壽而海中蓬萊仙者可見。見之以封禪，則不死。於是天子始親祠竈，而遣方士入海求蓬萊安期生之屬。……居久之，李少君病死，天子以爲化去不死也……」。「亳人薄誘忌奏祠泰一方曰，天神貴者泰一。……古者天子以春秋祭泰一。……爲壇開八通之鬼道。於是天子……如忌方。其後人有上書言古者天子三年一用太牢具祠神三一，……天子許之。……後人復有上書言古者天子常以春秋解祠，祠黃帝用一梟破鏡，……用乾魚陰陽使者以一牛。令祠官領之如其方……」。

「明年，齊人少翁以鬼神之方見上。……拜少翁爲文成將軍，賞賜甚多，以客禮禮之。文成言曰：上卽欲與神通，宮室被服不象神，神物不至。乃作畫雲氣車，及各以勝日駕車辟惡鬼。……居歲餘，其方益衰，神不至。乃爲帛書以飯牛，詳（佯）弗知也。言此牛腹中有奇，殺而視之，得書，書言甚怪。天子疑之，有識其手書，問之人，果僞書，於是誅文成將軍，而隱之」。

「文成死明年，天子病鼎湖甚。……游水發根（人名）乃言曰，上郡有巫病而鬼下之，上召置祠之甘泉，及病，使人問神君，……病良已，大赦天下。……（神君）非可得見，聞其音與人言等。……其所語世俗之所知，毋絕殊者；而天子獨喜，其事秘，世莫知也」。

「欒大，膠東宮人。……天子旣誅文成，後悔恨其早死，惜其方不盡。及見欒大，大悅。……大言曰，臣常往來海中，見安期羨門之屬，顧以爲臣賤不信。……臣恐效文成，則方士掩口，惡敢言方哉。上曰，文成食馬肝死耳，子誠能修其方，我何愛乎？大曰，臣師非有求人。……陛下必欲致之，則貴其使者，令爲親屬，以客禮待之勿卑。……乃拜大爲五利將軍。居月餘，得四金印，佩天士將軍，地士將軍，大通將軍，天道將軍印。制詔御史……其以二千戶封地士將軍大爲樂通侯，賜列侯甲第，僮千人。……又以衞長公主妻之。齎金萬金，……天子親如五利之第，使者存問，所給連屬於道。自大主將相以下，皆置酒其家獻遺之。於是天子刻玉印曰，天道將軍。使使衣羽衣，夜立白茅上。五利將軍亦衣羽衣立白茅上受印，以示弗臣也。……於是五利常夜祠其家，欲以下神，神未至而百鬼集矣。……數月飾六印，貴振天下，而海上燕齊之間，莫不搤腕，而自言有禁方能神僊矣」。

「齊人公孫卿曰，今年得寶鼎，其冬辛巳朔旦冬至，與黃帝時等。卿有扎書……因所忠欲奏之。所忠視其書不經，疑其妄，書謝曰，寶鼎事已決矣，尚何以爲。卿因嬖人奏之，上大悅……」。

「天子旣聞公孫卿及方士之言，黃帝以上封禪皆致怪物與神通，欲放黃帝以常接神仙人蓬萊士，高世比德於九皇，而頗采儒術以文之。羣儒旣以不能辨明封禪事，又牽拘於詩書古文而不敢騁，……於是盡罷諸儒弗用。三月遂東幸緱氏，禮登中嶽太室，從官在山下，聞若有言萬歲云，問上，上不言，問下，下不言……」。

「齊人之上疏言神怪奇方者以萬數，然無驗者。乃益發船令言海中神山者數千人，求蓬萊神人。公孫卿持節常先行。候名山，至東來，言夜見一人，長數丈。就之，則不見，見其跡甚大，類禽獸云。羣臣有言見一老父牽狗言吾欲見巨公，已忽不見。上旣見大跡，未信。及羣臣有言老父，則大以爲仙人也」。「方士之候祠神人，入海求蓬萊，終無有驗。而公孫之候神者，猶以大人跡爲解，無其效。天子益怠厭方士之怪迂語矣。然終羈縻弗絕，冀遇其眞。自此之後，方士言祠神者彌衆，然其效可睹矣」。

我們今日看了上面所節錄的一部分紀錄，不要只認爲這是二千年前的愚昧可笑。此種愚昧的程度，在比這早幾百年的儒家經典乃至諸子百家中都找不出來。當時傳子之局早定，武帝不必爲其後代擔憂，於是把他自私自利之心，完全集注在自己的長生不老上面，不惜竭一切方法以求之。大凡一個人自私到極點，不論其自私的對象爲何，卽足以泯滅其靈性，自然暴露出人性最愚蠢最醜惡的一面而無法自飾。武帝僅其一例。

漢武帝關於政治的基本方向，在酷吏列傳中表現得非常清楚。列傳中共十人，有二人是景帝時代的，一個人是始於景帝時代而終於武帝時代。其餘皆是武帝的傑作。這批人，都是在「上以爲能」「天子以爲能」「上說」「天子以爲盡力無私」（俱見酷吏傳）的特達之知的情形之下提拔起來的。他們有的是由「攻剽爲羣盜」的無賴漢中，因其殘賊之性，一躍爲武帝政治的柱石。其中尤以張湯貴列爲九卿，每奏事，「天子忘食，丞相取充位」。雖然「

自公卿以下至於庶人咸指湯，但是「湯常病，天子至自視病，其隆貴如此」。尤其張湯這個人，「多詐舞智以御人」「收接天下名士大夫，已心內雖不合，然陽浮慕之。是時上方鄉文學，湯決大獄，欲傅古義，乃請博士弟子治尙書春秋，補亭尉史，亭（平）疑法」。並且「造請諸公，不避寒暑」；所以湯雖「文深意忌，不專平，然得此聲譽」。但司馬遷對於這樣一位勢傾朝野，專以殺人爲業，又會附庸風雅，卑躬折節的天子柱石，直將其擲入酷吏傳中；把武帝只以「殺」來當作政治眞正本錢，及這批以殺人起家的劊子手的猙獰面貌，無情的刻畫出來；這是說明司馬遷的良心，「在流血十餘里」的人間慘劇之下，不是一時的暴力與人情所能堵死。而人類在政治上所應走的方向，必須從這些醜惡東西的反面逼了出來。在這種地方，表現出了中國史學的眞價。司馬遷把自己之作史記，比於孔子之作春秋。我們從這些地方，可以了解他並無意於誇張自己，而只是想借此來把他的苦心，暗示給後代的知識分子。那知二千年來，豈僅無人能再寫出一部像史記這樣的書，連眞能讀懂史記的人也是鳳毛麟角了。

在武帝這種秦皇再版的政治之下，實際情形怎樣呢？酷吏列傳中說：

「自溫舒（王溫舒）等以惡爲治，而郡守都尉諸侯二千石欲爲治者，其治大抵盡放（仿）溫舒，而吏民益輕犯法，盜賊滋起。……大羣至數千人……小羣盜以百數。於是天子……乃使光祿大夫范昆諸輔都尉及故九卿張德等，衣繡衣，持節虎符發兵，以興擊斬首，大部或至萬餘級，及以法誅通飲食，坐連諸郡，甚者數千人。……無可奈何，於是作沈命法（卽連坐法）曰，羣盜起不發覺，發覺而拂弗滿品者，二千石以下至小吏主者皆死。其後小吏畏誅，雖有盜不敢發。……府亦使其不言，故盜賊寖多，上下相為匿以文辭避法焉」。「客有讓周（酷吏杜周）曰，弗為天下決平，不循三尺法，專以人主意指為獄，獄者固如是乎？周曰，三尺安出哉。前主所是，著為律。後主所是，疏為令。當時（合乎當時要求的）為是，何古之法乎？至周為廷尉，詔獄亦益多矣。二千石繫者新故相因，不減百餘人。郡吏大府，舉之廷尉，一歲至千餘。……廷尉及中都官詔獄逮至六七萬人，吏所增加十萬餘人」。

以上更可以略窺漢武的政治，完全是走的暴秦的老路。司馬遷在酷吏傳的敍論中引了孔子老子的話以後，接着說：「信哉是言也。法令者治之具，而非制治清濁之源也。昔（表面上是指秦，實際是指當時，西漢人立言，大抵係如此）天下之網常密矣，然奸偽萌起，其極也上下相遁，至於不振。當是之時，吏法若救火揚沸，非武健嚴酷，烏能勝其任而愉快乎，言道德者溺其職矣」。在此傳的結論中說：「自張湯死後，網密多詆嚴，官事寖以耗廢，九卿碌碌，奉其官，救過不贍，何暇論繩墨之外乎？」千載而下，尚聞其嘆息之聲。

一般人說漢武帝「尊崇儒術」，殊不知每一極權性的人主，都想牢籠萬有，以抬高或粉飾自己的地位。其實，一切和他陰狠之私不合的，不是曲解利用，便乾脆背道而馳。同時，我們應當知道，儒術並不是和其他的諸子百家一樣，只是代表一二人的特出思想，而是集結到周末為止的歷史文化的總和；儒家是從歷史文化的總和中以抽出結論，發現人類所應走的道路。儒家的六藝，即是經過整理後的歷史文化的遺產。其地位在戰國時已高出於諸子之上，這在莊子的天下篇中表現得非常清楚。任何個人的思想，不能和歷史文化之總和相提並論，這是一種最起碼的常識。人與一般動物重要區分點之一，卽是一般動物無歷史意識與歷史要求，而人，則除了把人當物看的極權主義者之外，一定有歷史的意識要求。這是人性的重要表露之一。法家及由法家思想所建立的暴秦，是反歷史文化的，亦卽是反人性。隨暴秦之推倒，人性之復活，則漢初政治中雖無儒家思想之自覺，但不能抑制人類對於歷史憧憬的自然天性，於是挾書之禁得以解除，且能恢復博士以「具官待問」。順着此一趨勢，只要不再受到人爲毒害，則直接代表歷史文化的儒家，勢必隨人性的復蘇而自然興起。從這一點說，漢武之較文景稍重視儒術，亦可謂迫於此一時勢要求之自然結論。但漢武所取於儒的乃在「陰陽」與「文詞」以滿足其浮誇之本性。他所用的儒者，只是出賣靈魂的如「曲學阿世」的公孫弘及「和良承意」的兒寬。漢書匡張孔馬傳贊謂「自孝武興學，公孫宏以儒相。其後蔡義韋賢玄成匡衡張禹翟方進孔光平當馬宮及當子宴，咸以儒宗居宰相，服儒衣冠，傳先王語，其醞藉可也（寬博厚重之意），然皆持祿位保位，被阿諛之議。彼以古人之迹見繩，烏能勝其任乎」。在班固的眼中，公孫宏的系譜，是有愧於「古人之迹」的。他在循吏傳中又說，「公孫弘兒寬，以經術潤飾吏事」。「吏事」是法家的本據，而經術只居於「潤飾」的地位。這也刻畫出了漢武時儒家在政治中的眞正分量。其次，因「利祿」之路而奔集的儒生，祇是混着一點殘羹冷飯吃，試與那些方士和酷吏比較，相去何僅千萬。至「爲羣儒首」的董仲舒，一幾死於災異的「刺譏」，一幾死於「從諛」的公孫弘的毒計。而當時眞儒如申公，轅固生，率多受屈辱。例如武帝把申公請來後：

「至，見天子。天子問治亂之事。申公時已八十餘，老，對曰：為治者不在多言，顧力行如何耳。是時天子方好文詞，見申公對，默然而已。……申公亦疾免以歸」（史記儒林傳）。

轅固生在景帝時幾乎死於豕圈。「及今上（武帝）初及位，復以賢良徵固。諸諛儒多疾毀固曰，固老罷（疲），歸之。時固已九十餘矣。固之徵也，薛人公孫弘亦徵，側目而視，固曰：公孫子，務正學以言，無曲學以阿世」（同上）。

由上所述，我們不僅可以了解所謂漢武尊崇儒術的眞正內容，並可以了解武帝的眞正性格，及當時政治的主流，與由此主流所造成的毒害。再由此我們可以進一步來看由董仲舒所代表的儒法之爭的意義。

四、董仲舒的志業

董仲舒，漢信都國廣川縣人，在今河北省景縣附近。後由廣川徙茂陵，所以李肇國的志補以長安的蝦蟆陵為董氏之墓。他在景帝時已為博士；而在他著的春秋繁露中提到武帝太初的改制，所以他的年齡，大概總在七十以上。蘇輿董子年表，起漢文帝元年（西紀元前一七九）止武帝太初元年（西紀元前一〇四），恐怕也只是一種近似的推論。他的政治活動的高潮為武帝時的賢良對策。至於對策之年，先儒疑而未定。我覺得齊召南的說法，較為可信。

齊說略謂：

「漢書武帝記載於元光元年（西紀前一三四），與公孫弘並列，旣失之太後。通鑑據史記武帝卽位爲江都相之文，載於建元元年（西紀前一四〇）與嚴助並列，亦失之太前。若以仲舒此文推之（按卽對策中「今臨政而願治，七十餘歲矣」之文），則在建元五年也（西紀前一三六）。計漢元年至建元三年爲七十歲。而且五年始置五經博士，卽傳所謂推明孔氏，抑黜百家，立學校之官也。至元光元年，初令郡國擧孝廉各一人，卽傳所謂州郡擧茂才孝廉也。若在建元元年，得云七十餘歲乎」（王先謙漢書補註董仲舒傳所引）。

王先謙因董生對策中有「夜郎康居，殊方萬里，說德歸誼」之語，而夜郎之通，乃在建元六年大行王恢擊東粵後，次年卽爲元光元年，遂謂「漢書載仲舒對策於元光元年，並不失之太後。齊說非也」。（同上）但對策中所稱「康居歸誼」，直到元光元年亦於史無徵。以情理推之，通夜郎雖在建元六年，通康居雖更在其後，然此等事並非突然而至；在正式通夜郎及通康居之前，必有若干來往因緣，以爲之線索。當一個浮誇的時代，便因此而宣傳爲「說德歸義」，很是可能的。齊說與董傳全合，殆不應因通夜郎一事而遽推翻其本傳。所以我贊成建元五年之說。董生對策後爲江都相，江都易王「素驕好勇」，他以仲舒比管仲，但仲舒謂「夫仁人者，正其誼，不謀其利。明其道，不計其功。是以仲尼之門，五尺之童，羞稱五伯，爲其先詐力而後仁誼也」。蓋亦以此抑易王驕恣之念。中廢爲中大夫。後因推遼東高廟長陵高園殿災，草稾未上，爲主父偃竊奏，「天子召諸生示其書有刺譏，下吏當死被赦」。時「公孫弘治春秋不如仲舒，而弘希世用事，位至公卿。仲舒以弘爲從諛，弘嫉之」，遂把仲舒推薦及作「尤縱恣」的膠西王相，想假手膠西王殺掉他。但因他在當時已被認「爲儒者宗」（漢書五行志），「善待之」。仲舒恐久獲辠，病免，以壽終於家。

× × × ×

關於他遺留到現在的著作「春秋繁露」，亦衆說紛紜。繁（蕃）露據本傳乃與淸明竹林之屬，同爲其著作中之篇名。以「繁露」爲全書之名，始於梁阮孝緒之七錄。崇文總目所列八十二篇之數，已非完本。而此八十二篇本者，至南宋則館閣之本有二，一爲十卷三十七篇本，一爲十七卷本：其篇帙之殘缺，可以想見。今通行八十二篇，內缺三篇之本，乃南宋樓鑰得潘氏八十二篇本所刋定。其文字之訛挩，隨處可見。故前人疑之者甚衆。尤以程大昌黃東發二氏爲甚。然程大昌所疑寰宇記及通典所引，而爲此書所無者，樓本皆赫然俱在，則可知程氏所見之本不全。而黃東發所疑之諸條義理，乃因黃氏不通公羊，且係以黃氏當時之論點妄推古義，皆不足據。誠如崇文總目所謂「義引宏博，非出近世」。所以我不僅認此書爲可靠，而且由戰國末期到漢初的儒家思想，許多尚保存於此書之中，値得加以發挖。但本文僅以其漢書本傳中之賢良對策（卽所謂「天人三策」）爲主，必要時始以春秋繁露爲補助之說明。從政治思想上略述其在歷史中所佔之地位。（以下引董生之言而未注出處者，皆對策之語。列舉篇名者係出春秋繁露）

漢書董仲舒傳謂其「少治春秋」。而傳贊引劉歆的話：

「仲舒遭漢承秦滅學之後，六經離析。下帷發憤，潛心大業，令後學者有所統一，爲羣儒首。」

從這一段話裏我們可以了解董生治學，與當時篤守師說，謹守一經的「傳經之儒」不同。他繼承綜合了儒家全部——最少是大部的遺產，而以春秋的微言大義，加以貫通。春秋的自身是「歷史文化」，是「古」。「歷史文化」和「古」，是儒家立言的根據，也是董生立言的根據。這裏須附帶一提的，人類的行爲，都帶有主觀的感情和利害；其是非得失，常各有各自的說法，很難有一共同標準。尤其是政治行爲，常挾帶着現實權威以作其後盾，所以若沒有一個比行爲當事者更大的範圍以作比較，而僅就一個行爲的平面單元來論其是非得失，那更不容易得出結論；更沒有方法可以說服他人的。因此，就一個人的道德自覺來說，則行爲固可訴之於各自的良心；但就行爲的一般衡斷而論，則常須投之於較行爲者的範圍更大，因而可資比較的客觀環境中，使其脫離主觀狀態，才易得出可靠的結論。這種可資比較的客觀環境，一是環繞在行爲者外面的世界，一是可以表示行爲連貫性的歷史。前者是比一個行爲者的更大的空間，後者是比一個行爲者的更長的時間。現在論一個國家的政治得失，可以拿世界各國的政治來作比較；譬如若有人硬把極權說是民主，若站在與他同等的空間裏，便沒有方法和他爭論。但一拿到大空間的世界中去一比，則其眞相可以立現。而各國的政治，又都由歷史演進而來；作世界的比較，同時亦卽是作歷史的比較；在這種比較之下，醜惡的政治卽無所遁形，政治演進的前途亦不難預斷。所以現在的極權國家，一面須以鐵幕隔斷世界，一面須豢養若干「文犬」「文丐」來僞造或歪曲歷史，亦卽是隔斷眞的歷史；這就是它們害怕比較的原故。在漢代龐大帝國之下，沒有空間的世界政治可資比較，可資比較的只有歷史。儒家之特別重視歷史文化，重視「古」，而董仲舒以春秋綜貫儒家思想，其重要原因之一，正在於此。他說：

> 「古之人有言曰，不知來，視諸往。今春秋之爲學也，道往而明來者也」（精華第五）。

而司馬遷說：「余聞之董生，……孔子知言之不用，道之不行也，是非二百四十二年之中，以爲天下儀表。貶天子，退諸侯，討大夫，以達王事而矣」。（史記自序），可見春秋是儒家手上拿着衡斷政治的法典。但春秋的微言大義，在專制政治壓迫之下，多已廢絕改纂，其本來面目今日殆不可見（熊十力先生曾爲此言），董生之學的全貌，今日殆亦不易見。觀於漢書司馬遷傳引上述一段話，卽將「貶天子」一語刪去，其受專制政治壓力而使漢初所保存的一部分原始儒家思想逐漸消失之跡，宛然俱在。這是値得在這裏特別一提的。

× × × ×

其次，談到董仲舒的學術思想，必定首先想到他所說的「天人之際」；而作爲天人之際的橋梁與徵驗的，則是陰陽五行災異的思想。戰國末期的陰陽家，本與儒家經典中的周易春秋和書經的洪範有關係，所以漢初是今文學家與陰陽家不分；並且陰陽家言，也是當時統治集團中所公認的說法。不過漢初陰陽與五行之說，因各專一經的關係，多各自發展。董生則將二者綜合在一起。同時，董生把陰陽家五德運會的，盲目演進的自然歷史觀，轉移爲政治得失上的反應；於是朝代的廢興，依然是決定於人事而不是決定於天命。這便從陰陽家的手中，把政治問題還原到儒家人文精神之上。陰陽五行之說，本是出於人類對自然及歷史作進一步解釋的要求；這是中國初期的形上學。但此種形上學一開始便和人事現象糾結在一起，這一方面說明中國文化太注重實用的基本性格，在此種基本性格之上，形上學不能完成純理論的發展，所以不能建立一種像樣的形上學，以叩開理論科學之門。另一方面，由於中國人文精神之深化而來的心性之學，也常因此種夾雜而受其拖累。董生在仁義禮智的德目中增入「信」的德目而稱爲「五常」，以與五行相配合；更由陰陽五行之說，而得出「道之大原出於天，天不變，道亦不變」的結論。把人類行爲的準則，向客觀的普遍妥當性這一方面，推進了一大步。這兩點一直影響到宋明的理學，其在文化思想上之爲功爲過，這裏只好略而不論。

× × × ×

董生在政治思想方面，首先是要從法家「爲統治而統治」的思想中，爭回政治是「爲了人民而不是爲了統治者」的這一儒家的基本觀點。這一觀點的後面，實藏有儒家「尊生」的基本觀念。他說：「故子夏言，春秋重人。諸譏皆本此」（凡妨害人之生存尊嚴者春秋皆譏之）（俞序十七）。因此，他再三指出春秋是貴仁貴讓，以實現重人的精神（俞序第十七，竹林第三，玉英第四）。又說：「故孔子曰，天地之性人爲貴。明於天性，知自貴於物」。他以爲每一個人都是一個小天地。「身猶天也，數與之相參，故命與之相連也」（人副天數第五十六）。因此，保障人民的生存，便是政治的主要任務。他說：

「且天之生民，非爲王也。而天之立王，以爲民也。故其德足以安樂民者天與之。其惡足以賊害民者天奪之」（堯舜不擅移，湯武不專殺第二十五）。

「五帝三王之治天下，不敢有君民之心」（王道第六）。

「王者民之所往。君者不失其羣者也。故能使萬民往之而得天下之羣者，無敵於天下」（滅國上第七）。

「春秋……親近來遠，同民所欲」（十指第十二）

政治既是人民的工具，則統治者的地位是否合法，應視民心之所向而定。他說：

「非其位而卽之，雖受之先君，春秋危之。……雖然，苟能行善得衆，春秋弗危。……以此見得衆心之爲大安也」（玉英第四）。

但是一般人君，不倒轉來把人民當作自己的工具的很少。遇着這種暴君，儒家主張應當加以更換，這卽當時之所謂「受命」。受命的方式，不是禪讓，卽是征誅。而禪讓與征誅的合理根據，都在民心。董生在春秋繁露「堯舜不擅（禪）移，湯武不專殺」一篇中，闡發此義甚詳。法家以尊君而卑臣之義，反對湯武至烈。董生針對此點特別說：

「儒者以湯武爲至聖大賢也，以爲全道究義盡美者，故列之堯舜，謂之聖王」（同上）。

這分明是對於暴君而主張革命的神聖權利。大約先秦儒家對於人君地位的繼承問題，分「繼體」與「受命」兩大方式。西漢以後，受專制壓迫的結果，受命之義，在「君臣大義」的隱藏下，漸隱沒不彰。但在西漢時，則儒者不惜冒生命的危險以堅持「受命」的理論。如：

「清河王太傅轅固生者齊人也。以治詩，孝景時爲博士，與黃生（道家）爭論景帝前。黃生曰，湯武非受命，乃弒也。轅固生曰不然。夫桀紂虐亂，天下之心皆歸湯武。湯武與天下之心而誅桀紂……不得已而立，非受命爲何？黃生曰……今桀紂雖失道，然君上也。湯武雖聖，臣下也。……非弒而何？轅固生曰，必若所云，是高帝代秦卽天子之位非邪。於是景帝曰，食肉不食馬肝，不爲不知味。言學者無言湯武受命不爲愚。遂罷」（史記儒林列傳）。

「睦弘字孟魯，……從嬴公受春秋。……孝昭元鳳三年正月，泰山萊蕪山南……

……有大石自立。昌邑有枯社木臥復生。……孟推春秋之意，以爲石柳皆陰類，下民之象。……此當有從匹夫爲天子者。……卽說曰，先師董仲舒有言，雖有繼體守文之君，不害聖人之受命。……漢帝宜誰（問）差（求）天下，求索賢人，檀（禪）以帝位。而退自封百里，如殷周二王後，以承順天命。孟使友人內官長賜上此書。……廷尉奏賜孟妄設祆言惑衆，大逆不道，皆伏誅」（漢書眭弘傳）。

「是時上（宣帝）方用刑法，信任中尚書宦官，（蓋）寬饒奏事曰，方今聖道寖廢，儒術不行。以刑法爲周召，以法律爲詩書。又引韓氏易傳言，五帝官天下，三王家天下。家以傳子，官以傳賢。若四時之運，功成者去。不得其人，則不居其位。書奏，上以寬饒怨謗終不改……遂下寬饒吏，寬饒引佩刀自剄北闕下，衆莫不憐之」（漢書蓋寬饒傳）。

蓋寬饒所引的韓氏易傳言，又見於說苑至公篇博士鮑白令之對秦始皇，而谷永對成帝之言，亦明謂「方制海內，非爲天子。列土封疆，非爲諸侯。皆以爲民也。垂三統，列三正，去無道，開有德，不私一姓，明天下乃天下之天下，非一人之天下也」（漢書谷永傳）。則「受命」的觀點，爲儒家的微言所寄，實可無疑。

不過在漢武時代，皇帝至高無上的地位，已由法家思想的推蕩而成爲客觀的事實。只看武帝策問賢良文學之士，一開頭便是「朕獲承至尊休德，傳之亡窮而施罔極」的口氣，不難想到一介書生面對此大一統的皇帝，要實現其人君乃爲人民而存在之主張，談何容易。由此，我們不難窺見西漢儒家與陰陽五行之說的奇異結合，乃出於在不合理之中，求得合理之眞實內情。而董生之所謂「天人之際」，亦可了解其眞正意義之所在。他說：

「臣謹案春秋之中，視前世已行之事，以觀天人相與之際，甚可畏也。國家將有失道之敗，而天乃先出災害以譴告之。不知自省，又出怪異以警懼之。尚不知變，而傷敗乃至。以此見天心之仁愛人君而欲止其亂也」。

「臣謹案春秋之文，求王道之端，得之於正，正次王，王次春。春者天之所爲也。正者王之所爲也。」

其意曰，上承天之所爲，而下以正其所爲，正王道之端云爾。然則王者欲有所爲，宜求其端於天。」把「王」安放在「天」的底下，說「王者欲有所爲，宜求其端於天」。而天之意志表現爲災異。春秋繁露中反復申明此義。在此一說法之下，王者不能有自己的意志，王者本身不是一種自律自足的存在。此與「The king is from god, and low from the king」，完全是兩樣。不過，在先秦的儒家，認爲表示天意的是民意，所以人君最大的責任是通過其人臣的諫諍以聽取民意；而董生則以爲表示天意的是災異，在這一點上，較之先秦儒家多了一層周折，也是倒退了一步。其原因，大概是因爲，第一，他對天人相與之際，信之甚篤；他之立論根據是建立在「以類相召」的現象之上（見同類相動第五十七）。這是在社會生活中常有的現象，董生由此而擴大了它應用的範圍。第二，民意對人君的影響力量，在專制政治正盛的時代，恐怕沒有災異說來得更爲簡捷有力。日人重澤俊郎在其「董仲舒研究」一文中，對於這一點說得很新鮮。

「雖有強大的君權之存在，但在關於君權活動完全沒有法律規定的當時，除了從來由賢人的道德諫正之外，更訴之於這種神秘手段，以防止君權無限之強化，實有其必要。所以災異說在其係直接以君權爲對象而被設定的這一點上，可謂其發揮着類似後世憲法的機能」（周漢思想研究，一九一頁）。

重澤俊郞以低俗的唯物觀來看周漢思想，其結論多淺薄不足觀。他以儒家之所以被定爲一尊，乃對統治者特爲便利的緣故，卽其一例。但他承認抑制君權，爲儒家在政治上的基本觀點之一，這比之於中國浮薄之流，又似乎稍勝一籌。此種對於人君的地位，意志的限制，與法家成爲一顯明的對照。

董生把人君從屬於天的另一面，又把「天」和「古」連起來，和「春秋」連起來。他說：「臣謹案春秋之中，視前世已行之事，以觀天人相與之際，甚可畏也」。其意卽是「天人相與之際」，乃是由歷史而得其證驗的。又謂「春秋之道，以元之深，正天之端。以天之端，正王之政」（二端第十五）。這是把天之端，王之政，都歸結到春秋之道的上面。所以他一方面說「道之大原出於天」，同時又說「天義出於經（卽春秋），經傳大本也」（重政第十三）。一面強調「王者欲有所爲，宜求其端於天」，同時又強調「以此見古之不可不用也」。於是他主張「迹之古，返之天」，「古」與「天」在他是一而二，二而一的東西。且天道由「古」或春秋而始可見。「古」是儒家理想的寄托。把古和天結合起來，於是天乃從渺冥神秘中脫化出來以接受儒家理想的解釋，亦同時接受儒家理想的規定，而天乃有一個實際的內容。這是藏在董生神秘外衣裏的眞實意義。

因此，政治之關鍵，依然是在人而不在天。所以他說「故治亂廢興在於己，非天降命不可得反」。這與陰陽家五德運會的自然歷史觀，完全是兩樣。

× × × ×

我們明瞭了董生在政治思想上的大間架，應進一步知道他所認當定時的政治問題是什麼？他說：

「今廢先王德敎之官，而獨任執法之吏治民，毋迺任刑之意歟。孔子曰，不敎而誅謂之虐。虐政用於下，而欲德敎之被四海，故難成也」。「聖王之繼亂世也，掃除其述而悉去之，復修敎化而崇起之。……至周之末世，大爲亡道，以失天下。秦繼其後，獨不能改，又益甚之。重禁文學，不得挾書，棄捐禮誼而惡聞之。其心欲盡滅先王之道，而顓爲自恣苟簡之治。……自古以來，未嘗有以亂濟亂，大敗天下之民，如秦者也。其遺毒餘烈，至今未滅，使習俗薄惡，人民嚚頑，抵冒殊扞，熟爛如此之甚者也。孔子曰，腐朽之木，不可雕也。糞土之牆，不可汙也。今漢繼秦之後，如朽木糞牆矣。雖欲善治之，亡可奈何。法出而姦生，令下而詐起，如以湯止沸，抱薪救火，愈甚，亡益也」。

「……至秦則不然，師申商之法，行韓非之說，憎帝王之道，……又好用憯酷之吏。……是以刑者甚衆，死者相望而姦不息」。

「今之郡守縣令，民之師帥，所使承流而宣化也。……今吏旣亡教訓於下，或不承用主上之法，暴虐百姓，與奸爲市。貧窮孤弱，寃苦失職。……皆長吏不明，使至此也」。

「古者修教訓之官，務以德善化民。……今世廢而不修，亡以化民，民以故棄行誼而死財利，是以犯法而罪多。一歲之獄，以萬千數，以此見古之不可用也」。

董生的話，分明是說當時的政治問題，乃在於承秦代法家的政治，因循未改。法家政治的中心是任刑罰而不信禮義教化，漢初政治的中心只有刑罰而無禮義教化。所以漢初的民情風俗，與秦無異。大家過的是「非人的社會生活」。關於這一點，賈誼也有詳細的敍述。

「商君遺禮義，棄仁恩。……秦俗日敗，故秦人……借父耰鉏，慮有德色。母取箕箒，立而誶語。抱哺其子，與公併倨。婦姑不相說，則反唇而相稽。其慈子嗜利，不同禽獸者亡幾耳。……其遺風餘俗，猶尚未改。……棄禮義，捐廉恥日甚，可謂月異而歲不同矣」（漢書賈誼傳）。

由政治的性質不同，而造成社會不同的心理反應，現代社會心理學者，作了許多重要的實驗和研究。這裏試引用一個不很完全的例證：

「在一個團體裏，如果那些領導者所採用的方法，都是一種同情和勸告的心，來引導他們的同人……則這些被領導者所表現的反應，一定是自然的，眞誠的，有創造性的，有持久力的。如果領導者用的是一種強迫的手段，來驅使他的同人去作一件未得他們同意而已經決定好的，一定要他們去作的事情，其結果必與之相反。……他也能驅使他的羣衆去完成某一些工作，都是勉勉強強的一種形式上的敷衍」（見自由中國十二卷十一朝徐道鄰福利國家的科學意義，原註：參閱 Lewin Resobing Social conficts, 1948, P. 71.）。

漢初儒家對於由法家政治所造成的社會心理的深刻敍述，與現代心理學家所得的結論大致相符合。要從法家政治所造成的「非人的社會生活」解放出來，使大家過着「人的社會生活」，這是董生的崇高任務。同時我們不難指出，在中國農村社會中隨處可以接觸到人情的溫暖及純樸的美德，與秦代及漢初的社會情形，恰恰相反，這正是在長久歲月中儒家精神之所漸漬。

× × × ×

董生所要達到的人的社會生活是：

「入有父子兄弟之親，出有君臣上下之誼。會聚相遇，則有耆老長幼之施。粲然有文以相接，驩然有恩以相愛」。

這是儒家理想中的人性底人文底社會生活。與法家政治下的社會生活完全是相反。人只有在此種社會生活之下，才眞正能過着人的生活；所以他接着說，「此人之所以貴也」。爲要達此目的，只有把漢家所繼承的秦代的政治方向，徹底扭轉過來。以儒家仁愛的觀念，代替法家殘暴的觀念。以儒家的敎化觀念，代替法家的刑罰觀念。總結的說一句，即是要以人性的政治，代替中國古代的極權的法西斯的政治。董生的天人三策，正是在政治上的人性的呼喚。

他首先以儒家的中心思想來規定天的意志，以天的意志來壓服當時至高無上的皇帝。他說：

「天道之大者在陰陽。陽爲德，陰爲刑。刑主殺而德主生。是故陽居大夏而以生育長養爲事。陰常居大冬而積於空虛不用之處。以此見天之任德不任刑也。天使陽出布施於上而主歲功，使陰入伏於下而時出佐陽。陽不得陰之助，亦不能獨成歲，終（究竟）陽以成歲爲名，此天意也。王者承天意以從事，故任德敎而不任刑。刑者不可任以治世，猶陰之不可任以成歲也。爲政而任刑，不順於天，故先王莫之肯爲也」。

「故聖人法天而立道，亦溥愛而亡私。布德施仁以厚之，設誼立禮以導之。春者天之所以生也。仁者君之所以愛也。夏者天之所以長也，德者君之所以養也。霜者天之所以殺也，刑者君之所以罰也，繇此言之，天人之徵，古今之道也。孔子作春秋，上揆之天道，下質諸人情，參之於古，考之於今，故春秋之所譏，災害之所加也。春秋之所惡，怪異之所施也。書邦家之過，災異之變，以此見人所爲，其善惡之極，迺與天地流通而往來相應，此亦言天之一端也」。

「及至後世……廢德教而任刑罰。刑罰不中，則生邪氣。邪氣積於下，怨惡畜於上，上下不和，則陰陽繆戾妖孽生矣。此災異所緣而起也」。

以上是董生的陰陽災異說的骨幹。春秋繁露中反覆發明此意，這裏不再徵引。陰陽說出於易傳。但易繫辭「一陰一陽之謂道」，陰與陽係居於平等的地位，這是中國開始談陰陽時的本義；董生在春秋繁露中，有的地方也表現此義。但他主要是把陰降到陽的下面去，這是陰陽意義的一種演變。我們把董生這種神秘的外衣，丟掉不管，只看他所說的「獨任治法之吏」一語，已截穿了當時政治的法家的本質。針對法家的「刑」而正面提出「德」，這正說明了儒法在政治上的對決。而在董生的心目中，天道卽春秋之道，亦卽儒家的理想，在上面所徵引的語句中，也表現得非常明白。

× × × ×

「德」的內容從兩方面表現。一方面是統治者首先應當從權力中純化自己，使自己成爲有德之人。他說：

「……春秋深探其本，而反自貴者始。故爲人君者正心以正朝廷，正朝廷以正百官，正百官以正萬民，正萬民以正四方。四方正，遠近莫敢不壹於正」。「今陛下並有天下，……然而功不加於百姓者，殆王心未加焉。曾子曰，尊其所聞，則高明矣。行其所知，則光大矣。高明光大，不在於它，在乎加之意而已。願陛下因用所聞，設誠於內，而致行之，則三王何異哉」。

這本是孔子「政者正也」的基本思想。而我們想到汲黯面責武帝「內多欲而外行仁義」的話，便可了解董生所說的，正切中武帝個人膏肓之疾。這裏還應一提的，董生在春秋繁露離合根第十八謂「爲人主者以無爲爲道，以不私爲寶」。立元神第十九謂「故爲人君者謹本詳始，敬小愼微，志如死灰，形如委衣。安精養神，寂寞無爲」。「不可先倡，感而後應。故居倡之位，而不行倡之勢。不居和之職，而以和爲德。常盡其下，故能爲之上也」。這都富有道家的氣息。但他在這些說法中，依然是以「汎愛羣生，不以喜怒賞罰，所以爲仁也」（離合根第十八），及「天生之以孝悌，地養之以衣食，人成之以禮樂」（立元神第十九）的這些思想爲內容；所以大體上他對於人君的要求，依然是儒家德治的無爲，而不是道家虛無主義的無爲。

德的另一面是對於刑罰觀念，而提出教化觀念。教化卽是教育，所以同時便提出了實現教化的學校制度。使人民不僅是在刑罰之下成爲統治者的被動的工具，而是在教化觀念之下，都成爲人格的存在，使每一個人能爲其自己而完成其人格；把上下互相窺伺的威壓與詐騙的社會，變成爲人性交流的禮樂社會，人文社會。他說：

「道者所繇適於治之路也。仁義禮樂，皆其具也。故聖王已沒，而子孫長久安寧數百歲，此皆禮樂教化之功也」。

「今陛下貴爲天子，富有四海，居得致之位，操可致之勢，然而天地未應，而美祥莫至者何也？凡以教化不立，而萬民不正也。夫萬民之從利也，如水之走下。不以教化隄防之，不能止也。古之王者明於此，是故南面而治天下，莫不以教化爲大務。立大學以教於國，設庠序以化於邑，漸民以仁，摩民以誼，節民以禮，故其刑罰甚輕，而禁不犯者，教化行而習俗美也。」

「常玉不琢，不成文章，君子不學，不成其德」。

「夫不素養士，而欲求賢，譬猶不琢玉而求文采也。故養士之大者莫大虖（庠）太學。太學者賢士之所關也，教化之本原也。今以一郡一國之衆，對亡應書者，是王道往往而絕也。臣願陛下興太學，置明師，以養天下之士」。

儒家典籍中所說的三代學制，多係出於托古改制；今文尚書中，似乎看不出學校制度的痕跡；換言之，這只是儒家的理想。此一理想的初步實現，實始於董仲舒的對策。歐洲正式經教皇之承認及帝王之敕書而成立的近代大學的萠形，乃十四五世紀時之事；我國早歐洲一千五六百年，卽由政府創立萠形的大學，使政治本身，包含一敎育的因素；在人君之外，另建立一「明師」的地位以實際對人民的敎育負責，這是人類生活發展史上的一件大事。更値得注意的是，董生勸漢武立學，決不曾認漢武帝有無限的靈感，可以直接去掌敎化的大權，而荒唐的漢武帝，從他的用將及秋風辭看來，雖然也確有些才量文采，但他也只滿足於做皇帝，而決不像史達林、希特勒之流，瘋狂得以爲自己是敎主。所以君師合一的「政敎合一」的說法，這是比二千年前的專制更爲專制的說法。儒家決不能加以承認。

這裏應順便把董生的人性論，簡單的提一下。他說「人受命於天，有善善惡惡之性，可養而不可改」（玉杯第二）。又說「凡人之性，莫不善義」（玉英第四）。由此可知他依然是繼承儒家性善之旨。但強調性善太過，則恐一切聽任自然。敎化無所設施，所以他對孟子的性善說有所批評。如謂「情亦性也。謂性已善，奈其情何？故聖人莫謂性善」（深察名號第三十五）。

他把性解釋爲「可能」之善，而非「已成」之善。可成之善，有待於敎化之功。他說：

> 「故性比於禾，善比於米。米出禾中，而禾未可全爲米也。善出性中，而性未可全爲善也。……今萬民之性，有其質而未能覺。譬如瞑者待覺，敎之然後善。當其未覺，可謂有善質而不可謂善」（同前）。

「聖人之性，不可以名性。斗筲之性，又不可名性。名性者中民之性。中民之性，如繭如卵。卵待覆二十日而後能爲雛。繭待操以涫湯而後能爲絲。性待漸於敎訓而後能爲善，善，敎訓之所然也。非質樸之所能至也」（實性第三十六）。

他因爲強調敎化的功能，所以認爲「善當與敎，不當與性」（深察名號第三十五），而謂「孟子以爲萬民之性皆能當之（善），過矣」（實性第三十六）。其實，孟子之所謂性善，亦僅指出其「可能」之確實根據，而並非謂其「已善」；已善有待於「養性」之「養」，「知性」之「知」，「設爲庠序學校以敎之」的「敎」。他兩人說話的重點雖有不同，而根本並無二致。這與後來漢人好以「善惡混」（不僅揚雄如此）言性，並不相同。

× × × ×

但是人民的問題，並非僅靠敎化可以解決。在這一點，董生又是嚴格的繼承了儒家養重於敎，及以調均爲中心的經濟思想。他說：

「夫古之天下，亦今之天下。今之天下，亦古之天下。……以古準今，何不相逮之遠也。……意者有所失於古之道與，有所詭於天之理與。試迹之古，返之天，黨（倘）亦可得見乎。夫天亦有所分予。予之（上）齒者去其角，傅其翼者兩其足。是所受大者不得取小也，古之所予祿者不食於力，不動於末，是亦受大者不得取小，與天同意者也。……身寵而載高位，家溫而食厚祿，因乘富貴之資力，以與民爭利於下，民安能如之哉。……民日削月朘，寖以大窮。富者奢侈羨溢，貧者窮急愁苦。窮急愁苦而上不救，則民不樂生，民不樂生，尚不避死，安能避罪。……故食祿之家，……不與民爭業，然後利可均布，而民可家足。此上天之理，而亦太古之道，天子之所宜法以爲制。……夫皇皇求財利常恐乏匱者，庶人之意也。皇皇求仁義，常恐不能化民者，大夫之意也」。

更具體表現董生經濟思想的要算下面這一段話：

「大富則驕，大貧則憂。憂則爲盜，驕則爲暴，此衆人之情也。聖人則於衆人之情，見亂之所從生，故其制人道而差上下也，使富者足以示貴而不至於驕。貧者足以養生而不至於憂，以此爲度而調均之。是以財不匱而上下相安，故易治也」（度制第二十七）。

儒家的所謂調均，只是大體上的平均，更非是廢止私有。這與亞里士多德想以中流或中產階級爲政治的社會基礎，並由此以建立道德實踐的中庸之道，可謂在精神上是不謀而合。

× × × ×

董生認爲政治運用的原則，是「改制」而不「變道」。道是儒家尚德尚仁尚教化的基本精神。這種精神表現在具體的政治上，必形成一種格局。此卽所謂「夏尚忠，殷尚敬，周尚文」等是。每一種格局，常順其外在的趨向，流而不反，以致發生過與不及的「偏」與「弊」。因此，須補偏救弊，以使其不致脫離原來的基本精神，此卽所謂三代的「損益」。但基本精神的「道」，則不能改變。改制乃王者受命的表徵，如「改正朔，易服色」之類，所以表示去舊染之汚，與民更始。漢在太初以前，仍用秦以十月爲歲首，實太不合理，故漢初人士，主張改正朔甚力，董生亦是如此。他說：

「臣聞夫樂而不亂，復而不厭者謂之道。道者萬世無弊，弊者道之失也。先王之道，必有偏而不起之處，故政有眊而不行。舉其偏者以救其弊而已矣。……故王者有改制之名，無變道之實。然夏上忠，殷上敬，周上文者，所繼之捄，當用此也。……繼治世者其道同，繼亂世者其道變。今漢繼大亂之後，若宜稍損周之文致，用夏之忠者」。

所謂用夏之忠，損周之文致者，實際便是欲以純樸質實來補救漢武時的浮誇詐僞。但是，漢代政治的基本精神，並不是繼承周代而係繼承秦代。因此，漢代政治問題的重點，不在補偏救弊的損益，而在方向大轉換的「更化」，卽是要由法家政治轉換爲儒家的政治。更化是儒法鬪爭的決勝點，他說：

「聖王之繼亂世也，掃除其迹而悉去之。……今漢繼秦之後，如朽木糞牆矣。雖欲善治之，亡可奈何。……竊譬之琴瑟不調甚者，必解而更張之，迺可鼓也。爲政而不行甚者，必變而更化之，迺可理也。……漢得天下以來，常欲善治而至今不可善治者，失之於當更化而不更化也」。

此外，他主張「量材而授官，錄德而定位」，特別強調「偏得天下之賢人」，這都是繼承儒家一貫的「爲政在人」的人治精神。他反對當時「吏二千石子弟選郎吏，又以富訾」的辦法，而正式提出「貢士」的制度，這都是儒家「選賢舉能」的精神的實現。總之，他的政治思想，亦卽是由他所代表以與法家相對照的儒家政治思想，可用他下面幾句話作總結：

「是故王者上謹於承天意，以順命也。下務明教化，以成性也。正法度之宜，別上下之序，以防欲也。修此三者而大本舉矣」。

× × × ×

他最爲今人所詬病的是抑黜百家，定儒術爲一尊的主張。他說：

「春秋大一統者，天地之常經，古今之通誼也。今師異道，人異論，百家殊方，指意不同，是以上亡以持一統，法制數變；下不知所守。臣愚，以爲諸不在六藝之科，孔子之術者，皆絕其道，勿使竝進。邪辟之說滅息，然後統紀可一而法度可明，民知所從矣」。

董生這一段話，我們可從三點來加以論列。第一，董生這段話，完全是站在政治上立言。百家思想而可以影響到「法制數變」，這當然是政治的大忌。在當時亦只是法家及縱橫家言。董生只主張政府不必提倡以致影響於政治上的安定，而並非要將各家學說，根絕之於社會。董生自己，不僅綜貫了儒家思想，並且也綜貫了當時的各家。這是了解春秋繁露的人可以感覺得出的。第二，「六藝之科，孔子之術」，如前所述，是代表了當時整個的歷史文化，其本身卽係滙集百川，富於含容性；所以儒家的人文精神，卽係以整個人文爲對象；其基本用心，亦只是想建立「把人當人」的社會，決非一偏一曲的諸子百家所能比。所以定儒術爲一尊，實際等於今日之信奉自由民主，而不獎借極權法西斯一樣。第三，董生及西漢爲今文學。東漢則重古文學。魏晉尙莊老。繼之而起者，則釋氏之學，發生主導作用者垂及千年。宋儒重奠儒家思想之地位，然亦未能排絕釋老。且新儒學本身卽融攝有釋老之精英。專以經義取士者乃宋（唐時尚非如此）以後之科舉，而宋明理學家無一不反對科舉，無一以經義八股爲學術。由此可知，中國學術發展之趨向，另有其各種基本因素。事實上從未受到推明孔氏之影響。以董生之議爲妨礙中國學術思想之發展者，實全係昧於史實之謬論。總之，儒家成爲中國之正統思想，乃根於儒家「把人當人」的思想之自身；董生之議，乃我國歷史命運從政治上「不把人當人」而轉向「把人當人」的掙扎中所應運而生的運動。此由其與當時法家政治之對決而愈益明顯。今人不從這種大關鍵處來了解董生乃至整個儒家在歷史中之地位，這只說明今人對其自身之命運，尙缺少眞正之自覺而已。

五、董仲舒後儒家對歷史之影響

漢書董仲舒傳謂「自武帝初立，魏其武安侯爲相而隆儒矣。及仲舒對策，推明孔氏，抑黜百家，立學校之官，州郡舉茂材孝廉，皆自仲舒發之」。這是說明董生在當時所發生的影響。此外，太初元年（西前一〇四年）五月造太初曆，用夏正，以正月爲歲首，遂沿用二千餘年而未變，這也是董生所參加過的一件大事，也可以說是「改正朔」的主張的實現。但董生最大的目的是要在政治上以儒家的德的觀念，代替法家的刑的觀念；這不僅在武帝時不曾轉換過來，並且到宣帝時還未轉換過來。史稱元帝「少而好儒。及卽位，徵用儒生，委之以政」（漢書元帝紀）。儒家的氣氛，至此才開始伸長。可是，他「牽制文義，優游不斷，孝宣之業衰焉」（同上）。這便引起今日許多責難儒家的藉口。但是，元帝好儒而孝宣之業衰，可分幾點來了解。首先根據漢書的敍述，元帝是一個風雅而心腸很好的人。他沒有從根本的法制上把漢家的政治基底轉變過來，而只是從大赦及賞賜等方面來緩和漢法的嚴酷，及表達其仁心的廣被。他在位十六年，大赦天下者凡九次，賜爵及金帛者五次，而局部之賞賜還不算在裏面。這是「惠而不知爲政」，當然不會有多大效率的。但光武之憑藉「人心思漢」以中興，此種「人心」實來自元成之培養，而斷非承自武宣之勳業。漢書酷吏傳十三人中，無一人通經術。循吏傳六人中，其最優者文翁，龔遂，邵信臣三人，皆通經術。餘三人乃因資質之美，而黃霸則近於詐僞。時至東漢，吏多儒生，故「自中興以後，科網稍密，（

按此乃指對吏治之考核而言；蓋西漢令吏治獄，可以「先行後聞」，而東漢則稍加限制故也）。吏人之嚴害者方於前世，省矣。而閹人親婭，侵虐天下」（後漢書酷吏列傳），此亦儒家思想浸漬漸染之效。其次：人性的政治，其作用在弛緩政府之誅求壓迫，以培養社會之生機元氣。所以帝王因奢淫而對社會多所誅求壓迫，固爲儒家所不許；卽帝王因一時之功利而對社會多所誅求壓迫，亦非儒家之所獎借。所以儒家對政治之功效，常是間接的，持久的，是應當從社會看，不應當從政府本身看；儒家認爲社會好，政府才能好。此卽「百姓足，君孰與不足」之意。若就一時之政治效率而言，其不如法家之集中權力，以政治之現實要求去統制一切之爲有較大效率，正如今日之民主政治，若就一時之效率言，並不及極權政治，是同一的道理。但法家的極權的政治效率，既不能持久，並且也不是人所能忍受的，所以我們不應從這種地方去論政治的是非得失。還有儒家對政治只有副良好的動機，標示了一個大的好的方向；而其發展尙未至足以眞正負擔其理想的任務。這在下面還要特別說到。

× × × ×

自從董生推明孔氏之後，在兩千年的歷史中，當然也有其深遠的影響。儒家在政治上的若干觀念，如愛民、納諫、尊賢、尙德、興學、育才等等，已成爲二千年來論定政治及政治人物是非得失的共同標準。此一標準，在最近四十年前，卽使是最愚蠢最兇暴的人君，也不敢不加以承認，有形無形的使其在此標準之前認罪認錯。因此，便對於暴君汚吏，不能不發生若干制約的作用。最低限度，那怕在最黑暗的時期，也提供了人們向前掙扎的一個指針，一個方向。這是在我國歷史每一次存亡絕續之交，都可以明白看取出來的。至於爲統治而統治的法家思想，在最近四十年以前，已不復能作爲一種理論的存在，已不復能堂皇的爲統治者盡其理論上的辯護之責，而只退處於政治中一種不自覺的事實的存在；其實際的擔當者，則由秦漢的整個政治機構中，逐漸壓降而退處於胥吏的地位。這種減輕毒素，維護生機的作用，是不可計算的。同時，由孔子在歷史地位中之崇高化，使任何專制之主，也知道除了自己的現實權力以外，還有一個在敎化上，在道理上，另有一種至高無上，而使自己也不能不向之低頭下拜的人物的存在。使一般的人們，除了皇帝的詔敕以外，還知道有一個對人類負責，決定人類價值的聖人，以作爲人生的依恃，而不致被現實的政治，蓋天蓋地的完全蒙得抬不起頭，吐不出氣。所以，在中國歷史中，除了現實政治之外，還敞開了一條人人可以自己作主的自立生存之路。在最近的五十年以前，中國每一個人的眞實價值，並不是由皇帝所決定，而是由聖人所決定；連皇帝自己的本身也是如此。因此，人們雖生存於專制政治之下，還可以過着互相敎養，互相救助的人倫生活。雖有時政脈斷絕於上，而敎脈依然延續於下。我國民族，不至隨朝代的變更，夷狄的侵佔，而同歸於盡，其關鍵全在於此。今人乃謂我國歷代之尊孔，純出於維繫專制之便利；果如此，則專制之主，何不禱祀於商鞅韓非李斯之前？何不奉商君書韓非子爲經典？而乃崇奉主張爲人民而政治，抑人君之好惡以伸張人民之好惡的孔子及其學派，何其顚倒若此。歷史上出身於盜賊狙猾夷狄之君主，尙不敢抹煞天下萬世之公是公非以自肆於孔子之上，這是說明權力向學術向敎化的低頭，亦可由此以見人心之未曾全死。今日之知識分子，其無知識，其無忌憚，乃悍出於出身盜賊狙猾夷狄的君主之上，則今日的總潰滅，大黑暗，豈係偶然之事？

不過，若以爲自董生推明孔氏以後，中國的政治，便一直是按照儒家思想去推演實行，因而在漢以後的政治中可以看出儒家思想在政治制度中的發展；或者以爲二千年的政治，都應由儒家負其責；這都是明察秋毫之末，而不見輿薪的論斷。政治是人類的行爲之一。凡是行爲的規範，卽行爲上的當然之理，都是屬於可能性而不是屬於必然性的東西。卽是，這種當然之理，並非一經提出，承認，卽會必然的實現，而尙有賴於各個人由自覺而來的意志的努力。人由自覺而來的意志的努力，並非如物理一樣，只要條件具備，立卽可以呈現一定的活動。在同一條件之下，人的行爲可以作各種選擇，可以走向各種方向。因此，人類行爲規範的當然之理，永遠是屬於可能的範疇而不是屬於必然的範疇。對個人是如此，對政治更是如此。認爲有一種超越的理念，高高在上，由此理念之自律性的活動以支配着人類的行爲，人類行爲，自然而必然的按照此種理念之推演而推演，於是歷史不過是此種理念自己完成之一例，如黑格爾的世界精神，旋轉照臨到古代，又旋轉照臨到東方，最後又旋轉照臨到普魯士以完成其自身的發展，這只能算是一種浪漫詩人的說法。中國二千年的政治，是在一個專制的圈架中，塡滿了夷狄，盜賊，童昏之主，掌握着最高的權力。由封建而專制，或歷史演變之不容避免；然專制之毒，實甚於封建，此亦爲中西之所同。而中國專制政治規模之大，時間之長，爲西方歷史中所未有。在此種政制之下的人君，能受儒家一部分影響而勤儉，納諫，愛民的，在兩千年中，能數得出幾位？更不要說天下爲公的基本精神，歷史中便不曾找得出一個。那些夷狄，盜賊，童昏之主，大體上說，都是在專制的圈架中胡天胡帝。不過在這種胡天胡帝中，儒家思想有形無形的，多多少少的盡了一點提斯緩和的作用。而最主要的還是靠儒家思想，在百姓日用而不知之中，形成一個人倫社會於專制政治隙縫裏面，作為活動的基盤，以延續民族的命脈。從政治制度上說，其中含有若干好的因素，好的傾向的，從來沒有得到正常的發展。作為制度中的骨幹，為儒法所共同要求，代替人君主政的冢宰——丞相，或宰相，在漢武時已經開始崩壞；他接連便殺掉了五個丞相。自宣帝起，已經沒有名符其實的丞相。以後，甚沒有制度上的丞相。明清兩代，專制政治發展到了頂點。不把握儒家的眞正精神及其遭際，而反為專制政治作辯護，這和許多人把專制政治一筆寫在儒家身上，同樣的，是對於中國歷史的曲解。而前者所發生的壞影響更為嚴重。

× × × ×

當然，就中國歷史上政府的多數組成分子而論，也可以說是「士人政府」。因為這一點，中國歷史上的專制，確與西方的專制，乃至一般西方人口頭上所說的東方專制（如古代的波斯及近代的俄羅斯），有很大的區別，這也就是在中國的專制政治之下，為什麼還可以受儒家思想的影響，並且使中國社會還不致於因專制而完全凍結殭化，一如其它的專制政治的情形一樣的主要緣故。論中國歷史，決不可忽視此一重大因素。同時，士人政府之得以形成，也正是儒家「選賢舉能」（儒家之所謂「為政在人」的人治思想，即是選賢舉能的要求）的思想所發生的影響，也是董生在天人三策中貢士的方法的逐步擴大。其前提條件，當然是貴族政治的摧毀。此一工作，乃儒法兩家所共同完成的。但法家是摧毀貴族後要以吏為師，它不容許士人階級的存在。因此，我們可以這樣說，士人政府，是儒家的貢獻，而胥吏政治，則是法家的殘餘。不過，士人政府，只能緩和專制政治，在專制政治中，保持政府與社會交流的作用，並滲入若干合理的因素。但士人政府，決不會突破過專制的最高形式。於是士人在此一形式之下，主要的都是蕃衍着叔孫通公孫弘的系譜，愈趨愈下，以至今日，消磨社會的智力於舉目皆是的「文犬」「文丐」之中，而不知所底止。士人中也不是全無忠於所學，守正不阿的人，這正是民族歷史命脈的所繫。但這種人的主要作用，多在於維繫社會的人心，提示社會的趨向。至若在政治上能行其所學的，則幾乎可說是曠千載而一遇。一般的說，書生若在政治上要稍忠於所學，立卽戮辱隨之。我國歷史，也可以說是一部忠臣義士的流血流淚史。這些忠臣義士，一方面說明了他們以生命堅持了天下的是非；另一方面，則是漢以後「君臣之義」的犧牲品。站在原始的儒家思想說，並不一定有此必要。效忠人主，希望人主能長治久安，尙多不能保持其性命，何況敢動動天下爲公，易姓授命的念頭。東漢法家的影響已較輕減，所以東漢的士氣較爲伸張。太學生三萬人，極古今之盛。當時士夫，砥礪名節，交通聲氣，「並危言深論，不隱豪強，自公卿以下，莫不畏其貶議」（後漢書黨錮傳）。由這種情勢順利發展下去，也可能形成名符其實的士人政府。最低限度，可以形成士人的堅強輿論，說不定爲我國政治，會開闢出另一新的途徑。但結果，幾個宦官，憑社鼠城狐之勢，冒天下的大不韙，誅戮禁錮，累及五族。「海內塗炭，二十餘年，諸所蔓衍，皆天下善士」（同上）。因此，一方面固然是「朝野奔離，綱紀文章蕩然」（同上）；但另一方面，儒家既非宗教，無固定團體以自律自保。又無近代之市民社會，以資結托憑藉。因此，而仕宦之途，卽士人非變節，卽成仁之地。成仁不可期之於人人，隱逸亦生人之枯槁。

於是以東漢黨禍爲一大轉捩點。說明了士人抵抗專制之失敗，也說明了士人爭取政治自主性的不可能。遂使歷史上之士人政府，實係一種士人投降變節之政府；其間僅有程度之差，並無本質之異。兩漢後戮辱士夫最酷者爲明朝，戮辱士夫最慘最巨者爲清代。許多人所嚮往的乾嘉諸老，大多數是以「文丐」自甘，過着非宋明理學家所能忍受的生活。卽此亦可以概其餘了。

在此種情形之下，儒家思想之本身，在政治方面，不僅未能獲得一正常之發展，且因受壓迫而多少變質，以適應專制的局面。其最重要者爲無形的放棄了「抑君」的觀念，而接受了法家尊君所造成的事實。由法家「三順」之說，演化而爲儒家「三綱」之說，將儒家對等之倫理主義，改變而爲絕對之倫理主義，此一改變，對儒家思想之本身影響至大。幾乎可以說，使儒家思想在政治方面發生了本質的變化。卽是本以反專制爲骨幹的儒家思想，逐漸而隨順專制，因而盡了許多維護專制的任務。「三綱」一詞，首見於董生的春秋繁露深察名號第三十五（循三綱五紀），但並無解說，其內容不可得而知。然觀其「父不父，則子不子。君不君，則臣不臣耳」（玉杯第二）之言，及其全般思想之結構，則董生固猶謹守倫理之對等主義。三綱之正式內容，始見於白虎通德論，其內容與韓非子三順之說，同轍合軌。而白虎通德論，固係漢代皇帝「欽定」之書，其受當時政治之影響，不難想見。自此以後，「君臣大義」，壓在每一個人的頭上，動彈不得，於是「天王明聖，臣罪當誅」的奴才論調，於以出現。在中山先生以前，任何黑暗時代，只有流氓盜匪起來造反，因而成王敗寇；但決沒有書生主動的起來造反。這固然受了生活形態的束縛，同時也未始不是受了觀念的束縛。先秦儒家的革命思想，後世儒家除了非常特出的如陸象山黃梨洲幾個人以外，一般人連做夢也不敢想到。也有許多大儒，如程朱這些人，對於政治有眞正的宏願及高人一等的見解；但一推到政治權力最高處所的人君那裏，便只希望他由誠意正心以成爲聖人。不能成爲聖人，便誰也毫無辦法，只有潔身而退，以講學來向社會負責。這固然是他們的偉大所在；但若非宋祖立下不殺士大夫之戒，則程伊川朱元晦便很有不得善終的可能。曾國藩躬行實踐，勉強可謂爲中國儒家在政治方面最後的殿軍。假定他當時能突破君臣之義，以考慮中國的問題，則我們的前途可能完全兩樣。康有爲也可說是豪傑之士；他們的維新運動，從現在看來，依然是有氣魄，有內容的運動。但他畢生以眞實的感情做一個保皇黨。總括的說一句，後世品德最好的讀書人，在政治上也多不敢懷疑到君臣的關係。政治上的努力，一遇到宸衷獨斷的時候，就一切到了盡頭了。

× × × ×

除上面所說的以外，儒家原始的政治思想，停滯在秦漢之際的階段，再沒有向前發展，因而其本身包含的缺點，使它所構想的客觀的政治間架，並不足以擔負其基本精神的使命。儒家已經想到了人君應當以人民的好惡，即是以民意爲依歸；並且想到把政治機構，構想爲整個是人君聽取人民好惡的機構（參閱國語周語，召公諫厲王之言）。又想到不以人民的好惡爲好惡的暴君，應該由革命或禪讓與以芟夷變動；這已經構想得相當周密了。但是它所想的一切，都是以人君或人臣去實行爲出發點，而不曾想到如何由人民自身去實行的問題。這或許是受了人民在農業社會中過着分散生活的制約；但政治問題，不在這一點上用力，則政治的主動始終是在人君而不在人民。甚至在儒家五倫的觀念中，根本缺乏人民與政府相關的明白觀念。於是儒家的千言萬語，終因缺少人民如何去運用政權的間架，乃至缺乏人民與政府關係的明確規定，而依然跳不出主觀願望的範疇；這是儒家有了民主的精神和願望而中國不曾出現民主的最大關鍵所在。

其次：儒家言政治，都是從個人的德性推擴出去；論語的所謂「政者正也」，孟子的所謂「推恩」，大學的所謂「絜矩之道」，及表明實現絜矩之道的誠意正心修身齊家治國平天下，都是此意。這站在政治最根源的地方來講，當然是正確的。並專從一個人的人格完成上來講，只有這樣，才能盡德性之量，亦卽是盡了人格完成之量；從這一方面來說，儒家思想在世界各種倫理道德的學說中，是最成熟圓滿的思想，因而對人類有其永恆的貢獻。但從政治方面說，由修身而治國平天下，由愛親敬長而推之於人民，推之於社會，在客觀上須要一種有力的橋梁；而這種橋梁，必須人人可以了解，可以遵守。但儒家在精神上架設了這種橋梁，而在客觀上，並沒有好好的架設起來。儒家實現修己治人的方法是禮樂，禮樂有其客觀的形式，因而有其客觀的意義。可是禮樂現成的間架是周代的，不僅帶有封建貴族的濃厚色彩，不足以陶鑄發展中的社會；並且禮樂既是「因緣人情」的東西，事實上必須隨時代而變遷。儒家本來都承認這種變遷的必要，此卽所謂「禮，時爲大」。同時，孔孟把外在的禮樂轉化而爲內在的德性，以掘發其在人性中的根源，使禮樂的形式，能與人性人格的要求合一，這便奠定了禮樂應如何變遷的基礎。但這只是精神的主觀的一面。禮樂不可無形式，而形式應如何變遷，卻不曾因社會的變遷完成適當的構造。漢初高堂生傳承的名物制度，我們固然可由此以窺知「禮意」，及古代一部分生活的情形；但既不合於社會的要求，也不能代替朝廷的政治制度。於是自秦代起，以至漢元之世，儒生每論及朝章國故，多是十人十義，百人百義，無所折衷。以後儒生在禮這一方面的努力，大抵超不出祭祀，婚喪的範圍；在政治上，只不過是皇室自身某一部分的生活，與現實政治，實渺不相涉。司馬談謂儒家「博而寡要，勞而少功」。這是表現在政治上的實際情況。儒家要求從內在的德性以推及天下國家，這只有聖人制禮作樂，以彌綸天下之大經，才可以做到。自董生以後，只要是讀書的人，便是儒者；只要是儒者，便可參加政治；不可能以聖人之事去期望在專制統治下壓輭了骨頭的一般讀書人。這自然便會形成書本上的道理，和各人實際活動的脫節。且縱使眞正有志於聖人的人，面對現實的政治，若不甘心依樣葫蘆，卽無客觀的東西可資依傍，而等於須要自己重新創造。這不僅牽制太多，恐亦爲一二人之力所不許。所以制禮作樂，始終是儒生的空想。劉歆王安石之徒，抱着一部周官想辦法，這恐怕也是情非得已。

　　更重要的是，支持歐洲走向近代社會的動力之一，不能不數到植根於羅馬的法的精神與法的制度。因爲有了法的精神與制度，可使個人與社會，個人與政府之間，皆在一種明確的規限之下，保持各自的立足點，而不致受到不正當的侵害，這便使個人對社會及政府的關涉，有一種堅確的基礎。此是自羅馬以來，許多思想家一貫的共同努力的結果。儒家所嚮往的禮，不僅如上所述，因其缺乏更新而早經殭化。並且禮是立足於個人的德性，而立足於德性上的東西，必須賴各人的自覺自動，這便須要高度的教養，不易期望之於社會的人人。禮記謂「禮不下庶人」，而儀禮乃「士禮」，並非庶人之禮，卽表示禮自身的一種限制。禮本可發展而爲近代的法，有如自然法發展而爲制定法。但在中國根本缺少此一發展。而中國之所謂法，始終不曾擺脫刑法的觀念，因而不曾努力把主觀的道德要求，客觀化，政治化，使成爲人人所能共見共守的法律。王充謂「仲舒表春秋之義，稽合於律，無乖異者」；而藝文志有公羊董仲舒治獄十六篇，則董生似曾作過此種努力；但是，從現在看，他所作的不會超出刑法的範圍，也不會超出「潤飾」的程度；他的學生呂步舒治淮南獄，以春秋義顓斷於外，死者數萬人，卽其鐵證；這距離西方的法的觀念還很遠。因爲合理的法的觀念，未能在士人中生根，亦卽不曾在政治中，在社會中生根，於是個人的社會生活，因缺少明確的依據而不能擴大。尤其是人民一旦與政府發生關係，卽仍墮入於法家幽靈下的胥吏手中，受其摧殘慘酷之毒。陸象山對於這種情形，曾有沉痛的敍述，我在象山學述中已經提到。現在再引一段故事在下面：

「張芸叟與石司理書云，頃游京師，求謁先達之門。每聽歐陽文忠公，司馬溫公，王荆公之論，於行義文史爲多。唯歐陽公多談吏事。久之，不免有請：（問）大凡學者之見先生，莫不以道德文章爲欲聞者。今先生多教人以吏事，所未諭也。公曰，不然。吾子皆時才，異日臨事，當自知之。大抵文學止於潤身，政事可以及事。吾昔貶官夷陵，方壯年，未厭學，欲求史漢一觀，公私無有也。無以遣日。因取架閣陳年公案，反覆觀之，見其枉直乖錯，不可勝數。以無爲有，以枉爲直，違法徇情，滅情害義，無所不有。且夷陵荒遠褊小，尚如此，天下固可知也。當時仰天誓心曰，自爾，遇事不敢忽也」（容齋隨筆卷四張浮休書）。

此一故事，一面是說明傳統士人所嚮往的「道德文章」，與人民的實際政治生活，很少相關。一方面說明在人民與政府發生關係的政治實際面，該是如何的黑暗。這並不是一件特出的例子，而是兩千年來埋在「士人政府」下面的普遍情形。所以一直到現在，人民不敢輕易與政府接觸，以避免與政府接觸，爲立身處世的要務。有人說，中國歷史上，人民有過多的自由；這些人所說的自由，正指的是人民瑟縮於政治縫隙之間的喘息。這是壓縮生命活力的自由，與近代西方的自由恰是相反。時至今日，還有人拿「法治」的口號來作爲抵抗民主自由的擋箭牌，由此可知因在中國文化中缺乏法的傳統觀念，以致站在統治地位的人，依然以爲由法家殘餘下來的胥吏手中的把戲就是法治，憲法則成爲可有可無的眼中釘。我們的政治與社會，遲遲不能走上現代化的道路，這當然是一個重大的因素。

還有，儒家對社會制度的態度，是主張逐漸蛻變，而不主張劇烈改革；此一性格，與英國人很有點近似。儒家創立於封建社會開始動搖之際，對封建社會中的「貴、賤」觀念，並不曾主張徹底的掃蕩，而只是要以「德」與「能」的標準去重新規定，已如前述。但事實上，儒家既無法在政治上保障賢者在位，能者在職，則儒家思想中所保留的貴賤觀念，結果只足表徵一種政治地位的高下；再墮落而爲官貴民賤，壓倒了原來民爲貴君爲輕的思想。一直到現在，還使許多官吏自己橫着「貴」的變態心理而不肯放，以與極權主義的「權威」「威信」的觀念相結合，更裝腔作勢以伸張之，違法亂紀以保障之，以致成爲走向民主政治的莫大障碍，這眞是先秦儒家始料所不及。至於儒家強調德性的本源，實踐的節序，而主張「親親之殺」，這本是可以立腳得住的想法。但移用到政治方面去，便阻礙了政治所要求的客觀精神，甚至墮落而爲家族政治，這當然也是值得注意的問題。

最後，儒家重歷史，重古的精神與用意，前面已經說過。但先秦儒家，都是面對現實的社會與人生而稱道歷史，稱道古；這不過是把對社會人生的理想，假借歷史，假借古，以確定其客觀的意義與地位。所以此時的重古，是蘊藏着一種思想創造的動力；因而先秦儒家的「古」，實際是創造的意味，多於因襲的意味。但到後來，便常常受到「古」的束縛，脫離對於現實的觀察，思考，而埋頭於經典的注釋。文化發展到了此種階段，卽表示由獨立思考能力的喪失而漸歸於衰退；這在西方，在印度，也都是如此。宋明理學，提出了「觀物」及「省察」的工夫，這便是面對人生的思考，所以在宋明理學中始有思想之可言。但宋明理學家，依然未能完全脫掉「古」的覊絆，以致引起許多可以不必要的牽文引義的糾葛，束縛了可能的發展。在政治方面，甚至由公羊三世之說的進化觀念，墮退而爲歷史的退化觀念，這便影響到民族向前追求的活力。及到清儒，想以文字訓詁之學來代替面對宇宙人生的思考，進而據其餖飣考據來抹煞思想上之問題，此風一直由五四運動後，爲一部分人所沿襲未變（請參閱張君勱著比較中日陽明學篇三）。他們「反古」而實被「古」裹脅得更緊。則中國思想今日之荒涼狀態，亦非偶然。但在此種情景之背後，實藏有專制政治之莫大壓力；所以這種人，對社會，對政治，幾無不採取逃避態度；對人生，幾無不走向自然主義，虛無主義，達達主義（Dadasim）之路。因此中國思想的發展，表面上是受了儒家「古」的觀念的束縛，實際依然是受了政治專制的壓迫。中國的學術思想，常發展於政治解紐之時。如周秦之際的諸子百家，隋唐之際的佛學，明清之際的顧黃王等。宋學則得培蔭於宋祖寬大的家法。一到政權穩定，思想之發展便隨之停滯，卽思想受了專制政治壓迫之鐵證。

總之，儒家思想，爲政治提供了道德的最高根據；而在觀念上也已突破了專制政治。但如上所述，卻又被專制政治壓回了頭，遂使儒家人格的人文主義，沒有完全客觀的建構，以致僅能緩和了專制政治而不能解決專制政治。這是留給我們今日所應努力的一大問題。因此，我這幾年以來，始終認爲順着儒家思想自身的發展，自然要表現爲西方的民主政治，以完成它在政治方面所要完成而尚未完成的使命；而西方的民主政治，只有和儒家的基本精神接上了頭，才算眞正得到精神上的保障，安穩了它自身的基礎。所以儒家「人把人當人」的思想，不僅在過去歷史中盡了艱辛掙扎之力；且爲我們邁向將來的永遠指針，及我們渡過一切難關的信心之所自出。不抱着這一大綱維去考索中國的過去與將來，我相信將永遠不能了解中國的歷史；也將對於中國的將來，不能有其眞正的貢獻。

十、一
四四、十、十六　民主評論六卷二十期至二十二期
十一、一

中庸的地位問題

——謹就正于錢賓四先生——

民主評論六卷十六期，刊有錢先生「中庸新義」（以後省稱新義）一文，謂中庸易傳，係「滙通老莊孔孟」。但我讀後發現錢先生乃以莊子的一部分思想，來解釋全部中庸；在此一解釋中，中庸與孔孟，並無關涉，私心頗爲詫異。適先生來書問我對此文的意見，遂坦率陳述期期以爲不可之意。函札往復，至三至四，深感前輩先生，學術爲公之盛意。惟錢先生在「新義」中所提出的問題，關係於我國思想史者甚大，爰就另一角度再提出我的看法，以就正於錢先生；並希關心此一問題者的指教。

四十五年二月十五日於東海大學宿舍

一

錢先生在答復我的書信中，認爲他以莊子解釋中庸，是他的一新發現，而在答復黃彰健先生「讀錢賓四先生中庸新義」的「中庸新義申釋」一文（俱見民主評論七卷一期）中，亦謂「中庸本書，據鄙見窺測，本是滙通莊子以立說」。最近我讀錢賓先生所著的莊子纂箋，始知錢先生的見解，有下面一段的來源；莊子齊物論：

> 「惟達者知通爲一，爲是不用而寓諸『庸』。庸也者用也。用也者通也。通也者得也。適得而幾矣」。

錢先生在此段下加以按語曰，「穆按，中庸之書本此」。我常覺得古人用字不甚嚴格，其表達思想之方式亦不够組織；所以在許多地方，只能根據某一人，某一書中前後互相關連的話，以確定一個字或一句話的意義。此在讀「謬悠之說，荒唐之言，無端崖之辭」（天下篇）的莊子，更須如此。因此，古今治莊者雖無慮數百十家；而今人對於莊書的校刋訓詁，尤多補前人所未及；然眞能得莊生之旨者，仍無過於郭象。因爲他用的是融會貫通的方法。卽如「庸」字之通釋爲「用」爲「常」；然上引齊物論之「庸」字，只有郭象以「自用」作解釋，始能與上下文相連貫而較合於莊子的本意。此外率多附益猜度之談；而此種附益猜度，又多出於一種不很成熟的預定結果；章太炎氏之「齊物論釋」，卽其一例。因此，莊子此處「庸」字之直接意義，與中庸之「庸」字實有其出入。

按「中庸」一詞之「庸」字，三見於尙書堯典；此雖爲庸字之最早出現，但在思想上與中庸似無關連。至於中庸一詞之「中」字，則始於堯之命舜，卽所謂「允執其中」（論語）。中庸謂舜「用其中於民」，當卽本此。「庸」之通釋爲「用」，則舜之「用中」卽爲中庸，故劉寶楠論語正義謂「中庸之義，自堯舜發之」（正義卷二十三堯曰章）。此說縱有推演太過之弊，然「中」爲儒家思想中之重要觀念，此在先秦儒家典籍中屢見不一見，乃無可爭辯之事實。而中庸一書「中」之觀念，實重於「庸」之觀念，此乃通讀全書而即可發見者。由上所述，可見僅由齊物論中之「庸」字而推論中庸思想之來源，何若由儒家典籍中的許多「中」字以推論其思想之來源，似乎更有根據。

且莊子齊物論中有「庸」字，有「中」字，但莊子全書中，決無連「中庸」爲一詞者。有之自論語始。論語上說：

「子曰，中庸之爲德也，其至矣乎。民鮮久矣」（雍也）。

若不能證明此文之晚出於莊子，又不能證明論語之「中庸」一詞，與莊子之「庸」字涵義相同，則僅從文獻上之關連上說，中庸一書之出於論語，實已昭然若揭。況中庸上之「子曰，中庸其至矣乎，民鮮能久矣」，分明即論語此文之轉用。且中庸中言「中和」，而周官大司樂即以中和祇庸孝友爲六德。而鄭康成即以「中和之爲用」釋中庸。又禮記喪服四制篇謂：

「此喪之所以三年，賢者不得過，不肖者不得不及，此喪之中庸也」。這分明是中庸的觀念，在儒家典籍中的實際應用。由此可知「中庸」一詞，乃儒家故物，固不必取莊子中不易捉摸之單辭隻義以爲中庸一書出處之證。

且不僅中庸一辭，明見於論語；全書中與論語上詞氣相同相合者所在多有，茲略舉如下：

一、論語：「子曰生而知之者上也。學而知之者次也。困而學之，又其次也。困而不學，民斯爲下矣」（季氏）。

中庸：「或生而知之，或學而知之。及其知之一也」。

二、論語：「子夏曰博學而篤志，切問而近思，仁在其中矣」（子張）。

中庸：「博學之，審問之，愼思之，明辯之，篤行之」。

三、論語：「子曰，溫故而知新，可以爲師矣」（爲政）。

中庸：「溫故而知新，敦厚以崇禮」。

四、論語：「子曰，邦有道，危言危行。邦無道，危行言孫」（憲問）。

中庸：「國有道，其言足以興。國無道，其默足以容」。

五、論語：「子曰，夏禮吾能言之，杞不足徵也。殷禮吾能言之，宋不足徵也。文獻不足故也。足，則吾能徵之矣」（八佾）。又：「子曰，周監於二代，郁郁乎文哉，吾從周」（同上）。

中庸：「子曰，吾說夏禮，杞不足徵也。吾學殷禮，有宋存焉。吾學周禮，今用之，吾從周」。

六、論語：「子曰非禮勿視，非禮勿聽，非禮勿言，非禮勿動」（顏淵）。
中庸：「非禮勿動，所以修身也」。

七、論語：「子曰，內省不疚，夫何憂何懼」（顏淵）。
中庸：「故君子內省不疚，無惡於志」。

至孟子離婁篇中與中庸幾乎完全相同的一章，在黃彰健先生文中已經提到，此不再及。總之，就文字的格調詞氣上說，中庸易傳，顯係與論語孟子爲同一類型；而莊子之格調詞氣，完全屬於另一類型，完全屬於另一系統，此乃經比較而即可明瞭斷定之事。吾人研究思想史，應從一個人，一部書的全部思想結構，文字結構，以推論其淵源流變。斷不可截頭去尾，從中執著一二字以下斷語。莊子一書中，其詞氣如偶有與論孟相似者，則其所表達之思想必屬於儒家而不屬於道，如齊物論之「春秋經世，先王之志」。及天下篇「大道將爲天下裂」一段，都說的是儒家的話。因此，有人說莊子出於田子方，即是出於儒家，雖未必可靠；而其受了儒家的影響，且儒家及孔子，在其心目中的分量甚重，乃不容疑之事。但其基本精神，乃出於道家而非儒家；而儒家與道家在思想所到達之某一點上，固有其若干相同之處；然其思想之根基及其向上努力之途徹，二者斷然不可混淆；此在與錢先生之往還書札中已稍有論列，此處不贅。

二

自史記漢書以迄漢代各經師，皆以中庸出於子思；淸儒對其篇章考訂加詳，亦略無異說。惟葉酉，袁枚，俞樾諸氏，因中庸中有「車同軌，書同文」，及「載華嶽而不重」等詞句，遂以爲係秦統一天下以後之作品，近人多信其說。錢先生旣以中庸出於莊子，則在年代上自亦必後於莊子。關於中庸之年代問題，陳槃庵先生在其「大學中庸今釋」的「敍說」，及「中庸辨疑」（民主評論五卷二四期）中，曾反復申論，以證中庸與大學，皆出於孔門，決非出於秦漢之手，其立論多確鑿可據。我現在再從思想之發展上，以證明中庸乃論語與孟子之間的作品。莊子旣約略與孟子同時，卽斷然是莊子以前的作品。

首先我應指出先秦古籍，經秦代博士之傳承整理，因而雜入傳承整理者當時的思想與資料，乃極合於情理之事實，此不獨中庸爲然。中庸「愚而好自用，賤而好自專，生今之世，反（復）古之道，如此者災必逮夫身」數語，分明係法家責備儒家的口氣，我覺得這是秦博士所雜入，而無庸諱言的。但不能因此而遽推翻其全書之出處。卽如史記一書，除褚少孫補缺者外，經後人所附益者亦復不少，豈可因此而遽疑其非出於司馬遷之手。茲從思想發展之脈絡上，列舉數端如下：

第一、君臣父子夫婦兄弟朋友的五倫，在論語皆已提出，但並未將其組織在一起，使其具備一完整的形式。將五者組織在一起，始於中庸與孟子，這便可以看出由論語到中庸孟子的發展之跡。但中庸之五倫，係以君臣爲首，而孟子之五倫，係以父子爲首。在中庸，無形中是君臣重於父子；在孟子，則意識地，父子重於君臣。此種輕重之分，實含有社會背景及政治思想之重大演進。論語孔子答齊景公之問謂「君君，臣臣，父父，子子」。係將君臣列於父子之上；而「出則事公卿，入則事父兄」（子罕），亦係將政治關係置於家庭關係之前，此皆反映在孔子的時代，現實政治所加於個人之影響，實大於孟子的時代。中庸之以君臣爲首的五倫，這說明它在形式上比論語前進了一步，而在社會之背景及思想之內容上，與孟子尙隔一間。孟子將君臣一倫，列於父子一倫之下，實係繼承中庸之進一步的發展。

第二，仁義禮知信之德目，在論語中亦皆已分別提出；但未將五者組成爲平列之一組。論語一書，常「仁」「知」對稱；仁知在論語中乃平列之兩個概念，其餘則多屬次一級之概念。又論語憲問章「子曰，君子道者三，我無能焉。仁者不憂，知者不惑，勇者不懼」；此處將知仁勇三者並稱；在全書中，亦常稱及勇之重要。中庸一書，旣經常「仁」「知」並稱，與論語相同；而以知仁勇爲三達德，尤與論語相符合。至孟子，則發展而爲仁義禮知之四端；至董仲舒則發展而爲仁義禮知信之五常，遂成儒家之定格。孟子以後，儒家無復繼承論語而將知仁勇平列；且甚少以勇爲一重要德目者；則中庸爲直承論語之思想，在孟子之前，豈非昭然若揭。

第三、論語言仁，主要爲就個人之自覺向上處說；至孟子，則多以愛人言仁，此後直至二程爲止，皆繼承此義而未改。（自二程起，其言仁始更向內轉進一層去講）中庸之「修道以仁」及「力行近乎仁」，其涵義特與論語爲近，即此亦可證明其直承論語而早於孟子。

第四、論語「性相近也」之性，仍係泛泛之詞；與子貢所謂「夫子之言性與天道，不可得而聞」之性，二者自別。我覺得「性與天道」，乃承「五十而知天命」之天命而來。孔子之「好古敏求」，「信而好古」，係在外在經驗界中的追求；至五十而知天命，乃進一步對於外在的經驗，賦與以內在而先天的根源與根據。此天命旣非傳統之「死生有命，富貴在天」的天命，亦非如朱元晦所謂賦於物的「事物所以當然之故」；而指的係道德的先天地內在地性質；（此點前人言及者甚少，將另爲文闡述）此一性質，至中庸始進一步指出爲「天命之謂性」，將論語中實際上已連在一起，但形式上尚未連在一起的「性與天道」，切實連在一起，此係思想上的一發展。「天命之謂性」，其性自然是善的；但中庸尚未將此「善」字點出；中庸中之所謂「善」，仍是外在的意義重；至孟子乃點出「性善」，使天命之性，有進一步的明顯而具體的表達，此係繼承中庸之又一發展。

第五、論語重言忠信，忠信發展而爲中庸之誠，前人多已言之。論語言「默識」，言「內省」，此係向內的沉潛；至中庸而言「愼獨」，則內在之主體性更爲明顯；至孟子則更進一步言「求放心」，「存心」「養性」「養氣」，較中庸之愼獨表現得更爲具體而明白。其一步落實一步的發展之跡，宛然可見；則中庸爲在孟子以前，亦卽在莊子之前，應當可以斷定。

且中庸與易傳之血緣爲最近，錢先生亦將二者並稱。因此，易傳亦當在莊子之前。錢先生的莊子纂箋，在天下篇的篇目下所引諸家之說，皆以此爲莊子之自序，我亦深以爲然。天下篇有「易以道陰陽」之語；然卦辭爻辭，無一字道及陰陽者，至易傳則始道陰陽。易原爲卜筮之書，由易傳而賦與一新地意義與價值，因而成爲儒家之經典。莊生此言，當卽指易傳而言。若非易傳在莊子之前，則天下篇何由能作此簡括之敍述？

我謂中庸與易傳，皆出於莊子之前，此乃漢人之通說，亦卽儒家有關其自身思想傳承之通說；我僅將此通說重新與以肯定而已。中庸出於莊子之前既可斷定，則中庸出於莊子之說亦不攻自破。

三

中庸一書，在儒家思想系統中所以佔一重要地位，就我所了解，當不出於下列數端，都發生着承先啓後的作用。

首先，儒家思想以道德爲中心；而中庸指出了道德的內在而超越的性格，因而確立了道德的基礎。「率性之謂道」，此道卽係後面所說的五倫的達道。這與老莊之所謂道，絕不相同。且在語言的順序上，道家之道在天之上，而中庸之道則在性之下，性又在天命之下，雖然在實質上三者是一而非二。五倫係外在的人與人的關係。但此人倫關係之所以形成，亦卽人道之所以成立，據中庸的說法，乃根源於每一人內在之性，而非來自外在的條件。若如經驗主義者，以道德爲來自外在的條件，則道德將決定於條件，而不決定於人的意志，人對道德缺乏了主宰性；嚴格的說，無主宰性，卽無所謂道德不道德。同時，外在的條件，總有其伸縮與轉移性，與人身總有或多或少之距離；因此，人對於道德，沒有必然地關係，道德卽在人的身上生不了根。中庸說「率性之謂道」，乃指出道卽係每人的內在地性；有是人，必有是性；有是性，必有是道。所以下面接着說「道也者，不可須臾離也，可離非道也」，以見人不能自外於性，卽不能自外於道，而道乃眞正在人身上生了根。故必由道德的內在性，而後始可言道之不可須臾離，而後人對道德乃有眞正之保證。

然若僅指出道德之內在性，固可顯見道與各個人之必然關係，但並不能顯見人與人及人與物之共同關係。人我及人物之共同關係不顯，則性僅能成爲一生理之存在，而道德之普遍性不能成立，於是所謂道德之必然性亦成爲無意義的東西。所以中庸在「率性之謂道」的上面，要追溯出一個「天命之謂性」。天的本身卽是普遍的具體化；因此，由天所命之性，也是人我及人物所共有而成爲具體的普遍。作爲道德根源之性，旣係內在於每一個人的生命之中，而有其主宰性，有其必然性；同時又超越於個人生命之上，而有其共同性，有其普遍性。人性因爲具備這兩重性格，才可以作道德的根源。從純生理的觀點去認定性，性便不能超越出來以成就人類生活的共同規範；順着此一路推演下去，只能看到一個四面不通風的個體；但是人實際是要生活於羣體之中的；而這種四面不通風的個體，總不能形成一個相資相保的羣體。道德必在羣體中顯見。不能形成羣體，遂極至於不承認道德存在的權利。從純超越的觀點去認定道，道便不能內在於每一個人生命之中以成就個體的價值；順着此一路推演下去，常要求無限地犧牲個體以成就羣體或某一較高的價值，結果，羣體和某種較高的價值，皆成爲脫離現實生活的抽象而空洞的名詞；再由少數人掌握住此類名詞以君臨恣睢於萬人之上。今日共產黨的大病痛，是出在只承認一個永遠沒有個體的集體，祇承認一個永遠沒有現在的將來，於是他們的理想，只成爲萬衆的一個悲劇。人類歷史，一直是在上面兩極的對立搏鬪之中，互相激盪，互相起伏，看不出一條根本解決的道路。從純文化理念的觀點來說，中國內在而超越的道德性的文化，實際爲人類提供了此一道路。在此一內在而超越的文化中，一個人的生理與理性合爲一體；流到外面的作用上去，個體與羣體同時得到和諧。中庸之所謂中和，卽指的是這種內在與超越合一的「性」，及由此性所發生的成己成物的作用。內在所以「成己」，超越所以「成物」。內在與超越非二物，卽成己與成物非二事。由此而言「致中和，天地位焉，萬物育焉」，乃有其眞實地內容與其確實地條貫，而不是浮言泛語。這是中國文化的核心，這是中庸承先啓後的第一貢獻。就我目前所了解的莊子來說，他當下承認了各個的個體，因之也承認了聚各個個體而成的羣體。但他的承認，並不是承認個體的價值，最大限度，只是以無價值爲價值。同時在個體與個體之間，不是發自德性之互相涵融，而只是出於一種無可奈何之感。所以在他心中的個體，都是冷冰冰地孤零零的個體；而他內心的深處，對此孤零的個體，實不勝其悲凉凄愴之感；於是他不能在個體之自身去「道通爲一」，而只好在個體之上去求一個「有未始有始也者，有未始有夫未始有始也者」的「無」的，「無無」的，「無無無」的境界，去「道通爲一」；而以「有以未始有物者」爲知之「至矣盡矣」；面對現實，則只好「知止其所不知」。這是以不解決問題爲解決問題的想法；此種想法，未嘗不可使精神上暫時得到一點輕鬆；但現實並不因此種精神上的輕鬆而便不發生問題；於是齊物論在人生中所發生的影響，一面是個體的恣睢自喜，一面是個體由現實中的退避。兩者都是互相因緣的。這與中庸由內在而超越以成己成物的德性，在精神上完全是兩回事。

於此，還應補充說明一點的，「天命之謂性」的「天」，不是泛泛地指在人頭頂上的天，而係由向內沉潛淘汰所顯現出的一種不爲外界所轉移影響的內在的道德主宰。因此，這裏的所謂天命，祇是解脫一切生理束縛，一直沉潛到底時所顯出的不知其然而然的一顆不容自已之心。此時之心，因其解脫了一切生理地，後天地束縛，而祇感覺其爲一先天地存在，亦卽係突破了後天各種樊籬的一種普遍地存在，中庸便以傳統的「天」的名稱稱之。並且這不僅是一種存在；而且必然是片刻不停的發生作用的存在，中庸便以傳統的「天命」的名稱稱之。此是由一個人「愼獨」的「獨」所轉出來的；其境界極於「無聲無臭」；中庸卽以此語爲其全文的收束。無聲無臭者，不爲後天一切所干擾之謂；這便很有形而上學的意味；但實與西方一般由知性的思辯所推衍上去的形而上學不同。借 Wilhelm Dilthey（1833-1911）的話說，這是「基於心的生命構造而來的內地傾向所生出來的」。Dilthey 在其「精神科學序論」中說：形而上學（思辯地）卽使死亡，但人類精神的形而上學地傾向 Metaphysischer Eng 不會絕滅。知性縱然禁止，但心情總會要求。Dilthey 所認定的心，依然不過是「感情與衝動之束」，卽是生理之心；他還未能從生理之心中透出德性之心；所以他說這種話，祇能顯出西方知性的文化中由某一欠缺所發生出的要求，只有一負面的意義；而沒有從另一面來肯定人生的價值，亦卽缺乏正面的意義。我不過借此以指出中庸係由另一途徑以顯出另一性格的形而上學；這種形而上學與科學所走的路不同，並不會覺到科學的威脅因而須有所避忌。其實，錢先生在其「中國思想史」中已經說過「道家觀念重於虛，虛而後能合天。儒家則反身內求，天卽在人之中，卽性是命，卽就人文本位充實而圓滿之，便已達天德，便已順天命。」這很說得恰到好處。而「新義」中由對誠所下的解釋，卻把天和天命一起都說向外面去了。

四

其次，論語主要是就下學而上達的下學方面立教，故最爲切實。而中庸則提出道德的最高境界與標準，指出人類可由其德性之成就，以與其所居住之宇宙相調和，並進而有所致力。論語中雖屢提到聖人，但對聖人未作明顯的敍述；中庸則對聖人之所以爲聖人，敍述得相當的詳盡。同時，論語對修己以安人，修己以安百姓這一類的問題，談得不少；中庸承繼了這一方面的思想而進一步加以系統化。但論語幾乎沒有談到人與天的關係。而人類文化發展到某一階段，對於其所居住的宇宙，由原始性的猜疑畏懼，常要求與之有一種調和的關係，或對之有一種責任感，而希望將其歸納於自己生活範疇之內。人類可以從宗敎這一條路來滿足此種要求，可以從藝術這條路來滿足此種要求，可以從科學這一條路來滿足此種要求；而儒家則係從道德這一條路來滿足此一要求；中庸一書，在這一點上有了充分的發揮。中庸以聖人爲最高道德的標準，認爲由聖人「峻極於天」之道，與天地同功，因而盡其對天地萬物的責任以得到人與天地萬物的和諧。而其確切可靠的天路歷程，乃在於聖人之「能盡其性」，卽是能圓滿實現其內在而超越的道德主體。如前所述，此主體因其有超越的先天的一面，所以在能將其圓滿實現的這一境界上，自己的性，與人之性及與物之性，係合而爲一；因此，盡己之性，同時卽係盡了人之性與物之性。己之性與人之性及物之性的總和，卽是天地化育之實，因而盡性卽是「贊天地之化育」，「與天地參」。這是性的高明、精微的一面，卽所謂「達天德」。「率性之謂道」，而中庸之所謂道，卽指五倫的人道而言，此卽所謂「天下之達道五」。性由五倫的人道而見，於是「盡倫」卽所以盡性。每人皆在人倫的關係中，在人倫的生活中，總會或多或少盡了一分義務，所以說「夫婦之愚，可以與知焉」。這卽是所謂「極高明而道中庸，致廣大而盡精微」。由盡倫盡性而上達天德，在此一分限上始可說「天人合一」；始可說「魚躍鳶飛」。而此一分限，在中庸只能歸之於盡性盡倫的聖人。只一「盡」字，便含有多少切實的工夫在裏面。否則在「無一法可得」的禪宗，尚要斥爲「自然外道」，何況站在中庸「修道之謂敎」的立場。譬之一個偉大的藝術家，當他說某一自然風景是偉大地藝術作品的時候，實際是他自己的藝術精神正在向某一自然發生構造的作用。因藝術精神的高下或內容有所不同，他們在自然中所認取的藝術性亦因而不同；因之，在同一自然背景之下所產生的作品亦因之不同。此卽可證明藝術家的觀照，有其主觀的構造性。藝術家由觀照而對於自然的契合，這是藝術上的天人合一；假定沒有其眞實的藝術精神以作其內容，則這類的話，只是不負責任的廢話。莊子以觀照的態度來齊是非，一生死，也要假定「聖人」「至人」「眞人」「神人」等才能夠如此。人格的平等，與人格價值的等級性，這是不可混，而又不可分離的兩個概念。只要承認價值觀念，便必須承認價值之等差觀念。必如此而後有精神之向上可言，有人道之可言，有文化之可言。中庸中之「小人」，「夫婦之愚」，「君子」，「聖人」，分位分明；而君子與小人對舉者凡四，單稱君子者凡二十七；此與論語之以「君子」爲現實努力向上之目標者正同，其意義不可隨意抹煞。至於程伊川所謂「聖人之道，必降而自卑，不如此，則人不親」，這是出自聖人向社會接引之仁心，不可因此而卽以衆人視聖人。又如由價值的最高成就，卽由盡性盡倫而物我一體，在德性之主體方面，將客觀之等差性完全消解，此時乃顯現一眞正一切平等之境界，卽中庸所說的「萬物並育而不相害，道並行而不相悖」的境界，亦卽程伊川所謂「將這身放在萬物中一例看，大小大（多麼）快活」的境界，這須經過精神上的一大轉進；假借禪宗的話來說，這是「悟」後的「山河大地」。萬不宜因此而抹煞道德價值，人格價值的最高標準，因而杜絕了人類向上之機。

五

尤其重要的是，中庸提出了道德價值、人格價值的最高標準，以為人道立極，使人生成為一上達的，無限向上的人生；同時，更為走向此最高標準而提供了一條大路。所以在「率性之謂道」的下面，必須接上「修道之謂教」。無此一「修」字，一切便都會落空。中庸之所謂道既是人道，則所謂修道便不是對於一般存在的承認，而是切着人自身的生活。儒家的理想，本不離開現實生活；但決不因為現實生活為一存在而卽承認其都是合理，而卽承認其為符合於天命之性。所以大學是以「修身為本」，中庸也是以修身為本，中庸說「修身以道」，而「率性之謂道」，是修身卽係復性。復性於現實生活之中，使現實生活符合於天命之性，此卽中庸之所謂「誠」；亦謂之「純」。誠與純，是說人能眞有其內在超越之性，而不雜以後起的人欲之私的狀態。因此，深一層的說，誠卽是性。凡大學中庸易傳孟子之言誠，皆就人之內心而言。中庸首先出現誠字是「順乎親有道，反諸身不誠，不順乎親矣」。此與錢先生以「誠皆屬天」，而天又為外在之天，似乎恰恰相反。錢先生或者是因對中庸「誠者天之道也」一語的解釋，與我所了解的不同，故有此說法。就我的了解，「誠者天之道也」，是就完全實現了其天命之性而言；所以接着說「誠者不勉而中，不思而得，從容中道，聖人也」。此處的「天之道」，實等於「天之命」；當時「天道」與「天命」二詞常常互用。由此可知「誠者天之道」，與孟子「堯舜，性之也」同義，卽孔子「七十而從心所欲不踰距」的境界。先秦儒家若就天地而言誠，亦係由人身之誠而推出言之。且所謂天地之誠，乃指天地所以能生物之精神而言，而非就生物之結果而言。中庸說「天地之道，可一言而盡也，其爲物不二，故其生物也不測」，「不二」卽是誠。錢先生以「羣星眞實有此羣星，地球眞實有此地球」言誠，此不僅與所引朱熹注「誠者眞實無妄之謂」的意思不合，且與大學中庸易傳孟子之言誠皆不合；以原意解之，地球之所以有此地球乃由於誠。蓋當時除老莊對自然之存在已稍露有虛幻之感外，一般對自然界皆未發生眞實或不眞實之問題。在中國發生此一問題，乃出於老莊盛行及佛教入中國之後，而開始有晉代之「崇有論」，以至宋儒之強調「體用不二」。至錢先生以「喜怒哀樂，亦眞有此喜怒哀樂」，此同於「魚蟲鳥獸，眞實有此魚蟲鳥獸」，將人格中的質的問題，化爲物質界的量的問題，以希由此而證成其「能實有其好惡謂之仁」之說，此種「化質歸量」之說法，不僅根本否定了中庸的道德意義，且當時亦無此科學思想以爲之先導，當甚難成立。

中庸假定聖人是生而卽誠的，其餘的人，則係一套工夫（修）所積累的成果。中庸所提出的工夫，可以說是由內外兼顧，而內外合一。卽「尊德性」與「道問學」的兼顧與合一。向內的工夫是由「戒愼乎其所不睹，恐懼乎其所不聞」的「愼獨」，朱子以「人所不知而己所獨知之地」，釋「獨」，與中庸後面所說的「君子之所不可及者其惟人之所不見乎」正合。程朱之「敬以直內」，卽由此而來。以後王陽明之所謂「無聲無臭獨知時，此是乾坤萬有基」，也是由此而出。但錢先生以「存在與表現」解釋誠，於是把「不睹」「不聞」也解釋到外面去了。

向外的工夫是由「明善」而「擇善固執」。中庸說：「不明乎善，不誠乎身矣」。因有對立於善的惡，而始須要去明善擇善。明善卽是義利之辨。義與利，天理與人欲，固然都是存在，但儒家不認爲在人類生活的範疇之內，可以說凡存在皆合理，而必須把它辨別清楚，以免「認賊作父」。不承認有天理人欲之辨，卽無進德修業之工夫可言。凡屬人文精神的文化，不論以任何辭句，必須表現此二者之對立，因之，對於人之「情」，不能不下一番工夫以尅服此對立。此在儒家爲尤甚。何晏與王弼。以老莊思想釋論語與周易；然對於此種大坊所在，仍未敢突破。何晏論語集解解釋「不遷怒」謂：

「凡人任情，喜怒違理。顏淵任道，怒不過分」。

彼固不以喜怒哀樂，皆因其爲存在而卽認其當理。王弼釋乾文言「利貞者性情也」謂：

「不性其情，何能久行其正。……利而正者，必性情也」。

彼固不認爲情卽是性，而要求以情合於性。又釋旡妄之卦辭曰：

「威剛方正，私欲不行，何可以妄。使有妄之道滅，旡妄之道成，非大亨利貞而何」？

彼固以去私欲釋無妄，而私欲乃一感情之存在。易傳謂「庸言之行，庸行之謹，閑邪存其誠」，「閑邪」乃所以存誠，而「閑邪」之正面卽是「明善」，既須閑邪明善，卽不能承認「凡存在而表現的」卽是誠，卽是善。因爲自然之存在，無善惡可言。對自然而言善惡，亦係以人爲中心以形成一種人爲之尺度。故善惡之問題，乃人自身之問題，不必與自然相涉。因人身有惡，故必須明善。明善乃所以擇善。擇善而固執，卽存天理而去人欲，卽內外合一之橋梁。「尊德性」與「道問學」，在此等處合攏。此乃中庸全書中心點之所在。我現在把這一段完全抄在下面：

「在下位，不獲乎上，民不可得而治矣。獲乎上有道，不信乎朋友，不獲乎上矣。信乎朋友有道，不順乎親，不信乎朋友矣。順乎親有道；反諸身不誠，不順乎親矣。誠身有道，不明乎善，不誠乎身矣。誠者天之道也。誠之者人之道也。誠者不勉而中，不思而得，從容中道，聖人也。誠之者，擇善而固執之者也。博學之，審問之，愼思之，明辨之，篤行之。有弗學，學之弗能弗措也。有弗辨，辨之弗明弗措也。有弗行，行之弗篤弗措也。人一能之己百之。人十能之己千之。果能此道矣。雖愚必明，雖柔必強。」

因明善擇善而固執，可使人之喜怒哀樂之情合乎天命之性，此之謂「自明誠」亦卽係由工夫以達本體。天命之性在內作主，自然使人之喜怒哀樂之情發而皆中節，此之謂「自誠明」，亦卽係「卽本體，卽工夫」，由承認現實與理想之距離，並由現實中追求理想，使理想實現於現實之中，卒之，將理想與現實打成一片，這是中庸思想的中心，亦卽儒家全部思想之中心。由孔孟而程朱陸王，在此中心之外圍，雖各有其時代及個人之特性，不必完全相同；但無一不由此一中心點貫通下來，以形成一大義理的系統。而中庸在其間正盡了承先啓後之責。推翻了這一中心點，便推翻了全部的儒家思想。

這裏還須稍稍一提的，錢先生在「新義」中亦覺其對誠的解釋，有「如西方哲學家所謂凡存在者莫不合理」，似覺不安，如是「述中和義以補上篇之未備」。但就我看，錢先生之所謂中和，亦與中庸不合。第一、錢先生之言中和，也與其言誠一樣，都是外在的，而不是內發的；把中庸之以人爲中心而推向宇宙的，說成以宇宙爲中心，而以自然來比附於人；使中庸全書之精神脈絡不明。第二、錢先生說：

「然若再深言之，則當其在求中和之途程中，凡其一切變化，亦是一存在，一表現，則亦無一而非中和」

這依然是「凡存在即中和」，與「凡存在即誠」，並無區別。

錢先生因把人自身的問題附屬於外在的自然上去解釋，於是只能在外在的關係上來講中和。所以說：

「故人心如天平，喜怒哀樂，猶如天平一邊之法碼。外物來感，如在天平一頭懸上重量，則此另一頭即須增上法碼，以求雙方之平衡而得安定。若使人心喜怒哀樂之發，常能如外物之來感以獲平，則此心常在一恰好狀態下，即此心常得天理；換言之，則此心常保天性之本然……宋儒則謂是其人能見性見理。見性見理，則見此中和而已」。

錢先生在這裏似乎忽略了一個問題，天平秤物，不是一頭加物，一頭加法碼，使兩邊平衡，卽可了事；而是天平有一種「定盤星」，要由此定盤星以知道物的輕重。人的感情，不是使這邊半斤的喜，與那邊八兩的怒，保持平衡，卽是中和。而是在喜怒之上有一理（或性）的存在，以節制此喜怒，使其中於節，合乎理，乃謂之中和。是由性來主宰情，由天理主宰喜怒，而後使此心能常在恰好狀態。不是此心常在恰好狀態而卽可謂之「得天理」。例如一個小偷偷到他想偷的東西，此時之歡喜，與正偷時之驚恐，取得一平衡，此是心的一恰好狀態。或者偷到手後，發生悔恨，乃又暗暗送返原主，心中如釋重負，此又是心的一恰好狀態。站在錢先生的觀點說，兩等皆是中和；但站在中庸和宋儒的立場看，則恐怕只能承認後者。總之，錢先生此文，因將人附屬於自然上去說，自然本身無所謂理性、道德、善惡、人格高下等，故反投在人的身上，也不承認有理性、道德、善惡、人格高下等，而只承認一「感情衝動的自然調節」。於是主張「不遠禽獸以爲道」。不僅在禽獸中找不出中庸之所謂五達道三達德的自覺，故人道必自人禽之辨開始；卽在莊子齊物論中亦找不出對五達道三達德的正面而積極的肯定，甚至根本沒有提到。錢先生的此一思想，可以在現代唯物主義自然主義中尋找其根據；可以在莊子思想的下半截中尋找其根據；但絕難在儒家中尋找其根據。錢先生以此來說明自己的思想，這可以增加思想的多彩性；但以此來加在古人身上，作思想史的說明，則幾無一而不引起混亂。這是我不敢不向前輩先生進一言的。

四五、三、一　民主評論七卷五期

史達林對人類的偉大啓示

俄共第二十屆代表大會對史達林的唾棄，就現時俄共的政權來說，是有其對內對外的重大原因，此處暫不詳論。但就史達林的本身來說，此一舉動，不出乎他畢生所咬牙切齒的政治敵人，而出於畢生殫精竭力所選拔培養的幹部；死後不到三年，眞所謂一抔之黃土未乾，歌頌之餘音尙在。假使史達林地下有知，當不知如何感慨萬千，與貝利亞抱頭痛哭。

首先我們應該了解，俄共在第二十屆大會中，由史達林返回到列寧路線的宣佈，並不含有思想轉向的意義。正如共產黨人平時千萬次所得意宣揚的一樣，列寧主義，是馬恩主義的發展；而史達林主義，也是列寧主義的發展。所謂發展，包含兩種意義。一種意義是後者與前者有某一程度的不同；而另一種意義則是後者與前者有其內在的必然的關係；順着前者的路走，自然會達到後者。列寧之不同於馬恩，據共產黨人自己得意的陳述，是列寧徹底否定了馬恩思想中，尤其是恩格思晚年思想中所含的一部分和平而合法的議會主義；因此，他展開了殘酷的對孟塞維克及以考茨基爲首的社會民主主義的鬪爭。但這是順着馬恩階級理論一直走下來的結果，與馬恩的階級理論有其必然的關係。同樣的，史達林與列寧之間，也有了多少的區別；最重要的是列寧心目中所嚮往的爲階級專政，到史達林便完全成爲個人專政。但我們只要想到共產黨人經常以「最高的憤怒」形容列寧沒有絲毫寬容的心情，便可想到列寧經常所說的「對敵人寬大，即是對同志殘酷」的血腥訓誡，則史達林一貫下來的清洗政策，正是列寧的善繼其志，善述其事的孝子賢孫。由此不難了解俄共之由史達林返回列寧，決不應有「共黨思想正在轉變」的錯覺。

其次，我們應當注意的，史達林的存在，雖對世界構成了鉅大的威脅，但對俄共本身卻有其無比的功績。他以冷靜的頭腦運用深遠的智慧，捕捉每一個機會，以完成他預定的目標；他在列寧時代波蘭進軍失敗之後，堅持一個社會主義建設的主張，創造了五年計劃的經濟建設。更因爲他的頑強而機警，玩弄羅斯福與邱吉爾們於股掌之上，不僅使俄共渡過了二次世界大戰的危機，並且乘機併吞了東歐九個國家，還以其餘力幫助中共奪取了中國的大陸。他之不同於希特勒與莫索里尼，在於他能控制住自己感情的衝擊，他可以使他人發瘋而自己並不像希、莫之自己陷入於瘋魔狀態。現時克姆林宮一羣妖魔小丑，所以能以一種威力的姿態出現於國際舞臺之上，那一樣不是史達林事先爲其準備齊全。照普通的道理講，一個人的罪過，常因其死亡而與以寬恕，此卽中國俗語之所謂「除死除走」。何況是建立了這無比功績的自己的「領袖」。

但是我們仔細的想想，獨裁者特徵之一，是認爲一切人們都是爲他一個人而存在，因此，一切人都化成爲他一個人的工具，只有他一個人才是目的。目的始有其自足的價值，而工具則不過是隨時可以抛置更換的東西。此一趨向，在史達林的平生發揮到了極致。俄共革命的元勳，在同樣的「人民敵人」的罪名之下，斬殺得一乾二淨，此外更何待說。他之所以能在一念之間，把自己的同志當作最兇狠的敵人，不惜用最殘酷的方法殺掉；主要是因爲這些人的存在，在他的眼睛看來，並不是有自足價值的「人」，而只是他達到目的物的工具。「同志」與「敵人」，在他心目中，不過是一個工具的兩面。「提拔」與「殺戮」，在他心目中，不過是運用工具時的兩種方式。一切人都工具化了，一切人的生和死，只繫乎作爲唯一「目的者」的需要；而作爲「目的者」的具體內容，便是現實的政治權威；目的者之所以能運用其工具，也正是靠着現實的政治權威。今天史達林已埋入到墳墓中去了，他的政治權威已經變爲非現實的存在；則俄共的「目的者」，已由史達林轉移到赫魯雪夫之徒；於是赫魯雪夫們，發現爲了達到自己的目的而須要以唾棄史達林作爲工具時，便毫不遲疑的加以唾棄，這正是史達林平生之所敎，正是唯物主義者的本行；而歌頌與唾棄，正是他們在運用其工具時辯證法的對立的統一。

再深一層的去想：史達林在蘇俄的成就，是政治上，物質上的成就。人類之所以須要有政治、物質上的成就，歸根到底的說，只是爲了滿足其作爲人類特性的心靈生活。心靈生活有深淺與各方面的不同，但人類各種活動之最終目的，乃在於各滿足其「視而不見」，但具有鉅大潛力的心靈要求，則總歸一致。史達林的成就，不僅不能滿足蘇俄人民心靈的要求，並且他用以達到成就的特務、恐怖、饑餓、誣衊、奴工、殺戮等等，無一不是侮辱蘇俄人民的心靈，摧折蘇俄人民的心靈。蘇俄人民心目中的史達林的輝煌成就，就正如古埃及的奴隸們，挾着滿身的血痕淚痕來看自己所建立的金字塔一樣。史達林正號的成就，恰與蘇俄人民負號的創傷成一正比例。在此一情勢之下，俄共的新統治者們，爲了有理由向其人民要求更大的忍耐力，只好用朝三暮四的手法，使人民心靈的深處，吐出一口怨氣。人民精神暫時的輕鬆，卽是統治者處境上暫時的穩定。不僅如此，現時俄共的小丑們，一方面是共產黨，一方面也是「人」。史達林揑造罪名，殘殺無辜的種種，他們知道得最淸楚。當他們自己殘殺貝利亞一派和人民的時候，他們自己的心靈固然完全消沒於利害的衝突，情緒的猜疑之中；但當他們以一個旁觀者的地位，眼看見史達林殘殺昨日還是被稱爲同志的時候，他們的惻隱之心，是非之心，畢竟還不能不發生多少作用，因而每一個人的心靈深處，也會同其人民一樣，不能不感覺到多少創傷；尤其是在他們被逼迫而要歌頌自己的創傷時，其創傷更爲眞切。這種創傷的心靈縱然還不能促使他們對其信奉的主義，作徹底的反省；但心靈的潛力，要求對其直接與以創傷者加以報復，乃必然之事。因此，若認爲俄共之唾棄史達林，完全不含有俄共自己心靈的控訴在內，那未免太低估了人類自己。

史達林爲了鞏固自身的地位，提高自己的價值，不僅誣衊盡他的政敵，殺盡他的政敵；並在積極方面，選拔最柔順的人以作他的隨從；再把自己的隨從，超升爲權力的小組；更進而以威脅與利誘的方法，餧馴許多文犬，代其咀駡他人，歌頌自己，並僞造歷史，把自己安放在歷史的巓峯。這種用心之深之苦之密，可謂空前絕後。但不到三年，昭雪他的政敵，改寫他的歷史，斥責那一批文犬爲「死魂靈」，因而對他加以完全唾棄的，正是由他一手所超升的幹部；於以見人心之不昧，作僞之徒勞；每一人，不管他挾帶着多大的權力，運用了多少的機謀，但站在人類良心的面前，卽是上帝最後的審判。這種從負面所給於人類的啓示，所給與人類的信心，眞是太豐富而太偉大了。記得因老史達林之死而立刻影響到小史達林空軍中將的空中表演時，我曾感嘆的寫了一篇「史達林的笑話」，在自由人發表：恰當其時，遇到端木鑄秋先生，他很認眞的問我，「你確實認爲史達林是笑話？」我堅決的回答說，「

不管他有多大的成就，但從他內心流出來的確實是笑話。」鑄秋先生當時聽後，惘然如有所失。但當時我還沒有想到在這短短的時間內，笑話就進一步直接出在史達林自己的身上。可見由「人心之靈」所發生的偉力，連我這樣一個「人性主義者」也估計不到。假定時間再久，共黨內部眞正發生了思想上的反省，或者世界上反極權勢力，一旦獲得完全的勝利，則史達林和他這些伙伴兇殘而卑賤的臉譜，將更怎樣「現醜」於光天化日之前，而唱着「我們的鋼，我們的太陽」如郭沫若這批死魂靈底下的死魂靈，更只有鑽進便壺中去淹死。「殺人之父者，人亦殺其父，殺人之兄者，人亦殺其兄」。這是人類心靈活動的自然結果。共產黨人應首先有勇氣接受史達林的啓示。

四五、三月　自由人五二三期

當我寫此文時，尚未看到赫魯雪夫在俄共二十屆代表大會中的報告。此報告後由胡秋原先生譯出印行，始知其最主要內容，即是對於史達林一生的栽誣慘戮，作驚心動魄的陳述。這正可作我此文立論的確切證明。由此可知，不論世局如何變幻，但在方寸之地，總有相同的一點感應的靈機，永遠無法磨滅。人類的得救，還是要在此一靈機上立足，這便是中國文化血脈之所在。

四六、七、二十　補誌

三十年來中國的文化思想問題

一

用年代來劃分政治史，原已感覺困難；用年代來劃分思想文化史，更屬過份牽強。因爲每一文化現象的來龍去脈，無不源遠流長，很難在某一時間上作截然不同的判別。因此，這裏所謂三十年來的文化思想，只不過是一種權宜方便的劃分。

近百年來中國的文化思想，有兩個特徵。第一個特徵是由中外政治的衝突，而形成中西文化思想的衝突。反對西方文化者多出於民族的感情，並非出於對西方文化本身的批判。反對中國文化者亦多出於對西洋勢力的欣羨，而非出於對中國文化自身的反省。此一衝突，到五四運動而達到高峯；亦至五四運動而中國文化吃下了決定性的敗仗。然試深刻地加以觀察，則中國文化之吃下敗仗，並非由於西化運動者建立西方文化之成功，因而在文化上發生了新陳代謝的功用；實際上，此一勝負，只是意味著西方的經濟政治軍事的侵略勢力，在中國得到了壓倒的勝利。由此，可知此一文化的決鬪，並未能在文化自身上贏得解決，勢必因加入許多其他因素而使其更複雜化，更深刻化。

第二個特徵，是這一百年來，正當中國社會大變動的時期，所以凡是有力的文化思想，沒有不關心到社會政治的問題；而社會政治的問題，也沒有不影響到文化思想；於是文化思想，與現實政治，結下不解之緣；純學術的活動，僅退居於不重要的地位。而現實政治勢力的分野，也常常卽是文化思想的分野。因此，文化思想，由獨立的學術研究發展而來者較少；由政治的目的，要求，所鼓盪而來者特多。所以我們不能離開實際政治來了解這百年來的文化思想。

鴉片戰爭以後，國內局勢的大變動，舉凡洪楊之亂、戊戌變法、辛亥革命、國民革命軍北伐、對日抗戰、共產黨奪取大陸，都是顯著的標誌。距今三十年前，正是民國十五年，卽是國民革命北伐的一年。在這三十年中，實包括了中國政治社會變動的三大標誌；而使近百年文化思想的兩大特徵，從演變的高峯上跌了下來，暫時告一悲慘的結束。

二

從民國十五年到現在爲止的三十年間，在文化上應當直承五四運動而向前發展。五四運動在文化上的積極口號是民主與科學，消極的口號是打倒孔家店。五四運動的陣容，不久卽告分裂。一爲以陳獨秀氏爲首的社會主義一派；這一派旋卽加入共產第三國際，作頑強的政治活動；並且因他們在民國十三年加入了國民黨，到十五年北伐的這一年，他們在政治上達到一個新的高峯，這在後面還要說到。一派是以胡適氏爲首，依然是守着民主自由的立場不變。但他手下的大部分，多加入到國民黨，在國民黨內，開始形成一個新的官僚集團。同時，民主的精神面貌，此時已被革命的口號所壓倒；胡氏自己和極少數的人，雖並不贊成國民黨之所謂革命，但亦很少積極的主張。「好人政治」的口號，沒有時代的積極意義，當然喊得沒有力量。他們的自由主義，當時似乎只限於保持自己個人生活的興趣；對當時的政治社會，大體上是採取一種旁觀妥協的態度。所以作爲五四運動中一大支柱的民主，在民國十五年至二十六年的十年中間，並未發生眞實的作用。國民黨內部，曾有過幾次爭取黨內民主的努力。在此一努力中，其主幹人物，多半是參加過五四運動的健將，這也可以說是五四運動時代，民主思想的要求，還在給與國民黨內部一點影響；但在其深度與廣度方面，此不過是一種餘波，不久便被國民黨內部壓服下去。總之，近三十年的文化思想，應當繼承五四運動而向前發展；但在這三十年的頭十年中，作爲五四運動第一個支柱的民主，已被現實政治所壓垮而近於夭折了。

作爲五四運動另一個支柱的科學，若作較廣義的解釋，則在抗戰發生前數年，國家得到表面的統一，時局稍能安定，在國內，未被政治勢力完全侵透的幾個主要大學中，由若干學人默默地埋頭苦幹，在各方面都有相當的成就。這些少數學人，漸漸擺脫了五四運動，以及所謂革命運動中的浮囂之氣，及由此浮囂之氣而來的武斷的態度與結論。大體上說，每一門學問，都打開了切實的門徑；無形間也建立了一種學術上共同承認的標準。五四運動風行一時的著作，十餘年間，卒已成爲芻狗。如胡適氏的「中國哲學史大綱」，金岳霖便公開批評他像是懷有成見的美國人的著作；「胡適之先生的中國哲學史大綱，就是根據於一種哲學的主張而寫出來的。我們看那本書的時候，難免一種奇怪的印象，有的時候簡直覺得那本書的作者是一個研究中國思想的美國人；胡先生於不知不覺間所流露出來的成見，是多數美國人的成見。在工商實業那樣發達的美國，競爭是生活的常態，多數人民不免以動作為生命，以變遷為進步，以一件事體之完了為成功，而思想與汽車一樣，也就是後來居上。胡先生既有此成見，所以……對於他所最得意的思想，讓他們保存古色，總覺得不行。……同時，西洋哲學名學，又非胡先生之所長。所以在他兼論中西學說的時候，就不免牽強附會。……所寫出來的……總不會是一本好的哲學史」。即此一端，已說明了在民國二十年到二十六年一段短時間內，學術思想是在堅實的基礎上向前進展。

但上述的進步，不僅因抗戰發生後的顛沛流離生活而告中斷；並且這種進步，尚只限於幾個學校園地之內，對社會尚未能發生大的影響。我們可以這樣說，此一段時間內文化思想的進步，是學術上的意義多於社會上的意義；而五四運動，則可以說是社會的意義與影響，遠超過於學術上的意義與影響。此時作為五四運動領導者之一的胡適氏，為了要完成五四運動支柱之一的「科學」工作，展開了兩方面的活動。一方面是提倡所謂「全盤西化」。在胡氏的意思，科學是西方的出產，要學科學便應學得徹底，要徹底自然只有全盤西化。這裏不必爭論一個歷史悠久的民族生活，有沒有全盤化為他族的可能；也不必爭論「西」是否即是代表了一種理想世界，有沒有全盤歸化於他的必要；而只指出所謂「西」的內容也並非如胡氏所想像的那樣簡單；大陸與海洋國家之間既有不同；而德之與法，英之與美，亦並未完全一致。在全盤西化的要求中，如化於美而遺失了英及法德，既不可謂之全；若同時要化為英美法德，又只落得多歧忘羊，望洋興嘆。金岳霖氏說胡氏不長於西方的哲學及名學，於此亦可得一顯例。所以胡氏的此一口號，只能說是他個人一時快意之談；首先對此口號表示反感的，如潘光旦們，正是從事西方學術某一部分研究的人。則全盤西化之只能成為一個空洞口號，是由提出此一口號的輕率態度所預先注定的。

胡氏們的另一工作是「整理國故」；他們整理國故的目的，乃在證明「國故」之一錢不值，使國人不再想到「國故」，因而掃除科學的障礙，以便為科學開路。此一工作，除胡氏自己寫了若干文獻考證性的文章外，正面擔當此一重任的是傅斯年氏及他所領導的歷史語言研究所。他們採取最狹隘的實證方法，首先否定文化中的價值觀念，所以認為仁義禮智等是人造的名詞，在研究過程中要與它們絕緣。名詞——概念，都是人造的；人類文化的成就，總是要通過概念而表現出來。傅氏既否定人造的名詞，於是他自然只承認「材料就是史學」。在傅氏這一方針之下，歷史語言研究所，除了考古學及語言學有相當的成就外，其他的工作，大體上只好停頓在文獻校勘之上；以校勘之學來否定中國文化，當然很難達到他們原先的目的。並且胡傅兩氏，既不承認文化中的價值觀念，但要否定中國文化，這依然是人的一種價值活動；在否定價值觀念中的價值活動，只有通過半生不熟的考據上的武斷結論來滿足自己的要求。像這樣的整理國故工作，其無補於全盤西化的積極目標，幾乎可以說是自明之理。至於此一時期，為疑古而疑古的「古史辨」派，他們的業績雖然印成了七大厚本的論集，但只要一讀繆鳳林氏「與某君論古史書」一篇文章（見學原一卷一期），其鑿空臆斷的情形，已昭然若揭，更不足致論了。

三

對應上述的全盤西化運動而起的，則是民國廿四年正月所謂十教授的中國本位文化建設宣言。在這篇宣言裏，大體上說，一面認爲中國文化精神，不能一筆抹煞；一方面認爲當用「科學方法」，以揀別西方的學術，按照國家的需要，作批判的接受。這本是一種極常識的說法。對於中西學問，及在考訂方法上一般公認較胡傅兩氏遠爲淵博而精密的陳寅恪氏，則公開謂：「竊疑中國自今日以後，卽使忠實輸入北美或東歐之思想，其結局亦當等於玄奘唯識之學，在吾國思想史上旣不能居最高之地位，且亦終歸於歇絕者。其眞能於思想上自成系統，有所創獲者，必須一方面吸收輸入外來之學說，一方面不忘本來民族之地位。此二千年吾民族與他民族思想接觸史之所昭示者也。」陳氏的話，毋寧也是中國本位文化建設論者。陳氏並自稱「寅恪平生爲不古不今之學，思想囿於咸豐同治之世，議論近乎（曾）湘鄉（張）南皮之間。」他因爲中外的書讀得多，讀得通，所以才敢冒當時流行的偏激之鋒，作平允之論。胡適氏所反對的就是對西方文化的「選擇去取」。其實，就個人讀書的經驗說，任何人總會有所「選擇去取」，何況是一個民族。

但是十教授的宣言發表後，是否從另一角度對中國的文化思想，有所貢獻呢？非常的不幸，就事後的觀審，我的答覆不能不是一個「否」字。要追溯其原因，當不外下列二點。

第一，五四運動，本是發於愛國運動。針對抵抗外力而言，是含有民族主義的重要意義，而民族主義，也正是十九世紀的西方的重要產物。自十九世紀中葉，民族主義正式出現以來，世界決沒有一筆勾銷自己歷史文化的民族主義；而胡氏們偏偏要一筆勾銷自己的歷史文化，這便說明五四運動自身所包含的矛盾，勢必激成反對力量的出現。十敎授的宣言，正是象徵挾帶着一股民族感情的反對力量。若因民族感情而能引起進一步的文化上的反省，這當然可以給與學術思想以推進力。但單純的民族感情，並不一定能引起眞正文化上的反省。學術思想，必須是脚踏實地的鍥而不舍的研究。五分鐘的熱情，只能成爲運動而並不能代替研究。

第二，當時喊出中國本位文化建設呼聲的人，一部分固是出於民族的感情，但另一部分卻是要以此來抵消社會上民主自由的傾向，要以此來加強政治中的專制獨裁。這一因素，是太不能受學術思想的考驗，勢必反轉來阻礙學術思想進步的。說來也實在可憐得很，數十年來，凡是反民主自由的人，常常要借助於中國的傳統文化；於是反對中國文化的，動輒指中國文化是專制主義的護符；這一奇怪的糾結若不把它解開，則中國人眞可以不談中國文化。但既然是中國人，又如何能忘記祖宗，或專以罵祖宗爲職志呢？我這幾年的微力，便是要從學術上把作爲中國文化主流的儒家思想，從中國歷史上的專制政治，確切的分開；使許多叔孫通公孫弘的子孫們，無法隱藏其卑汚的面目。此一工作，在我寫成「西漢政治與董仲舒」一長文時而告一初步段落。唐君毅先生來信說我此文是一大功德，固不敢當，但由此而提供中國歷史以一種新的看法，爲解開當前文化上沒有必要的糾結，也或許是一點小小的貢獻。

四

由上面的簡單敘述，可知抗戰前十年間，在少數著名的大學學園中，對中西文化的研究，實在有了默默無言的進步。但在學校園地之外，站在整個社會的風氣——所謂全盤西化，及中國本位文化建設的兩個陣容，都只能說是風氣——來看，中西文化，依然陷於相抵相消之局，任何方面，也不會爲中國前途指出一條明顯的出路；但中國人民所求的正是要由文化思想給他們以一條出路；說中國文化好，則中國歷史的悲劇，究竟要由誰個來擔承；而講中國文化的人們，爲甚麼又多是政治上貪權奪利之輩？這些迫切的問題，都須要有眞切的解答，而當時提倡中國本位文化建設的先生們都無法回答，甚至有意避開回答。因爲許多人拿中國文化來爲現實政治撐腰，於是人們由於對現實政治的不滿，很容易不深究其所以然之故，而遷怒到中國文化身上。當時對中國文化眞有研究的如熊十力、梁漱溟、馬一浮諸氏，都對現實政治，或採取不同的觀點，或保持一種敬鬼神而遠之態度，由此亦可窺見個中消息。談到全盤西化派，姑無論他們所作的乾嘉以下的三等考據家的工作，使人接觸不到西化的內容；並且由他們武斷抹煞的態度，所激起的反感，有時超過他們提倡西化的正面功用。前年我在臺北看到一位對西方哲學很有研究，和我很少交往的一位先生同我說：「我在書店裏看到新印的胡適文存，裏面說中國甚麼都不如人，充滿了罪孽深重的口氣；當時，我心裏想，假定我是胡適之，便會用釘鎚敲凹自己的眼睛，染上藍顏色，乾脆去當一個外國人。」至於在現實政治上，五四運動中的人物，多早已高據要津，他們對政治所負的責任，實遠超過於「中化派」；這樣一來，使社會感到他們所主張的民主自由，只是各個人升官發財的民主自由，站在百姓的立場看，與反對民主自由的，在現實上並無分別。當然，這一點並不可以加在胡適氏本人的身上，他的出任駐美大使，實出於愛國家民族之心。他個人的出處進退，我覺得到是十分乾淨的。但他在現實政治上，缺少一種明健的態度，並不能維繫追求民主自由的嚮往，則也是鐵的事實。加以西方文化，從十九世紀中葉以後，社會主義思想勃興，自身也發生了由矛盾而來的批判；而一九一四——一八年的世界大戰，貽人類以空前的浩刼，更增加西方文化自身的反省。尤其是我們所嚮往的西文文化，擺在國人面前的都是百年來西方國家侵略我們的面孔。要通過對侵略的憎恨而去懇切地學習侵略者手中的文化，也和要通過對專制的憎惡而去虛心體會被專制者所假借的中國文化一樣，這只有少數好學深思之士才能做得到。由此可知，在現實上，中西文化既都不能給人們以完滿地希望，於是社會主義乃乘時而起，事實上執了抗戰前十年間文化思想在社會上的牛耳。

中國道德性的文化，本來富有人道主義的內容，而社會主義原是出發於人道主義。因此，許多有良心的讀中國書的人，常常抱着禮記中的禮運篇來接受社會主義。其次，社會主義是發生於西方世界，而又是對西方世界加以批判的思想；在它是「西方的」這一點上，可以滿足我們「西化」的要求；在它是修正或打倒資本主義的這一點上，又可以滿足我們對西方的憎恨。當中山先生正抱着西方的思想以從事於革命時，不斷給他以打擊的正是西方的勢力，這便只有迫使他走到蘇俄那一邊去，這是西方世界對中國今日局勢所應負正負的責任。還有我們正當社會大轉變時期，人們只從現實問題的關連上去關心文化思想；而社會主義，正是以解決現實問題爲其基本內容。綜合上三述種因素，所以接着五四運動而起的，實際是社會主義思想的時代。這因國民黨十三年的聯俄容共而更增加其氣勢。當時的政治團體，各有一部分從事文化思想工作的人，也各有其文化思想；但粗略的說，沒有那一個團體和社會主義絕緣。共產黨不待說；國民黨的左右兩派在淸共之後，依然漂滿了意識糢糊的社會主義；由此種意識糢糊的社會主義再向下墮落，便形成民國二十年以後的東方式的法西斯主義。以張君勱氏爲首的社會黨固然是相信社會主義；即今日以始終反共自誇的青年黨，當時也不過是某一程度的軍國主義，而決不是自由民主主義者。這只看他們當時特別重視法家思想（中國古典的法西斯思想），即可明瞭。民國十七八年之間，從日本轉譯過來的社會主義思想的書籍，常常譯得十句中便有三四句不通，但也能風行一時；而對社會影響最大的文藝工作，始終是左翼作家佔着優勢；這都是如實的反映出當時文化界的情勢。由此可知，五四運動支柱之一的「民主」思想，在此一時期的黯淡無光，除了現實的政治原因之外，在文化思想的立場來說，亦可謂爲必然之勢，而不能僅責胡適這一派人士主觀上的不努力。對社會主義徹底的反省，要把社會主義從屬於民主主義之下，以防止其走向極權主義，乃是第二次世界大戰以後之事。在當時，一提到社會主義，便有形無形的忽視了民主主義。

但在這種地方，常易發生一種誤解：即是，許多人以爲這些社會主義思想，會一定演變成爲共產黨的勢力。或以爲中國社會缺乏對民主的眞實要求。其實，許多人的相信社會主義，只是由於對現實不滿的一種漠然地感情的反映；大多數人所談的社會主義，和共產黨所說的共產主義，實在都有很大的距離；而且這種距離；拿世界近五十年來的歷史看，其相互之間，總是有一定的排斥性，決沒有一定的吸引力，所以今年四月赫魯曉夫們到了英倫王國以後，發現工黨對他們的排斥力，反大於保守黨。同時，共產黨人自己所誇稱的科學性、系統性，是由概念的大膽推演而來的東西；一切概念性的東西，與人的現實生活，又常常保有很大的距離。今日共產黨的困難和罪惡，可以說是來自以政治強制之力，要求現實與概念的一致；這在俄共經過了快三十年的時間還在顚三倒四的一致不了，由此可以了解爲甚麼許多人講得一口馬列主義，而他自己並不心甘情願的去當一個共產黨員，決非偶然之事。共產黨之所以獲得成功，主要係來自他的陰謀與武力，及其對手的過份缺乏遠見，而決非來自這十年間社會主義思想的自然演變。同時，中國爲達到和平與統一，其最基本的要求是作爲政治格架的民主，而不是甚麼社會主義，這由抗戰發生以後的形勢看，是非常皎然明白的。

五

民國二十六年，抗戰發生的第一個重大影響，是打斷了許多學人剛剛在學術各方面所作的奠基工作，全國在民族意識高漲之下，更關心到現實的問題。同時，因抗戰而來的舉國團結的要求，重新爲民主主義造成了一新的形勢，即是在前十年沒沒無聞的民主的口號，此時又壓倒了社會主義的思想的氣燄，而重新抬頭。因爲要團結，更應有團結的形式；而這種形式只能求之於民主。同時，以胡適爲首的一批主張自由主義的學人，隨抗戰發生而完全和政府合作；更隨參政會的成立，也使不少學人得到對國事發表意見的機會，這倒增加了政府不少的活力，同時也說明抱有民主自由思想的人們，願與政府合作的熱望。不過隨着民主氣氛而來的便立刻呈現出兩個問題，與當時的國民黨發生實際利害上的矛盾。第一、民主的觀念一經浮出，社會自然會要求以民主的力量來監督政府，使政府的抗戰設施，更爲有效；這便影響到十年以來費盡國家一切力量去培養的個人權威的觀念，遂影響到在這種個人權威觀念下面的許多人的實際利益。第二，既是民主，自然會要求進一步建立合乎民主法式的政府形式，並應使許多在國民黨以外的人，通過民主的法式以分擔國家的責任。這便影響到國民黨以黨訓政的基本觀念，更動搖了國民黨一黨專政的基本利益。站在國民黨的立場來看，隨抗戰發生而容納了一部分平日主張民主自由的分子，乃至成立參政會，只不過是多請了幾棹客人。世界上斷無客人除了飲食談笑以外，還想過問主人財產所有權之理。因此，國民黨隨抗戰的開始，內心卽感到對民主的矛盾和恐懼。共產黨卻抓着這一大的社會趨勢，並針對國民黨的這一弱點，便向社會收拾起共產主義的旗幟而打出民主自由的招牌；抗戰發生以後，共產黨吸收了大量的青年，肥壯了它已近於乾枯的組織，都是靠着自由民主的號召。直到民國三十二年，它在黨內發動整風運動，憑藉組織刼持之力，才清算了它黨內的自由民主思想，而正式擺出它的階級理論。但它對於黨外的人們，仍採取支持運用民主自由的要求，以加強它對國民黨的包圍攻勢。這裏還應當一提的，國民黨當時似乎有一個政策，把與學術界有多少關係的朱家驊氏調充黨的組織部長；而將一手造成黨的中心勢力——CC的陳立夫氏調充敎育部長；大約是想朱氏從學術界中拖一批人到黨內來，而陳氏則夾一批黨幹部到學術界中去。這倒是頗有意味的作法。但結果，朱氏帶進來的人恐怕有限，而陳氏夾到各大學中去的黨幹，以人事的組織的關係去壓倒他人學術上的地位，激起學術界的普遍不滿，因而更增加了上述的共產黨的攻勢。民國三十年，陳朱兩氏又換一次班，形成黨內和學校中兩派的許多鬪爭場面，這也算是大時代中的一個小插曲。

抗戰八年的思想形勢，一開始是由民族思想而加強了民主思想的要求；其發展的正常途徑，應當是民族主義與民主主義的自然結合，以壓縮共產黨的陰謀勢力。當然，中國共產黨，是以武裝爲中心的東西，這一點，本來使當時的政府，不能不增加許多實際的顧慮和困難；而這種顧慮和困難，在共產黨靈活機巧的宣傳策略運用之下，不易爲多數急於抗戰成功的天眞人士所了解。加以國民黨始終未曾把握住這一基本形勢之必然演變，思想上既缺少對民主的主動措施；拿着大半言之不能成理的陳腔濫詞，用作觀念上的武器，以掩護每下愈況的貪污無能的實際政治。此一形勢，因勝利之突然到來而益加急激。至使在抗戰八年的歲月中，民主的口號，反操在共黨的手中，以爲進攻政府，利用知識分子的重大工具。這一畸形的結合，實注定了卅七、八年士崩瓦解的慘痛。同時，在此一演變中，中國知識分子浮薄傾危，急名好利，不能把握基本的利害，而只思逞快於一時的性格，亦即是缺乏民主自由的眞正修養的性格，亦暴露無餘，對此一悲劇亦斷不能完全辭其責任。但從抗戰發生以後的政治形勢看，中國對於民主政治要求的迫切，中國的問題，必以政治民主爲其解決的總關鍵，這是鐵的事實。從二十六年到三十七年的十二年中，當然也有若干學人在純學術上作了極可寶貴的孤軍奮鬥；但這一切，都隨廣大的神州而一起淹沒了，在這篇綜合性的短文中無從說起。

六

政府播遷來臺，少數的知識分子，在九死一生中流亡海外，這應該是政治上大反省的時候，也是文化思想上大反省的時候。事實上，臺港兩地，也展開了許多文化思想上的工作。到現在爲止，此一工作，似乎可分爲三個方向；一個方向是以國民黨訓練幹部中心地的陽明山革命實踐研究院爲代表；它們的苦心孤詣，似乎是想以人爲中心來形成一種理論的權威，藉以加強現實政治上的領導；這是以政治爲中心的文化思想工作，大家只應從政治的角度上去了解；我在這裏不願作進一步的討論。但有一點，我不憚指出：假定有人在反省中，想證明大陸的沉淪，是來自民主自由的不當，因而要證明中國今後將可以在民主自由之外，走出一條路出來，這種努力，將必為歷史所唾棄不顧的。另一方面。似乎可以用「自由中國」作代表；他們是繼承五四運動的傳統，堅持民主自由的信念，其態度較民國十五年以來的灰色氣氛漸漸顯得明朗；他們可以說是名符其實的二十世紀五十年代的自由主義者，他們富有此一時代純個人主義的特徵，對中國文化及西方的理性主義，理想主義，都抱着很大的反感。再一方面，大概可以用「民主評論」作代表。民主評論的態度，也是堅持民主自由；但他們寧願自稱為人文（人性）主義者，理想主義者，而不願以自由主義者為滿足。他們對中西文化，想做一番提鍊溝通的工作，使民主自由能得到文化上深厚的基礎。使科學能在其自己應有的分際上，在中國得到確切的發展。他們對五四運動，是採取批判的態度；但他們的批判，是指向那些輕浮武斷，為民主科學，製造不必要的糾葛的這一方面。因此，他們所期待的是要超過五四的時代，而不是要拉着五四時代回頭走，至於實際上的成就，那是另一問題。

由上面極粗略的敍述，我們可以了解到最近為止的三十年，是緊承五四運動之後，但五四運動所追求的民主與科學，卻受着更多委曲的時代；而委曲的主要原因，不是在於由文化思想提撕着政治，而是由政治支配了文化思想；政治團體壓倒了一切社會團體，甚至壓倒了國家，更壓倒了文化思想的團體。最有力量的報紙雜誌書局，在此一形勢之下，經常為最下流最無常識的東西所壟斷。凡有良心良識的人，都不容易守住自己的本位；使學術的自律性，不斷地受到外力的干擾；政治的權力意識，以一切方法，以一切藉口，浸透到文化思想的每一角落，因而無不受到其歪曲腐蝕的作用。這眞是文化思想所遭遇的空前的苦難。我回顧了這三十年的經驗教訓，認爲今後中國文化的生機，首先是要求文化思想工作者與現實政治之間，能保持一相當的間隔；要現實政治向文化思想看，文化思想向世界看，向社會看，向人生看。文化思想應面對着人生、社會、世界而思考，而研究，不可面對着某種政治，如何爲其合理合法化而思考，而研究。思考，研究，是人類的理性作用；在理性之前，不許有預定的權威；離開理性，對權威也毫無裨補。蘇俄的文化工作者，在此次清算史達林運動中，被俄共自己斥責爲「死魂靈」，這眞是最尋常而又是最深刻的揭露。爲政治權威服務的文化工作者，他首先要抹煞自己的理性，於是他便不能不變成在奴隸中也是最可憐的出賣靈魂的奴隸。昔汪容甫在弔明南苑妓女馬守貞（湘蘭）文中謂「靜言身世，與斯人其何異」。汪容甫自此於娼妓，俄共叱其儔類爲死魂靈，這幾乎是獨裁專制下知識分子必然的命運。在此一命運之下，人類的歷史文化，實在被這種時代汚瀆得太多了；我們應當以齋戒沐浴之心來重新面對人類的歷史文化。而眞正偉大的政治家，首先應表現他自己對於文化的謙虛，自己對於文化所當遵守的分際，敞開一條道路，讓今日的知識分子能發露其齋戒沐浴的心情。其實，作爲人類生命力的文化，只要扯長時間看，覺得它是不可恃而又實在可恃。史達林生時，他自己，他的黨徒，都確信他是眞理的唯一象徵，確信他自己已佔有歷史上最偉大地不可動搖的位置。但是，其可笑可憐的結果，已爲舉世皆知的事。至於史達林的追隨者的羣像中，自毛澤東以下，有的渺小得不過是他脚下的泥土，又何必多發這些妄念？由此說來，我們三十年文化的厄運，也或許正在蘊釀新的生機，不容我們的悲觀氣餒。而「剝極必復」的傳統觀念，不妨用作本文的結論。

四五年六月七日　祖國周刊十四卷十一期

有關中國思想史中一個基題的考察

——釋論語「五十而知天命」——

論語爲政章有一段孔子自述平生進德修業歷程的話，此爲了解孔子的重要材料，亦爲了解中國文化基本精神的重要材料。茲錄其全文如下：

「子曰，吾十有五，而志於學。三十而立。四十而不惑。五十而知天命，六十而耳順。七十而從心所欲，不踰距」。

一、二千年無確解

上面一段話中，可分作六個里程碑。而以「五十而知天命」一語，爲全歷程中的最大關鍵。若對此語無確解，則對全章乃至對孔子的全部思想，亦將陷於模糊摸索之中。顧二千年注釋家所作之注釋，或與之背道而馳，或亦僅能得之近似。我在「中庸的地位問題」一文（民主評論七卷五期）中雖曾稍稍提到，但略而未詳，爰再加闡述。至對此一問題的完全解決，就我個人來說，須另寫「中國性論的史底演變」一文。

古今注釋家對知天命的注釋，可分爲三類：

何晏論語集解引「子曰，知天命之終始」。皇疏引王弼云「天命廢興有期，知道終不行也」。近人傅斯年在其性命古訓辨證中謂「孔子所謂天命，指天之意志，決定人事之成敗吉兇禍福者。……方其壯年，以爲天生德於予，（按此語爲孔子過宋遇桓魋之阨時所發，時年已六十，不可謂方其壯年）。庶幾其爲東周也。及歲過中年，所如輒不合，乃深感天下事有不可以人力必成者……鳳鳥不至而西狩獲麟，遂歎道之窮矣」。（中卷三七頁）。這一類對於天命的解釋，完全是站在政治窮通上來說的，天命卽是所謂祿命。

上面這一類注釋之所以不能成立，因爲第一，祿命的觀點，幾乎是人類原始宗教的共同信仰，中國古時也不例外。對於這種傳統的，普遍流行的觀念，孔子爲什麼要到五十歲才知道？第二、中國由原始宗教的信仰蛻變而走上人文的道路，在周初已甚爲顯著。因此，對天命的觀念，在周初也有明確的改變，而這種改變，乃文化上的一種重大進步。奠定中國人文思想基礎的孔子，不應在其治學的歷程中（任何人，不論是聖人，或科學家，在日常生活中，總不免受一般世俗觀念的影響。但站在治學的立場上說則決不會如此），反而走回頭路。如西伯戡黎，「王（紂）曰，嗚呼我生不有命在天」，這是傳統的祿命觀念。祖伊答復說：「殷之卽（就）喪，指（是）乃（汝，指紂）功（事，是由紂事所致）」，這已從傳統的天命觀念開始轉向人事上面。周公在召誥中則說得更清楚：

「我不敢知曰有夏服天命惟有曆年，我不敢知曰不其延，惟不敬厥德，乃早墜厥命。我不敢曰有殷受天命，惟有曆年，我不敢知曰不其延，惟不敬厥德，乃早墜厥命」。

這很明顯是說天命不可知，可知者人之德乃與不德，所以後面說「惟命不於常」；而詩大雅文王之什說「天命靡常」，說「永言配命，自求多福」；孔子分明是「憲章」這種思想而繼續加以發展，則此處之天命，不能以傳統的祿命作解釋，彰彰明甚。第三、即使退一萬步說，此處之天命指的是祿命，孔子到了五十歲，已經知天命，即是已經確定知道「道之不行」，則孔子應當自五十歲起，閉門却掃，專心講學著書，不再去對現實政治費寃枉工夫。但事實上，孔子五十二歲爲魯司寇，五五歲去魯適衞，五十九歲去衞，六十歲過宋至陳，六十三歲自陳如蔡，返衞，六十八歲始再返魯，整整作了十八年的到處碰壁的政治活動，則五十而知天命，完全是一句廢話。一個人不應在回憶的自述中說這種言行不孚的廢話。所以這一類的解釋，是一種最幼穉的解釋。

幾乎費了一生心血來注釋論語的朱元晦，對此的注釋是

「天命，卽天道之流行而賦於物者，乃事物所以當然之故也。知此，則知極其精，而不惑又不足言矣」（論語集註）。

「事物所以當然之故」，用他的另一句話表達，卽是「天下之物，莫不有理」之理，而此理乃天道流行所賦於物者，所以稱之爲天命；於是在朱氏的心目中，「知天命」卽是「窮

盡物理」（古人所謂物，皆兼事而言）。朱氏認爲孔子一生治學的過程，卽是「卽物而窮其理」的過程，所以四十而不惑，是「於事物之所當然者皆無所疑」，而知天命比「不惑」則是更進一步知「事物所以當然之故」；因此，和「不惑」來比較，是「知極其精」。知極其精，是指「當然之故」的「故」字而言。在語類上對此「故」字，曾作更詳細的解釋：

> 「不惑是隨事物上見這道理合是如此。知天命是知道理所以然。……凡事事物物之上，須是見它本原一線來處，便是天命」（語類卷二十三）。
> 又：「天命是源頭來處」（同上）。

朱氏對天命的解釋，完全擺脫了漢人所揉合的陰陽家的因素，這是他的第一大進步。但他的解釋，包含有兩個不能解答的問題：第一、他的解釋，用現在的話來說，不惑與知天命，都是由求知識所得的成效。但三十而立，七十而從心所欲不踰矩，則不可作求知識解，所以語類中說：

> 「志學是知之始，不惑與知天命耳順，是知之至。三十而立是行之始，從心所欲不踰矩是行之至」（卷二十八）。

此一說法的漏洞非常明顯，孔子曾說「小子入則孝，出則弟」，則他自己何待三十才爲行之始。所以語類又說：

「志於學是一面學，一面力行。至三十而立，則行之效也」（同上）。

但此只能彌補十五到三十的知行關係；而此後四十年間，只言知而不言行；至七十始突然遙接三十之而立，一躍而從心所欲不踰矩，似此知行分離，揆之「行有餘力，則以學文」之敎，亦卽以求知爲手段，以力行爲目的之敎，必不如此。第二、知天命卽是窮盡物理，此物理雖兼事理而言，但「天道流行而賦於物者」，實亦包括今日意味的物理在內。「在事事物物上，看出其本原一線來處」，這只有順着因果律向上追，這是自然科學所走的一條路。在孔子當時，並沒有這一方面的明顯自覺，因而更不可能有看出本原一線來處的信心。至於朱氏常常以太極圖說來當作「本原一線來處」（見後），姑無論此種假設的本身，無何實際意義，且在孔子心目中，並看不出有這種假設的絲毫迹象。我在象山學述中曾指出在程朱的精神中，有強烈的科學的要求，亦卽是「卽物窮理」的要求，雖此一要求終歸夭折，而在思想史上仍有其重要意義，但以此解釋孔子的思想，實難稱妥當。

劉寶楠論語正義則以命有祿命與德命之分，他引韓詩外傳對不知無以爲君子的一段解釋，以證明論語上之所謂天命，是「仁義禮智順善之心」；卽是所謂「德命」。並謂：

「蓋夫子當衰周之時，賢聖不作久矣。及年至五十，得易學之，知其有得，……則知天之所以生己，所以命己，與己之不負乎天，故以知天命自任。……他日桓魋之難，夫子言天生德於予。天之所生是爲天命矣。……是故知有仁義禮智之道，奉而行之，此君子之知天命也。知己有得於仁義禮智之道，因推而行之，此聖人之知天命也」（卷二，四——五頁）。

按孔子的思想，以如何完成一個人的人格爲中心，即是以倫理道德問題爲中心；劉氏引「天生德於予」，天生即是天命，以證知命之爲德命，其義甚諦。然孔子若在五十以前，對仁義禮智皆無所得，必待五十學易而始「知其有得」，則所謂三十而立，四十而不惑皆爲誑語。且「子所雅言，詩書執禮」，孰非仁義禮智之源，豈待五十學易而始得？若謂五十以前爲君子之知命，至五十乃能「推而行之」，始爲聖人之知命，則孔子三十四歲時，魯孟僖子已囑其二子向他學禮。三十五歲時，適齊後返魯，專心講學，奠定他一生教育事業的基礎，則其「推而行之」，早在五十歲以前。故劉氏之說，仍未能解釋知天命在孔子全歷程中究有明確之特定意義。此所謂僅得之近似者。

二、哥白尼的迴轉

天命的命字所包含的意義，我們若把許多枝葉的解釋，暫時置之不問，就三千年來使用此字的實際內容來說，可以歸納成這樣的一個定義，即是，在人力所不能達到的一種極限，界限之外，即是在人力所不能及之處，確又有一種對人發生重大影響的力量，這便是命。因此，凡是人力所及的，不是命。人力所不能及，但同時與人的生活並不相干的，也不是命。一個人的能力所能達到的界限，是隨人的智慧與努力的程度而不同，所以，我們首先得承認，各人所說的命，有各種不同的層次，其內容並不會一樣。一個頹廢怠惰者所說的命，與一個志士仁人，當他力竭聲嘶時所感到的命，在內容上完全是兩回事。所以不是命字的本身來決定它的意義，而是各個不同層次的人格來決定命的意義。由此可知二千年來環繞一個命字所作的許多爭論，實在是不能得出結論的爭論。

就論語一書而論，命字可分作兩方面來看。一方面是認為富貴這一類的東西，其得失之權並非操之在己，人應在這種地方劃一界限，不為這種事情白費心力，而將心力用在自己有把握的方面，即是自己的德行這一方面。孔子說：「富而可求也，雖執鞭之士，吾亦為之。如不可求，從吾所好」。後來孟子對此解釋得最好，「孔子進以禮，退以義；得之不得，曰有命」。所以孔子說「不知命，無以為君子也」的命，是偏於這一方面的意思。因為人在富貴利害上不能畫一條界限，便會去打寃枉主意，便會無所不為。這是論語中的命字在消極方面的意義。

另一方面，尚書召誥說，「今天命哲，命吉凶，命歷年」。「命哲」，即初步含有道德的意義。春秋左傳成公十三年（西紀前五七八年）「劉子曰，吾聞之，民受天地之中以生，所謂命也。是以有動作威儀之節，以定命也」；這便對於命確切賦予了以道德的內容。劉子說這句話的時候，下距孔子之生僅二十一年，所以論語中的命。多是以道德為其內容的。道德而歸之於命，則此道德乃超出於人力之上，脫離一切人事中利害打算的干擾，而以一種非人力所能抗拒的力量影響到人的身上，人自然會對之發生無可推委閃避的責任感和信心。五十而知天命，乃是此種無限的責任感和信心的眞切證驗。了解到這一點，才知道「天生德於予，桓魋其如予何」？及「文王既沒，文不在茲乎。天之將喪斯文也，後死者不得與於斯文也。天之未喪斯文也，匡人如其予何」？這類的話，才有其切實的內容，而不是孔子在那裏說大話。這是命的積極的一面。

但僅作上面的解釋，還不能完全說明這一句話的意義，及其在孔子思想中的關鍵。因爲第一，容易使人誤會到孔子是否到了五十歲而進入到一般之所謂神秘主義？可是，從論語全書的精神看，乃至由孔子所建立的整個儒家學派看，實無任何神秘色彩，則此處知天命之不同於神秘主義，應如何加以別擇？此外，在作了如上解釋之後，與孔子五十以前及以後的進德修業的關係，依然不夠分明。因此，我應作再進一步的解釋。

孔子的學說，上面已經說過，是以知爲手段，以行爲目的的學說，亦即是以成就道德爲目的的學說。但是過去有一種錯誤見解，認孔子是「生知安行」的，認爲他一生下來就是一個聖人，這便無法從他個人人格的伸長完成的過程中，了解他的思想的構造和性格。他自己說得非常清楚，「我學不厭」，「發憤忘食，樂以忘憂，不知老之將至」，所以他一生是不斷的在道德實踐中完成自己，是不斷的在道德實踐中完成自己思想的構造。

道德乃實現於人類生活經驗之中，所以孔子首先是在經驗界中用力；所謂「多聞」，「多見」，「博學於文」，「好古敏以求之」，這都是他在經驗界的各種相互關係中求道德的標準，以爲自身實踐之資。三十而立，四十而不惑，這是取資於經驗界所得之成效。在此一階段中道德的根源是在外面，人是由外面的客觀標準（此就孔子來說，是祖述堯舜，憲章文武）來規律自己的生活。但是孔子在經驗界中追求道德，已如前所述，不是在構成一種有關道德的知識，而是拿在自己身上來實踐；由不斷的實踐的結果，客觀的標準，與自己不斷的接近，融合，一旦達到內外的轉捩點，便覺過去在外的道德根源，並非外來而實從內出；過去須憑多聞多見之助者，現忽超出於聞見之外，而有一種內發的不容自己之心，有一種內發的「泛應曲當」之理，此時更無所藉助於見聞（經驗），而自能主宰於見聞（經驗界），道德的根源達到了此一轉換點，這才是孔子所說的「知天命」；程明道說「良知良能，莫知所自」；莫知所自者，言其非從經驗界中的感受而來。對莫知所自的良知良能而當下全部認取，全部承當，這卽是所謂知天命。換言之，知天命乃是將外在的他律性的道德，生根於經驗界中的道德，由不斷的努力而將其內在化，自律化，以使其生根於超經驗之上。借用康德的語氣，這是哥白尼的大廻轉，由外向內的大廻轉。論語衞靈公章，「子曰，賜也，女以予爲多學而識之者與？對曰然。非與？曰非也。予一以貫之」。「多學而識」，是孔子平日「多聞闕疑，多見闕殆」，「好古敏以求之」的結語，卽是在經驗界中努力的說明。子貢「然」的答復，並未錯誤。但他卻說「非也」，這不是取消了多聞多見的努力，而是說明他並不在聞見上立足。所謂「一以貫之」，站在道德的立場說，不是由歸納外在關係所能得出，而只能在內在的道德根源中得出。他兩次提到一貫，這都是在知天命的大廻轉以後的話。子貢說「夫子之言性與天道，不可得而聞」，這是說明他尚不能明瞭此一廻轉的經歷和意義。此處之性，決不同於「性相近也」之性，而此處的「天道」也卽是「天命」。性是內在於一個人之身的。子貢此處將「性」與「天道」連在一起，可見孔子曾經把性與天命打成一片的說出來過，而爲子貢所未喩。經驗界是不斷變動的。所以嚴格的說，道德不能在任何形式的經驗主義中生穩根，任何經驗主義的道德都是相對的，缺乏普遍性永恆性那一面的道德。孔子由經驗向超經驗的廻轉，而此種廻轉，不是由理智向外的思辯，（這是西方所走的路）而是由德性向內的沈潛實踐，因而是通過內在化以達到超經驗的廻轉，這才使道德從相對的性質中超進一步，而賦予以普遍與永恆的根據，這才眞正爲道德生穩了根，因而爲中國文化奠定了基石。我在「中庸的地位問題」中說「這裏的所謂天命，祇是解脫一切生理（同於此處之所謂經驗界）束縛，一直沈潛到底（由實踐而非僅由智解）時所顯出的，不知其然而然的一顆不容自已之心。此時之心，因其解脫了一切生理地，後天地束縛，而只感覺其爲一先天的存在，中庸便以傳統的『天』的名稱稱之。並且這不僅是一種存在，而且必然是片刻不停的對人發生作用的存在，中庸便以傳統的『天命』的名稱稱之。此是由一個人『愼獨』的獨所轉出來的」。中庸是孔門的思想，中庸上的天命觀念，正是緊承論語中的天命觀念。所以孔子的「知天命」，即同於孟子的「知性」。而知性即是「盡心」；因此，再直截的說一句，孔子的「知天命」，即是他的「本心」的全體大用的顯現，所以他不是神秘主義。除此以外，不能得到「知天命」三個字在他全般思想中的確切意義。我的解釋方法，是綜合融貫了他全般的語言，順着他的思想的基本方向和基本精神，加以合理的推論，將古人所應有但未經明白說出的，通過一條謹嚴的理路，將其說出；這是治思想史的人應該做的工作。此一推論之當否，關係於對古人的思想是否能因此而作合理的解釋，及可不可以得到直接或間接的證據。道德不內在化。則每事皆應在經驗界的相互關係中加以比較別擇，不可能有「六十而耳順，七十而從心所欲不踰矩」的境界。但這裏須補充一句，眞正由道德的實踐以達到道德徹底內在化的時候，由實踐者的虔敬之心，常會將此純主觀的精神狀態，同時又轉化而爲一崇高的客觀存在，當下加以敬畏的承當；所以鍜佛殺祖的禪門大德，極其究，還是對佛祖要作最虔敬的皈依，否則便會流於肆無忌憚的狂禪。所以孔子的知天命，固然實際就是「知性」，知自己的「本心」，這是我們對他的思想加以分析後所得出的結論；但在孔子自己，則仍稱之曰天命；這不僅是因爲思想的發展，在概念上尚未達到更進一步的淸晳程度；這要經過子思，孟子而始達到；並且歷史悠久的天命觀念，在人的精神上已成爲一種崇高的客觀存在；一旦與孔子內在化的道德精神，直接湊拍上，孔子便以其爲傳統中客觀上的天，客觀上的天命而敬畏之。康德在他實踐理性批導的結論中，將星辰粲列的天空，與法度森嚴的道德律相並列而加以贊嘆。若是我們將康德此處所贊嘆的天空，與他創造星雲說時所說的天空，同一看待那未免太幼穉了。這種由主觀所轉出的客觀，由自律性所轉化出來的他律性，與僅從經驗中歸納出來的客觀性和他律性有不同的性格，而對人的精神向上，有無限的推動提撕的力量。

三、思想史中的夾雜與「心即天」

如上所述，知天命，是由經驗界廻轉向超經驗界，是外在的，他律性的道德，廻轉爲內在的自律性的道德；有此一廻轉，道德始能純化，絕對化，始能生穩根。但純化絕對化後的道德，生穩根後的道德，依然是要表現於經驗界中，並且應當在經驗界中發揮更大的實踐效率；否則祇是觀念上的遊戲。所以孔子的思想，是由經驗界超昇而爲超經驗界；又由超經驗界而下降向經驗界；可以說是從經驗界中來，又向經驗界中去，這才是所謂「合內外之道」或者稱爲合天人之道。從其始終不離開經驗界來說，孔子的思想性格，很和英國的經驗主義的性格相近；但是英國經驗主義的自身，沒有能超昇純化到超經驗的程度，所以英國的倫理，常陷於現實的功利主義而不能自拔。從知天命的超經驗來說，孔子的思想性格，在其根源的地方，又有點像歐洲大陸的理性主義；但理性主義是走的思辯的路，它的超經驗界，是由邏輯上概念上的過分推演而來，那是一種游離不實的東西；所以理性主義對於倫理的實際貢獻，反不如經驗主義。而中國的超經驗，則是由反躬實踐，向內沉潛中透出，其立足點不是概念而是自己的眞實而具體的心。體是超經驗界，用是經驗界；性是超經驗界，情是經驗界。心的本身，便同時具備著經驗與超經驗的兩重性格，此卽程伊川所謂「心一也，有指體而言者，有指用而言者」；亦卽張橫渠所謂「心統性情」。這與思辯性的形而上學，有本質的不同。所以拿西方的形而上學來理解儒家的思想，尤其是混上黑格爾的東西，是冒着很大的危險，增加兩方的混亂，無半毫是處。

由反躬實踐，向內沉潛以透出天命，實際卽是後儒所說的「見性」，這是中國文化精神血脈之所在。至於後人懷疑孔子不應至五十而始見性，這是不明瞭思想的發展，且不知道通過知解作用的見性，和從實踐的實證中的見性，有天壤之別。孔子的這一思想，經子思，孟子，始得到明確的發展，這我在「中國性論史的演變」一文中，將詳加敍述。但此一發展，到漢儒混入陰陽五行之說，把天命變爲外在的形象化的東西，而形成一大的夾雜。孟子說「仁義禮智根于心」，而漢儒卻說仁義禮智信根予金木水火土，這分明是一大歪曲，一大退步。周濂溪的太極圖說，有人說他是傳自道士，但實際是將漢儒的陰陽五行說更加以條理化，組織化，使其由天到人，得到一個更明確的形象。這從思想的形式上說，確算是一個大進步。清人反對太極圖說，而回到兩漢的陰陽五行，此正說明清儒之鄙陋無識。但若從孔孟性、命之學來說，這依然是一大歪曲。程很少提到太極圖說，朱元晦則因向外窮理而欲得到理的根源，亦卽是欲得到道德的根源，於是只有求之於形象化了的太極圖說。他在韶州州學濂溪先生祠記中說：

「秦漢以來，道不明於天下而士不知所以爲道。言天者遺人而無用，語人者不及天而無本。……有濂溪先生此作，然後天理明而道學之傳復續。蓋有以聞夫太極陰陽五行之奥（四部叢刊本作與，據正誼堂本校改），而天下之爲中正仁義者，得以知其所自來」（朱子大全卷七十九）

以陰陽五行爲中正仁義之所自來，這是一個沒有實際內容的假設。由此一假設，把反躬實踐，向內沈潛，以顯現自己的本心，通過自己的本心以看天道天命的血脈，來了一個大的曲折。並且太極圖說的假定，不但不能加以證驗，且因其本身自成完整的一套，也不要求加以證驗；於是在陰陽五行中，誰也不會眞切感受到道德的動力；而在此一格架下的知識活動，也永遠發生不了對實物的分析檢驗的要求。儘管朱子的後繼者，在長期內，將此一套圖案，不斷的細心加以排比，但排來排去，終是對道德與知識，兩無着落的戲論。至於張橫渠的太虛說，近代大儒熊十力先生的闢翕說，排比愈工，其爲戲論則一。他們之所以成爲儒門鉅子，是因爲他們有扣緊反躬實踐，因而向內生根的一面。朱子雖說過，「取足於心者，佛老空虛之邪見」，但他在孟子集注中又說，「心具衆理而應萬物」，則似乎依然應當在心上立足。但因朱氏在總根源上未能徹底把握得定，所以我在「象山學述」中指出他陷於一生的矛盾。張橫渠一生，得力於他艱苦的「復禮」工夫；但他畢竟外律的意義較多，所以二程終嫌其近於把捉太過。熊先生的新唯識論，畢竟不能不以明心一章作收束。而明心一章之不够充實，這正說明他由宇宙論以落向人性論，在其根本處有一缺憾。在他們，都認爲這兩方面的東西是緊密相連，實際則不僅是一種推想，且亦實無此必要。我們治思想史的人，應把這種不必要的夾雜，糾結，加以澄清，將宇宙論的部分交還科學，將道德論的部分還之本心。一復孔門之舊。薩爾頓（C. Sarton）在其古代中世科學文化史的大著中，說宋代新儒學，是歐洲中世紀的煩瑣哲學（Scholasicism），這是因爲他只看到宇宙論牽到人性論的一面，而沒有看到反躬實踐的一面。

人在反躬實踐的過程中，便必然由經驗之心，顯出其超經驗的特性；而超經驗的特性，依然是由經驗之心所認取，以主宰於經驗之心，於是乃眞有所謂天人合一。故如實而論，所謂天人合一，只是心的二重性格的合一。除此以外，決無所謂天人合一。我們試看二程下面幾段話，當可窺見孔孟眞正學脈之所在。

「問心有善惡否，曰（明道曰），在天爲命，在義爲理，在人爲性，生於身爲心，其實一也」。

「嘗論以心知天，猶居亞師（今之開封）往長安，但知出西門，便可到長安，此猶是言作兩處。若要至誠，只在京師，便是到長安。更不可別求長安。只心便是天，盡之便知性，知性便知天。當處便認取，更不可外求。窮理盡性以至於命，三事一時並了，元無次序，不可將窮理作知之事。若實窮得理，卽性命亦可了」（以上皆見明道學案）。

「一人之心，卽天地之心」。

「問孟子言心性天，只是一理否。曰然。自理言之謂天，自禀受言之謂之性，自存諸人言之謂之心」（以上皆見伊川學案）。

由上我們應當可以了解明道所謂「吾學雖有所受，天理二存，卻是自家體貼出來」的意義。樂記上已將天理人欲對舉，其後言天理者亦復不少。然不從實踐工夫中從內轉證出來，則此二字只是沒有確切意義的空話，豈能由此而謂自己見到了天理。等於劉子說「民秉天地之中以生，所謂命也」，儘管此命字係指德命而言，但豈同於孔子的知天命？更由此而可了解二程受學於周濂溪，爲什麼他二人很少提到太極圖說的緣故。

陸象山近於明道。他所走的路：從經驗中來的意味較少，但由向內沈潛的超經驗，以走向經驗，則與孔孟的精神更爲接近。所以他乾脆說：「宇宙卽是吾心，吾心卽是宇宙」。王陽明大體上是繼承陸學，他對這一點說得更清楚：

「如今人只說天，何嘗見天？謂日月風雷卽天，不可。謂人物草木不是天，亦不可。道卽是天。……若解向裏尋求，見得自己心體，卽無時處，不是此道。亘古亘今，無終無始，更有甚同異。心卽道，道卽天，知心則知道知天。又曰，諸君要實見此道，須從自己心上體認，不假外求始得」（傳習錄上）。

或者有人說，陸王都是心學，受了明心見性的影響，不足爲孔孟思想血脈的取證。在這裏，對此暫不作深論。茲更引全祖望傳述篤信朱學的清初大儒陸桴亭的一段話在下面：

「作格致編以自考曰，敬天者敬吾之心也。敬吾之心如敬天，則天人可合一矣。故敬天爲入德之門。及讀薛敬軒語錄云，敬天當自敬心始，嘆曰，先得我心哉」（鮚埼亭集卷一十八陸桴亭傳。中央文物供應社所印行之桴亭學案中，將「敬天者敬吾之心也」二語刪去，而僅錄「敬天爲入德之門」，此正可見近人之無知）。

一個客觀的天，是一個偉大的存在，人會從各方面受到它的影響，也想從各方面去架設與它相通的橋樑。然由孔子所奠基的儒家思想，固然一方面常常從外在的客觀的地位上去談到天的問題；但在道德實踐中所顯現出的天或天命，實卽一個人的本心的顯發，這由上述諸氏從實踐工夫中所流露出的語言，應當可以明白。因此，我們必須承認「心卽天」，然後所謂天人不二，天人合一，才有一確定的意義。我們對中國思想，必須把握到這一點，才算刊落枝葉，觸到本根，所以我不憚長言之。或者因此而懷疑到這是一種唯心論的說法。但是西方的唯心論，粗略的說，可以分爲兩個方面。一方面是認識論中的問題，普通稱之爲觀念論。在中國文化中，很少眞正有認識論的自覺，我們治思想史的人，對於我們文化中所沒有的東西，應乾脆承認其沒有，不必強作安排附會。另一方面，是在形而上學上以精神爲宇宙的本體。而「心卽天」的另一眞實意義，卽是把屬於人的歸還給人，把屬於自然宇宙的歸還給自然宇宙；在這中間，找不出任何精神創造了宇宙，創造了「形體之天」的意味。在唯物論中的蘇俄中共，爲什麼在社會產生關係改變以後，他們中間依然有好人壞人？他們常常要憑說服去改造或影響他人的思想，觀念，難道此時不是訴之於某一人的心而係訴之於某一人的生產關係？

又有人說農業社會是決定人的罪惡的根源，難說工商業者都是君子，而農民都是小人？又有人說地理上的大陸性是決定人的墮落的原因，則我們幾千年中出過多少聖賢英傑，難說都是從天上掉了下來？而我們之要回大陸，豈非等於要鑽進汚濁的染缸裏去？經濟地理等等因素，卽是外在的經驗中的各種因素，當然會給人的行爲以影響。但都不是決定的影響。追溯到最後，一個人的行爲只是決定於每一個人的心。我看不出由孔子知天命所奠定下來的以心爲道德根源的思想，有什麼立足不住之處。

四五、八、十六日　民主評論七卷十六期

為什麼要反對自由主義

近來有朋友對我說：現在又展開了自由主義者與反自由主義者的爭論，想聽聽你對此問題的意見。其實，我並沒有意見，而只是因此引起一些感想。民國三十八年春，我曾對國民黨今後應如何作法，正式提供了一點意見。其中有一部分是分析國民黨所以在智識分子中形成孤立，主要是來自不了解自由主義，沒有和自由主義者建立良好合作的關係，今後必須引此為前車之鑒。卅九年國民黨開始改造，對於自由主義與三民主義的問題，在思想上未曾作過一次認眞的檢討，我私下深為詫異。前年有位朋友和我爭得耳紅面赤，說我已經成為自由主義者，我一方面很驚訝，一方面經他這一番指點，才知道盡管一個人不標榜自由主義，甚至不甘心僅僅作一個自由主義者，但在他的知識和人格成長的過程中，一定要通過自由主義。現在居然對自由主義者開起火來了，我直覺底感到這眞是反共陣營中非常的不幸。玆當總統蔣公，訓示全國報章雜誌，應坦白各抒所見，以供採擇施行之際，爰將我的一點感想也草草的寫出。「近傳下詔通言路，已卜餘年見太平」。我拿筆時的心情，陸放翁已先為我說出來了。

一

自由主義的名詞，雖然成立得不太早；但自由主義的精神，可以說是與人類文化以俱來。只要夠稱得上是文化，則儘管此一文化中找不出自由主義乃至自由的名詞，但其中必有某種形態，某種程度的自由精神在那裏躍動。否則根本沒有產生文化的可能。歐洲近三百年偉大進步的基本動力，便是自由主義，這是誰也不能不承認的。自由主義，是人類自身生活的實踐；人不是上帝，所以人所實踐的任何東西，都會發生流弊，自由主義自然也會發生流弊；因此，在十九世紀末，二十世紀初，不斷發出了自由主義底危機的呼聲，於是而有共產主義與法西斯的出現。但正如今日全世界所證明，自由主義的危機，只有通過自由主義的自身才能加以挽救。因為自由主義不是代表一種固定的格套，而係打開人類精神上物質上許多有形無形的枷鎖，以敞開一條路來顯露人類的理性良心，讓人類的理性良心，在各種困惑艱險的途程中，放出光和熱來為自己找路。離開自由主義以解救自由主義的危機，有如法西斯共產黨之所為，這恰似縛住自己的手脚，痲醉自己的心靈，以求渡過各種災厄一樣，只有把人類更推向不可測度的深淵裏去，這正是我們今日所面對的世界問題。今日我們與共產極權主義鬪爭的目的，非常簡單，是要把被共產主義的體制所捆縛痲醉住的人類良心理性，解放蘇醒過來，以歸還給每一個人自己，讓每一個人能憑藉自己的良心來掌握自己的命運；即是要把人之所以為人的自由還給每一個人，讓人類能重新站在自由主義的基底上再向上向前努力。並非自由主義的本身卽代表了人類的前途，因爲自由主義的本身，只是一種生活底精神狀態。而是只有保持這種生活底精神狀態，才敞開人類向前向上之門，對人類的前途，賦與以無限的可能性。

自由主義的生活底精神狀態，用歐洲文化史中的名詞來說，卽是「我的自覺」。用中國文化史中的名詞來說，卽是「自作主宰」。人一生下來，便投入在既成的傳統與社會之中，隨着傳統與社會的大流向前流轉，有如一個漂浮的物件，隨着洪流向下流轉一樣。在這種隨波逐流的漫長歲月中，有少數人以各種因緣的啓發，挺身站了起來，要追問傳統和社會許多既成觀念與事象的是非，而其是非的衡斷，一訴之於自己的良心理性，讓自己的良心理性站在傳統和社會的既成觀念與事象之上，以決定自己的從違取舍；這樣一來，不再是傳統和社會支配一個人的生活，而是一個人的良心理性來支配自己的生活，這卽是所謂「我的自覺」，卽是所謂「自作主宰」，卽是所謂自由主義。但是，在這裏須得鄭重說明一下；自由主義者從傳統和社會中解放出來，並不是根本否定了傳統和社會，而是對傳統和社會，作一番新底估價，將既成的觀念與事象，加以澄清洗鍊，而賦與以新的內容，並創造更合理更豐富的傳統和社會。自由主義者依然要生活在傳統與社會的大流之中。但他不是被動底、消極底生活着；而是主動底、積極底、向傳統與社會不斷發揮創造改進的力量，使傳統與社會，不復是一股盲目的衝力，而是照耀於人類良心理性之下，逐漸成爲人類良心理性的生產品。因此，自由主義不僅由自己精神的解放而成就個人，當他成就個人時，也就同時成就了羣體。儘管有只意識到個人而沒有意識到羣體的自由主義者；但從歷史的事實看，有活力的個人，必然會形成有活力的羣體；所以自由主義的國家，畢竟是歷史上最進步最富強的國家。

二

就我國來說，自由一詞，首見於漢書五行志注；佛典中更多言自由，至南宋而自由成爲社會流行的俗語；然這皆與今日所言之自由，無直接之淵源。周初開始發生人之吉兇成敗，不決定於天命而決定於人之德不德的思想，此乃中國文化中自由精神之最初覺醒。爲中國文化奠定基礎的孔子，他刪詩書，訂禮樂，並作春秋以「貶天子，退諸侯，討大夫」，他所根據的當然是自己的良心理性，而不是什麼外在的權威。否則他不敢「刪」，不敢「訂」，更不敢以匹夫而貶討到政治上的權貴。他的周遊列國，也正說明他是根據自己的良心理性以選擇符合自己良心理性的政治對象；當時各國諸侯的政治權威，在他的眼下都視若無物。他敎人的最高目的是求仁；但他說「爲仁由己」，「當仁不讓於師」，這都是要人自作主宰的明白啓示；他認爲只有自作主宰的人才可以求仁。從個人的氣質上，他指出「巧言令色，鮮矣仁」；因爲巧言令色，是供奉權威的妾婦相。他指出「剛毅木訥近仁」，又太息的說「吾未見剛者」；又說「匹夫不可奪志」。傳他「一以貫之」的道的曾子說「士不可以不宏毅」，又說「吾常聞大勇于夫子矣……自反而縮（直），雖千萬人，吾往矣」。剛，毅，勇，這是乘載自由精神所必須具備的氣質，也是自由精神在一個人生活中具體化所自然表現出的氣質。而匹夫不可奪志，雖千萬人吾往，正是反抗權威，以求理性良心自由的具體說明。至於他們的謙虛有禮，乃是他們的德行而不是他們的委曲。所以說「恭而無禮則耻」。又以「足恭」爲左丘明耻之，丘亦耻之。到了孟子，特提出「至大至剛」底自由精神的最高表現，所以他認為「富貴不能淫，貧賤不能移，威武不能屈」，才可稱為「大丈夫」。大丈夫乃對妾婦而言。人不願為妾婦，便當為大丈夫，便當具有這種高貴底自由精神的品格。因此，我們可以說：儒家是從德性上來建立積極底人生，因而自由精神在這一方面成為積極的表現；道家則從情意上去解脫人生的羈絆，因而自由精神在這一方面成為消極的表現。儒道兩家，是中國文化的兩大主流。若接觸不到兩者在其思想的基底上所具備的充沛底自由精神，便根本無法接觸到他所留下的文化遺產。後來一切的詖詞曲說，皆由此而產生出來的。至於以為中國在政治上沒有發展出來自由人權的明確觀念，便以為在中國文化中沒有自由主義的精神，其淺薄無知，更不待論。

自由精神，在西方是先在知性中躍動，在中國則是先在德性中躍動。但自由精神，必須伸展到政治中去，必須在政治中有了具體的成就，然後其本身才成為一明確的體系，並對於知性德性的自由，提供以確切不移的保證。當然，政治自由，並非自由的一切；政治自由，須要知性底，尤其是德性底自由作根源，須要由德性自由而吸取其營養，這是歷史實踐中的常識。但更緊要的是，人類最大的災害，對人性最大的壓抑，常常是來自政治。所以自由精神在德性中知性中的活動，必定要與政治碰頭，必定要求政治從屬於每一個人，因而也處於每一個人的良心理性的控制之下，使政治成為每一個人的工具，而不是任何個人成為政治的工具。此一努力的結果，如大家所週知，即是以人權為靈魂，以議會為格架的民主政治。因此，儘管自由主義的精神，係與人類的文化同時開始；但「自由主義」的名詞，一直到民主政治開始成熟的十九世紀才正式出現，這不是沒有理由的。我國大一統的政治格架，是根據反自由的法家思想所建立。兩漢知識分子對法家思想和制度所作的不斷底鬭爭，實際即是向政治爭取自由的鬪爭；此一鬪爭，以宦官所造成的黨錮之禍而告一個悲慘的結束，於是自由的精神，始終在政治中伸長不出來，因而使整個文化，使整個民族底生命力，都在政治抑壓之下，變成了纏足的小脚女人，不曾得到應有底正常底發展。由此，我們不難了解中山先生所領導的以民主共和爲國體，以完成憲政爲政治目標的國民革命，在我國歷史發展上所佔的偉大意義。中山先生是把中國文化中的自由精神，經二千餘年的艱辛而未能在政治中實現的，一旦使其實現。中山先生自身若是缺乏這種自由精神，便不可能有他百折不回的革命動力；他革命的目的若不是爲了實現在政治中的自由，便不能解釋他廢除專制，實現民主的堅決主張。誠然，三民主義，並不等於自由主義；因爲如前所述，自由主義只是一種生活的精神態度，而三民主義則是對政治的具體主張。但是，形成三民主義的精神基底的，難說不是中山先生的自由主義的精神？三民主義的目標，難說不是爲了各種自由（包括政治中的個人自由）的實現？三民主義，中山先生自己說得很清楚，是以民爲主的民治，民有，民享的主義。民治，民有，民享，是把傳統的開明專制的愛民，養民，敎民倒轉過來，使被動之民，成爲主動之民，這是劃分政治的大分水嶺，是一個現代普通的公民所能了解的。試問人民若在政治中沒有自由，他何能成爲政治的主人，如何可稱爲民治，民有，民享的民主政治。我可以說，中山先生的三民主義，是「自由主義底」三民主義，是以自由主義爲基底的三民主義。誰也不能把三民主義解釋成反自由主義的思想。這樣做的只有共產黨。而站在自由主義者的立場來說，他可以通過自己的理性而信仰三民主義，也可以通過自己的理性而不信仰三民主義。但在三民主義並不妨礙各人的理性自由活動時，縱使不信仰三民主義，也並不須要反對三民主義；而自由主義底三民主義，最低限度，在理論上是不應當有這種危險的。三民主義者正如一個主張婚姻自由的小姐，根據自由選擇而已經和人結了婚；結婚，好像就是婚姻自由的消失；殊不知這正是她主張婚姻自由的結果。不信仰三民主義而只信仰自由主義的人，恰如正在自由選擇對象而不願受任何束縛的小姐；但這並非她永遠不結婚，而是想得到一個最理想的結婚。自由主義者的態度，剋就自由主義的本身來說，本是對各種束縛的一種解消底態度；但一個人的理性，是要從這種束縛的解消中跳了出來而積極有所肯定，並對其所肯定的負積極的責任。三民主義者對自由主義者的反對，好像一個結了婚的女人反對婚姻自由，或者駡人不和她嫁同一個丈夫一樣的可笑。

三

就我個人研究中山先生文獻所得的結論，覺得在民國八年以前，他的思想，主張，與西方的民主政治，完全是同途合軌。自民國九年起，多少受了點蘇俄革命的影響，而蘇俄是反自由主義的。但這裏有兩點應當先加以說明：第一、中山先生當時之同情蘇俄革命，也和文學家紀德，哲學家羅素當時之同情蘇俄革命一樣，這是一種無私的偉大心靈，爲人類前途而上下求索的自然流露。等到紀德和羅素有機會明瞭了蘇俄革命的反自由及由反自由所得的結果以後，他兩人的態度卽行改變，這是紀德和羅素自己整個的思想與此一特殊事象畢竟不相容之必然結果。因此，從中山先生整個的思想看，假定他能多活幾年，有機會看清蘇俄的眞相，他對蘇俄革命的態度也必完全改變，並會把三民主義中所受的若干影響，如革命民權等，重新加以澄清。第二，他「生理學底」思想性格，卽在民國九年以後，對於自由主義也祇含有修正的意味，決無反對的意味。在他的民權主義的講稿中，因爲偶然有「中國人的自由太多」的一句話，引起不少的誤解。但中山先生在這裏所說的自由，與歐洲近代的自由主義的內容，其相去之遠，稍有常識者卽可加以判斷。若不揣其本而齊其末，竟以此爲反對自由主義的藉口，則中山先生曾說民生主義卽是共產主義，難說我們能據此而說民生主義便是共產主義嗎？

問題還不止此。我們現在不是在談純思想的問題，而實際是在談政治的問題。反自由思想的人，並不是坐在書齋中來講自己的學術。假定是講學術，我們不妨承認自由中國的。學術水準，應當比現在這些反自由思想的人所表現的還能稍稍的高一點。反自由思想的人多半是站廟堂之上，爲自己的政策行爲作辯護，作宣傳。因爲凡是對他們的行爲政策有所批評的，卽是自由主義者，而自由主義是要不得的，所以對他們的批評自然是不值一顧，這樣便可以肆行無忌。他們打出反對自由主義的招牌，好像是在爲三民主義而奮鬪；實際，他們之所作所爲，是否卽係代表三民主義？中山先生的遺敎，是否敎給他們只顧政府的威信（實際祇是個人的利害），而不顧事實的是非？是否敎給他們以拒諫飾非爲政府的威信，而不以改過遷善爲政府的威信？這些我們都暫時置之不問。我祇在這裏特別提醒一點：現在政府存在的根據是我們的憲法，現在政府的性質是憲法政府。站在一個國家的堂堂體制和法理上說，憲法對現在的政府是直接關係，而三民主義乃是間接底關係。誰違反了憲法，便是誰在削弱政府的基礎，誰在損害政府眞正的威信。甚至可以說卽是對國家的一種叛亂行爲。今日政府的使命，與其說是要把臺灣建設爲一個三民主義的模範省，不如說應把臺灣建設爲一個民主憲政的模範省。假使認爲三民主義的精神不曾被包括於現行憲法之內，則實行三民主義的口號，將係形成與憲法相對立的口號，政府以何方法解除此一矛盾？假使認爲三民主義的精神已包含於現行憲法之中，則現行憲法是三民主義在政治上進一步的具體化，法制化。三民主義是一黨的信念，信不信有其選擇的餘地；憲法是一國之公，任何人不可以不遵守憲法。實行憲政，才表示政府站穩了自己的立場，而不是走一黨專政的回頭路。大家試冷靜底想一想，不僅在法理上我們不應走這種回頭路，在事勢上也不能走這種回頭路。了解了這種極尋常而不可移易的道理後，便應當承認在政治上羣言淆亂的時候，惟有折衷於憲法。今日的憲法，是一部民主的憲法？還是一部反民主的憲法？若是一部民主的憲法，則三百年來的歷史，還是告訴我們：民主與自由，是可分，是不可分的呢？自由主義，落實在政治上，即成爲憲法中的人民的諸權利；當人民行使自己在憲法上所規定的權利時，卻假借思想上的名詞以反對之，這實際是在反對人權，是在反對憲法，是在反對現政府在艱難中所憑藉的合理合法的基礎，而其所欲達到的只是個人的私意私利；這種私意私利，還要以中山先生作盾牌，這眞是中山先生所要痛哭於九原的。並且現在被反對的自由主義，是和共產黨劃分得最清楚，因而是反共最力的。自由主義者所要求的不是自己的權，不是自己的利，而是要求政府的根基能更爲鞏固，政府的作法能更爲合理，有效，反共的陣容和責任能更爲擴大，堅強，因此，有時不能不提出若干批評，如此而已。綜觀這幾年，不論在民意機關之內，或表現於報章雜誌之間，對政府的批評言論，能指出那一次對政府的政策沒有裨補？例如現在引起對自由主義作正面攻擊的是因爲批評了教育部長張其昀氏的教育政策方案。每一個稍有良知良識而又有子女正在求學的人們，試平心靜氣的想想，假使張氏的方案，不是因爲有人反對而竟照原計劃在全省施行，則照今日在新竹試行的情形看，全省的教育，將混亂到如何的程度！儘管胡秋原氏十月二日在立法院所提出的「對行政院教育部兩方案之再質詢」，在有資格向自由世界爭新聞自由地位的各大報紙上，隻字不登，但胡氏指出張氏違背憲法的七問題，在法理上是如此的皎然明白，沒有絲毫抵賴的餘地。最奇怪的事是有些自己放縱於憲法之外的人，反要回轉身來罵堅持憲法，爲國家顧體統，爲反共辨是非，而不貪圖個人小便宜的自由主義底知識分子。不錯，自由主義者是擁護憲法，明辨是非，因而對違法亂紀的措施，不免要加以批評，糾正的；但世界上又有一種什麼主義而可以只准州官放火，不准百姓點燈呢？老實說，今日的局勢，只是知識分子太沒有盡到自己良心理性上的責任，只是太不夠當一個現代的自由主義者。要爲苦難的民族多留下種子，則苦難的自由主義者必須多多留下種子。

或者有人說，我上面所講的是「理」而不是「勢」。在非常時期，不能僅講理而不顧到勢。因爲理虛而勢實，所以僅僅講理的便是書生之見。不錯，我們面對現實問題，應當理勢兼顧。但是，爲了自由而反對共產黨，這才是今日反共的大勢。自由中國的政府，現在也感到有增加團結的必要了；假定連自由主義也在反對之列，政府還想向誰團結？對於關心政府的成敗得失，因而不能不盡點芻蕘之義的人，都當作仇敵，公開罵這種人是反動分子，政府還在什麼地方找朋友。尤其是使我感嘆的，在以前，我們精神上傾向德意，而事實上又不能不和德意交兵；在今日，我們事實上置身於自由陣營，而精神上又常常要向自由構釁；這種陰錯陽差底形勢的造成，只不過起於少數官僚的飾非遂過，而決非來自國民黨所信仰的三民主義，這是值得英明的總統蔣公加以熟考的。

十月十七日夜於東海大學

四五、十一、一　民主評論七卷二十一期

按：我寫此文時，僅由與敎育部有關的刊物，發動對自由主義的攻擊；而胡秋原氏對張氏的再質詢案，也以政府派胡氏充出席聯合國代表的顧問而告一段落。對於自由主義者作全面的圍攻，是在一個多月以後才開始的。

四六、七、二十　補誌

兩篇難懂的文章

最近我在臺北中央日報的「學人」上，前後看到難懂的兩篇文章；一是勞幹先生的「歷史的考訂與歷史的解釋」，一是毛子水先生的「論考據和義理」。現在把難懂的地方約略舉出來，以求兩位先生的指教。

一

勞先生的大文是刊在「學人」第六期。此文主要的意思是說「歷史的考訂和歷史的解釋，雖然同屬於歷史的範圍，但在不遠的將來，總會分而爲二。其間的差異，也許類似天文學與占星學，終於同源而異流的情況。」「這兩條路線不是重疊的，也不是平行的。……離之則雙美，合之則兩傷」。並指出「在十九世紀兩個大歷史學家黑格爾（稱黑格爾爲歷史學家，似乎也不多見）和蘭克（Leopold Ranke），已經指示了兩種不同的方向」。只有前者才是「嚴格的歷史學」。做這種「歷史學的工作，卻和做古生物學，天文學，氣象學的方法，並無二致」。因此，「考古學已被逼的走上了自然科學的路，而歷史學也將被逼的步上考古學的後塵」。我們可以總括勞先生的意見，是歷史的考訂與解釋，應嚴格劃分，而將「解釋」驅逐於史學圈之外，「讓政論家去隨意推想」。關於史學方法，是一個最易引起爭論的問體，在這裏引用與勞先生相反的意見來作討論，是不易得到結論的。好在勞先生的意見是以蘭克的史學爲其根源，以步上自然科學之路爲其歸宿。我們現在不妨順着勞先生的線索研討下去。

一個史學家，他可以只做考訂工作而不做解釋工作，或者他把他的重點只放在考訂上而不放在解釋上，但一定要把解釋（Interpretation）從史學中驅逐出去，則最低限度，蘭克似乎便不是如此。

不錯，蘭克在其「世界概觀」的第一講中，便很明白的反對黑格爾把人類歷史，看作是一個辯證法過程的說法。因爲他認爲「照着這種見解，則僅僅理念才有獨立的生命，而人則不過是充當此理念的影像或圖型」。並且，他認爲所謂歷史的「指導底理念，乃是在各個世紀中占有支配力的傾向」。這些傾向「只能記述」而「不能簡約成一個概念」。因爲歷史是人造的，人不同於一般自然物，而有其自由意志，所以人類歷史的發展「有其無限的多樣性」（以上皆見其世界史概觀之第一講）。

但是蘭克所反對的，是黑格爾們將歷史現象加以概念化，用概念化的方法來解釋歷史。可是，由記述以達到解釋的目的，正是蘭克畢生所走的一條路。如在上引第一講中，他說「歷史學家主要着眼，第一，應當放在某一時代的人是如何的想，是如何的生活的了解之上」。「第二、應該認識橫亙於各個時代相互間的不同點，而考察其前後關係的內面底必然性」。當然，這兩個主要着眼點，一定要通過嚴格底各個事件的考訂工作。但是，假定只有考訂工作而沒有進一步的解釋工作，又怎麼能了解其「內面底必然性呢」？在蘭克的遺稿中，他一面把哲學與史學嚴格的分開，而注重個別事件的研究；但同時也注重認識諸事實的全般底展望，及其客觀存在的相互關係。他一面強調歷史中的最大的自由和形象的多樣性，同時也注重「普遍關連的恒常性」。所以他一生的志業，是想完成一部世界史。勞先生由「純點滴主義」而至於排斥解釋，似乎與他相距太遠。堪稱爲實證史學研究方法的權威者貝隆海姆（Dr. E. Bernheim），在其史學入門一書中，於史料學，及史料批判兩章之後，即專設「解釋」一章。我相信這是極平實的著作，而決非屬於黑格爾學派的見解。

並且勞先生既認定史學要走自然科學的路，則自然科學的目的是在解釋自然，而史學何以不可以解釋歷史？同時，在自然科學研究的過程中，必須由觀察而經過假設和實驗。沒有假設，實驗，則研究便會停頓在現象敍述的上面。而假設，實驗，正是由於對某一現象的解釋要求而成立的。例如牛頓有關 Spectrum 的實驗，便是爲了要解釋在 Spectrum 現象中所看到的光線分散，是由何而起？及光線所通過的穴是圓的，爲什麼 Spectrum 卻表現是細長的帶形呢？於是而實驗，才把自然科學的研究，一步一步的深入下去。由此可知解釋不僅是自然學與史學的目的，並且也是研究過程中所不可缺少的動力；沒有此一動力，便不能發現問題，爲考訂工作開路。在此種情形之下，便只有記流水賬式的考訂工作，連史料整理的任務都無法完成，這種情形在中國是不難隨處發見的。

同時，勞先生認爲史學將會完全跟着考古學走，我們暫時不管考古學只能以先民遺留下的片斷物質材料爲研究對象，而歷史則還要接觸到人類精神生活的方面。僅就考古學本身而論，恐怕也無法將解釋驅逐於考訂之外。中央研究院歷史語言研究所把從殷墟發掘出來的一件一件的武器，經細心的研究後而排列成一個系列，於是得出結論說，「它是逐漸在進步」，或是「由某一形式發展而爲某一形式」，這卽是蘭克經常所說的各個事物中間的「關聯」，這卽是一種解釋。有了此種解釋，此一研究才算有了結論。並且所以會把各個武器排成一個系列，正因爲在研究過程中有須要加以解釋的要求；因有此種要求，才把對於各個的考訂工作推進一步而作出各個互相關聯的考訂工作。勞先生的大文中引用了前哈佛大學教授薩爾維尼（G. Salvemini）的「史學家與科學家」中的話，以爲社會科學家所研究的，「是要形成爲種種的定律，歷史學家只以再造過去爲目的，並無決定種種定律的企圖」。照勞先生所引的話看來，有兩點値得注意：第一、薩爾維尼既把社會科學家與史學家分開，則似乎與勞先生要把史學與自然科學合家的想法並非同調。第二、歷史的解釋，並非是要決定某種定律，而是如蘭克所不斷說的，是要指出歷史中的某種傾向。只有由解釋的類推（Anlaogie），「才可能使我們理解現在的世界或以前的世界。我們只要不像斯彭格勒（Spengler）樣的走向極端，以運用此種類推法，則認識這些事實甚爲必要；由此種認識而生出研究歷史的第二大職能，卽是歷史的解釋」（貝隆海姆史學入門第三章方法論）。換言之，只有由考訂進到解釋，才能「再造過去」，因而使人們理解過去。過去所遺留下來的材料不論如何的多，但決不會把所有一切的，原封不動的都遺留下來；因此，歷史學家須憑藉想像，類推，把一件一件的材料連結起來，以得出某種結論；再把局部結論，通過嚴密的考察而作出更大的綜合的結論，這樣才能再造過去。至於作爲類推的基礎的材料必須特別嚴密，類推的結果，總不脫離待證底假設的性質，隨時準備因考訂的新結論而可加以修正或推翻，這是不待多說的。

勞先生之所以在史學中拒斥「解釋」，大約是以為解釋是史學的「應用」，而「純正科學，應當有純正科學的尊嚴，決不容許任何應用的問題來糾纏，以降低純正科學的風格……這是至理，也是常識」。我在上面已經稍稍提到，「解釋」不僅是因研究而自然底所得出的結論，也是在研究過程中由研究工作自身所不斷發出的要請。只有能力不太高的史料校刊者，才不能感覺到有此種要請。由此可知「解釋」和「應用」，並非完全是相同的一回事。卽就「應用」對純正科學來說，勞先生似乎也只了解到一面。任何一門學問，（不僅自然科學）在研究的過程中，都只能順着由對象所提供的理論自身的要請，去探求解決的方向，而不可受到人的感情或希望的干擾，以保證在研究過程中的自由，因而可以保證研究的純客觀性，使其不至受到某種主觀預定目標的拘限。自然科學中有許多新理論的產生，常常是出於科學研究者在研究中遇着某種偶然底，不預期的現象，便因而追根下去的結果。此時若受有主觀上預定目標的限制，便阻礙了科學自身的發展，到不一定是為了什麼研究者的「尊嚴」「風格」。純正科學工作者，常常是把自己沒入於研究對象之中，恐怕沒有地方容放尊嚴風格這些觀念。但是，若就全般底科學發展的背景乃至其動力而論，則近代的科學工作者，固然在研究過程中是繼承了希臘「為知識而知識」的傳統，但同時意識的或不意識的，更另外加入了一個近代之所以為近代的時代精神，卽是「應用」的精神。倍根在其「新工具」（Novum Organum）中一面主張獲得妥當底科學知識的唯一方法，在於觀察與實驗；一面強調有關自然底知識，含有偉大的實際效用，這正是代表近代精神的躍動。F. Sherwood Taylor 在其 A Short History of Science 第二章希臘的科學中特指出「離開日常生活應用的純粹研究的熱情，是希臘科學的長處，也是它的弱點」。近代科學從兩方面補救了希臘的弱點：一面是希臘人只注意鉅視的研究，而近代則特別注意細部的研究。另一方面則是近代的應用精神。所以 H. Levy 在 Some Makers of the Modern Spirit 的牛頓一章中，敍述了牛頓對於當時許多有關的社會生活要求是如何的加以注意之後，特指出牛頓的科學工作，「是從那一時代的知底要求和社會底要求而受到靈感」。並且他說：「各位今日常常說科學的研究，是爲了科學自身的純粹研究……這是繼承科學的極端專門化之後所產生的觀念。然而在牛頓，則是保持着現實主義的見解。他認爲科學問題，不應該是在人的精神中的操作，而是從實際的各種困難中發生的。……他完全沒有「研究之純粹性」的這種偏狹的想法。他的偉大是在於能拿起形造實際問題的事實與空想的混沌，而將其中適切底東西與不適切底東西加以分開」。並且此一作者更繼續說：「將科學底研究與日常生活的必要，加以密切的連繫，不僅僅是牛頓……死於牛頓出生之年的伽利略，爲了航海而造出望遠鏡，以援助富裕的商人；斯賓諾莎一面磨透光鏡（Lens）而使其哲學得到發展。笛卡兒爲了要求神學與科學的妥協而展開其數學底方法，但他的數學底方法；是在他充當砲兵士官的實踐生活中有其根源。」因此我們不難想到，成爲美國思想中心的實用主義（Pragmatism），不論我們贊成不贊成，但總不好像勞先生樣的，一涉到實用或應用，便說他們沒有「常識」。

因爲勞先生害怕應用的觀念，妨礙了他的「尊嚴」與「風格」，而「鑒往知來」，正是史學的應用之一，所以勞先生便自然與極力加以反對，認爲不可能。他說「多數的歷史學家，可能尙想打着鑒往知來的大纛，無奈所作的工作，在嚴格的範圍中，至多只能說是知識的一部分；至於是否能够鑒往，更是否能够知來，那簡直如無邊的大海，茫然不知道。假如單純的想用歷史的線索來鑒往知來，那就將更成爲不可能。換言之，歷史學家的任務，只是正確的供給人類經驗上的材料。至於將來的世界向那裏走去，那就牽涉太廣泛了，嚴格的歷史學家，應當只有敬謝不敏，無能爲役。」假定把鑒往知來解釋爲與預言家相同的性質，則誰個也不會視歷史家爲預言家。若是我們承認在空間時間中所發生的各個事件，都有其關連性。此一事件與前於此一事件的有其關連，即係要多少受前一事件的影響。同理，現時所發生的事件，也會從正面側面反面與未來的有關事件以可能的影響。雖然歷史是屬於人的，因而不比自然科學，今天用實驗所證明的，將來在同一條件之下，也可以證明；而歷史則因人有自由意志在發生作用，所以永遠不能和自然科學樣，出現完全相同的置景，因而也永遠不會出現相同的現象；但互相影響的可能性總會存在的。史學家自必先注重各個事件的究明，但也必須進一步研討各個事件相互間的關係；並且只有把這種相互間的關係弄清楚後，才能說是完全明白了某一各個事件。由前後事件的關連，影響，以推斷人類歷史過程中的大方向，這正是蘭克寫世界史的企圖，也正是一切正常歷史學家的責任。勞先生在此文中所標榜的點滴主義並不算錯；但因爲排斥解釋的工作，所以這種點滴工作，都是孤立的，結果會淪爲印書館的校對工作，字的錯誤是校正了，但字與字之間的相關意義卻沒有明瞭，於是對自已所校正的是何意義，茫然不解。由此順推下來，便把「大多數史學家」的鑒往知來的任務也便要打掉。但我得指明，史學是人的自身之學，是把人間的經驗放進時間流轉的過程中去加以研究之學。我們不可想像到沒有過去的人間生活；也不可能想像到沒有未來的人間生活。社會上只有通過勞先生自已過去的歷史，而才能了解勞先生何以有學問，何以能當臺大的教授；即是說，只有鑒於勞先生的「往」，而才能知道勞先生的「今」；更由勞先生的「今」而可以推斷若干勞先生的「來」；因之，才可以與勞先生發生某種關係以期待某種預期的結果，這樣才能建立人與人的社會生活。譬如說，勞先生教書一向是很負責（鑒往），所以送給勞先生這一學期的課程表，勞先生會按時到校上課（知來），而不用其他的顧慮等等。假定一個人的過去與現在是互相隔斷的，現在與明天又是互相隔斷的，於是覺得生活只是一刹那一刹那的變換，而不能意識到一刹那一刹那間的某種關連，將各刹那連在一起，以形成過去現在未來一個整體的存在，則社會上將誰也不認識他人，誰也不認識自已，這正如美國現代的大史學家貝爾德在其「美國國家基本問題對話」中所說，這會變成瘋人院的世界。因之，各種程度，各種範圍的鑒往知來，乃是人爲了能够生存下去所必然發生的要求；此一要求的本身即形成史學最重要的基本動機之一。人是在不斷對將來作某種預計，而此種預計一定是以過去若干經驗作基礎才能生活下去，連一個家庭的主婦也不能例外；儘管這種預計永遠是在修訂之中。但只有鑒往知來的預計，才能有修正的可能。所以勞先生儘管正在寫文章否定鑒往知來的時候，而自已卻在此文章中擔當起史學自身的鑒往知來的大任。勞先生在這篇大文的一開頭便說「歷史的考訂和歷史的解釋，雖然同屬於歷史的範圍，但在不遠的『將來』，『總會』分而爲二」。又說「歷史學也『將』被逼的步上考古學的後塵」，這都是勞先生對於史學將來的論斷。我可以判斷勞先生寫這篇文章的主要動機，就是要把他對史學自身的「知來」，以強烈的信心表達出來。勞先生這種「知來」，總會有他的若干根據，而這些根據總會是屬於「往」的；假定勞先生的「知來」的斷定尚不足取信於人，那恐怕還是由於勞先生關於史學史的「鑒往」工作稍有不足，而對於史學自身所下的「解釋」，稍嫌武斷。

我非常尊敬勞先生個人在史學中的若干成就；同時也承認「點滴主義」是初治史學的基

本步驟；但由此一點滴而關聯到彼一滴點的研究，正是順着一條路前進的工作。有人不願做第二步工作，這是他的自由；但論到整個的史學，則不必以偏概全，把史學發展的整個途程給封閉死了。

二

提到毛子水先生在「學人」第十期的「論考據和義理」的大文，他的動機，是因爲「近今治國學的人，往往喜歡談考據和義理的分別，言下且有考據是末，是粗，而義理是本是精的意思。這種意思，可以說是不對，而且有遺誤青年學子的可能性，所以我現在爲一分辨」。學問上的討論，先加對方一頂犯罪的帽子，毛先生的熱情到十分可感。現在且看毛先生如何分辨法。

首先，我們看毛先生對於考據和義理所下的第一個定義（這大概是一般的定義）：「第一、我們把考據看作史傳記載的徵實和辨正，把義理看作人生哲學的研討。就這個定義，則考據和義理，乃是兩種不同的學問。……考據和義理，各爲學問的一途，這是自然而最應當的現象」。但他又說：「研究宋明理學，在許多人心目中是義理的學問，但依我的見解，這是考據範圍以內的事」。在結論上又說「經濟學還不能算是考據的學問，（這句話已經令人難懂）生理學和心理學則應當爲完全考據的學問」。考據學不是已經由毛先生下過定義，因而有其「史傳記載的徵實和辨正」的具體內容嗎？爲什麼一下子又扯到生理和心理學上來？這種無岸無邊的推廣，則下定義有何必要；在沒有界定範圍的情形之下，有什麼方法可以進行問題的討論。並且照毛先生的意見，則不僅義理應附屬於考據之中，卽天下一切學問，也只有考據的一途；假定經濟學者再作努力，則經濟學自然也可以勉附驥尾。那末上面所說的「考據和義理，各爲學問的一途」的『各』字，有何意義呢？

毛先生更「把考據和義理，都從治國學者的觀點」來下第二個定義。他認爲「考據是指草木鳥獸和典章制度的探討言。義理是指聖賢修巳治人方術的闡明言。……古人所用的鳥獸草木的名字，古人所行的典章制度，如果懂得不淸楚，便不可以算是懂得古人的書。古人的書不能懂得，怎樣還能去闡明古代聖賢修巳治人的方術呢……這樣說來，應當說考據爲本而義理爲末。因爲如果考據的功夫不到家，義理便無從談起。……考據精，則打基礎在考據上義理的亦愈精；考據粗，則打基礎在考據上的義理亦愈粗」。這是說只有通過考據才能研究義理。但毛先生在後面又說「有許多人都以爲義理出於聖經，但沒有聲音訓詁學，決不能有乾嘉以來的經學。而聲音訓詁的學問，差不多都需畢生的精力的。我們不能責治聲音訓詁的人去講義理，正和我們不能責講義理的人去治聲音訓詁一樣。學術上許多地方都需要分工合作的」。這一段話我大體贊成。但毛先生上面說不精考據卽不能通義理，而此處又說不能責講考據的人去講義理；則義理將由何人去講？同樣的，不可以責講義理的人去講考據，則這種講義理的人，毛先生又如何能承認其可靠呢？

其次，在毛先生第二段文章中提到必須由考據以通義理，因而發生本末之爭的問題，也應當稍爲談談。

中國義理之學是否一定要通過考據，我覺得與其引「乾嘉時期大師的話」，不如引治國學者所共同承認的孔子的話。孔子的話，最可靠的要算論語。我們現在就毛先生自已所下的定義，在「治國學」的範圍內，略引論語上的話來加以印證。毛先生把考據之學定義爲草木鳥獸和典章制度的探討，把義理之學定義爲修己治人的方術的闡明；現在先從論語上修己的這方面看吧：

「子曰，巧言令色，鮮矣仁。」

「曾子曰，吾日三省吾身。爲人謀，而不忠乎，與朋友交而不信乎？傳不習乎」？

「子曰，君子不重，則不威，學則不固。主忠信。無友不如己者，過則勿憚改」。

「子曰，參乎，吾道一以貫之，曾子曰唯。子出，門人問曰，何謂也？曾子曰，夫子之道，忠恕而已矣」。

「子曰，志於道，據於德，依於仁，游於藝」。

「顏淵問仁，子曰，克己復禮爲仁。一日克己復禮，天下爲仁焉。爲仁由己，而由人乎哉。顏淵曰，請問其目。子曰，非禮勿視，非禮勿聽，非禮勿言，非禮勿動。……」。

「子張問行，子曰，言忠信，行篤敬，雖蠻貊之邦行矣。……」。

「……」

論語上有關修己的很多，略舉此以見其餘。試問這些和「草木鳥獸，典章制度」，有何關涉，而必須加以考據後始能了解其意義。即加以考據後，又與上述論語上所說的有何關涉？孔子不是不重視草未鳥獸和典章制度，但他是從另一意義去重視，而並非以爲必通過對這些東西的考據以達到修己的方法。最顯明的例子是：

「子曰：小子何莫學夫詩。詩可以興。可以觀。可以羣。可以怨，邇之事父，遠之事君。多識於草木鳥獸之名」。

在此一例中，應用毛先生的定義，可以說「遠之事君」以上，是從義理上去學詩。而多識於草木鳥獸之名，是從考據上去學詩。但在這段話中，包含有必先多識草木鳥獸之名，才能興觀羣怨？或多識草木鳥獸之名以後，便一定會興觀羣怨的意義嗎？同時，禮樂都是儒家修己的重要工具，但豈特僅僅把禮樂的名物度數考據清楚，於義理無關；即使是把禮樂的實物擺在面前演奏一番，也與義理無涉。所以孔子說「禮云禮云，玉帛云乎哉？樂云樂云，鐘鼓云乎哉」？因爲「義理」另有來源，即「人而不仁，如禮何？人而不仁，如樂何」的仁。仁可通過禮樂而表現出來，但禮樂的具體物（玉帛等）並不即是等於仁，所以考訂清楚了也不能說是求到了仁，不能說是對義理有得。

再從義理的治人方面來看吧。治人當然要靠典章制度；但政治的實踐，固須通過合理的典章制度；但其理論則並非必須通過典章制度而始能表達出來。所以政治思想史，可以與政治制度史分開。就孔子來說，他對夏禮殷禮，已感「文獻不足」，不能考據得十分清楚；但他卻說「所損益，可知也」。對於唐虞的典章制度，可以推斷他更無法詳考，但這不妨礙他把最高的政治理想，放在堯舜身上，此由「大哉堯之爲君」，及「無爲而治者其舜也與」等章可以很清楚的看出。因爲政治的「義理」，並不須通過具體的典章制度。至於論語上他自己談到治人的道理如：

「子曰，爲政以德，譬如北辰，居其所而衆星拱之」。

「齊景公問政於孔子，孔子對曰，君君，臣臣，父父，子子」。

「季康子問政於孔子，孔子對曰，政者正也。子帥以正，孰敢不正」。

「定公問一言而可以興邦，有諸？孔子對曰，言不可以若是其幾也。人之言曰，爲君難，爲臣不易。如知爲君之難也，不幾乎一言而興邦乎？曰，一言而喪邦，有諸？孔子對曰，言不可以若是其幾也，人之言曰，予無樂乎爲君，唯其言而莫予違也。如其善而莫之違也；不亦善乎？如不善而莫之違也，不幾乎一言而喪邦乎」？

「……」

論語上還有把修己治人連在一起，爲後來中庸大學之所本的一段話。

「子路問君子，子曰，修己以敬。曰，如斯而已乎，曰修己以安人。曰，如斯而已乎，曰修己以安百姓。……」。

難說上面都要通過草木鳥獸典章制度的考據才能了解？而考據了草木鳥獸典章制度之後，便一定能了解嗎？當然，不論是治考據或是治義理，總有若干共同的地方，有如一個人要由嘉義轉車上阿里山，另一個人要直赴高雄，他們可以在一個車站上車，也可以同一段路。但他們著眼的重點不同，所欲達到的目的不同，於是同屬讀書，而在書中所提出的問題不同，因之解決問題的方法也有不同。朱元晦最注重讀書，他讀書的方法也非常精密，所以可遠開清代考據的先河，他自己也感到在考據方面另有一門學問。但他讀書的歸結，是要「以心體之，以身踐之」，這便是他與考據家的大分水嶺。並且義理之學，雖不廢讀書，但就其根本意義來說，卻是直接以社會生活，個人生活爲對象，爲出發點，爲歸結點；典籍只居於輔助啓發的地位。孔子說顏回最爲好學，只是「不遷怒，不貳過」，「其心三月不違仁」。而孔門傳經，當推之子游子夏。孔子自己是多聞多見，好古敏求的；但他告訴子貢說，自己不是「多學而識之」而是「一以貫之」，這一以貫之的東西，從他答復子貢「有一言而可以終身行之」的話來看，可知便是恕。由恕再進一步便是仁；而孔子說「爲仁由己」，所以又說「我欲仁，斯仁至矣」。這是眞正義理之學的根源，這與草木鳥獸典章制度有何關涉？所謂孔門四科的德行，也可以說是義理分科的起源。毛先生要從這些根源地方用心，才可以了解何者爲義理之學？才可以了解明道自己讀書非常認眞，何以又責謝上蔡的讀書是玩物喪志。主張窮理莫先於讀書的朱元晦，卻又何以說「示喻，天上無不識字的神仙……然亦想只學得識字，卻不曾學得上天，即不如且學上天耳」？陸象山何以說「某則不識一個字，亦須還我堂堂的做個人」。而乾嘉諸人何以一談到義理問題，便皆幼穉可笑。所以毛先生「考據精，則打基礎在考據上的義理亦愈精」的說法，只是門外漢的隨意聯想，無絲毫事實的根據。

說到誰是本，誰是末？這是應當分疏來說的問題。站在「爲知識而知識」的立場來看，每一門學問，不論其範圍如何，內容何如，只要够得上稱爲知識，其本身卽有其自足的價值，無本末輕重之可言。但爲知識而知識，這是來自希臘的學統；中國的學統，幾乎無不是以知識爲達到修己治人的手段。毛先生所提出的「做學問的目的，是不是在明義理」，卽是問「讀書是不是爲了明理」？這在中國過去，只要是稍有良心，稍有知識的學人，決不會提出此種問題。乾嘉諸人所以反對宋明儒，只認爲他們之所謂理，不是孔孟之所謂理；斷不曾懷疑到讀書的目的是要明理。因爲凡是中國有分量的典籍，它的目的沒有不是爲了修己治人的。這些修己治人的道理，在今日看來是否還有價值，此處可以不談。卽純就求知的立場來說，我們治國學的，無非是要了解古人所說的是些什麼。古人所說的是在修己治人上落脚，是以修己治人爲歸結點，則我們只有順著古人的語言文字以到達其歸結點，求知的歷程才算告一段落。在順著古人的語言文字走的時候，有什麼人主張不應當利用考據學上已有的成果？有什麼人主張遇著應當考證淸楚的問題時，可以馬虎下去？陸象山也主張讀書應看古注，應看注疏。但我們不可因此附會象山之學，是出於古注或注疏。換言之，義理之學，從其根源的地方說，根本與毛先生所說的考據無關；而古人有關義理方面的文字，大體也不須專作考據工作才能了解。卽作了考據工作後也未必能了解。遇著須要考據的地方，治考據學的人，便在考據上落脚；治義理學的人便還要繼續前進。如僅從知識的意義來說，則從考據上所得的知識，與從義理所得的知識，其價值正是相等，不必作滕薛爭長的無謂之爭。但從了解古人的意義上說，便不可不謂，僅僅治考據者，尚留下一段歷程沒有走下去。並且以考據爲目的的知識，卽以得到此種知識爲止境；這種知識，與治考據者自身的人格無關。而由治義理所得的知識，在理論上（儘管在事實未必都能如此）是要對於治義理者自身的人格發生啓發塑造的影響。這是中國學問的基本性格。順著此一基本性格而說考據是末，義理是本，站在治國學者的立場來看，誰人可以否認？從中國文化傳統的立場，可以說義理是本，考據是末；從近代以知識爲主的學問來說，則考據與義理，應立於平等的地位而不可偏廢。但在今日許多大學的中文系乃至國文研究所中，連義理之學的影子都沒有；這是治國學者所應有的態度嗎？於是有人根據姚姬傳的義理、考據詞章三者並列的平實說法，想在大學的中文系中把抑壓了三百年之久的義理之學重新提出，使不至偏於考據的一途；並按照治學的程序，把文字訓詁的課程，安排在學年的前面，把有關思想的東西，安排在學年的後面，一面讓學生能按古人治學的次第（文字訓詁，在古人本稱爲小學）而前進；一面敞開國學各方面的門，讓學生能按自已性之所近去專治一門，而不致把青年拘束在敎者自身所好的一途；固然這是補偏救弊，但並沒有爭門立戶，向學問自身去較短量長的意思。我不知毛先生說這些話的用意何在？治國學先不順著國學的原有大路走去，然則要走什麼路？

毛先生又說，「研究宋明理學，在許多人心目中是義理的學問；但依我的見解，這是考據範圍以內的學問。什麼是『天』，什麼是『地』……我們如果能够一一窮源竟委、辨析毫芒，以求得到正確的解答……這樣的做學問，不是考據是什麼？……那是學術史一部份的事情。我想，有許多講宋明理學，而輕視考據的人，簡直不知道自已在做什麼？」我讀完這段話，眞不知道毛先生是在說些什麼？第一、義理之學，可以直接從義理之學的本身去講。此時固然會關涉到若干史實，但他的重點可以不放在史實的考證整理上面；有如一個講倫理學的人，他會關涉到若干倫理思想史的史實，但他的目的重點，不是在講倫理思想史。反之，專門講倫理思想史的人，也並非一定就等於是講倫理學。又如胡適之先生寫了幾篇禪宗史的文章，但他並不是講禪學。把義理之學與思想史混爲一談，等於把哲學和哲學史視爲一物。儘管兩者關聯密切，但重點各有所在。第二、傳統的義理之學，是要直接對自已人格的修養負責，對世道人心負責；其最後的根源是各個人的心，各個人的性；義理是要經過各人在生活中的認取證驗，生活中所認取證驗的卽是最高的根據。在其進修的過程中，有時會要取資於古人所留下的語言；但常常是看了古人許多語言，都與他毫不相干，而偶然受到一兩句語言的啓發。甚至對他發生啓發作用的語言，他的了解，與原來說此語言人的意思也有距離；但這與他的成就高下，並無多大關係。譬如天臺大師智顗，由「因緣所生法」一偈而說「一心三觀」；據今人的考證，智顗大師對此一偈的解釋完全錯誤了，此偈所表示的只是「空觀」，並無三觀的意思。但並不能因此而推翻天臺宗的價值。因爲他的一心三觀的眞正根源是他入山十年的內觀反照。所以這完全不應當用文獻考訂的角度去衡量。第三、治思想史，是在求得一種知識。凡爲求得知識，皆應遵守知識所得以成立的基本規定；因此，治中國思想史的人，自必首先注重文獻的搜集考訂；但這只是初步的文獻學的工作。在治宋明思想史上，花在這種文獻學上的工夫不必太多，因爲這些文獻的自身，並沒有多大問題；若一個人的工作僅僅停留在文獻學的階段，這並不是沒有價值，但不能稱之爲思想史。有如日人忽滑谷快天和鈴木大拙們有關禪宗的著作，可以稱之爲禪宗思想史。而胡適之先生和日人宇井伯壽有關這一類的著作，則只能稱之爲禪宗故實史，或禪宗故事史，或簡稱之爲禪宗史。治西洋哲學史的人，有的也須做一部分文獻考訂工作，尤其是有關希臘的那一部分；但最主要的是要能順著某一哲學家的思辯經路而思辯下去，盡其曲折，以達到某一哲學家的到達點，而將其表達出來；因此，只有哲學家才能寫哲學史。並且一個哲學家所寫的哲學史，常常是與自己哲學思想有關的一部份寫得最好。例如羅素的西洋哲學史的最精采的部分，是比達哥拉斯和來布尼茲的部分。因爲沒有受過哲學思想訓練的人，便無法了解他人所作的思辯的歷程，便不能了解他人所說的眞正意義。中國的義理之學，他本身不是走的思辯的路，而是通過內的實踐或外的實踐所得出的結論，再由此種結論通過一定的歷程，表達出來。治宋明思想史者最重要的工夫，首先，便是要鑑別那是由實踐中所說出來的話，那是依樣胡蘆的話。因爲依樣胡蘆的話，是毫無價值。其次，對於前人從實踐中所說出的話，我們要了解他實踐的歷程，順著此歷程以到達其結論，或他的中心點；再順著其中心點，按照嚴格底思辯經路以將其表達出來，這才算完全了解了一個人的思想。這種嚴格精密的工作，要說是考據，也未嘗不可以；因爲一個名詞的內涵，是可以由人自己去規定的。但這與毛先生對考據所下的定義，有那一條相合？而毛先生可以講此種話呢？因此，我們可以了解，要寫一部像樣的中國思想史，第一、必須讀書讀得多，讀得實在。第二、必須受有思想的訓練。第三、必須有做人的自覺。三者缺一不可。有許多人書讀得不少，詩文做得也不壞，但爲什麼一談到中國的思想問題，幾乎無一不幼稚？這是因爲他的思想沒有訓練。而專在舊書本上用功的人，很難受到思想的訓練。考據工作，可以訓練人用心細密，但這種細密，多半是片斷的，與一個人的思考能力的發展，尙有很大的距離。專門做考據工作的人，常常是最不容易接近哲學的人，就是這種道理。另有許多人，他受過近代的思想訓練，但缺少做人的自覺，（並非說這種人便是壞人）於是他的思考能力，可以很鋒利的指向其他的學問部門裏面去，但一接觸到義理這一方面，因爲這種氣氛和近代生活的情調不合，便立刻發生反感，他便會完全從反對者的立場去運用他的思考。任何學問，都應當批評，都可以反對；但在批評反對之前，一定應先做了解的工作。要了解一門學問，必須先很客觀的順隨著這門學問的途徑去弄清楚他的底蘊。一開始便以反對者的立場去看，便始終無法了解它。近百年來，對中國文化所作的批評並不算少，而中國學問的本身也應當經過一番批判而始能眞正的新生。但卽使是在學問的某一部門中很有成就的人，其對中國文化的批評，也十之八九，一無是處，其原因卽在於此。我們知道了這門學問的甘苦以後，才可以了解爲什麼明儒學案以後，三百年來，還出不出一部趕得上明儒學案的思想史。（因某些人太無知識，他可以印許多無聊的東西，但印一部明儒學案，卻要妄加刪節，這眞是出版界的恥辱）近來有少數朋友，作這種工作，不斷有零篇的文章發表，漸已度越前人；但要出現一部完整中國思想史的著作，恐尙須有待。毛先生說「有許多講宋明理學而輕視考據的人，簡直不知道自己在做什麼」，這也難怪。站在門外的人，怎能知道門裏的人是在做什麼？於是以己度人，自然以爲門裏的人，自己也不知道自己在做什麼了。讀者總可以相信著宋元學案和明儒學案的黃梨洲，對思想史的工夫和了解，大概會比毛先生高明一點吧。黃梨洲在明儒學案凡例中，首先指出，周海門的聖學宗傳，孫鍾元的理學宗傳，在文獻收羅上的疏漏。又說「是編皆從（各人）全集探要鉤元」。可見他是做了毛先生所說的考據工作。但他又說：

「大凡學有宗旨，是其人之得力處，亦是學者之入門處。天下之義理無窮，苟非定以一二字，如何約之使其在我。故講學而無宗旨，卽有嘉言，是無頭緒之亂絲也。學者不能得其人之宗旨，卽讀其書，亦猶張騫初至大夏，不能得月氏要領也。是編分別宗旨，如燈取影……」。

這一段話，是毛先生所說的考據所能概括嗎？

毛先生又說「我上面所提及的人生哲學，我們固然可以把它列在義理之學裏面。實在何只人生哲學，大而宇宙的演化，小而昆蟲草木的生滅，都可以說是在義理之學範圍以內的。但無論那一種學問，眞正不愧義理的名字的，都應當以最精審的考據爲基礎」。毛先生這一段話，又是撩繞不清的話。同一個對象，例如同一個宇宙，同一個昆蟲草木，從藝術家的角度看是一種意義，是一種結論。從自然科學家的角度看，是另一種意義，是另一種結論。從道德宗教家的角度看，又是另一種意義，是另一種結論。談學問，要把這些大分際弄清楚。「眉毛鬍子一把糾」，還有什麼學問可談呢？

現在再看毛先生所抬出的最後法寶，卽是觀察實驗的科學方法的法寶吧。毛先生說：「我敢大膽的說，不是用現代科學方法得來的義理，是沒有價值的。所謂科學方法觀察，實驗，有一分證據說一分話」。但我要告訴毛先生兩點：其一、觀察，實驗，這四個字，連一個小學生也可以說得清楚。問題是在如何去觀察，如何去實驗。數學邏輯，是否像自然科學同樣的去觀察？歷史藝術，是否與自然科學同樣的去實驗？科學方法，只有眞正做學問而加以操作的，才能眞正了解；捕風捉影的胡猜一頓有何用處？第二、義理之學，我們把它當作一種客觀的研究對象以求得一種知識，我前面已經說過，知識便須受知識所得以成立的諸條件的限定。但知識只能向人說明「這是什麼」，「那是什麼」？而不能告訴人「這應當如何？那應當如何？」義理之學的本身，是告訴人「應當如何」之學。它也要觀察，實驗，但不能僅靠向外的觀察或實驗。最淺鮮的說，要斷定「惻隱之心，人皆有之」的這句話是否眞實，我們不能僅僅觀察人的表情或僅僅聽聽人的語言卽可斷定；並且卽使由統計而可得一較爲可靠的斷定，這種斷定也是屬於知識範圍，與一個人的行爲動機無涉。此時只有各人訴之於自己的心，在自己的心上求證驗，此卽所謂體認或體驗。體認和體驗，是把問題收納在一個人的精神之內，或者是收納在一個人的生活之內，而加以觀察實驗，是把自己的心當作實驗室。個中詳細的道理，此處無暇詳說。但我可以引愛因斯坦的一段話，請毛先生想想。因爲我可以斷定愛因斯坦在科學上的知識，會比毛先生高得多。

「科學方法，除了能告訴我們以諸種事實是如何相互的關連，及如何互爲條件以外，什麼東西也不能告訴我們。追求這種客觀知識的熱心，是屬於人的最高貴的事情，我決不輕視各位在此一方面所作的人類的成果與英雄的努力。但是，同樣明瞭的事情，『這是什麼』的知識，決不爲我們打開直接通向「這應當如何」的門。不管我們保持有如何豐富的「這是什麼」的知識。但決不能從這些知識中演繹出人類的目標，應當是如何的結論。客觀知識，可以爲我們要達成某種目標而提供強有力的工具。但是，人生究竟目標的自身，及想達到目標的志願，不能不從其他的源泉產生出來」。（A. Einstein: Out of My Later Years 日譯本二五頁）

國家的環境是這樣的艱難，學人的成就萬分的辛苦；所以我們對任何人在學術方面任何的成就，無不寄以最大的敬意。縱然有所爭論，也不敢輕加人以罪名。尤其是現在遺誤青年的東西太多了，更不願把此一責任推到某一部分學人身上去。但若一定要我也照毛先生的手法，勉強對毛先生的學問加以考語，則恐怕對這位前輩先生太不禮貌了，所以就此保留作罷。

四六、九、一　民主評論八卷一期

悲憤的抗議

因爲蔣總統有求言的號召，於是若干人士對國事稍稍盡了點獻替之責，這從現在世界的情形看，從中國過去的歷史看，都是極尋常的事。儒家最高的政治理想人物是堯舜。中庸說舜是「大知」，因爲他「好問」，好「審邇言」，並且「隱惡而揚善」。朱元晦對於「隱惡揚善」的解釋是進言進得善的。舜固然加以表揚；進言進得不善的，舜也加以隱忍：因爲政治是一種權威，不如此，人民便不敢講話，舜便不會成爲「大知」。這次大家響應蔣總統的號召，所說的話，當然會有善有不善。但站在政府的立場，總應當在所講的各種話中，選擇一兩樣「善」的來策勵自己，以完成總統求言的盛擧。站在國民黨的立場，對於認爲不合時宜的言論，也應該平心靜氣，就人家所提出的具體問題，不曲解，不誣賴，作針鋒相對的辯論，以期能求出一個眞是眞非。但國民黨的中堅份子們的反應是：凡是主張自由民主，擁護憲法，以希望由此而加強反共力量的人們，不問大家所談的具體內容如何，都運用斷章取義，或改頭換面的最簡單手法，一概指其爲是共產黨的思想走私，是共產黨的同路人；這種失掉人類以理性互相辯論的常軌，直截了當的用裁誣的方法，誘導著隱伏的殺機，眞是中國歷史上由求言所得出的極少見的結果。代表中國國民黨黨意的中央日報二月七日「共產主義破產之後」的社論，便是顯著的一例。

我們初看到此一社論的標題時，以爲國民黨的黨意，總會認爲共產主義破產之後，應當是自由民主力量的擴張，深爲人類前途，中國前途而慶幸。但恰恰相反，中央日報的社論認爲共產主義破產之後，「今日中共匪徒還有一條出路」。這條出路卽是「在我們中國社會之內，也有同樣七日七夜變成名流者之活動。民主與不民主，自由與不自由，獨裁與反獨裁，這一套陳舊的東西，又貼上自由主義的商標而出現於市場之上」於是中央日報主張「我們總不該再讓共產主義於其本身破產之後，又利用民主鬪爭來復活。我們更不該讓朱毛匪幫於騙取大陸各省之後，再騙取臺灣」。簡括的說一句，中央日報認爲曾經響應蔣總統求言的號召而站在民主，憲法的立場，對國事有所獻替的人們，是自由主義者。而自由主義是共黨在共產主義破產以後的變形，因之，自由主義者便是共匪。所以國民黨今後的敵人不是共產主義而是自由主義；國民黨的刺刀尖不是指向共產主義者而是要指向自由主義者；這樣，才能貫澈「反共抗俄」的大業。

以下，我想對中央日報所代表的黨意，提出八點疑問：

第一、我們反共，主要是以「民主」對「不民主」，以「自由」對「不自由」，以「反獨裁」對「獨裁」，這是全世界反共人士的共同信念，並且也是人類保障自身生存的永恒信念，你們說這是「一套陳舊的東西」，然則什麼東西是你們認爲新鮮的呢？難道說不民主、不自由、獨裁這一套，你們覺得非常新鮮嗎？在全世界反共的陣容中，在全自由中國的反共陣營中，而公開要和共黨作不民主、不自由，獨裁的競賽，這固然很新鮮，但這種新鮮，只有讓你們這一撮人去欣賞。

第二、你們常常說共匪可以利用自由主義來分散反共的力量，所以自由主義是共黨思想的走私。但你們應能知道，什麼口號，共匪都可加以利用，連整個的三民主義都被他利用過。至於民族主義、民生主義等，正是共黨當前到處利用的法寶。它僅僅不能利用的只有自由主義。在共黨的整風文獻中，便專有一篇是「反自由主義」。共黨有將民主與自由加以歪曲利用的口號，但你們拿得出一篇共黨假借過自由主義的證據嗎？共產主義之所以破產，正是它壓不住每一個人內心追求自由的熱望，亦即是抵擋不住自由主義的洪流。現在你們奮身投袂而起來反對自由主義，你們是爲了反共？還是爲了當共產主義破產的時候來幫共產黨解圍呢？

第三、你們認爲自由主義者對政府有所批評，這是暴露政府的弱點，即是幫了共產黨的忙。但是，反共須要力量，力量是由許多合理的政治措施而來。政治措施是針對着各種具體問題，解決各種具體問題，並非掩耳盜鈴之事。若言者失實，政府何妨加以辯明，以釋社會之疑。若所言果係政府的弱點，則政府爲什麼不虛心接受，力圖改正。理想的政府，是能不斷發現弱點、改正弱點的政府。孔子個人尚且要到七十歲才能隨心所欲，不踰矩。至於管理衆人之事的政府，與個人的修養更大大不同，將永遠會有弱點。一個覺得自己沒有弱點，怕百姓說出自己弱點的政府，只是暴露其痲木而失掉向前奮發有爲的活力。弱點只有因爲隱藏而便潛滋暗長，決不會因爲隱藏而可以消弭。站在共產黨的立場來說，還是一個能發現自己弱點，改正自己弱點的敵對政府，對它有利呢？還是諱疾忌醫，包在皮裏面聽其腐爛的敵對政府，對它有利呢？假定有共黨的潛伏份子，它還是會堂堂正正的向政府有所獻替呢？還是陽奉陰違，或推波助瀾，擴大政府的弱點，以達到從敵人內部去腐化敵人的目的呢？何況僅就暴露弱點而論，這有誰能比你們在自由世界之前，公開暴露自由中國的政府是反自由民主的，暴露得更大呢？由你們的這一暴露，使蔣總統和政府面對天下後世所受的瘡傷，是大到無可估計的。最低限度，你們是想證明蔣總統求言之舉是出於虛僞，而使其失大信於天下後世，這在道義上你們對得起蔣總統嗎？

第四、現在不論什麼主義者也好，除了共黨以外，自由中國有我們共同承認的憲法。這是自由中國的眞正基礎之所在。而且憲法是用一條一條的條文加以明白規定，不像普通著作，可容易加以曲解的。所以在現實政治的問題上，不必爭論主義，而只問是否合乎憲法。違反憲法的，不論你拿什麼主義作掩護，都是損害自由中國的基礎；合乎憲法的，不論和你的脾胃或私人利害是否相符，也只有克己的去加以接受。這樣，政府與人民才有一致的立足點，因而能達到殊途同歸，團結一致的效果。不僅今日談自由民主的人，都是以憲法爲依歸；且憲法的本身，便是自由民主的制度化。所以我們很驕傲的稱自己的憲法是一部「民主的憲法」。難說你們認爲我們的憲法，在精神上、在條文上、是反對自由民主的嗎？若你們不能否定我們的憲法，是自由民主的憲法，則你們認爲這一部憲法也是共匪的走私品，而應加以打倒嗎？你們另外一篇社論說，魏晉以清談亡國，今日談民主自由的人也是清談，也要負亡國之責，清談是逃避現實，而民主自由，則是當前反共的公私生活中最現實的問題。你們用盡心思來耍這種花槍，聰明倒也聰明；但是，誰說你們的知識和良心，低劣到連上述的大分水嶺也辨別不清楚嗎？

第五、或者你們以爲站在三民主義的立場，所以不能不反對民主自由，不能不反對自由主義。但你們要知道；若僅就口頭上說，則共產黨也不斷的說過它們要擁護三民主義。若就實際行爲上說，則共產黨固然根本不會實行三民主義，但你們也常常自己承認並未實現三民主義。可是我們並不能因此便說三民主義是共產黨的走私品，儘管孫先生自已說過「民生主義就是共產主義」的話，因爲從孫先生整個的人格看，從全部的三民主義看，都是出發於自由民主，歸結於自由民主；因此，才有「憲政時期」，才有這一部民主自由的憲法。而共黨則是用斷章取義的方法，將三民主義的民主自由的基本精神去掉，再驅遣三民主義的殘骸以作它獨裁專制的掩護工具，因而認爲三民主義是與民主自由不能並立的。現在你們也拿著三民主義的招牌來打民主自由，像這樣的信徒，能有面目見中山先生於地下嗎？

第六、你們又常常認爲民主自由妨礙了你們的革命，而你們是要革命的。我很久就想向你們請教：你們成天的嚷著革命，到底要革的是什麼命？是要革共產黨的命嗎？則不僅我們是同志，並且自由世界乃至鐵幕中的人民，大家都是同志；而民主自由，正是全世界所共同信守不渝的革命武器，你們爲什麼要反對呢？若講民主自由的自由主義者是共產黨的同路人，而你們認爲應加以革掉，則學習共產黨的一枝一節，心目中奉史達林若神明，拾取史達林的殘羹剩飯當作至上法寶的人，又是共產黨的什麼人呢？

第七、你們也罵共產黨滅絕人性，這是事實的。但是共產黨何以滅絕人性？因爲它認人性爲不可靠，人性的理性良心不可靠，所以一切不能委之於各個人的理性良心的判斷，不能使各個人對自己的良心理性負責，因之不能不拼命的反對自由民主，而只有靠它的特務與恐怖的統治。自由民主之所以能成立，乃是人類由人性的自覺而發生對理性良心的信賴。所以民主自由，是人性自覺的結果，也就是人性的本身，是每一個人與生俱來，不是靠了傳受，也不是能加以壓制的。你們反自由主義，則你們所說的人性到底是怎樣的一種東西呢？

第八、你們整天的說要警戒共產黨的統戰工作，這是應當的。但卽使是在香港這樣危險的地區，共產黨的統戰攻勢，並沒有動搖一個眞正的主張民主自由的自由主義者。而你們卻於一夜之間，硬把這些自由主義者都劃到共產黨的陣營裏面去了。共產黨的統戰工作所不能達到的目的，你們硬想在一夜之間爲它達到，你們對於自由主義者何以這樣的殘酷？對於共產黨何以這樣的義氣？你們試平心靜氣的想想？在反共陣營中，除了你們這一撮人以外，有誰人不是爲了追求自由？有誰人不是爲了愛好民主？有誰人不是意識的，或不意識的自由主義者。你們這一劃分，知道該有多少人劃分到共產黨裏面去？現在反共的最迫切要求，便是要團結海內外一切反共的力量。現在你們對於愛好自由民主的人士都當作敵人，則反共建國的大業，由你們這一撮人可以包辦得下去嗎？你們說這就是你們的反共，我爲此而悲，我爲此而憤，我爲此而對代表國民黨黨意的中央日報提出抗議。希望你們能迷途知返，大家在良心理性的鞭策之下，攜手共進吧。

四六、二、十二　香港華僑日報

國史中人君尊嚴問題的商討

讀李璜先生二月廿七日自由人上「爭自由。要民主」大文，至爲欽佩。惟中間一段謂「在君主專制時代，天王聖明，臣罪當誅，天下莫有不是的君父，這是有尊嚴問題的存在，這不能隨便去冒犯的。……在中國的經史書上，確是大書特書，連篇累牘，舉不勝舉……」則似李先生讀中國書不多，猜度之辭，易滋誤解，爰略爲補正如下：

第一、君臣關係，在先秦乃視作與朋友同科，並不能與父子關係相提並論。故「朋友以義合」而君臣亦以義合。論語上謂「事君數，斯辱矣，朋友數，斯疏矣！」意卽謂事君與交友，乃基於同一之態度。「合則留，不合則去」，君臣之間，應爲一種自由之結合，此與「父子以天合」者，大不相同。由君臣關係之絕對化因而顯出人君特爲尊嚴之觀念，乃長期專制政治下之產物，爲先秦正統思想中所未有。孔子雖「事君盡禮」，但彼決不認某一人君爲固定之政治中心；且應答之間，與對學生無異。故彼不特周遊列國，干七十餘君；且嘗欲應叛臣公山弗擾及佛肸之召；在孔子心目中，人君僅爲實現自己政治主張之一工具耳，豈有絲毫如韓愈琴操中所謂天王明聖，臣罪當誅之奴才思想乎。君臣關係之絕對化，始於暴秦而完成於兩漢，此爲中國歷史演進中之一大變局。西漢知識分子，對此一變局感受最爲迫切，因之，曾與當時皇帝對政權作不斷之流血抗爭；禪讓說之所以風行一時，甚且成爲王莽篡漢之有力武器，其眞實原因，乃在於此。但時至東漢，士人已不敢與人君爭政權，而僅欲與朝廷爭是非。及經黨錮之禍，士人更不得不逃避於玄虛之中以避禍；此後即最有良心之士人，亦僅能爲人君拾遺補缺。生民之氣，在長期專制壓迫之下，蓋幾於盡矣。

茲更舉一例以見此中演變之跡。論語有「雍也可使南面」之語：西漢人以南面即係作皇帝；雍也可使南面。即係孔子以其學生仲雍有資格作皇帝。東漢注釋家則將南面解釋爲諸侯。而六朝人則將南面解釋爲卿大夫。專制之毒愈深，士人之志氣愈消沈委曲，遂不得不自甘於政治上之被動而居於附庸之地位。以致中國文化之原有精神面貌，亦隨此而逐漸萎縮變形。即就此一解釋之演變，已可見一般。居今日欲言中國文化，首須辯清何者爲中國文化之本來面目，何者爲在專制政治壓迫之下所受之奸污。必認定中國文化，應先向專制政治復仇，然後中國文化乃可繼續擔當其對人類之偉大使命。故凡講中國文化而將其與專制政治併爲一談，甚且以中國文化作擁護專制之工具者，實皆中國文化之罪人。因此而招致社會對中國文化之誤解，殆亦必然之勢也。

第二、中國即使在長期專制統治之下，人君尊嚴之觀念已成，然亦從未以直言極諫，爲冒犯人君之尊嚴，因而欲納人入罪者。納諫即爲賢君，拒諫即爲昏君，殺諫臣即爲暴君，此乃中國歷史上任何人所不能不共同承認之鐵律。至於以諫諍爲冒犯人君尊嚴，以冒犯人君尊嚴爲罪大惡極，乃由廿四史中之另一系統——佞幸傳系統所演變而來。此一系統之存在，當係與政治之組織，同其久遠。孔子特提出「遠佞人」，而司馬遷作史記，特爲此輩立傳，直至明史，其系統皆綿延不絕。此輩之最大特色，即在出賣其肉體與靈魂，專爲人君之尊嚴作供奉。其後則更進一步以「大不敬罪」裁誣善類，因而顚倒天下之公是公非。中國史學家，所以特爲其建立一「佞幸」系統者，正在指明專以供奉皇上尊嚴之可恥；另一面亦在說明直言極諫，根本不應有所謂冒犯尊嚴等問題也。在此一點上，仍係守住先秦思想之傳統，爲中國知識分子在文化上對專制政治所守之最低而最後之防線。若有人冒知識分子之名，而竟欲將此最低最後之防線一擊而潰決之，此等人果自居於何等乎？故今日之爭，謂爲民主自由之爭，仍屬言之過高過遠；鄙意則實爲搶救中國文化最後防線之爭；自由人士之所以投袂而起，殆亦欲維護人類尊嚴，民族尊嚴於萬一耳。

茲更略擧先秦思想家所言人臣事人君之禮，以便與今人作一對照。論語，「子路問事君，子曰，勿欺也，而犯之」。犯者，犯人君之好惡，犯人君之尊嚴也。禮記檀弓「事親有隱而無犯」，「事君有犯而無隱」。「事師無隱無犯」。可知「犯」爲人臣事人君之大禮；亦可證明先秦事君與事父母並非等類齊觀。孟子主張「格君心之非」，此與今日之共產黨恰恰相反。共產黨之統治者專洗人民之腦，而孟子則認爲僅應洗統治者之腦。又謂「有事君人者。事是君，則爲容悅者也」，朱元晦釋之曰。「阿徇以爲容，逢迎以爲悅；此鄙夫之事，妾婦之道也」。儒家演變至荀子，君臣地位，已較在孔孟心目中者大爲懸隔。但仍謂「從道不從君，從義不從父」。並斥「巧敏佞說，善取寵乎上」者爲「態臣」。態臣者，搔首弄姿，供人玩弄之臣也。與儒家並稱，但又互相非難之墨子，在此點上，亦復與儒家完全一致。墨子第一篇親士謂「臣下重其爵位而不言，近臣則瘖（瘖，啞也）遠臣則唫（噤，不敢出聲也），結怨於民心，諂諛在側，善議障塞，則國危矣。」法家乃中國之法西斯思想，特將人君之尊嚴絕對化。但法家欲維持人君之尊嚴，必要求人君自處於深密無為之地。否則人君親自舞槍弄棒，勢必露出馬脚，雖欲維持尊嚴得乎？且儒家主張親親，此在政治上易流於家族政治。法家乃一出於冷酷客觀之態度，使公族之政治權利，不能超出於一般人民之上，於是客觀之政治制度，乃有建立之可能，此為法家之一大貢獻。吾輩讀古人書，應選長去短；而今人為學，則專欲選短去長，亦可痛矣。秦用法家，完成極權之治，漢承秦後，首先對秦代極權政治加以反省，因而漸開爾後政治之一線生機者，當推賈山之至言。賈山在至言中述秦因極權而亡之情形謂「秦皇帝居滅絕之中，而不自知者何也？天下莫敢告也。其所以莫敢告者何也？亡養老之義，（按凡極權者多與匈奴同俗，「賤老而貴少」。蓋匈奴重氣力，而極權重驅使。少者容易玩弄而不敢有所是非，老者不易驅使也」亡輔弼之臣，亡進諫之士。縱恣行誅，退誹謗之人，殺直諫之士，是以道（導）諛諭（偷）合苟容。比其（秦皇）德，則賢於堯舜。課其（秦皇）功，則賢於湯武。（按卽「德與天平之意」天下已潰而莫之告也」。細讀此一段文章，孰謂鑒古之不可以知今乎？

茲更舉一保皇黨之劉向之言以作此一段之結束。蓋劉向生於專制政治完全成熟之後，又為皇室懿親；其所言最為低調，且對皇室亦最為保險也。

說苑臣術篇謂「人臣之行，有六正六邪」。六正中之「直臣」乃「敢犯主之顏面，言主之過失」之臣。至於「六邪」則「一曰，安官貪祿，營於私家，不務公事；懷其智，藏其能，主飢於論，渴於策，猶不肯盡節。容容乎與世浮沈，上下左右觀望，如此者具臣也。二曰，主所言，皆曰善；主所為，皆曰可；隱而求主之所好，卽進之以快主耳目。偷合苟容，與主為樂，不顧其後害；如此者諛臣也。三曰，中實頗（偏）險，外容貌小謹，巧言令色，又心嫉賢。所欲進，則明其美而隱其惡。所欲退，則明其過而匿其美。使生妄行過任，賞罰不當，號令不行，如此者姦臣也。四曰，智足以飾非，辯足以行說，反言易辭而成文章，妬亂朝廷，如此者讒臣也。五曰，專權擅勢，持權國事，以爲輕重；于私門成黨，以富其家。又復增加威勢，擅矯主命，以自貴顯，如此者賊臣也。六曰，諂言以邪，墜主不義。朋黨比周，以蔽主明。入則辯言好辭，出則更復異其言語，使白黑無別，是非無間。伺候可推，因而附然，使主惡布於境內，聞於四鄰；如此者亡國之臣也」。劉向所列舉，眞可謂先乎今日之洋洋大觀。而在中國歷史文化中，從未以直言極諫爲冒犯人君之尊嚴，亦可謂皎然明白矣。

至於歷史之佞幸系統，就其發展言之，實足令人不寒而慄。春秋戰國時之所謂便嬖佞人，不過係面目姣好，雄而實雌之輩。卽史記漢書之佞幸傳中，其流品亦不外此。故班固謂「柔曼之傾色，非獨女德，蓋亦有男色焉」。則此輩祇知供奉人君之尊嚴，亦何足責。迨後專制之毒日深，而此輩之蕃衍滋廣，其爲禍亦愈酷而愈烈。明史佞幸傳中，則紀綱、門達，出自錦衣廠衞（特務）。李孜省、僧繼曉等，出身江湖。江彬、許泰等出身偏將。而顧可學、盛端明、朱隆禧等，則皆起自科甲之知識分子也。佞幸而擴大及於知識分子，由出賣肉體者進而出賣靈魂，則明代欲不亡於流寇夷狄，得乎？且佞幸之擴大，豈一佞幸傳所能概括。讀書人終日忙忙碌碌，驅遣書本中之故事，詞彙，咬文嚼字，以發爲詩賦文章，或如今日之所謂社論、論文、文選、著作等，其目的只有一個，卽在如何炫耀自己之聰明智巧，以討皇上之歡喜，亂天下之耳目，變事物之是非，圖個人之溫飽而已。吾人試進圖書館，閱覽室，一探其內容，則此類詩文著作，或且十居八九，則二千年來，中國文化，固已被佞幸化之讀書人而佞幸化其八九矣。三十年來，努力於歪曲西洋文化，而亦欲使之佞幸化者，固亦不可以一二數。反視鄧通、董賢輩之不輕於預外事之爲猶稍有廉恥之爲難得也。今日中國知識分子，於流離喪亂之餘，若猶欲爲自己子孫延一線生命，必先立誓言：自茲以後，不爲佞幸化之文化服役，不將自己所讀之中文書外文書供佞幸化之資。此大前提一經決定，則任何主義思想之爭，皆可在客觀問題上求得自然之解決矣。否則有如溺人之抱石以求自救，豈有倖乎。筆者久未到港，寄語港中故人，藉達拳拳之意。筆者年來居臺無狀可述，惟欲從佞幸化之傳統洪流中，檢存中國文化於十一，未敢自信能稍有所成也。

以上拉雜寫來，毫無條理。筆者與李先生無一面緣，此文刊出，藉便請教於李先生，幸甚。

四六、三、十三　**自由人**

此爲答復自由人主編陳克文先生的一封信，經陳先生將前後略加刪改刊出。

附關于中國歷史中的人民自由問題另給陳克文先生的一封信

克文我兄：這封信，我希望能把它刊出，但並不能算是「寫文章」。

我每看到「中國人民是數千年來最享有自由之人民，其受病在缺乏緊張，形成渙散」，因而「不可再盲目學習西方民主」的這一類的文章，便使我心中萬分難過。寫這類文章的先生們，有的是出自一番好意，並且又是對線裝書下過若干工夫的；但是爲什麼要把幾千年無數人民在專制政治下的血河淚海，代他們裝出白鼻子式的笑臉，爲新的專制主義者製造出反對民主自由的太沒理由的理由呢？

「自由」在政治上說，是人民對於自己合法的生存權利，政府官吏不能，也不敢運用政治權力加以侵犯之謂。最低限度，老百姓只要沒有犯「朝廷」的「王法」，官吏便不能隨意加以誣諂羅織之謂。此一自由的確立，只是近三百年來的歷史成就。中國在專制政治之下，有那一種客觀的保障，能使人民可以得到這種自由呢？一部廿四史，有那幾部歷史沒有酷吏列傳？那一個酷吏後面不是跟上幾千幾萬的寃鬼。並且姓名被列入史傳中的酷吏，不過是千百人中最爲突出之一二人，由史乘奏詔中所暴露出各時代官吏魚肉細民的一般情形，眞是不可勝數。到宋代而胥吏政治成熟，在胥吏政治下的暗無天日，宋明及淸初許多人的文集中，有不少悲痛的紀錄。「乾嘉大師」們的文集中便很少這類材料，是因爲他們的心力只肯集注到文字訓詁那一方面去，而不屑注意這些現實問題，以保持他們的高潔。但一直到民國十五年爲止，下層政治的黑暗情形沒有兩樣。縣衙門派出的催糧差役，老百姓一看到沒有不嚇得發抖的。我小的時候便曾親眼看到過幾次。在我的鄉下，稱這些催糧的差役爲「叫墊券的」；而「叫墊券的」便成爲兇神惡煞的代名詞。我一直到十九歲，還想不通「叫墊券的」爲什麼有那樣的厲害。所以諺語說「滅門的知縣」，這是說知縣可以隨意滅人一家的。又說「貧不與富鬪，民不與官鬪」。這裏的所謂「鬪」，不是鬪爭的鬪，只是爭論是非的意思。這句諺語是說窮人祇有順從富人，百姓只有順從官吏。若和他們爭論是非，包管叫你吃上大虧的。此一情勢的稍稍好轉，不能不歸功於民國十五年的北伐。從歷史的材料看，從我們具體的社會經驗看，中國人民是在何朝何代而可稱爲享有近代的所謂自由呢？我們講話，一定要根據實際的資料；並且應把不同的資料作一種客觀的衡量；不然，不論動機如何好，結果不僅毫無效果，反而只有模糊眞實的問題，以延遲其解決而已。人類的理想，不論最先啓發於何地；但一經啓發出來以後，卽是屬於「人類底」，而不問其爲「東」或「西」。近代民主自由，雖啓發自西方，但一定要在人類中，開花結果；這和科學的成就沒有什麼兩樣。至於在不同的歷史條件，社會條件下，其具體實現的方式或不盡相同，但這只是極小的不同，與大原則並無關係；在這種地方，應當特別加以分疏的。至於「中國實行民主數十年，但……」這類說法，我們眞懷疑到這是剛從月宮降落下來的仙人的口脗，我們住在這塊土地上幾十年的人，是看見在什麼地方眞心實意的實行過一天的民主呢？

專此敬請

大安

弟徐復觀上三月十日

答毛子水先生的「再論考據與義理」

民主評論轉到陳拱君「關於義理之學」一稿，始知毛子水先生對於我的「兩篇難懂的文章」的後半段（以後簡稱「兩難」）提出了答復，這是一件好事。可惜我找到毛先生的「再論考據和義理」（以後簡稱「再論」而將毛先生「論考據和義理」簡稱「原論」）的大文拜讀後，對於我在「兩難」中所提出的疑難，很少提供正面的論點，而只是在文字上繞圈子；所以我的答復，也只有順着毛先生的文章稍加清理。我在「兩難」一文中，僅簡單指出中國所謂「義理之學」，是有其歷史上的特定內容及其基本性格，並沒有涉及義理之學自身的是非得失等問題。因爲這不是簡單幾句話可以說完。讀者如欲對此問題作進一步的了解，則陳君之文，雖其表達方式，不易爲一般人們所易接受，但文中精義，宜耐心細看。陳君爲師範大學畢業生，現在某中學充當國文教員，年事甚輕，不可謂非豪傑之士。中國學問的骨幹卽是義理之學。唐君毅先生「中國文化之精神價值」（正中書局出版）一書，其成就實已超越前人，爲現代有志了解中國學問之靑年所不可不讀之書。我們平居與一般朋友相交接，用心尙須平恕，出言尙須矜愼，何況面對我國數千年來由無數心血所積累而來的文化，顧可以慢心誑語，求自己一時感情上的滿足，或作個人裝璜門面的工具嗎？

一

未清理毛先生的文章以前，我首先提出三點，以作爲清理的前提條件：

第一，一篇文章中對於主題所下的定義，同時即是討論問題時所應涉及的範圍的界定，大家應當加以遵守。毛先生在「原論」中對於考據和義理，曾下了兩種定義，這是我在「兩難」一文中和毛先生商討的範圍；茲再抄錄於下：

「第一，我們把考據看作史傳記載的徵實和辨正，把義理看作人生哲學的探討。就這個定義……」

「第二，我們如果把考據和義理都從治國學的觀點來講，則考據是指草木鳥獸和典章制度的探討言，義理是指聖賢修己治人的方術言。」

至於毛先生在「原論」中說「生理和心理學，則應當爲完全考據的學問」。但在「再論」中說「一切人文科學和自然科學，亦是正路的義理」；生理學和心理學等，由「原論」中的考據學而跳進「再論」中的義理學。這都只算是毛先生一時興之所至，有如野馬脫韁，自亂其例；照毛先生的這種說法，是把考據和義理，包括所有一切的學問，我相信沒有人能夠「一口吸盡西江水」底在一篇短文中談盡一切的學問；所以有關毛先生這類野馬脫韁的話，我在「兩難」一文中只稍稍提醒毛先生的注意，只當作是毛先生的「笑談」，根本不列入商討範圍之內。毛先生在「再論」中對於他野馬脫韁式的說法的解釋是「希望讀者能夠把一個舊名詞用來裝載一個比較通達的意義」。「舊瓶裝新酒」的辦法，是在舊瓶非常流行，而新酒的商標還未打響的情勢之下所不已而採用的。今日每一門學問，都有共同承認的專稱；在專稱之上，又有共同承認的通稱；如科學，自然科學，人文科學之例。這些專稱通稱的本身，即是學問的分類；學問分類的本身，也是一種科學性的重要學問，毛先生爲什麼「舍正路而不由」，希望讀者不用學術上共知共許的分類名詞，而要一起裝納到舊名詞中去，以增加頭腦的混亂呢？若是爲了要借重考據與義理這兩個舊名詞，則考據一詞，在毛先生心目中固然很高貴；但義理之學，被毛先生擯斥不得列於大學的中文系；像「萬王之王」的自然科學，披上這樣一個不吉祥的舊名詞，簡直是西子蒙不潔了。因此，這只是毛先生野馬脫韁後的遁詞，否則毛先生在使用名詞及討論問題上不應混亂至此。所以對於這類的話，沒有加以討論的必要。

第二，討論問題，應當針對着問題的重點。在毛先生「原論」中，雖然對考據和義理提出第一第二兩條定義，但我認爲毛先生寫那篇文章用心的重點，只是在「從國學者的觀點來看」所下的第二定義中「我們非特不能說考據是末而義理爲本，並且應當說考據爲本而義理爲末。」及「考據精，則打基礎在考據上的義理亦精，考據粗，則打基礎在考據上的義理亦愈粗」的幾句話，所以我在「兩難」一文中，也是主要針對着這幾句話來商討。我首先對此點提出的疑問是：「毛先生上面說不精考據，即不能通義理。而此處（指原論中的第四小段）又說不能責講考據的人去講義理；則義理將由何人去講？」毛先生要答復，首先須要答復自己文章中這類混亂矛盾的地方。毛先生在「再論」中首先說「我那篇文章的主要意思，祇是下列幾點：一、如我們把考據看作史傳記載的徵實和訂正，把義理看作人生哲學的研討，則考據和義理，各爲學問的一途。……二、如我們就治國學者的立場來講，……則考據正是義理的根本」。毛先生的這一複述，不僅不曾解答「義理將由何人去講」的疑問，因爲他在「原論」中「我們不能責講聲音訓詁的人去講義理」，正是就治國學的觀點來說的。並且我還得指出毛先生對考據和義理，下了兩種定義，以分別在第一定義之下，「則考據和義理，各爲學問的一途」；在第二定義之下，「則考據正是義理的根本」；這種分別，是一種混亂。試問在你的第一定義中「把考據看作史傳記載的徵實和辨正」，能不包括第二定義中的「典章制度的探討」嗎？你能把典章制度驅逐於史學之外嗎？你以「人生哲學的研究」，作爲義理的第一定義，以「聖賢修已治人方術的闡明」，作爲義理的第二定義，試問：義理之學，固然不能包括「人生哲學」，因爲它只能說是人生哲學中的一種。但人生哲學，不應當把聖賢修已的「方術」包括在內嗎？況且你在你的第一定義中對於人生哲學的申述是「有些人以爲非特六合之外，不干人事，卽先王陳迹，亦和人無關，人生應該留意的，祇是自家的行爲問題」。中國聖賢「修已的方術」，不是「留意自家的行爲」是什麼？所以你在「再論」中有幾處把人生哲學與義理之學的名詞互用。可見你的兩個定義，有何本質上的不同，因而能分別出一種是可以與考據分途的義理，一種是必須以考據爲基礎的義理呢？

第三，討論問題，儘管有正反兩方面不同的意見，但總要有一個共同的立足點，此種討論才能進行。譬如說，對問題的看法不同，但共同承認有此問題，這卽是兩方的共同立足點。或者甲說有此一問題的存在，乙說沒有此一問題的存在，在此種爭論中，也一定要找出兩方所不能不共同承認的某種事實根據或理論根據，以作一共同的立足點。我讀了毛先生的「再論」後，我才知道在毛先生的大文中，根本沒有對問題的立足點，因而我們並沒有共同的立足點。於是逼得我只有就他的文章條理上去加以清理。毛先生說「就我個人講，我祇希望在這一生裏邊，能於義理之學，得有一知半解；」而在「原論」中又主要是「從治國學的觀點來講」，則可見毛先生是承認有「義理之學」，並且最底限度是把中國聖賢修已治人之學，包括在內的。中國義理之學，是以道德的實踐爲其主要內容。離開了道德，即無所謂義理之學。離開了實踐，即無所謂道德。這一點，是和希臘以成就知識爲主要目的學統，形成一個大的分水嶺，應該是大家可以承認的。正如英國詩人 Alexarder Pope（1688-1744）所說：在歷史上的所有偉人聖賢中，沒有像孔子這樣被西洋人所誤解的；沒有像孔子這樣因外國批評家的愚劣狹隘無智而受到傷害的。其實，他被現代中國人所誤解，所傷害，更甚於西洋人。）但關於中國文化是一種實踐道德的性格，則外國漢學家依然可以了解得到。例如法國的耶穌會士李明（Le Comte 1655-1728）認爲：孔子之道，是聖人的生活經驗，是其苦難的結果。換言之，孔子是身教重於言教。德國哲學家來布尼茲（G. W. Liibniz 1646-1716）在其「最近的中國」（Novissima Sinica）一書的序文中說：「西歐在理論底哲學知識方面爲優，而中國則在實踐底哲學方面爲勝」。繼來布尼茲之後的烏爾夫（Walff 1679-1754）以孔子的道德論爲啓蒙主義的先驅；他曾於一七二一年在哈勒大學作「中國實踐哲學理論」的講演。M. M. Dauson 在其孔子的倫理學中（The Ethics of Confucius. 915）也認爲孔子思想的中心是禮記「行成而先，事成而後。德成而上，藝成而下」的幾句話。但毛先生在「再論」中一則說「韋政通先生曾寫了一篇討論的文章寄到「學人」編輯部……但所談的關於道德問題的多，關於學問問題的少，所以我們不再討論」。再則說「但李先生對於治思想史的確是極有見解的。……除卻「由實踐中所說出來的話」「實踐的歷程」等句我不十分明瞭外……」。三則說「李先生引用陸象山的話。某則不識一個字，亦須還我堂堂的做個人，我實在不大明白什麼用意。不識一個字，固然可以堂堂的做一個人，但……我所談的是做學問呀」。在今日，學問的範圍很大，不僅義理之學，只是學問中的一種，甚至可以說中國義理之學不算學問，因而中國根本沒有學問。但毛先生的大文是談義理之學，「是站在治國學的立場」來談義理之學；而居然以「道德」，「實踐」，「做人」等與毛先生的論題無關，天下最超常識的事，孰過於此。

二

以下順着毛先生「再論」的大文清理。但上面已經提過的便不再提。

一、毛先生引戴東原「僕自十七歲時，有志聞道，謂非求之六經孔孟不得，非從事於字義制度名物，無由以通其語言」的話，來證明「考據正是義理的根本」。按我在「兩難」一文中，已經指出「不論是治考據或是治義理，總有若干共同的地方……但他們著眼的重點不同，所欲達到的目的不同；於是同屬讀書，而在書中所提出的問題不同，因之解決問題的方法也有不同」。我引用論語上的材料，與毛先生對考據所下的定義兩相對照，以證明義理之學，不必一定要通過考據，因之毛先生「考據精則打基礎在考據上的義理亦愈精」的前提不能成立；我引用的材料是第一流的材料；毛先生只有引用同等地位的材料作相反的證明，才對於問題的討論有進一步的發展。但毛先生所引戴東原的話，依然是一個待證明的前題，對於毛先生的前題，並不能發生證明的作用。僅就戴氏這一段話而論，則戴氏與朱元晦陸象山並無分別，因爲朱陸都主張讀書應先從訓詁上通其語言；並且他們也主張讀註疏。代表戴東原思想的，或者說是代表他的義理之學的是「原善」，「讀易繫辭論性」，「讀孟子論性」諸篇；我們不能把他這幾篇文章當作是他從考據而來的作品，因爲他在這幾篇文章中只提出與宋儒不同的觀點，並沒有從「語言」上提出足以推翻前人觀點的考據。若戴東原的成就僅限於這一點，他便不能算作開清代考據學風的人物。而在代表他的考據諸作中，我們並不能發現與原善原性諸文有何必然的關係，這只要平心靜氣的把戴東原集細讀一過，卽可以承認的。這是說明義理與考據，各有作爲學問的範圍與本領；僅作爲義理入門的語言訓詁，不能成爲「考據之學」。而僅由文字訓詁所排比出來的見解，也不能算是義理之學。只要是眞正走進了兩者的門牆，儘管一個人可以做兩方面的學問，而兩方面的學問有時也可以互相資助，但他總會親切感覺到各有問題，各有本領，不能說誰是誰的基礎。至於把考據和自然科學扯在一起，把考據方法和科學方法連在一起，這是五四後一部分人士由民主科學的口號開始退卻時的一種掩護和攀附。研究的方法，與研究的對象，有密切不可分離的關係。我沒有發現那一位科學家是從考據轉出來的。似乎也發現不出專治考據的人，能成爲一個人文或自然科學中的什麼「家」。揭穿了說，治考據就是治考據；把考據吹得滿天飛，這反失掉了考據的本分，這只是欺人之談而已。

二、毛先生說：「我的意思是，哲學當然是義理；一切人文科學和自然科學，亦是『正路的』（括弧是毛先生原有的）義理」。下面又說「我的『做學問的目的，是不是在明義理』那句話（按這是毛先生「原論」中的話），當然是承上文『或以爲做學問的目的在明義理』那個假設而言的。我們當然不能說做學問的目的在明義理。科學家或哲學家的目的是要明『理』，歷史家的目的則是要明『事』。（按上面括弧都是毛先生原有的）我們若說世間做學問者的目的都在明義理，豈非犯了以偏概全的毛病！」按毛先生前一段話是對「義理」一詞所下的界限，後一段話是駁我「兩難」中，「讀書是不是爲了明義理……這在中國過去，只要是稍有良心，稍有知識的學人，決不會提出此種問題」的一段話。我不主張把名詞隨意擴充濫用；中國義理之學，在今日只是學問的一部分；所以我對「讀書的目的是在明義理」的斷定，特用「在中國過去」五字加以界限。毛先生把「在中國過去」五字略去來反駁我，這是不應當的。況且站在毛先生的立場，分明說一切的人文科學和自然科學，都是「正路的」義理，則是義理已包括了學問的一切。而此處又說哲學科學是明理，史學是明事，以見這些都不是爲了明義理的，何其前後自相矛盾若此？

三、毛先生說：「關於人生的義理，如道德哲學和政治學等，一部分是根據人生的經驗，大部分則須根據現代的生理學，心理學，經濟學，社會學等等。因爲我的確知道，有許多講人生哲學的人，空談性命道德，而把最切人生的生理，心理和社會的各種事實疏忽了。我覺得這樣的講學問是危險的」。每一門學問都有它的主要對象與內容，毛先生這段話裏糾纏得够多，這裏只指出現在似乎找不出『許多』講人生哲學的人。臺灣大學講人生哲學的只有一位方先生，他在學問上的成就，似乎遠在毛先生之上，很够水準。至於臺大哲學系的人生哲學課程，是否應當改由生理學，心理學，經濟學，社會學各專家來共同擔任，以毛先生在臺大的地位，似乎不妨切實建議一番。假定建議而做不通，也不妨打聽打聽，其理由何在？至如「空談性命道德」，則假定承認中國有義理之學，則不談性命道德還談些什麼？「性命道德與空談」的「空」字有何必然的關係？現在全中國能談性命道德的，不過三數人而已；就出之於口，筆之於書的東西來看，這三數人不論對於中國文化或西方文化的了解，毛先生不妨一個一個的拿來和自己作一對比。毛先生所不懂不愛的東西便感到是「危險」，從毛先生的大文看，那毛先生所遇的危險實在是太多了，大可不必以此自苦。

四、毛先生說：「昔時學者以為治經必先明典章制度，當然指經中需要考據的而言。經中的話，不需要典章制度考證的，無論怎樣有考證癖的亦自然不會勉強去考證。……從論語二十篇裏面，刺取十一二章不用考據的話，以證明講義理可以不用考據，這種邏輯似乎不十分妥當！至於世間有許多義理的學問，可以不用多大的考據；那是很明顯的」。毛先生這段話的意思和我所說的意思很相近，大體我都贊成。但有兩點必須指出：第一、如毛先生此段所說，則考據與義理，沒有必然底全面的關係，則毛先生「考據正是義理的根據」的前題不能成立。第二、我們論證一個問題，是不應以偏概全；但我從二十篇論語中刺取十二章來證明講義理可以不用考據，假定我引用得當，則刺取一二章已足，似乎並不犯以偏概全之弊。因為義理之學，是『有一言而可以終身行之』的。毛先生在「再論」中特別重視論語中的恕字亦即此意。且論語中可刺取者豈僅十一二章？覆按可也。

五、毛先生說：「我曾說過研究宋明理學，是考據的學問……研究宋明理學和研究理學不同，和依用宋明理學家的方法以研究理學亦不同！……如果你服膺一個漢儒或宋儒，要實踐他的嘉言……那可以說是你的人生哲學，是你的義理學問。但你如果敍述這個漢儒或宋儒的哲學，你當然不能把你自己的意見，當作這個漢儒或宋儒的意見。如果這樣，你就算做錯題目了。……我談的是研究宋明理學呀，而李先生卻從義理之學，傳統的義理之學大發議論，這亦是使人難懂的」。又說「如果有人寫一本宋明理學的書，這本書當然就是一本關於宋明理學思想的歷史，而不是作者的理學，亦並不是作者依用宋明儒者的方法而成就的理學了」。又說「細察李先生的持論，似乎李先生的確以爲做學問純爲明義理，研究宋明理學完全等於研究理學。我想這是李先生爲一時偏見所誤，故意和我開筆墨玩笑。不然的話，必是因爲李先生對於宋明理學另有一種爲常人所不能窺測的見解的緣故」。

按以上，爲毛先生「再論」的中心，可惜毛先生對自己和對方的文章，太沒加以考據，所以弄出這些糾葛來。

毛先生的意思可歸結爲兩點，一是「研究宋明理學」和「研究理學」有分別，而我把毛先生所說的「研究宋明理學」弄成了「研究理學」，所以我所說的是文不對題。第二、研究宋明理學是思想史的考據工作，不應當「依用宋明儒者的方法」；這句話雖提了兩次，但意思不完全，大概是指應當依用現在的科學方法而言。

「宋明理學」一詞，通常有兩種用法：一種是習慣上的用法；所謂「宋明理學」和「理學」，常是混而不分；因之「研究宋明理學」即是「研究理學」。因爲理學與宋明之學，在習慣上不可分，所以姚姬傳用「義理」一詞以統括「理學」；因爲若用「理學」一詞，便容易使人誤會僅指宋明的學問而言。習慣上說「研究宋明理學」之等於說「研究理學」，有如說「研究西洋科學」之等於「研究科學」一樣。黃黎洲的明儒學案，當然是研究明代理學的，但黃黎洲在凡例中，一開始便說：「從來『理學』之書，前有周海門聖學宗傳，近有孫鍾之理學宗傳……」，可見他是把研究宋明理學的，乾脆稱爲理學，即其明證。一種是毛先生在這裏把「研究宋明理學」和「研究理學」加以分別的說法。在討論問題時、使用名詞應該嚴格，我贊成毛先生將二者加以分別。因爲研究宋明理學史和研究理學，在態度上確有不同；一是純客觀的，一是要由客觀而轉向主觀的。但毛先生「原論」的論題是「考據與義理」，而不是「考據學史與義理學史」。毛先生主要所要論證的是「考據精則打基礎在考據上的義理亦愈精」，及「考據學正是義理的根本」，而不是要論證「考據學史精，則打基礎在考據學史上的義理學史亦精」。因此，毛先生在「原論」中說，「研究宋明理學，在許多人心目中是義理的學問，但依我的見解，這是考據範圍以內的事」。正是要爲「考據精，則打基礎在考據上的義理亦愈精」的前提作證明。依照毛先生的這一要求說，則毛先生在此處所說的「研究宋明理學」，在其不知不覺中實係指「研究理學」而言。不然則毛先生引「治理學史」的例來證明「治理學」，那算是自亂其例了。但毛先生繼續談下去卻是說的研究宋明理學思想史的問題，所以我就毛先生的全文看，感到毛先生對「研究理學思想史」和「研究理學」，有點混淆不清。不加以分疏，便無從討論，於是我從三點來加以分疏的說。「第一、義理之學，可以直接從義理之學的本身去講。……第二、傳統的義理之學，……其最後的根源是各個人的心，各個人的性。……第三、治思想史是在求得一種知識……治中國思想史的人，自必首先注重文獻的搜集考訂……」。我這分明是因爲毛先生「原論」用詞的含混而把「研究宋明理學」一詞，分爲「研究理學」與「研究理學思想史」來說的。並且我在這一段中特別指出「把義理之學與思想史混爲一談，等於把哲學和哲學史混爲一物，儘管兩者密切關連，但重點各有所在」。我寫得這樣清楚，怎麼毛先生可以說我是「的確以爲研究宋明理學完全等於研究理學」，這到底是誰同誰開筆墨玩笑呢？至於毛先生以爲治宋明思想史不應當依用宋明儒者的方法，我說一句不敬的話，即此一端，可知毛先生只是在紙面上看過科學方法，很少實際操運過科學方法。科學方法，並非如某些人腦子裏所想像的，像一個印糕餅的固定模型，只要將原料向模型上一套便得。科學方法，是要先順著研究對象自身的生成構造的程序而得出其一定的規律，以將其再構造。我們研究宋明理學，我們不依用宋儒所以得出某種結論的方法，你如何能了解它。但這是很不容易的工作，所以一般人只站在一旁胡猜，反將這種胡猜套上科學方法的帽子，好像拿着一個糕餅模型來裁量萬事萬物，凡是模型套不上去的，便說這是不科學的，是不值得研究的；愈是口頭上喊科學方法的人，一沾到實際問題，便多胡說八道，而這種人，東翻翻，西翻翻，便自以為是高出一切的萬能博士。這正是今日學術研究工作中的最大危機。我舉一個極端的例子說吧，假使研究某一種魔術，也須依用魔術師構成魔術的方法，以發現其底蘊，然後才能完成眞正的了解，才能眞正解決此一魔術問題，這即是科學方法。當然，這比只站在一傍喊「你那不是科學呀」的口號，要費力得多。但科學方法要告訴人，對每一問題，沒有費過這樣的力，便沒有資格講話。

三

六、毛先生對於我在「兩難」中談到治思想史的方法，認為「極有見地」，但又奇怪「李先生卻以為我所說的考據和他的完全不合」，這也是由於毛先生的誤解。第一、我承認毛先生所說的「什麼是天……」那一段話是思想史的初步工作；我說這種初步工作，「並不是沒有價值，但不能稱為思想史」。我的主要的意思是說：在西洋哲學方面，「要順著某一哲學家的思辯經路而思辯下去，盡其曲折」。而在中國義理之學的方面，是要「了解他實踐的歷程，順著歷程以達到其結論或其中心點；再順著中心點，按照嚴格底思辯經路以將其表達出來」；這與毛先生所說的文字上的排比工作不衝突矛盾，而只是向前向裏，走進了一大步。我說，我的話與毛先生所說的考據完全不合，不是指毛先生這一段話，而是指與毛先生對考據所下的兩條「定義」而言。我的原文是「但這與毛先生『對考據所下的定義』，有那一條相合」。到底合不合，一比較便可清楚斷定的。至於毛先生不承認我「由實踐中所說出來的話」及「實踐的歷程」這兩句話的意義，則毛先生認爲我這極有見地的一段話，似乎還未肯眞正了解；我這一段話，除掉了上面兩句，還有什麼意義呢？關於「實踐」的問題，前面已提到。至於所謂「歷程」，一個人的知識發展，固然有其歷程；一個人的道德實踐，亦有其歷程。論語「吾十有五，而志於學」一章，即是孔子自述其歷程；「興於詩，立於禮，成於樂」，「志於道，據於德，依於仁，游於藝」；以及由「多聞」「多見」而至於一貫，都是一種歷程。凡是一個眞正的理學家，必定有此歷程。錢德洪謂「陽明之學凡三變，其爲敎也亦三變」，這也是他的歷程。佛家也有十地階位，耶敎也有天路歷程。無此種歷程，便是「學人語言」，等於虛說誑語。於此而有所疑，便從何處談義理之學呢？

七、我說：「乾嘉諸人一談到義理，便幼穉可笑」，當我說這一句話時，不僅已想到毛先生會反對，並且也想到會引起許多人的反感；所以毛先生說「我的意見正和李先生相反」，這倒在意料之中；同時，淸代考據家中，以戴東原焦理堂二人較有思想，這點我也完全承認。但我之所以敢於說這樣一句話，是讀過了他們這類的著作以後，很矜愼底所下的斷語。現在姑就戴焦兩氏來說吧。義理之學的命脈，全在「反躬以踐其實」的「工夫」。有此反躬以踐其實的工夫，義理學才能得到眞底生命。卽使自己並不做義理之學，而只是要了解古人的義理之學，換言之，把義理之學，只當作思想史去硏究，也要承認古人有這種工夫，從古人的這種工夫的地方了解起。這種反躬實踐的工夫與考據的文字工夫全係兩件事。工夫二字，雖由宋儒強調，但孔子「爲仁」的「爲」，「克己復禮」的「克」與「復」：孟子「養浩然之氣」的「養」，「求放心」的「求」，「知皆擴而充之」的「擴充」，都是「工夫」。戴焦兩氏，對此種「工夫」毫無自覺，所以他們所得的，都是沒有血肉靈魂的假像。戴氏雖也強調「自得」，這是他比一般考據者高出一籌的地方；因爲站在純考據的立場，只是純客觀的了解，無所謂「自得」；自得是把客觀了解的東西轉向自己生命上生根，即是客觀的主體化。但「自得」必須從「工夫」中來。他們因爲缺少此一「工夫」的自覺，於是把古人所以要下工夫的義利之辨，天理人欲之辨，也一筆取消，而認爲孔孟只是立足於「情」與「欲」之上，把儒家完全投入於自然主義之中。因爲他們自身不懂義理之學，所以也不能了解古人義理之學。這是治思想史的人所最易忽略，而實在不能忽略的地方。第二，學問的發展，因時代及個人的氣質，後人不能，也不必完全與前人相同。所以宋明的理學，也不能與孔孟絲毫無間。但以程朱畢生「窮理以致其知，反躬以踐其實」的工夫，則在其基本精神和大底脈絡上，當然還是繼承孔孟義理的學統。戴焦兩氏因爲先橫梗一「反宋明理學」之念於胸中，打著反宋明理學以復孔孟本來面目的旗幟，結果，他不僅反了宋明，並且在義理上也反了孔孟。我看焦著孟子正義時，原擬將焦氏這類橫決乖戾之言，爲文加以斥破，後覺無此必要而作罷。（有暇時或再寫此文。聞友人言，焦氏於易有精到之見，因尚未閱讀，不敢論斷）我引「儒家在修己與治人上的區別及其意義」一文中涉及戴氏的一段話，以作此段的結束。「戴氏認爲儒家精神，乃在情上欲上立足，即在自然生命上立足。他一方面引孟子『廣土衆民，君子欲之』，『魚我所欲也』『生我所欲也』這一類的話，以爲其立足於『欲』

的根據，但把孟子接說下去的話，如『捨生而取義也』這一類的話，則略而不顧。一方面引孟子『形色天性也，惟聖人可以踐形』的話，以為他整個的自然主義思想作根據；而故意把『惟聖人』三個字的重大意義略而不顧。……戴氏的觀點，本可自為一說，有如西方以欲望為基底之功利主義，而不必依托於孔孟」。說自己的話而偏要依托於孔孟，依托於儒家，這是偷牆脚的勾當，是違反學人良心的，豈特幼穉而已。

八、毛先生說：「天臺大師的故事，似亦不應該引用」。我只是隨便引來作在考據上完全錯誤，但在義理上依然可以成立之一例，以見考據與義理之無關。偉大的宗教精神，與偉大的道德精神，其血緣最為相近；尤其是立足於心而不立足於人格神的佛教；這比把自然科學扯進義理之學裏面來，似乎還自然一點。

九、毛先生「以為顧名思義，則中文系和國文研究所，自不必有義理之學」。毛先生在這一節裏的亂扯名詞，我不必再講。這裏值得注意的是毛先生把中國傳統的義理之學，加上「特別」二字，（「如有意提倡特別的義理之學……」）以與前面一切人文科學和自然科學的「正路的」義理之學相對，以見中國傳統的義理之學為「非正路的」，而係「特別」的。我覺得今日要打倒中國文化，是一樁很摩登的英雄事業，毛先生何不堂堂正正的站起來幹一番，而要採用這種「偷牆脚」的方式。義理之學，是我國文化的主流，義理之學中的宋明理學，影響了中國近千年的歷史；在大學中，專以中國文化為研究對象的只有中文系及國文研究所；請問你毛先生是「顧」何「名」，「思」何「義」，而主張把中國文化的主流，把影響近千年歷史的宋明理學思想，摒除於中文系國文研究所之外。你憑著什麼可以說這種橫蠻無理的話。「對聖賢修己治人的方術的闡明」，並非等於墨守成規，不加判別，要人去復古。闡明以後，或僅當作一種客觀知識，或作爲立身行己的啓發資助，那是各人的自由。傳統的治學態度，分工不够精密；一說到治義理之學，常是把對於古人思想的了解，和自己行爲的修持，混爲一事；並且是以後者爲目的。這在今日大學課程中，只以能做到前者爲滿足，即是重視古人的思想，重視思想這方面的教材和講授法。至於個人行爲的修持，那只有委之於各人自己。毛先生在「再論」中認定注重講授思想的人，都是講自己個人的思想，這眞是無的放矢的笑話。在國文研究所中，預定養出若干名校勘碩士博士，這在中外學術史教育史中，眞值得稱爲滑稽外傳。學術發展到現在，任何東西，都可成爲學問研究的對象，都可成爲一種學問；爲什麼中國人所辦的大學中的中文系，國文研究所，不能講與近六億人口的生活習慣有關的義理之學？我現在就手頭的材料，把日本昭和十七年（民三十一年）各著名大學有關中國的思想文化和日本的思想文化的課程簡列在後面，以資關心此一問題者的對照參考。（應特別注意的，這只是一個學年課程中的支那哲學支那文學的課程）

東京帝國大學

支那哲學概論	高田眞治
清代思想史概論	同上
論語的思想	同上
孟子	同上
支那哲學演習（儀禮注疏）	同上
清朝儒學中的問題	麓保孝
宋學概論	諸橋轍次

先秦諸子講讀　橋本成文

莊子講讀　同　上

印度哲學梵文學科（印度方面者從略）

支那隋唐時代的佛教　宇井伯壽

日本佛教教理史　花山信勝

鎌倉淨土教對諸宗之關係　同　上

聖德太子之教學　同　上

京都帝國大學

倫理學科

日本倫理思想概說　和辻哲郎

日本倫理思想演習（道元正法眼藏）　同　上

日本倫理思想上的諸問題　村岡典嗣

支那哲學史

（普通）支那思想史　重澤俊郎

（特殊）法家思想研究　木村英一

（同上）三教交涉史　武內義雄

（同上）近世經典批判的歷史　平岡武夫

（演習）春秋公羊傳注疏　重澤俊郎

（同上）春秋左傳注疏　同　上

佛教學
(普通)佛教學概論　羽溪了諦
(特殊)佛教之悟界　同　上
(同上)法界緣起論　久松眞一
(同上)日本天臺之得失與鎌倉佛教　釘宮武雄
鎌倉佛教之特質　同　上
日本精神史
(普通)日本精神史概說　西田直二郎
副科目
支那哲學史講讀
國朝漢學師承記　青木正兒
文選
東塾讀書記　平岡武夫
周禮注疏　重澤俊郎
正法眼藝　木村英一
九州帝國大學　久松眞一
傳習錄講讀　楠本正繼
宋學概說　同　上
支那哲學史演習　明儒學案　同　上

同　上　明儒學案關係文獻　同　上

臺北帝國大學（卽臺灣大學之前身）

東洋哲學史概論（武內義雄著支那思想史）　後藤俊瑞

東洋哲學特殊講義　今村完道

性理學的倫理思想　後藤俊瑞

東洋哲學講讀　左傳注疏　同　上

同　上　論語集注　今村完道

同　上　周易本義　同　上

（以上據哲學年鑑第二輯）

此外日本各大學，最低限度總有一門支那哲學思想史。我們看了日本僅僅一個學年的有關中國思想方面的課程，試和自己的課程作比較，寧不愧死。至關於日本自己方面的課程，在我們看，沒有多大價值，但因爲他們是日本人，所以在他們有研究的責任，卽有研究的價值。一部「宗門攝略」的「正法眼藏」，幾乎每一大學裏都認眞的去研究。傅孟眞氏接長臺灣大學（因爲他是毛先生最佩服的人），定孟子史記爲國文教材；講孟子的重點還是應當放在義理上，還是應當放在考據上？他在「性命古訓辨證」中認爲通志堂經解的價值不在皇清經解之下，這是說明傅氏畢竟是豪傑之士。他雖然不懂義理之學。毛先生爲什麼一定要排斥中國義理之學。

十、我在「兩難」中引用愛因斯坦科學知識，只能告訴人「這是什麼」，而不能告訴人「這應當如何」的話，卽是告訴毛先生，愛因斯坦在科學知識中，沒有發現可以作人類道德行爲的根據。毛先生對於愛因斯坦的話不作正面答復，卻依然以許多口號代替論證。他說「義理之學如果是告訴人應當如何，應該是近似現代所謂倫理學的。……我以爲如果世間有所謂能夠告訴『應當如何』的學問，那只是以現代科學知識爲根底的倫理學」。又說「我以爲將來自然科學——尤其是生物科學——進步到相當境地，一個醫生或一個病理學家的使人從善服義的力量，必會比一個牧師或一個道學先生感化人的力量來得大」。總括毛先生的意思，中國義理之學算不得倫理學。我想這太反常識了，不必深論。至於「以爲將來」「必」由醫生病理學家來盡「使人從善服義的責任」，因爲事屬「將來」，現無實證，我不敢信口開河的亂講。毛先生這些意見，據毛先生自己說，是從「許多有學問的人」那裏聽來的，大概這些有學問的人，都是「科學預言家」。而文化落後的地方，最容易出這種預言家的。不過我覺得下列與我們的論題有關的三種書，毛先生不妨抽暇看看：或許比臺北的科學預言家說得可靠一點，而且其中一位是得過諾貝爾獎金的生理學家，一位正是醫生，另一位則引用了許多有關科學研究的最近結論（我看的日譯本）。

Alexis Carrel: D'Homme cet inconnu.（人間論）

Albert Schweitzer: Verfall und wiederaufbau der Kultur.（文化之沒落與再建）

P. A. Sorokin: The Reconstruction of Humanity.（人性的再建）

最後我向毛先生建議，問題並沒有討論完；若要繼續討論，則首須將對方和自己的文章，弄得清清楚楚，以免浪費筆墨。其次，把討論的範圍加以限定，說完了這，再說到那；要提具體底論證，而不要空喊口號。同時，我也感到，老年人似乎更不適於寫大題目的文章，以免前後照管不到。我自己也有這種垂垂老矣的警號了。四六、四、

一民主評論八卷八期

歷史文化與自由民主

——對於辱罵我們者的答復——

「自由中國」半月刊自出刊以來，倡導自由民主，爲各方所推重。但他們一談到文化問題，則常常是偏狹武斷，不免使人懷疑寫這類文章的人，恐怕根本缺乏自由民主的氣質。尤以最近十六卷九期「重整五四精神」的社論，其態度的橫蠻，對於中國的歷史文化及中國歷史文化的研究者所加的辱罵，只有用「文化暴徒」四字，才加以形容。政治暴徒，是自由民主的大敵；我們有什麼根據可以相信文化暴徒能夠成爲自由民主的友人？所以我感到對這種人應當作一答復。當然，這祇是提筆寫社論的一二人的態度，我相信並不足以代表整個的自由中國社。以下行文中所用的「你們」，僅指此種人而言。

一

寫這篇社論的先生的目的，主要是以五四運動爲題，分三點來辱罵中國的歷史文化及中國歷史文化的研究者，這是他們一貫的態度。關於五四運動，我留在最後再談。現在先答復寫這社論的先生們所辱罵的三點。

第一、你們認爲歷史文化這一名詞的本身有問題。「在此時此地，歷史文化一詞，究竟作何解釋，實在令人莫測高深。現在這個名詞已不是一個純經驗的記述名詞，而是除了火帶情緒以外，好像已蒙上一層權威的陰影」。你們過去曾懷疑到國家這個名詞，認爲「自由」一詞，不能和「國家」聯在一起；儘管發表這些意見的刋物便稱爲「自由中國」。歷史文化，本是「歷史與文化」（The History and Culture）的複合名詞。歷史文化之所以被用作複合名詞，只不過因爲文化離不開歷史，可以說沒有歷史便沒有文化。其意義卽是研究歷史中的文化問題。這幾年來，以民主評論爲中心的少數朋友，特致力於中國歷史文化的研究和倡導，其成績如何，應當由實際研究的各種結果來決定。名詞的本身，僅表示此種研究的大方向，在此種大方向下可作各種不同的努力。努力的結果如何，對於名詞的本身，似乎發生不了什麼語意學的疑難。至於說「現在已不是一個純經驗的記述名詞」，這便牽涉到史學方法上的問題。這是一個相當複雜的問題，決不像門外漢所想像的那樣簡單。歷史事實的批判，省約，選擇，與想像底才能，是歷史敍述所不可缺的條件。「省約與選擇不够，則易發生概念的混淆與理解的糢糊；想像力不足，卽缺乏表現史實的力量，忘卻一般歷史的主流，使敍述發生混亂」（以上請參閱丸山二郎，兒玉幸多共著的歷史學之研究法第六章）。並且一般人常常以爲文獻學卽是史學；常常因爲史料乃固定的物理底存在，便以爲歷史事實也是這種意味的固定的存在。若係如此，則爲什麼在同一史料之下，會不斷出現歷史的改寫。許多史學家認爲只有通過當前生活的體驗和對於將來實踐的意欲，才能眞正了解歷史的事實。

就中國說，受了佛學，尤其禪宗的影響，才了解到中庸的意義；受了十九世紀末社會主義的影響，始能發現禮運大同章的意義。研究歷史文化，以爲與研究的時代與個人的批判能力無關，那是幼稚的想法。因此，何謂「純經驗」的敍述？如何能作純經驗的敍述？過去哪些著作是純經驗的敍述？不是信口開河可以了事的。至於所謂「火帶情緒」，又指的是什麼呢？由歷史文化四個字所拚成的一個名詞，你們看了便怒氣冲天，這是你們自己的情緒，與此一名詞的自身有何關涉？你們有權利對它發生憤怒的情緒，似乎也可以容許他人看到它發生歡喜的情緒。對於數學有興趣的人看到數學有感情，對於考古學有興趣的人看到一塊化石有感情；一個名詞的本身無所謂感情，感情是由人加上去的。研究任何名詞所代表的一門學問，當它正在研究的過程中，每一個研究者的精神都是冷靜的；不冷靜，知性的理解力便顯現不出來。在研究以前及其以後，有時便會帶點喜悅或厭惡的情緒。柏克對於大化學家法拉弟（Michael Faraday）的敍述是「自然和他的冥想，在他心裡產生了一種精神的狂歡。且像詩人一樣，他要不住地達到可以產生詩歌的那樣的情緒」亨德著文學概論傅東華譯八三頁），這即是最簡捷的證明。還有，有的研究對象的本身，不直接引起研究者由價值判斷而來的感情，有的研究對象的本身，則容易引起研究者由價值判斷而來的感情，尤其是對於自己歷史中的某些事象，有如岳飛文天祥之死等等。同時，這些感情又可以由研究者所下的工夫的深淺而可發生某種程度的變化；例如初看三國演義的人，多半會痛恨曹操。且也有人因對曹操的了解增加而發生多少同情。而這類的感情，也可成爲研究者進一步去研究的推動力。一口說「火帶情緒」，你們以爲就可以形成取消這門學問的大罪名嗎？你們說到「好像已蒙上一層權威的陰影」，原因是「誰要反對它或批評它，誰就是犯上作亂的樣子。就科學的眼光看來，歷史文化並非崇奉的祖宗牌位……而不是貢在神龕上的靈牌，那末，當過去的成績不甚適合現代人的生活而與以批評或修正時，爲甚麼就算是大不敬呢」？在學問討論的過程中，有批評，便可以有反批評，這是一種極尋常的事。怎麼會引得到「權威」，「祖宗牌位」，「神龕」這種種形容描寫的辭句上去？這是不夾帶情緒，精神正常的研究者所用得上去的詞句嗎？批評，要根據事實。自由中國半月刊自出刊以來，對於中國的歷史文化及對於歷史文化的研究者，祇有不斷的叫囂，辱駡，帶帽子，放冷箭等等的毒惡而下流的詞彙；除了羅鴻詔先生有一兩篇批評性的文章外，根本沒有所謂批評，更談不上修正。你們可以辱駡他人，他人也可以有權利反駡你們。駡不是辦法。我們平時祇是不斷指出一個人不可能對許多問題都有興趣，對許多學問都有時間去研究；因此，不可以有「只准研究我的，不准研究你的」的這種橫蠻態度。你們駡他人，他人駡你們，或勸你們不要駡，你們便說這是「權威」，「祖宗牌位」，「神龕」，你們這種態度，才眞是撒嬌賴死的妾婦相。

二

第二，你們說研究中國歷史文化的是「復古主義」，而復古主義，是反科學民主，是罪在不赦的。我首先感覺到除了你們以外，世界任何稍有知識的人，也不至反對把人類的歷史文化當作學問研究的對象。研究中國的歷史文化，便是復古主義，則研究考古學是否即是要回到史前時代？研究原始部落，是否即是回到部落時代？中國人爲什麼不可以研究中國的歷史？爲什麼不可以研究中國的文化？研究中國的歷史文化爲什麼就可以一概加上復古主義的帽子？研究中國歷史文化便是復古主義，則知道一點點西洋的東西，而澈底反對中國文化的是否卽是洋奴主義？你們以爲洋奴比復古要高明些嗎？其次，人類當艱苦困難的時代，總希望從自己乃至他人的歷史文化中，求得對我們當前的行爲，方向，有若干正面或反面的啓示，或敎訓，這是無間於古今中外人類自然地要求，而爲研究歷史文化者的一種自然職責。由歷史文化所求得的啓示，敎訓，隨各人研究的態度，深度而有不同，這是可以作具體討論的；但誰能抹煞人類自身的這種自然地要求和研究者所應當負的責任？人類的文化，人類由文化所建立的生活型式和態度，都是由歷史積累而來。反歷史文化，祇有把人類帶回原始的野蠻時代。我們目前在政治上迫切需要民主自由，但我們只有從歷史文化中才能指出人類在政治上必須走向民主自由的大方向，才能斷定民主自由的價值。從邏輯中推不出自由，推不出民主，作不出自由民主的價值判斷。邏輯的自身，不是從天上掉下來的，也是歷史文化的產物。歷史文化，是以時間爲其基底；時間之流，總是在變的；研究歷史文化者是要從歷史文化中看出它變的方向，在變的方向中，尋找變的某種程度的原則，以爲人類抉擇行爲的資助。假定說這是復古主義，則在自由世界的報紙雜誌書刊中，到處都是復古主義。

再看你們把歷史文化的人戴上復古主義的帽子以後所加的各種辱駡詞句吧。先給人家戴上帽子，再去放手整人家，這正是極權主義者所玩的老把戲，你們學得很像，不過更下流一點。

「說中國的傳統的文化曾維繫了幾千年的人心並穩定了幾千年社會之人，但忽略了兩種重要的情況，第一，中國歷史上……也有流寇之亂，尤其是有歷來改朝換代所引起的循環砍殺……第二……復古主義者沒有稍微用大腦想一想，（這是說復古主義者不用大腦去想的），這樣的維繫和穩定是在什麼情境之下才辦到的？……怎樣保證在有外來新文化衝激和競爭的情境之下也能維繫人心並穩定社會呢？更何能收此效於原子時代？」對於這段話我只想指出三點：一、有誰人告訴你們，「循環砍殺」的歷史便不當研究？二、歷史的事實，和文化的要求，並不是同一的東西。譬如政治應該以人民爲主體，這是文化的要求！一個暴君出來完全把人民當作他個人的工具，這是歷史的事實。研究歷史文化者，主要是研究文化要求與歷史事實的相互關係，在許多歷史事象中分別出，那些是文化要求改善了歷史事實？那些是歷史事實阻礙甚至歪曲了文化的要求？那些是由文化自身的缺點而助長了歷史事實的罪惡。因爲你們的頭腦過於混亂，所以連這種起碼的分析能力也沒有，常將二者混爲一談。三、你們提到人心社會，即是人與人的關係的問題。你們以爲「科學給我們帶來一個動的社會」，原子時代更是「動」得厲害，動得要和歷史文化，一刀兩斷；至於變動的樣相何如，因爲你們只知道「動」，只知道變，今天的不是昨天的，明天的不是今天的，諒你們也說不出一個所以然來。但我要告訴你們，人類所以能自己認識自己，所以能認識家人，朋友，乃至在時間上認識歷史，在空間上認識世界，都是因爲在變動之中，總有若干不變或變得很慢的東西存在。否則頭天晚上同老婆睡覺，可能第二天早上彼此不知道是甚麼人；因爲人體新陳代謝的變，沒有一刻會停止。物質的條件變了，人的生活方式，及人與人相與的方式變了，但若干基本因素還是不會變。如何穩定原子時代的人心社會，就我的「大腦」想，不會在核子分裂中分裂出一個什麼東西出來作爲穩定的因素，依然還是西方歷史文化中的山上垂訓，中國歷史文化中的忠恕之道，應當隨著原子時代而擴大。最低限度，像你們這種科學化邏輯化了的暴戾恣睢的「新人」，以叫囂辱罵爲最大的本領，對於原子時代的人心社會，不會有什麼益處的。並且像你們這種徹底反人生價值的人，還談什麼人心社會呢？

你們說「這一文化，實如一垂危的老人，只要一點細小的偶然因素，就可致其死亡」。「凡屬稍有知識的人士都看得明明白白，時至今日而講復古，無論講得怎樣玄天玄地，根本是死路一條，不會有前途的。從心理方面觀察，復古係生於對危亡的恐懼感，和對優越事物的自卑感。有自卑感者，一遇到優越的因素或力量之刺激，就會在心理上產生一種自我防衛的機械作用（self-defence mechanism）。目前若干談復古者，無論怎樣拿歷史文化做招牌，無論談的怎樣冠冕堂皇，無論講得好像是根本乎理性的樣子，其最根本的出發點，不過是這種自我防衛的機械作用而已」。在這種暴徒面前說道理，根本是白費，所以我首先只指出一種爲任何人所能了解的事實以作比較。西方的宗教，站在文化的立場來看，依然是一個歷史文化的傳統；並且這個大的歷史文化傳統，又分別受了各國自己的歷史文化傳統的影響，以適應各民族自己的要求。近代科學的產生，雖然在相當的長時間內，和宗教作過激烈鬪爭。但科學發源地的西歐，科學最發達的美國，不僅宗教與科學並容，並且有許多科學家，同時即是宗教信徒，例如愛因斯坦即是一個猶太教的信徒。這從另外一種觀點來看，人類不論如何進步，如何變化，總要有一種文化傳統的東西作爲生活的安定因素。我記得中央日報曾發表一篇某君的美國通信，在這篇通信上說民主，科學，宗教是支持美國人生活的三大因素。並且說，美國人假使沒有宗教，美國人可能會發瘋。我覺得這是很智慧的說法。在美國那種忙迫的社會生活中，只有在宗教儀式中可以恢復人的精神的平靜。現在有許多以傳教爲職業的人，幾乎是無遠不屆，無孔不入；尤其九年以來的臺灣，傳教事業之盛，信徒之多，幾乎可以說是空前的。我們流亡在外，爲了不忘記我們的祖國，不忘記我們的祖宗，爲了大家在狂風暴雨中，找出我們先民在苦難歲月中的若干經驗教訓，因而講講自己的歷史文化，講講自己聖賢的道理，這除了純學術的研究性質以外，究其極，也不過是對自己的祖國和同胞多負一份責任，其用心，與教徒的傳教，並無兩樣。但肯這樣作，能這樣作的人，實在少得可憐，與今日宗教活動的情形不能相提並論。凡是這種朋友，不僅對自己的歷史文化是採取珍重愛惜的態度；對所有人類的歷史文化，也無不採取珍重愛惜的態度。只有在文化上有這種品德的人，才配談自由民主，所談的自由民主才有內容。你們對於這種努力認爲無聊，你們可以置之不理。你們認爲在什麼地方有錯誤，應該針對錯誤之點，作具體的批評。就生活說，各有各的生活興趣的自由；就道理說，道理應當根據事實，心平氣和的講了出來。但你們，對於外國人講外國人自己的歷史文化的宗教，對於外國人在中國，在世界各個角落講人類幾個偉大傳統的宗教，你們不認爲妨礙了科學民主，不認爲是出於自卑心理，不認爲是玄天玄地，不認爲是自我防衞的機械作用；並且還有人想冒充教徒去換飯吃；爲什麼對極少數的中國人講點中國傳統中的聖賢道理，便要用你們大腦所有的思考能力來想盡你們所能想到的駡人字句來辱駡呢？揭穿了說，有洋爸爸在後面的東西，有金錢，有麵包，你們是又愛又怕；於是只好把中華民族的根源——歷史文化，及研究這種根源的少數學人，盡量的辱駡，以見整個中華民族都是沉淪在下界，只有你這種寶貝是翹立在下界的上面，以獨承洋爸爸的恩寵，這樣，你便可以縱横馳騁，大出風頭。其實，你們想錯了，世界上只要是精神正常的人士，對於不分青紅皂白來糟蹋自己整個民族文化的自虐狂者，莫有不齒冷的。昨天晚上我聽某位先生的講演，他還提到當代最偉大的史學家湯因比，在他的著作中有嘆息中國的留英學生，一到英國便完全否認中國歷史文化價值的一段話，認爲這是中國人精神的墮落。外國思想家提到中國文化的，有批評、有誤解、有讚美，但能找得出像你們這樣的辱駡的嗎？你們自己以爲能跳出中國的歷史文化圈外，實際還是中國歷史中的人物。中國歷史中有所謂「豪奴」「惡奴」者，在主人面前是「奴」，在佃戶乃至在平民面前則是「豪」是「惡」。你們正是這種豪奴惡奴的再版。你們找出「自我防衛的機械作用」（self-defence mechanism）來罵研究歷史文化的學人，我只簡單告訴你們三點：「自我防衛」，是所有一切生物的起碼權利；談自由人權，究其極，乃是對於每一「生底單位」所作的「自我防衛」的價值的肯定，這可以說是一切價值觀念中的基點。只有像你們這種低級極權氣氛的人，才對此加以侮蔑。第二，在人類的歷史中，乃至在中國的歷史中，是不斷的發生過「危亡的恐懼」，不斷的發生過外來的壓迫。在恐懼前低頭，在壓迫下屈服的奴才，才眞正是歷史上送葬的行列。爲文化的理念挺身而起，從理性上現實上重新反省自己，估計分析新的環境與新的事物，以使其服從於自己合理底生存欲望，這正是每一個思想家，文化工作者的責任。中國歷史經過許多災難而還能延續到現在，其原因正在於此。中國今日眞正的問題，乃在能盡此種責任者的太孤太少，常是受兩方面的圍攻。現在西方許多思想家，把英國哲學家羅素也包括在內，誰沒有對共產主義，對核子武器，對西方社會的內部問題，而發生「危亡的恐懼感」？「憂天命而憫人窮」，這是創造人類文化的最偉大的動力。你們說這是「自卑感」，難道說沒有靈魂的趨炎附勢，尋聲逐響，便是你們的自高感嗎？第三、mechanism 有人譯作機械觀，這是將一切自然現象還原爲物質原子的機械作用或運動現象的物理學的觀念。此一觀念，導源於伽利略，奠基於牛頓，完成於赫爾玆（Hertz）；但因爲它不能說明化學變化及電磁現象，所以今日的物理學界，對於這種機械觀的完成，已經被放棄了。（譯作機械論的是哲學上的名詞，與此處無關），生物學中借用此一名詞以與活力說相對，這是生物現象中最原始的一種現象。你們用盡儘由你們所獨占的大腦，想出這樣一個名詞來罵歷史文化的研究者，你們以爲這樣才罵得惡毒，痛快，這樣才可以消消你們對中華民族之所以成其爲中華民族的歷史文化的一股仇恨之氣，這樣你們才覺得自己可以站在最崇高的地方享受你們一二人的自由民主；朋友，你們這種想法，實在是無知到可憐的地步了。

三

第三、你們認爲研究中國的歷史文化者，是現實政治上反自由民主者的幫兇。亦卽是極權主義專制主義的幫兇，這是你們常說的話。你們說「這是開倒車的復古主義與現實權力互相導演之結果」。「依據向量分析（vector analysis），復古主義和現實權力二者的方向相同，互相表裏，彼此構煽，因而二者所作用於五四運動的壓力合而爲一」。關於五四運動的問題，留在後面再談。在中國，思想上澈底反對歷史文化的是法家，是共產主義，及你們這幾個人；政治上是暴秦和今日的共產黨。在世界，有的思想家重視歷史文化，有的則輕視歷史文化；有的闡述歷史文化中好的一面，有的批評歷史文化中壞的一面；但澈底反對歷史文化的只有共產主義，虛無主義，和達達主義；澈底實行此一政策的便是蘇聯集團；這是不要用大腦去想卽可以承認的最顯著的經驗事實。你們如何能扭轉來說研究歷史文化，是專制極權的幫兇呢？中國文化中所以特別強調「古」，強調「歷史」，乃至「與古爲徒」，正如莊子在人間世中所說「其言雖敎讁之實也（按此當作一句讀，意謂對統治者雖然是敎訓他，諷責他），古之有也，非吾有也。若然者，雖直而不病，是之謂與古爲徒」。這是專制政治下對於統治者不得已的苦心；二千多年來，無不是以「古」，卽是以歷史文化來修正或緩和統治者的專制，這只要稍稍有點歷史常識的人，也不能不承認此一顯著的無數的經驗事實。法西斯好像不和共產黨一樣的反歷史文化，但稍稍研究一下，法西斯是因爲要利用國家民族的招牌，但除了歷史文化，便無所謂國家民族。因此，法西斯所以不能反對歷史。但法西斯只強調歷史中的某種野蠻主義，決不提倡歷史中的文化主流。如「法西斯」一詞的語源乃是古羅馬統治者權威的象徵，而納粹所強調的則是雅里安人的純血統。日本的軍閥則強調武士道。平情的說，關於自己的歷史文化，旣不應作狂然的誇張，因爲作狂然的誇張，從文化自身說，勢必抹煞文化的世界性及世界的其他文化，結果會流於自欺，會使自己的文化失掉了營養，因之歸於萎縮。但更不應作狂熱的誣衊；因爲失掉了自己記憶力的人一定是白癡，失掉了歷史記憶力的民族一定是生命力枯竭而必歸於消滅的民族。所以最殘暴的殖民主義，必須消滅篡改其殖民地的歷史。你們常常把研究歷史文化者當作專制極權者的幫兇，這不僅說明你們對歷史文化的太無常識，也是說明你們對一切文化都沒有常識。固然有若干讀中國書的人，在現實政治上常有許多可恥的行爲；但你們要知道，在現實政治中佔重要地位，做大壞事，發大政治洋財的，十之八九多是洋學生出身，而心裡和你們一樣，十分討厭中國歷史文化的人物。難道我們便因此而斷定研究西洋文化者是極權專制的幫兇嗎？並且在中國文化中，最低限度，還告訴人那些行爲是可恥的。但在你們所標榜的否定一切人文價值的觀念中，連善惡兩個觀念都不能成立，一切只是生物的激刺反應，強者爲王，還有什麼政治的好壞可說呢？

凡是用大腦的人，應當有相當的分析能力。我們對於現實政權，有許多不滿意，但我們不能對現實政權不分青紅皂白的加以反對。現實政權提倡歷史文化，同時也提倡科學，並且在許多政治性的訓練班裏也提倡邏輯（理則學）。他們提倡科學，邏輯，是出於實用的觀點，他們認爲講了還應實行。而提倡歷史文化，主要是出於對共產黨的政策；因爲共產黨反歷史文化，所以這邊便提倡歷史文化。他們對於歷史文化，只是口頭上講講，決沒有存心要把歷史文化中的好的東西拿來實行。而中國的歷史文化精神，在現實上是要見之於行，見之於事的。所以現實政權對於歷史文化的提倡，比之對於提倡科學，更爲虛僞而無眞實內容。假定現實政權不能令人滿意，則科學不能負責，眞正的科學者不能負責，歷史文化及眞正的歷史文化研究者又如何能負責？少數的歷史文化研究者，除非有其他背景，其所受的冷遇和壓迫，這不是有目共睹的事實嗎？並且一般以爲科學與民主不可分，這只是就我們的須要而論。若各就其本身說，則民主可以保障科學，而科學不一定能保障民主。每一極權國家都須要科學，都有其卓越的科學者。極權者對於人民，尤其是對於知識分子的肅清工作，都應用了高度的心理學，精神分析學。美國因爲自然科學者對民主自由觀念的日趨淡薄，乃不得不實施通材教育。錢學森之毅然返回大陸，也說明科學的本身並直接推不出民主的要求。因此，縱使有科學，並不能一定保障民主。但我們在意願上一定要把它和民主結合起來。由科學與民主之無必然關係，但我們還要把他連在一起，則縱有少數人講歷史文化而不了解自由民主，也不能由此而證明歷史文化與自由民主不能相容，更不能證明在自由民主之下不能講歷史文化。再就擔負現實政治的國民黨而論，中山先生及其中少數一二人和今總統蔣公，是對歷史文化相當尊重的。我們過去曾根據中國的歷史文化對蔣公有所獻替，這裏不談其他問題；但僅就他提倡中國文化這一事而論，我覺得只應要求他名實相符；對於此事之本身說，沒有多大理由加以反對。並且蔣公同時也是虔誠的基督敎徒。祭孔時，蔣公常派代表，而禱告則無間於朝夕。則蔣公個人的是非得失，何以能偏由中國的歷史文化來負責？至就國民黨一般黨員來說，因爲所謂革命，都是青年的熱情和羣衆運動的結合品。這都不能從中國文化中得到他們所需要的激刺，因爲中國文化的性格是「布帛之言，菽粟之味」，可以供人經常的營養，而不能作一時激刺之用；所以絕大多數以革命自命的國民黨員，都不了解中國的歷史文化，都是反對中國的歷史文化。所以如實的說，國民黨並沒有對中國歷史文化負責，中國的歷史文化也難對國民黨負責。在政治上壓迫學術思想，和用政治去裁誣學術思想，這都是爲自由民主所不許。在這一點上，不僅歷史文化的研究工作者，從來未誣衊乃至輕視任何學術部門及任何學術工作者，卽國民黨也比你們高出一籌；因爲在不妨礙他們直接的政治利益的範圍以內，尚不至干涉誣衊到他人的學術研究工作。

你們以政治來誣奪歷史文化的研究者，據你們自己說是「依據向量分析（vector analysis）」。vector analysis 是指計算除了大小多少以外，有一定的方向的量而言，如速度，力等，這是與物理學最有密切關係的數學中的一個很專的部門。你們是如何下手去解析？是經過如何操作的過程，而能得出你們專以罵人爲業的結論？從你們這種亂用名詞看，可知你們完全是望文生義，對於每一名詞所界定的嚴格內容，毫無了解；而只是把它當作一種符籙，拿來唬嚇你們所卑視的中國人。你們心裏想「我擺出的是洋字呀，是新名詞呀，大家還不佩服我的學問嗎」？用欺騙來達到罵他人以捧自己的目的，這不是有品格的人所幹的勾當！記得你們爲了一個邏輯的名詞，和人打筆墨官司，你們說：用顯微鏡在羅素的數學原理一書中也找不出那個名詞；但結果，人家指出那個名詞不僅見於羅素書中的某句，而且是那書中的一章。寫這篇社論的先生，稟尼采的氣質，而又太無尼采的天才；嚮羅素的風規，卻又太缺乏羅素明淨的頭腦。假定不做點中國歷史文化中的變化氣質的工作，恐怕什麼書也是讀不進去的。

自由民主的可貴，因爲它可以涵容各種的生活興趣，可以涵容各種的學術思想。因此，通向自由民主的不是一種生活興趣，不是一種學術思想；而是凡可以通，凡願意通的，都有通的權利和義務。這就是我們講歷史文化者的人文精神的態度。假定在反自由民主者的口中講歷史文化是一種不幸，則在除了一點膚淺的邏輯套套以外，無所不反（實際你們不僅反中國的歷史文化）的低級極權者的口中講自由民主，一樣是中國當前的不幸。中天下而立的人們，當然要把這種死結打開，一面講我們的歷史文化，一面講我們的科學民主；科學民主，是我們歷史文化自身向前伸展的要求，而歷史文化則是培養科學民主的土壤。

四

寫這篇社論的人，是借五四爲題目來發揮的。他說大家不應批評五四，以致「這樣重要的節日幾乎被人忘記了」，不錯，年來對五四運動有不少的批評，講歷史文化的朋友作得更爲深刻。所以最後我針對這一點說幾句話。我的態度簡括的話，五四應當尊重，也應當批評。尊重五四，並非把它當作一個偶像以爲樹立門戶之資。批評它也並非等於否定科學民主。科學民主，不是任何人的專利品，也不是五四的專利品。中國對科學民主的要求，並非始於五四，戊戌變法，便是追求科學民主的實際行動。但五四的可貴，在其對社會發生了遠超過戊戌變法的啓蒙運動的作用，而白話文學的成功，更有不朽的價值。這是值得尊重的。但値得尊重的東西，並非卽是不可批評的東西。五四運動的本身也可以說是一個大的批評運動。批評運動的本身，卻禁止旁人的批評，那才眞是笑話。至於「現實權力」對五四批評的動機及其得失如何，自有「現實權力」負責；批評有其具體內容，不能因爲某一部分人的批評不對而卽認爲凡是批評的都不對。

任何傳統文化，爲了適應新的環境，接受新的事物，其本身必須經過批評而發生新的反省，以打破解脫它已經僵化了的部份，使其原始精神發生新的創造活力；所以五四運動的反傳統文化，也不是沒有道理。問題是在當時的領導者們，認爲傳統文化與科學民主不能並立，必先打倒傳統文化，才能建立科學民主，於是他們所作的打倒傳統文化的工作，遠多於正面建立科學民主的工作。在世界歷史中，只發現批評傳統文化的科學民主，卻發現不出打倒傳統文化的科學民主；世界上除共產國家外，沒有一個打倒了自己傳統文化的國家，而我們卻偏要在短時期內去加以打倒，此在民主世界中找不出這種根據。只有共產主義的階級理論，認爲封建社會的文化必爲資本主義社會的文化所代替；資本主義的文化，又必爲社會主義的文化所代替；中國不論是什麼社會，但對現代而言，總有其落後性，則其文化必爲另一前進的文化所代替，乃是歷史發展的鐵則；這便提供了要澈底打倒中國文化的人以理論的根據。而社會主義更新於資本主義，這又合於越新越好的心理需求。並且人必有所信，才能發出有力的行爲。數十年來中國是動亂的時代，許多問題急待解決，熱情的青年，面對此一時代，要求爲解決問題而有一種強力的行爲，因而必要求能有所信。懷疑主義，滿足了此一時代消極要求的一面，但不能滿足此一時代積極要求的一面；共產主義恰可滿足此一方面。在此一時代而希望傳統文化發生領導的作用，那是不可能的。但傳統文化可以在此種時代中發生自然的制衡作用，以免其走向極端。現在連孔家店也在一句口號之下打倒了，大家以滿懷憤恨之心來看傳統文化，一切只有與傳統文化相反的，才是眞理，這便完全失掉了文化自身的制衡作用，於是動亂時代的青年，只有向着可以支持他們積極行動的那一方面，往而不反。所以五四運動中以陳獨秀爲首的最有力的一部分，很快地便直接轉爲共產主義運動，而且這一部分人，始終在文化活動中佔有極大的優勢。說共產黨的成功是完全要由五四運動負責，這是寃枉的；因爲主要的責任者還是國民黨在大陸上的政治。但說共產黨與五四運動的打倒中國文化沒有關係，這也太昧於事實。五四運動的另一部分，少數人埋頭於舊文獻的考訂，說要以此來打倒中國文化，並以此帶進科學方法；他們在這方面的成就，我不願多說。此一部分的多數人則加入了國民黨，成了國民黨的主要人物。國民黨對民主的貢獻，也就是這些人的貢獻。。因此，五四運動對於科學民主的流產，主要是來自五四運動的自身，而其關鍵則在於他們要首先打倒中國文化；在這種不可能的任務之前，一部分人橫決，一部分人逃避，乃必然之勢。中國這幾年的歷史文化工作者，主要在指出五四運動打倒中國文化的企圖，不僅站在中國人的立場爲不能接受，即站在科學民主的立場也是不合理，尤其是無此必要。中國文化打倒以後，中國成爲一個野蠻民族，如何能實現科學民主。所以我們是以對中國文化的批評來代替五四時代的打倒；要通過中國文化自身的反省，使科學民主在中國文化自己身上生根。基於此立場所作的對於五四運動的批評，乃是五四運動向前的發展，文化運動向前的發展。自然科學中的定律尚且可以批評，尚且可以推翻；五四是一個社會性的文化運動，領導當時運動的不過是二三十歲的青年；假定經過了三十八年的歲月，而尚不能批評，乃至不許批評，那才是此一時代文化的破產。凡矯枉者每每不免過正，這在五四當時喊出打倒中國文化的口號，是可以理解，是可以原諒的。經過了三十八年，而依然由對中國文化一無所知的人來變本加厲的喊打倒，甚至於還要剿滅中國文化的口號，這是無法理解，難以原諒的。至於中國文化之何以只應批評，不應打倒，我這裏只把原係自由中國社主幹之一，現在已歸道山一年多的羅鴻詔先生的一段文章，抄錄一小段在下面，以作此文的結束，並作對這位朋友的紀念。

「我們知道，文化是生命的，則斬斷歷史便是殺掉其生命，使復歸於野蠻社會罷了。有一批人想把中國的舊東西完全拋掉，從一方面說，這是不可能的，設想我們今天把中國話完全不講，誰敢說有此可能。如果還要說中國話，則中國文化的生命便不會完全死掉。假定這事果然實現，則其時的中國也只是一個野蠻社會，還有甚麼理想可說。所以我們希望中國文化發展，非積極做批評工作不可」。「批評工作是很艱苦的……打倒卻很容易。儒家的思想延續二千餘年，要懂得他的概要也非有十年以上的工夫不可；要做批評的工作更須煞費心力。但要打倒它，則只說一聲「封建思想」，它的價值便一落千丈了。中國從前的人好尚「遵古」，似乎凡是屬古的都有價值的；最近幾十年來則有維新的風氣，似乎凡屬新的都是有價值的。故說這是復古，便覺得必然落伍無疑。……難道時間與價值有必然的關係嗎？」（「批評與打倒」，民主評論四卷九期）。

四六、五、十五　民主評論八卷十期

按本文所批評的「自由中國」社論之作者爲殷海光先生。徐、殷二位先生亦敵亦友，俱有知識份子之良心，于此可見。

——編者

考據與義理之爭的插曲

一、文字因緣

去年東海大學要同人分別研究各系教學的方針及課程；我平生是有話便說，所以對中文系提出了一點意見，用油印發給同事的先生們作參考。大意是覺得幾十年來大學中的中文系，多只注重語文訓練，而忽視思想上的培養，以致今日一般中文系畢業的學生，對於中國文化是什麼的問題，缺少基本概念；於是一談到中國文化，不論是贊成或反對，常常得不到要領。假定中國人對於自己傳統的文化還負有一種傳承、發展的責任，而這種責任主要只能期望之於大學的中文系，則中文系教學的方針，似乎應當放寬一步，走着姚姬傳們所提出的義理，考據，詞章並重的老路，使中文系的學生對於中國文化遺產，能在大學中作多方面的了解。如以後繼續用功，則隨着各人性之所近，選擇的基礎和範圍也能較寬。此外，還有兩個小小的動機，促成我提出此種意見。第一、我在南京辦「學原」時，曾向一位在考據上很有成就的先生找稿子，那位先生說一時拿不出來。我問「考據方面的東西你不是很現成的嗎」？那位先生嘆息的說：「太平的時候不妨講講考據，亂世應當講思想。面對這樣的時代，要我繼續那種飣餖之業，實在鼓不起興趣。要回頭來講思想，又覺得自己的基礎不夠，一下子轉不過來，所以我的精神很苦悶」。他並勸我不要把辛辛苦苦辨出的學原，也帶進考據的窟洞中去。這位先生講話時誠懇的態度，使我當時很受感動。第二、這幾年來蟄處臺中，因平日震於「乾嘉諸大師」之名，對四部叢刊中所收錄的清代學者的著作，也曾不斷的翻閱。大體上說，除了明末清初的顧黃顏李諸人的文集外，看完後總不免使人失望，連未收在叢刊中的章氏叢書也在內。我覺得他們實在很少接觸到作爲一個民族生命動力的文化精神；而他們和不與他們站在同一觀點的人談到學問時，其態度的顢頇，習氣的浮囂，黨同伐異的堅決，使我感到在這種閉鎖的心靈狀態下，恐怕對於這一時代在文化上的要求，實無所裨補；因爲當前應當是諸子百家，平流競進的時代。所以覺得爲他們所反對的義理之學，在今日大學的中文系中，也應分站一個地位。

過了不久，同事中有位先生問我：「中央日報第十期學人副刊毛子水先生有一篇談考據義理的文章，你看到嗎？」我說「沒有看到，我也不想看。」那位先生很不高興的說，「毛先生那篇文章所指責的是非常地明顯」，說完後拂袖而去。我才明白毛先生「論考據和義理」的文章是針對着我對於大學中文系教學的意見而發。許多朋友告訴我，毛先生是臺灣大學文學院的祭酒，所以對於他所作的批評，不能不特加注意。但讀後，未免相當地失望，便寫「兩篇難懂的文章」一文加以答復。我之所以用「李實」的筆名，只是表示對於毛先生的一種禮貌。這篇文章發表後，臺大有位教授來信說，這篇文章應當一樣地在中央日報「學人」上發表，以便多人可以讀到。但經驗告訴我，凡是毛先生這一派人的勢力所及之地，很難容許與他們相反的意見，所以我對「學人」是否肯發表我的文章有點懷疑。後來果然從毛先生「再論」的文章中，知道把一位韋政通先生和他討論的文章退掉了。

毛先生大文的主意是針對着「近今治國學的人，……有考據是末是粗而義理是本是精」的意思，（假定毛這話是對我而發，則對於我在東大所提出的意見，並沒有看清楚）認爲這會遺害青年，而主張「考據精則打基礎在考據上的義理亦愈精；考據粗，則打基礎在考據上的義理亦愈粗」，因而強調「考據爲本而義理是末」。前者是認爲必通過考據而後能治義理，這是乾嘉諸人的老話；而後者則是毛先生的新意見。因爲乾嘉諸人，在表面上也認爲考據的目的是在求義理，（雖然他們並沒有求到義理）因而，考據是手段，義理是目的；習慣上，不會說手段是本而目的是末的。我的文章大體分爲三點，第一是證明考據與義理的必然地因果關係不能成立。同時指明站在現代學術上爲知識而知識的立場，則凡是知識，皆有其本身自足的價值，所以考據與義理，無本末可言。但若站在中國傳統的觀念，則當然義理是本而考據是末。第二：我同意毛先生考據與義理分途不可偏廢的說法，但指出他這一說法與其基本的看法及結論不能相容，以致在其全文中形成許多矛盾。第三、指出毛先生擺出許多裝門面的話，都是似是而非，只有增加文意上混亂。此外，我寫「兩難」一文的更大動機，是感到這幾年來我國學人太缺乏對社會的責任感。文章發表出來是希望社會的人們去閱讀，因而對他們有點裨補的。談任何問題，總要把自己說話的根據和條理弄清楚。可是近年來許多先生們的文章，不僅不負責把他們所要反對的弄一個起碼地清楚，並且連自己所贊成的也不弄一個起碼地清楚；至於各報刊看文章者的尺度，則更是難說。這類文章，假借負點時譽的招牌發表出來，實在是對不起無暇多作研究工作的一般讀者。要談問題，總得以負責的精神多費點氣力。

毛先生看到我的「兩難」一文後，隨又在學人上發表了「再論」一文，這種重視討論的精神實在值得欽佩。但我讀了毛先生的「再論」後，更爲失望。因爲他不僅未能答復我所提出的問題，或順着原來的方向重新提出問題；而只是更增加文字上的混亂。所以我的答復，只是「順着毛先生的文章稍加清理」；如實的說，這只是作語意的清理。我之所以不打出語意學的招牌，是因爲我不願意拿未曾下力研究過的東西來裝皇自己的工作，以免受到自欺欺人的良心上的譴責。我在清理中，扣緊毛先生原來所下的定義及其推演，而提出了三個前提條件及十個問題，說得相當的清楚而具體，這裏不再重述。

上文發表後不久，民主評論臺北負責的先生來一封限時到達的信說，接到中央日報一位朋友的電話，告訴他，學人副刊又有人送來參加考據和義理之爭的一篇文章，是臺大研究所畢業後而又出國過一趟的一位先生寫的，學人副刊不願繼續發表這種文章，勸他送到民主評論發表；但他說，曾經寄給民主評論，可是被民主評論退回了，所以只有找學人。中央日報的那位朋友的意見，還是希望由民主評論採用，民主評論臺北負責的先生深以中央日報那位朋友的意見爲然，問我是否看到過那篇文章；我當即回信說，那篇文章決不會寄到民主評論而給民主評論退稿。並說，可以請那位先生把文章送來，只要够水準，便可發表；民主評論一向是高興發表意見不同的言論的。民主評論臺北負責的先生把我的意見轉告中央日報的那位朋友後，再沒有消息。八月八日中央日報學人所刊出的張春樹先生「論考據與義理之爭」一文，大概就是故意說曾經民主評論退回去的那篇文章（以後知道是由羅家倫氏交下去的，而張君此時也並未出國）。我在答復毛先生「再論」一文時，曾向毛先生提出如下的請求：「若要繼續討論，則首須將對方和自己的文章，弄得清清楚楚，以免浪費筆墨。其次，把討論的問題加以限定，說完了這，再說到那；要提具體底論證，而不要空喊口號」。我想，這是討論問題時，任何人可以承認的要請；我卽以此一要請來看張先生這篇文章。

二、語意、邏輯

張先生的文章分成五段，第一段是前言，說明「雙方的文章中顯著充滿了語義與邏輯上的錯誤，而雙方卻又都把對方建築在這些錯誤上的論斷，視作正常的論斷加以辯駁」；於是他「就兩先生在語文的型式上所犯的語義與邏輯方面的錯誤加以批評，而不涉及他們主張的本質」。所以第二段便是「語意學上的錯誤」。那末，首先便看語意學上是如何錯誤的吧。

張先生說：「語意學家告訴我們，當我們用一個名詞的時候，一定要先弄清楚這個名詞的定義。不然，你便是玩弄詞語的魔術。……一個名詞可以有或廣或狹數種程度的定義。我們在應用時，切不可臨時改變它的涵義，暗中在這些定義的層次上滑動」。張先生又說，「毛先生對於考據義理兩名詞，已經下了極令滿意的廣狹兩方面的定義」。由此，可知毛先生所下的定義，是我和毛先生討論問題時的標準。照張先生上述的語意學家的話，則在毛先生定義上的「滑動」與否，卽成爲語意學上錯誤與否的準繩。爲易明瞭起見，先把毛先生所下的滿意的定義（以後簡稱「原義」）照張先生的方式轉抄於下：

考據{國學上的定義——草木鳥獸和典章制度的探討（A_1）。
　　 一般的定義——史傳記載的徵實和辨證（B_1）。
義理{國學上的定義——聖賢修己治人方法的闡明（A_2）。
　　 一般的定義——人生哲學的研討（B_2）。

我對毛先生的文章發生爭辯原因之一，就是因爲他不守他自己所下的定義，而「暗中滑動」得太大；例如他對考據和義理，已下了如上的廣和狹的定義，但他又說「生理學與心理學應當爲完全的考據學問」。又說「一切人文科學和自然科學，亦是正路的義理」。並且把生理學和心理學等，由他「原論」中的考據學而跳進「再論」中的「義理」，所以我便說「毛先生這種把考據和義理作無岸無邊的推廣（並且還有轉換），則下定義有何必要」。這似乎和張先生所引的語意學家的話相符合。因此，犯了語意學上錯誤的似乎不是我而只是毛先生。並且我細讀張先生這段文章，也沒有指出我有那一句話是「暗中滑動」，因而犯了語意學上的錯誤；他只說我僅僅針對毛先生的「原義」而加以「爭辯」，而沒有看出毛先生在原義之外，還有不曾明定出來的「潛義」；假定我猜出了毛先生的「潛義」，則我對毛先生的爭辯便不能成立，因爲此時毛先生在文章中所講的話，便可由已定出的「原義」而滑入尚未定出的「潛義」，在這種情形之下，大概毛先生便可不負隨意滑動之責。所以張先生便把毛先生的「潛義」補成 C_1 及 C_2 兩條定義（以後簡稱補義）。關於張先生的「補義」，後面另作討論。此處我僅說明兩點：第一、我只根據毛先生的原義和毛先生「爭辯」，而沒有猜出毛先生「潛義」來，（其實只是「歧義」）這只能說明我在定義上太不肯滑動，何以能構成語意學上的錯誤呢？假定我在語意學上犯有什麼錯誤，張先生何以只在前言及本段的標題上空洞地提出，而在內容上卻一字不提呢？第二、張先生已經說過，毛先生對於考據義理兩名詞，已經下了「極令人滿意的廣狹兩方面的定義」，則張先生爲什麼還要爲他「補義」呢？這補義是屬於「廣」方面的呢？還是屬於「狹」方面的呢？補義若與毛先生的原義，在廣度和深度上完全相同，則張先生既無法根據毛先生的原義以解救我對毛先生的爭辯，又如何能根據完全相同的補義以解救毛先生所犯的矛盾混亂呢？如張先生認爲能用「補義」解救毛先生所犯的混亂矛盾，則原義與補義之間，必定在內容，範圍，層次三者之中，有某種不同，所以它才能達成原義所不能達成的任務。張先生正好自己說「定義B_2（關於義理的原義）實際上爲定義C_2（關於義理的補義）的較低層次」；這分明是自己承認他的補義與毛先生的原義有層次上的不同，則張先生的「補義」，分明即是張先生自己所說的「臨時滑動」，而增加了語意的混亂；這由我後面對張先生補義的分析而更加明顯。張先生不能把我對毛先生的爭辯，爲毛先生作半條半句的正面解答，而只是把毛先生文章中的「暗中」的「滑動」，改爲補義的「公開」的「滑動」，張先生是講的什麼語意學？並且在常識上說，一篇文章的內容，皆能爲其定義所涵攝，這才能算得圓滿的定義。張先生也沒有方法把毛先生文章的內容約化到毛先生自己所下的定義裏面去，以致不能不公開違反自己所抬出的語意學家的話而爲毛先生來一個補義，則張先生從什麼地方可以認定毛先生的原義是「極令人滿意的」呢？這眞是兩先生的自我陶醉。我以相當的期待來讀張先生這段文章，而惋惜張先生只是以自己「語意學的錯誤」來證明，並增加毛先生的錯誤；張先生似乎完全不知道語意學。

張先生大文的第三節，是指出我的「邏輯上的錯誤」。他說：

「邏輯家告訴我們，在辯論的時候，雙方對基本前提一定要有一個共同的認識。……這次爭論，顯然也是違犯了這條規律」。又說：「考據與義理的地位關係，本來是這次爭論的中心問題。……毛先生對義理之學本身的看法，是要求與以現代的批評。因此他說：『不是用現代科學方法得來的義理，是沒有價值的』。這純粹是站在現代哲學的立場上講話。但李先生卻是站在另一個角度上來討論這個問題……他的觀點是出於『中國義理之學的』，也可以說他是在講義理之學的內容與特色是如何如何，這與毛先生批判的態度，大不相同。因此，他們是走的兩條路。這樣的爭論是沒有結論的」。

我在答毛先生再論一文中，一開首便說「一篇文章中對於主題所下的定義，同時卽是討論問題所應涉及的範圍與界定，大家應當加以遵守」。毛先生對考據與義理已經下了極令張先生滿意的定義，我便順着他自己所下的定義來和他談問題，而對於他那些東扯西拉，自己破壞自己定義的「臨時滑動」的「野馬脫韁」的話，認爲「沒有加以討論的必要」，採取存而不論的態度，這在我的文章中，說得清清楚楚。定義卽是「基本前提」，我以他的定義爲討論的根據，卽是以他的前提爲我的前提。亦卽是把他所表現於定義的認識作爲一個共同的認識，以作爲批評他的矛盾混亂的標準；這在我的一方面，違犯了那一條邏輯的規律？問題之所以發生，是在乎毛先生並不了解他自己所下的定義，所以不能根據自己的定義以立論，以致把自己陷於矛盾混亂之中，我便告訴他，什麼是在他的定義之下所應有，我把它說了出來；什麼是與他的定義不相干，乃至是矛盾衝突的，卽與以澄清裁汰，這無非是想把毛先生從矛盾混亂中拯救出來；這一切，我那兩篇文章中都說得清清楚楚。張先生能從邏輯上，事實上，提得出一條正面的反駁嗎？最低限度，在張先生這篇大文中尚找不出來。

張先生說「考據與義理的地位關係，本是這次的中心問題」，又說「毛先生對義理之學本身的看法，是要求與以現代的批評」，而說我只「是在講義理之學的內容與特色是如何如何，這與毛先生批評的態度大不相同，因此，他們是走的兩條路。這樣的爭論是沒有結論的」。張先生根本不了解他在這一段話中，包含了「事實」及「對事實的評價」的兩個問題，要分作兩方面來說，於是他把問題弄得更糊塗了。現在稍加分疏如下：

張先生說此次爭論的中心問題，是考據與義理的地位關係，這話是對的。毛先生對此有兩種意見，一是考據與義理，各爲學問的一途，不可偏廢，這是說兩者的地位是並行的關係。一是考據是本，而義理是末，這是說兩者的地位是上下輕重的關係。他對第二種地位關係的論據是「考據精，則打基礎在考據上的義理亦精」，這可以說是要以考據來決定義理。這是毛先生文章的主要結論。我站在現代爲知識而知識的立場及治學的實際方法，途徑上，贊成毛先生前一種並行的說法，而反駁他與此一說法許多自相矛盾的論證，並反對他的後一說法。毛先生的後一說法之是否能成立，完全要看他「考據精，則打基礎在考據上的義理亦精」的前提能否成立？我根據「事實」，認爲它不能成立；張先生在這段文章中也說「要看他的話（卽毛先生考據精……的話）的眞僞，便須先看一切義理中是否均有考據的對象。而事實上正如李先生所說，這個不能成立」，則由毛先生的前提的僞，卽可證明由此一前提所得出的考據與義理的地位關係的結論也是僞；這卽是說，毛先生在討論的中心問題上已吃了決定性的敗仗，怎麼說這種爭論沒有結果呢？毛先生之所以吃下敗仗，是因爲他雖然站在「

治國學的立場」來下了義理的定義，但他並不了解義理在中國文化學術史中具體底內容是什麼？中國的義理之學，是由中國兩千多年的文化歷史的具體「事實」所規定，而不可由我和毛先生信口開河的亂說；否則只是我的義理或毛先生的義理，而不是「治國學者」所治的「中國的」義理。

我說中國的義理的內容，特性是什麼，這是爲了解決考據與義理地位關係而提供「事實的」根據；卽是我在這裏只「說明事實」，並沒有涉及對此一事實的評價。此一論題旣係由毛先生所提出，而我對毛先生乃是作針鋒相對的討論，則並不曾如張先生所說，我們「是在走兩條路」。至於張先生說「毛先生義理之學本身的看法，是要求與以現代的批評」，並引毛先生「不是用現代科學方法得來的義理，是沒有價值」的話以作證，這是「對於事實的評價」。張先生所認爲考據與義理之關係地位的中心問題，係決定於二者的事實是什麼，而不決定於義理之價值爲如何？二者的關係地位，已由我所陳述的事實，卽義理中並非一定有可作爲考據的對象而得到解決了，則討論之中心問題已得到解決，而我陳述事實之目的亦已達到；是否應進一步去作對此事實之評價，我認爲這是另一問題。爲避免混亂起見，我寧願撇開不談，這在我答毛先生再論文章中，一開始便說「並沒有涉及義理之學自身的是非得失等問題」，這已經表示得够清楚了。由此可以證明我是順着毛先生自已所提出的「正道」（卽所謂中心問題）來討論問題，而避開使他自已陷於混亂矛盾的「歧途」，這可以說是「走的兩條路」，因而我犯了什麼邏輯的錯誤嗎？

假定因爲毛先生有「不用現代科學方法得來的義理，是沒有價值的」一句話，而認爲他是在對義理之學，加以「現代的批評」，並認爲「這純粹是站在現代哲學的立場來講話」，那也未免過於爲他撐支場面。一句空洞的口號，毛先生便批評了義理之學，而可立刻使毛先生獲得現代哲學的立場嗎？何況毛先生那句話，由於他根本不了解義理及「現代哲學」是甚麼，因而是根本不通的一句話。

「不是用現代科學方法得來的義理，是沒有價值的」，這是關涉到義理所得以成立的根據，卽是倫理道德所得以成立的根據問題。對於這個問題，我在「兩難」一文中，只引一段愛因斯坦在科學中找不出宗敎道德根源的話，給毛先生以暗示。現在因爲張先生拿毛先生這句話來故作張皇，所以在這裏稍稍多講兩句。宋明儒所說的義理，當然「不是用現代科學方法得來的」。毛先生雖然認爲有一部份「不足信」，但毛先生又承認「有許多仍是世間的嘉言」，這豈不是還有一部分價值嗎？在毛先生再論的大文中，對於孔子所講的「恕」，大爲恭維，「恕」應該是屬於義理的範圍，毛先生能說孔子的恕是用現代科學方法得來的嗎？西方的道德根源，主要是來自新舊約，新舊約是用現代科學方法得來的嗎？再從另一角度看，今日縱然有少數人不承認道德價值，但大多數人（包括許多大科學家在內）總承認有某些道德價值；但有那一樣可稱爲道德價值的東西，卽是可稱爲義理的東西，是「用近代科學的方法」得來的？毛先生不妨舉出一二。談問題要面對經驗事實。毛先生的好處是年老而尙愛新奇；可惜「讀書不求甚解」，不能眞正實事求是，所以總是落得似是而非。「站在現代哲學的立場」來評判中國義理之學，更妥當的說，「在世界文化中重新估定中國義理之學的價值」，這工作，是應當作的，我們也多少作了一點，而現在也正在作。但毛先生恐怕是與此無緣了。

三　胡猜亂想

張先生文章的第四段的標題是「可以免除的爭論」，大意是說毛先生寫第一篇文章的本意和看法和我並無不合，所以不必爭論，這一段好像是一種調和的意思，對此我不另費筆墨。現在看看張先生大文第五段「論中國義理學的研究」。因爲這是他「個人的意見」。張先生個人對此問題的意見，首先見於他的「補義」：而他的補義，又認爲就是毛先生「原義」的以另一種詞句的複述。所以他說：「爲清晰起見，首先把他（毛先生）的看法，重述一遍」：

一、考據與義理的定義：

考據：用科定方法去研究問題 C_1。

義理：一切事象存在與活動的法則 C_2。

二、結論：凡是一種學問，眞正不愧義理的名字的，都應當以最精審的考據爲基礎。

我先從考據的「補義」說起。張先生的「補義」既是放在「論中國義理的研究」標題下，則張先生所說的考據和義理，當然應該是「中國的」；而如前所述，當然要由中國文化學術史中形成此兩名詞的具體事實，加以歸納，約化而成。在這種地方，變不出什麼花頭。「考據」有時作動詞用，而毛先生將其與「義理」對舉，這是作名詞用。它的全稱應當是「考據之學」，簡稱爲「考據學」，再簡稱爲「考據」；等於一般人常常把生物學簡稱爲生物，物理學簡稱爲物理一樣。考據是關連到某種研究對象以形成其內容，猶之乎其他學科，必關連到某種研究對象以形成其內容一樣。考據所研究的對象好像很多，但大體上脫離不了書本上的東西，亦卽是文獻上的考證。所以毛先生對考據所下的兩條定義，都不脫離文獻的範圍；他所說的鳥獸草木，都是書本上的鳥獸草木。考據之學，雖盛於清代，但其源遠流長，也不下於義理之學。「考據」和「科學方法」連在一起，是五四運動以來有人以爲清人治考據的方法，有合於西方的科學方法。科學方法可以研究許多對象，但不固定於某一對象。充其量，可以說考據所用的是科學方法，等於說生物學所用的是科學方法一樣。不能因爲用科學方法去研究考據而卽把考據定義爲科學方法，也等於不能因爲用科學方法去研究生物學而卽把生物學定義爲科學方法一樣。因此，當毛先生說「考據精，則打基礎在考據上的義理亦精」，不能轉換爲「科學方法精，則打基礎在科學方法上的義理亦精」；而毛先生「不是用現代科學方法得來的義理，是沒有價值的」，不能轉換爲「不是用考據得來的義理，是沒有價值的」的話。至於「用科學方法去研究問題」的這句話，上面略去了作爲主詞的「人」字。不想定有能「用」之「人」，便安不上「用…去…」。把這句話說完全，應當是「人用科學方法去研究問題」；「人」可以是張三，李四；問題可以是這個，那個。如果把專稱的名詞代到全稱的名詞中去，則這句話卽成爲「考據是張三用科學的方法去研究考據」。不僅在此定義中，絲毫沒有關涉到考據所研究的對象，因「問題」可隨意改換，變成爲毫無界限而不成爲「定義」。並且「考據」是客觀的一門學問，「張三」是研究考據的人。張先生對於考據的定義，實際是等於說：「生物學是什麼，是人用科學方法去研究生物」，拿研究學問的「人」，去作被研究的學問的定義，這和毛先生原來對考據所下的兩條定義，相去何只十萬八千里。所以張先生連毛先生的話也未能看懂。張先生引毛先生「現在科學方法中的觀測和實驗，亦是正當的考據工夫」的話，來證明他對考據的補義，卽是毛先生的「潛義」的顯化，因而覺得他的補義卽等於毛先生的原義，所以逕直把自己的補義說成「他（毛先生）的看法」。首先應了解毛先生這句話，是沒有受過嚴格思想訓練的人所說的隨意比附的話，不能作爲立論的根據。因爲考據是以文獻爲對象的文字工作，在毛先生自己所下的定義中已表現得很清楚；凡對文獻所作的考查工作，根本不能稱之爲「觀測」；而對文獻的考證，更不可能有實驗；這是研究歷史和研究自然科學的最大不同之點，爲稍有常識的人所能承認的。科學裏的名詞，都有其嚴格的指謂。隨意比附，卽是張先生所說的隨時滑動。並且卽使把上述那種比附的性質擺在一邊，則毛先生這句話的意思，只能解釋爲「科學方法」，卽是「考據工夫」；張先生拿毛先生這句話來作考據補義的根據，因此，便認爲補義卽等於原義，於是便變成了如下的關係：

科學方法（觀測實驗）＝考據工夫＝考據

第一個等號，在實質和形式上都等不下去，暫且不說；第二個等號妥當不妥當？套進某種內容去看便容易明白了。比如說：「寫字等於寫字工夫」，「讀書等於讀書工夫」，這等得下去嗎？張先生說我「沒有詳查這點（按卽指他根據毛先生上面那句話而對考據所作的補義），而認爲考據一詞是仍指定義B（按係毛先生的原義）而言，因此便引起了爭辯」；我有什麼方法不依照毛先生自己所下的定義去與毛先生討論，而能猜想出一個荒謬絕倫的補義來作爲討論的根據呢？

這裏還有一點我想藉此機會一提，年來許多人說清人考據的方法，是科學方法，這在口頭上隨便說說，也未嘗不可。但若爲了撐持門戶的原故，而強調到：考據的方法，就等於成就近代自然科學的科學方法，因而可由提倡考據之學來促進中國的科學化，那眞是誤盡蒼生的說法。所謂科學方法，本是指自然科學所用的方法而言，它有其具體內容，與考據所用的方法，有其本質上的分別。只有自然科學的方法才能成就自然科學，而中國所需要的乃是此種科學方法。後來把它的應用推廣到其他各方面去，這已是第二義的。說淸人文獻上的考據工夫，有合於科學方法，這最多只能是第三義以下的。否則中國早已出現了科學。淸人缺少對於方法本身的自覺；而考據的活動，只是零星地認知活動，其中沒有追求系統的知識，法則的要求；而追求系統的知識法則，乃知識之成爲科學的必備條件。更重要的是，研究的對象不同，所採用的方法也自然不同。Karl Vorlander 的西洋哲學思想史，對於近代自然科學方法成立的過程，在第二卷二章中，有簡要的敍述；從他自 Leonardo da Virci 到牛頓的敍述中，大體上可以了解學問上從中世轉向近代的線索，乃是由書本的世界轉向感覺的世界；由文獻的引證轉向經驗材料的實證實驗；而作爲操作過程中最重要的工具，導引，乃至目標，則是數學。數學與經驗世界的結合，這才是近代科學方法的生命。只有在這種方法之下，才能產生近代科學；而其最大關鍵，則在於求知對象的大轉換。由此，可以了解把考據所用的方法，認爲就是西方近代的科學方法，因而以爲提倡考據便是提倡科學方法，便是提倡科學，甚至把考據與科學方法之間畫上等號，這是如何的可憐可笑。

再看張先生對「中國的」義理所下的定義吧。在過去，學問沒有認眞的分類，所以在一個學術名詞中，可以包含許多內容；但在許多內容裏面，總可以看出一個貫穿全部的大脈絡，和趨向一個共同的目標，以形成某一學問的特色。否則只是百科全書性的東西，而不能成爲一門學問。中國義理之學，或簡稱爲「理學」，或簡稱爲義理。當它只稱一個「理」字時，有時是把物理倫理都包括在內；但歸結總是在於倫理。有時也談到宇宙原理，但宇宙原理也是由人生原理推擴出去，或是以之作爲人生原理的根據。因此，「理」字的實在意義，總是落在人的本身；尤其是把「義」字和「理」字連在一起而稱爲「理義」或「義理」時，則更是專指人自身的倫理道德而言。所以毛先生對義理所下的兩條定義都是落在人的身上，這是大致不差的。現在張先生對「中國的」義理所下的定義是：「一切事象存在與活動的法則，」這是可以包含一切學問的定義。上天下地，茫無界劃，茫無特性的定義；此不僅爲中國義理之學所愧不敢當，不僅是從毛先生的原義「滑動」到九天雲外，並且像這種無界劃無特性（凡下定義，都是表示在定義以內的與在定義以外的不同，所以一定有界劃有特性）的籠統話，怎樣可以稱爲定義？似乎一切學問都可以應用此一定義，但結果又沒有任何學問能夠用得上這種定義。義理之學，不管它有無價值，但它是在中國歷史中所形成的一門學問。對一門學問而加上根本不能成爲定義的定義，這未免太滑稽了。張先生之所以補上這樣的定義，只是爲了要把毛先生文章中所包含的矛盾混亂加以合法化；試問臺灣大學這麼多院系課程所包含不了的定義，而要根據它來作學術的討論，這眞使人有「上窮碧落下黃泉」之感了。

張先生爲毛先生補上那樣高明的定義後，他才算清楚了毛先生的意思，而認定毛先生指出了研究「中國義理」的道路。

「由此我們可以知道毛先生是主張一切事象存在與活動的法則，都是應當建築在科學方法研究的基礎上的，是要能驗證的。這正是邏輯實徵論及相對論派哲學的觀點……（以下便是一堆外國人名）……我相信這是比較健全的思想方式……」

我雖然知道毛張兩先生不知道什麼是邏輯實徵論，相對論，因而他們所說的這套話，只不過是一套撐持門面的話。但我很希望有人這樣去作。不過我得提出兩點來請兩位先生注意：第一，把義理之學當作思想史來研究，是要從文獻上的考證以進到思想、精神上的證驗的，這不必抬出邏輯實徵論等招牌卽可以去作。若就義理之學的本身來說，則它是一貫底要在人的身心上得到驗證。（在過去的所謂身，多指生活而言。）譬如說，「不誠無物」，若有人假做學問「不誠」而卽能成就學問（有物），則此一命題是僞，否則是眞。又如說「人皆有不忍人之心」，當人遇著孺子將入井的情況而自然有怵惕惻隱之心時，則此一命題是眞，否則是假。深一層，當然還有許多問題要加以分疏。但卽此亦可以知道「證驗」是中國義理之學自身的一貫要求；所以凡是以爲中國義理之學是不講證驗而屬於玄天玄地之說的人，是對中國學問最無知識的人。第二，我應當指出，日人西田幾多郎在「現代理想主義的哲學」一書中開始便說：「哲學上的問題，大概可分爲理論的問題（Thoretical Problem）與價值的問題（Axiological Problem）」。而中國義理之學，是屬於價值問題這一系列的。哲學的相對論，是比附科學相對論而產生，此一比附，常爲科學家所冷笑，所以沒有說它的必要。科學相論的建立者愛因斯坦，很清楚的說在科學知識的系列中找不出人類行爲價值的根源，也等於是說在科學相論中找不出價值的根源；所以，「在現在」，沒有人能拿相對論去研究「中國的義理」。

其次，邏輯實徵論的自身，現在似乎還關涉不到宗教倫理道德這一價值系列的問題。所以這一派的學者，對屬於價值系列的問題，大體可分爲三種態度：一是乾脆不承認這一系列，認爲這一系列沒有哲學上的權利。二是認爲「將來」有某種邏輯出現，可以釐清解決這一系列的問題。三是願意把這一系列的問題保留在他們的研究範圍之外。因此，至少在「現在」，沒有人能用邏輯實徵論來研究中國義理之學。臺灣的邏輯實徵論者應當推殷海光先生。殷先生在表達自已研究範圍以內的意見時，文字很謹嚴清晰，我非常欽佩。但一拿他的邏輯實徵論來談中國文化時，其結論便很難令人首肯。試引一例在下面：

「三，只問目的，不擇手段……認爲只要是行仁義，克爾文式的（Calvinian）手段是可以採用的」！（「胡適思想與中國前途」中央研究院歷史語言研究所集刊第二十八本，「祖國」，十九卷三期轉載）

關於目的與手段的問題，殷先生常常是把儒家思想與極權政治相提並論。這裏是說極權者爲目的不擇手段，儒家也是主張爲目的不擇手段。孟子上有一個故事。孟子的學生陳代勸孟子，「枉尺而直尋，宜若可爲了」，意思是說：在手段上稍爲打點折扣（枉尺）而能達到大的目的（直尋），應當是可以幹的，孟子除了引用孔子「志士不忘在溝壑，勇士不忘喪其元」的話，以表示甯可餓飯殺頭，也不可在手段上打折扣外，並說「未有枉尺而能直尋者也」，這是堅決主張手段與目的之不可分，壞的手段決不能達到好的目的。因此，在政治上便主張「行一不義，殺一不辜，而得天下，不爲也」；世界上還有比這更重視手段必須合理化的文化思想嗎？至於說「認只要是行仁義，克爾文式的手段是可以採用的」，所謂克爾文式，大概是指宗教改革者克爾文，在瑞士等處曾經以強迫的手段去推行自己的教義而言；殷先生的意思是說，儒家爲了要達到行仁義的目的，而不惜對人民採取強迫不合理的手段；殊不知儒家在政治上的所謂行仁義，乃是「民之所好好之，民之所惡惡之」；孟子說「得天下有道，得其民，斯得天下矣。得其民有道，得其心，斯其民矣。得其心有道，所欲與之聚之，所惡勿施爾也」。儒家政治上的所謂行仁義，即是實現人民自己的好惡，用現在的話說，即是實現「民意」；而並非如許多西方的思想家，把自己的理想變成固定的概念，要想由政治去加以實現，克爾文就是屬於這一型的；這怎能扯到以儒家爲中心的中國文化上去呢？以殷先生在實徵論上的成就，而談到中國文化方面，便鬧出這種極顯明的笑話，這豈不足以證明邏輯實徵論現在還是關涉不到文化中的價值問題嗎？有一位研究羅素思想的人，認羅素在思想上是有兩套，他的哲學思想是一套，而他的社會思想又是一套；他並非從他的哲學思想上去建立他的社會思想，因爲二者之間，尚發現不出一條必然的通路。這是值得好學深思之士去想想的。

上面我只指出毛先生所說的「研究中國義理的道路」，在目前是任何人也走不通的道路。

張先生最後更說出了他個人的意見，是要以現代各種新興科學來作「整理」「批評」中國義理之學的工作，他更具體的說：

「譬如說，性到底是善是惡，或本無善惡之分，我們就可利用華眞（J. B. Watson）等人有關行爲心理學實驗的結果，把孟子荀子告子等人的學說加以批判；經過了這樣的批判，在一個純研究者來說，才算是完成了他的工作」。

實際來說，這還是祖述毛先生的說法。我現在把毛先生的話，稍加清理。

華眞（似乎應爲譯爲「瓦特遜」所創唱的行爲心理學，是現代五大心理學派之一。在它的內部也有許多不同的意見。他最大的特色，在於澈底排除「內省底」方法。但正如現代最大哲學家之一的卡西拉（Cassirer）在其「原人」（An Essay on Man）的第一章所說：

「現代心理學者中，僅僅承認內省法而加以推奬的很少。一般的說，他們以內省的方法爲很不確實。他們相信除了嚴格地客觀底行爲主義底態度以外，沒有通向科學心理學的道路。但是，首尾一貫的極端行爲主義者（按卽指華眞一派）不能達到這個目的。這可以使我們注意到留心防止陷於方法論底錯誤，但不能解決人的心理學的一切問題。我們可以批判、懷疑純粹地內省的見解，但不能將其加以消滅除去。沒有內省，卽是，不直接意識到感情、情緒、知覺、思考，便連心理學自身的分野也不能決定」。

這便明快地指出了行爲心理學的根本缺點。因而，一上到思考的層次，華眞便認思考完全是由筋肉作用（爲主要舌頭筋肉作用）所促成的。這是他的最主要的結論。但是，一般心理學大體上都不承認他的說法；由實驗的研究，也不能證明思考與發聲筋肉的運動有何相關的關係。例如 Woodworth （1870—）便指摘他說：語言有時可以不表示心裏很清楚的某種意味。他又說，思考中有所謂關係的理解的某種新地東西。關係的理解，不能僅由筋肉活動加以說明。（以上請參閱一九四九年 Stansfeld Sargent 著 The Basic Teachings of the

Great Psychologirts 日譯本七五、七九頁）並且由 T. Agnes 所作的實驗，也推翻了華貞的舌頭運動與思想是密切相關之說。（矢田部達郎著，思維心理學卷一，三四〇——三四一頁）劍橋大學的 F. C. Bortlees 和 E. M. Smith 也認爲華貞是把語言的習性與思想當作同一的東西，但是表現出與被表出的東西，並不能同一視（同上，三三四頁）。華貞做了許多有關動物心理，幼兒心理的實驗；最重要的是他所作的「本能」實驗。他曾每天在兒童病院中觀察數百嬰兒，得出僅有恐怖、憤怒、愛慕三個生而即有的情緒類型。但芝加哥大學的 Sherman 對於華貞的結論也已加以論駁（上 Sagent 著八八、八九、九七頁）。尤其是，特別關涉到思想價值的問題，從行爲主義者的立場說，價值是不能成爲問題的。他們認爲人在行爲時若問是以何種意味（價值）而行爲，便是世界最愚蠢的人（思維心理學卷一，三二六——三三七）。所以他們把價值問題摒棄於心理學之外。從他們的方法說，對於行爲的價值問題，也不能不加以摒棄。因此，矢田部達郎對於這一派的總結說，「關於思考作用的客觀研究……由於從運動體制移向言語體制等的幼兒期的研究，得到了許多見解；但因爲現在還不曾找出眞正有效的實驗手段，所以，關於這方面心理學的知識，是非常有限的」（同上，三三八頁）。

孟荀們的性論，是以解答人類行爲的價值根源而提出來的。雖然這中間也包有關於生理活動的觀察，但他們的觀察，是以一般成人的社會活動爲起點，而不是以動物或幼兒爲起點；動物與幼兒的生理活動，和一般成人的社會活動，有很大一個距離，行爲心理學者到目前爲止，還沒有接上這一距離，因之，他們的結論，還沒有達到足以解釋孟荀所說的，即是我們日常生活現象的程度。尤其重要的，孟荀們是從價值的立場去看生理活動的，並且把生理活動納入於價值範圍中，以發現理性良心對生理活動主宰性。他們說法的能否成立，是要在外而社會生活，內而良心的內省上去取證。心理學的行爲主義者，是站在純生理的立場來看生理活動，以生理來解釋生活中的一切現象，如說思考是由舌頭等筋肉活動而來，根本不承認有所謂良心理性及行爲中的價值問題，道德問題，卽是不承認有所謂應當不應當的問題。這與孟荀的性論，完全層次不同，便根本無法關涉到孟荀們所提出的問題上去。並且行爲心理學者所提出的有關動物心理、幼兒心理極有限的實驗成績，不僅在各心理學派之間有許多爭論，卽在同一行爲心理學派之間，也有許多爭論。他們的目的，是要用自然科學方法，把心理學建立成一門自然科學。自然科學是「眞」的結論，便不會發生爭論的；而他們的每一結論，幾乎都有爭論，這便是說明他們尚未能把心理學完全建立成一門自然科學。將來我不知道，現在是如此。然則這種結論，如何能成爲整理批判中國義理之學的尺度。假定毛張兩先生對於義理與行爲心理學兩者稍稍淸楚一點，如何能大言不慚的說出「就可以利用行爲心理學實驗的結果！」的話。他們是些什麼結果？你們如何利用？可不可以說點給我們聽聽？科學精神的最低要求，便是每一句話必須有着落。

張先生把他自己那一套高明的見解說出來，便對我來開教訓！

> 「對一個信仰者來說，是把他的眼睛復明……因爲盲目信奉祖訓的時代業已過去。……只知以『國學的』如何如何？而沾沾自喜，那就像一個破落戶的敗家子的述先代以自喜，自甘墮落一樣了。」

毛先生所談的是「國學的」，下的定義也是「國學的」，不過他對於國學的東西，只是道聽塗說，胡猜亂想，又是以文化紳士的資格對我而發，則我不告訴他「國學的」是如何如何，應當告訴他些什麼呢？我面對一位平生所敬佩的臺大中文系的老教授說出這種起碼的問題，內心由幻滅感而來的悲哀，非言可喻，有什麼沾沾自喜？張先生抬出語意學邏輯來爲毛先生撐腰，而語無倫次，比毛先生更甚。我在答覆毛先生的文章裏，只指出義理之學是什麼！「並沒有涉及義理之學自身的是非得失等問題」；又說「甚至可以說中國義理之學不算學問……但毛先生的大文……是『站在治國學的立場』（這是毛先生的原話）來談義理之學，而居然以道德、實踐，做人等與毛先生的論題無關，天下最超常識的事，孰過於此」。又說「傳統的治學態度……一說到義理之學，常常是把對於古人思想的了解，和自己行爲的修持混爲一事……這在今日大學課程中只以能做到前者爲滿足」。我分明只是在說明「事實」，想人了解「事實」，而沒有涉及對此一事實的價值判斷，張先生難道連幾句話也看不懂？信仰是由對事實的價值判斷而來，張先生就我這兩篇文章看，何以見得我是「信仰」？是「盲目的信奉祖訓」？你在這種起碼的地方何必還要打胡說？至於我整個的態度，確是對自己的歷史文化，尤其是對義理之學，抱有無限的敬意。但這對我個人來說，乃是從千辛萬苦中得出的一點結論。我在二十歲以前，讀了相當的線裝書，但對宋明理學雖不公開反對，可是對於這類的書，怎樣也看不下去。當時湖北的幾位老先生，說我的古文寫很不錯，我倒眞地以此沾沾自喜；可是，現在回憶起來，當時對於中國文化到底是什麼？可以說完全莫名其妙。並且當時連自己的莫名其妙也不知道。二十歲以後，以國民革命軍到達武漢爲一機緣，心理上發生重大的轉變，見了線裝書便深惡痛絕，見了之乎也者的文章便覺很肉麻；假定當時有人同我談義理之學，以我的性格來說，我會同他打架起來的。幸而二百年來中國的知識份子，很少有人能談這一套，尤其是革命的知識份子。四十歲以後，在生活飢困之中，年輕時所想的種種，一切落空，於是偶然拿起線裝書來看看，又進一步拿起所謂義理之學的東西來看看，在個人和國家所受的教訓體驗中，漸漸知道中國文化是什麼？義理之學是什麼？它並非完全是糟粕，在許多地方仍然可以重新燃發此一苦難時代的智慧。這才慢慢建立了我對人類文化、祖國文化的信心。凡是現代流行的思想，只要我能看得到，看得懂，我無不用我僅有的精力去追求。我對於每一句重要的話，都經過我自己所能有的判斷能力，不斷的加以鉗錘鍛鍊；我不說我所不懂的話，我不說沒有根據的話。我的信心，也勉強可以說是永遠在自己的良心理性批判之中；但所得到的眞如滄海之一粟，心裏所待解決的問題，眞是層出不窮，有時感到我沒有負擔這些問題的精力和能力，而深以爲苦。至於說到作爲中國文化生命的躬行實踐，那更是惶恐無地了。張先生提到「信仰」兩字，便罵是「瞎」，便認爲是加在他人身上的大罪名，但我簡單告訴你吧，人實際必定是生活在各層次的價值判斷之中，而不能生活於完全無顏色的非價值世界之中。在道德的最高境界，在知識活動的最高境界，常要求一種無顏色的精神狀態，此卽中庸所說的中和的「中」，佛家所說的寂照的「寂」，或粗淺的所謂「無記」狀態；但這是爲了顯露更大的價值，所以其本身卽是一種價值。人可以作「非價值」性的活動，有如平日照例的吃飯睡覺，乃至純粹科學性的工作。但「非價值」不是「反價值」。並且「非價值」運動的後面，實在是依恃於某種有力價值觀念，也將歸結於某種更大的價值觀念。這在邏輯中不能肯定，在行爲心理學中不能肯定，但是在現實生活中一念的自覺，每一人卽可以當下肯定的。所以人乃是在各種不同層次，不同方面的信仰中生活。信仰的合理與不合理，關係於一個人的心靈狀態的閉鎖或洞達；而一個人心靈狀態的閉鎖或洞達，關係於人面對問題時能否發生反省；人是在反省中批判其信仰或充實其信仰。達達主義者也以「什麼都不信」為其信仰。在學術中一無所信的人，勢必為了滿足其官能的享受要求，而信仰現實的權力；極權主義者的所謂信仰主義，實際是信仰權力；所以，他們的主義是不准由反省而作批判的。不可因此而視信仰的本身是罪過。在學術中能有所信，才能有所成。對學術一無所信的人，結果一定是行屍走肉的混子。初期地幼稚地邏輯實徵論者，可以說是些狂熱份子；所以他們對於他們那些套套以外的一切文化問題，常是採一種「怒從心上起，惡向膽邊生」的態度；他們常常是使用強烈的顏色，以責望他人無顏色的卽是無條件的接受他們的說教。你們一說到自己的文化，便怒火中燒；一聽說誰對自己的文化有所肯定，便破口大罵。黑人的爵士音樂可以在世界上流行，而殷海光先生深以有人欲把中國文化向世界「輸出」為可恥（見論胡適思想與中國前途）。而張先生在這裏又罵什麼破落分子等等；說穿了很簡單，這完全是張先生的心理上，由卑賤感而來的自虐狂的發洩。你們的精神是爬在地上，所以看見他人堂堂正正的站在祖國的園地，便覺得非我族類，非把他也撲倒不可。今年西德發行新金幣，上面鐫有三句話，其一是「從歐洲墳墓上產生新生命」，一是「聯合圖強」，一是「祖宗道義永不能滅」（見一九五七、六、四，香港華僑日報每日畫刊）。張先生假定還稍有點良知，應當對自己的心理狀態，知所愧恥。我平心靜氣地讀完了毛張兩先生的大文以後，更相信在大學的中文系中講點義理之學，這為了喚醒下一代的靈魂，是非常必要的。

最後我除了把答毛先生「再論」的文章收尾處向毛先生所提出的要求，再向張先生提出外，我更願借此機會勸告現代的青年，不要以作一個中國人爲可恥，不要以研究中國文化爲可恥。文化是歷史的積累；一個人的精神狀態，能接受自己祖文化的遺產，一定也能接受世界文化的遺產。對於祖先文化遺產的變態心理，不會面對世界文化而能立卽恢復正常。人有東西，理無南北。人在自己的習性上劃界線，文化的自身並沒有界線。我們因爲兩百年的挫折，一般聰明人，感受性特強，下結論特快，於是聰明的青年常常卽是反中國文化的青年。此一類型的青年因努力對西方文化深造自得，則必會改變他對祖國文化的態度。否則只有徘徊在百貨商店門前，一生毫無所得。大家在這種地方，應當收斂自己的浮囂之氣，發生一點眞在的反省。要知道，在祖國裏沒有我們的立足地，便在世界任何地方，也沒有我們的立足地。有許多人，以爲一跑到北美南美，便是上了天堂；但在這種天堂住久的人，內心總會有多少寂寞空虛之感吧。同時，當讀書時，應虛心坦懷，實事求是，一樣一樣的弄通，一句一句的落實。弄通後才可以說那好那不好。有位朋友告訴我：「某大學的一位敎授，敎論語，便罵論語；敎孟子，便罵孟子；敎史記，便罵史記；他無所不敎，亦無所不罵；卻不敎他所不罵的功課，豈不奇怪」。這固然是反映一個時代文化的悲劇，何嘗又不是反映出那位先生個人的悲劇。患有十分厲害的胃病的人，吃任何東西都乏味，於是一心一意想吃他所吃不到的東西。但是，萬一他所想吃的東西到了口，他也會一樣的覺得乏味，一樣的消化不良的。所以一個人應常常保持自己精神上的新鮮感覺，不要使精神也患上了胃潰瘍症。努力向前追求，對每一名詞都要追查它的究竟。萬不可因爲一個新名詞下面附有外文，便被它嚇倒。更不可學這種手法去唬嚇他人。

討論各有根據的不同意見是有意味的。討論有條理的錯誤意見乃至十句中有四五句是對的意見，也是有辦法的。討論語意上混亂一團的意見，不僅浪費筆墨，而且精神感到非常痛苦。所以今後對於此一問題，若還不能因此文而收點澄清之效，則於繼續出現的此類文章，只有敬謝不敏，不再奉答了。

四六、九、二十五　民主評論八卷十七十八期

徐復觀教授著作 目錄

國家圖書館出版品預行編目資料

學術與政治之間

徐復觀著. – 初版. – 臺北市：臺灣學生，1980.04
面；公分

ISBN 978-957-15-1599-1 (平裝)

1. 言論集

078 102022351

學術與政治之間

著作者：徐復觀
出版者：臺灣學生書局有限公司
發行人：楊雲龍
發行所：臺灣學生書局有限公司
臺北市和平東路一段七五巷十一號
郵政劃撥戶：〇〇〇二四六六八號
電話：（〇二）二三九二八一八五
傳真：（〇二）二三九二八一〇五
E-mail: student.book@msa.hinet.net
http://www.studentbook.com.tw
本書局登記證字號：行政院新聞局局版北市業字第玖捌壹號
印刷所：長欣印刷企業社
新北市中和區中正路九八八巷十七號
電話：（〇二）二二二六八八五三

定價：新臺幣六〇〇元

一九八〇年四月初版
二〇一三年十一月初版二刷

07814
ISBN 978-957-15-1599-1 (平裝)